ベイツ診察法ポケットガイド

第4版

Bates' Pocket Guide to Physical Examination and History Taking

9th Edition

日本語版監修

有岡宏子
聖路加国際病院一般内科 部長

井部俊子
聖路加国際大学 名誉教授

山内豊明
放送大学大学院 教授
名古屋大学 名誉教授

Lynn S. Bickley, MD, FACP
Clinical Professor of Internal Medicine
School of Medicine
University of New Mexico
Albuquerque, New Mexico

Peter G. Szilagyi, MD, MPH
Professor of Pediatrics and Executive Vice
Department of Pediatrics
University of California at Los Angeles (UCLA)
Los Angeles, California

Richard M. Hoffman, MD, MPH, FACP
Professor of Internal Medicine and Epidemiology
Director, Division of General Internal Medicine
University of Iowa Carver College of Medicine
Iowa City, Iowa

Guest Editor
Rainier P. Soriano, MD
Associate Professor of Medical Education,
Geriatrics and Palliative Medicine
Brookdale Department of Geriatrics and Palliative Medicine
Associate Dean of Curriculum and Clinical Competence
Icahn School of Medicine at Mount Sinai
New York, New York

メディカル・サイエンス・インターナショナル

進化の著しい医学のアート(技術)とサイエンス(科学)を
学習し，指導し，実践しつづける読者に
本書を捧げる

Authorized translation of the original English edition,
"Bates' Pocket Guide to Physical Examination and History Taking", Ninth Edition
by Lynn S. Bickley, Peter G. Szilagyi, Richard M. Hoffman and Rainier P. Soriano

Copyright © 2021 Wolters Kluwer.
All rights reserved.

Published by arrangement with Wolters Kluwer Health Inc., USA

Wolters Kluwer Health did not participate in the translation of this title and
therefore it does not take any responsibility for the inaccuracy or errors of this translation.

© Fourth Japanese Edition 2023 by Medical Sciences International, Ltd., Tokyo

Printed and Bound in Japan

監修者・監訳者・訳者一覧

監修

有岡　宏子	聖路加国際病院一般内科　部長	
井部　俊子	聖路加国際大学　名誉教授	
山内　豊明	放送大学大学院　教授 / 名古屋大学　名誉教授	

監訳

石松　伸一	聖路加国際病院　院長
岸本　暢将	杏林大学医学部腎臓・リウマチ膠原病内科　准教授

訳

柳井　　敦	聖路加国際病院一般内科　1章
大久保暢子	聖路加国際大学大学院看護学研究科　教授　2,5章
髙橋　　理	聖路加国際大学公衆衛生学研究科　教授　3,9章
福井　　翔	杏林大学医学部総合医療学教室　助教　4,7章
柳井真梨子	聖路加国際病院一般内科　6章
仲里　信彦	沖縄県立南部医療センター・こども医療センター　内科部長　8,15章
善家由香理	聖路加国際病院皮膚科　10章
本村　和久	まどかファミリークリニック　11～14章,18章
戴　　哲皓	東京大学医学部附属病院循環器内科　16章
後藤　耕策	東京大学医学部附属病院循環器内科　16章
池田　行彦	聖路加国際病院 Immuno-Rheumatology Center　17章
伊藤　俊之	滋賀医科大学医学・看護学教育センター　教授　19章
植村　昌代	熊本赤十字病院消化器内科　19章
小西　竜太	元・関東労災病院救急総合診療科　20,22章
松家まどか	浜松医科大学医学部医学科産婦人科学教室　助教　21,26章
川岡　大才	磐田市立総合病院産婦人科　医長　21,26章
岸本　暢将	杏林大学医学部腎臓・リウマチ膠原病内科　准教授　23章
前田　啓造	杏林大学医学部腎臓・リウマチ膠原病内科　23章
竹見　敏彦	聖路加国際病院神経内科 / 竹見クリニック　院長　24章
利根川尚也	沖縄県立南部医療センター・こども医療センター小児総合診療科　小児科医長　25章
吉村　　博	聖マリアンナ医科大学小児科学　特任教授　25章
岡本　武士	がん研究会有明病院肝胆膵内科　副医長　27章

翻訳協力：浜松医科大学医学部医学科産婦人科学教室　21,26章

監修者序文

　本書は『ベイツ診察法』の携帯版である。『ベイツ診察法』は米国で最も信頼されているフィジカルアセスメントの世界的ベストセラーであり，その歴史は1974年にはじまり，Pocket Guideは1991年から刊行されている。

　わが国では『ベイツ診察法ポケットガイド(Bates' Pocket Guide to Physical Examination and History Taking)』(原著第3版)が親本に先行して2002年に初めて翻訳出版され，親本である『Bates' Guide to Physical Examination and History Taking』(原著第9版)が『ベイツ診察法』として2008年に初めて邦訳された。

　この度，親本の第13版への改版とポケット版の第9版への改版を機に両者の邦訳の同時改版を行った。そのためポケット版としては『ベイツ診察法ポケットガイド第4版』(原著第9版)となるが，親本である『ベイツ診察法第3版』(原著第13版)と対応している。さらに今回からこのポケット版には親本にはない「診断アルゴリズム」が領域別各章に追記されている。

　そもそもポケット版は，あくまで既に学習した内容を思い出すための手掛かりとして用いるために作られている。そのため，本ポケット版自体を，いわゆる教科書として学習過程の基本書のように用いるべきではない。

　端的なまとめとして「箇条書き」や「表」，「アルゴリズム」を用いることは便利ではある。しかし，その背景や文脈を正しく理解していないままの利用は誤解を招く。「イレウスでしたが金属音がしませんでした。おかしいです！」という訴えを聞いたことがあるが，そもそもイレウスで金属音がしないことは何もおかしなことではない。しかしこれは「イレウス＝金属音」とただ機械的に覚えていたことが誤解の原因であろう。

　本書と親本を関連づけて学習することで，ポケット版では記しきれなかった身体の構造や機能についての背景知識を深め正しい理解に繋げるとともに，親本のエキスを本書でつかむことによって現場での実践力を高めていくこととなるに違いない。

　さらには，米国とは異なる日本の医療場面ならではの事情や常に変化していく最新情報などについても，本書に関連づけて書き加えていくことにより，personalizedした自分自身のmy pocket guideを創り上げてもらうことができれば望外の喜びである。

監修者を代表して
山内豊明

査読者および寄稿者

George A. Alba, MD
Instructor, Pulmonary and Critical Care Medicine
Department of Medicine
Massachusetts General Hospital
Harvard Medical School
Boston, Massachusetts

Catherine A. Bigelow, MD
Maternal-Fetal Medicine Subspecialist
Minnesota Perinatal Physicians
Allina Health
Minneapolis, Minnesota

Y. Julia Chen, MD
Clinical Fellow
Department of Pediatric Surgery
Johns Hopkins University School of Medicine
Baltimore, Maryland

Suzanne B. Coopey, MD
Assistant Professor, Harvard University Faculty of Medicine
Division of Surgical Oncology
Massachusetts General Hospital
Boston, Massachusetts

Christopher T. Doughty, MD
Instructor, Neurology
Department of Neurology, Division of Neuromuscular Disorders
Harvard Medical School/Brigham and Women's Hospital
Boston, Massachusetts

Ralph P. Fader, MD
Child and Adolescent Psychiatry Fellow
Department of Psychiatry
New York-Presbyterian
New York, New York

Raisa Gao, MD, FACOG
Assistant Professor
Department of Obstetrics, Gynecology, and Reproductive Science
Icahn School of Medicine at Mount Sinai
New York, New York

Sarah Gustafson, MD
Assistant Clinical Professor, Pediatrics
Division of Pediatric Hospital Medicine, Harbor-UCLA
David Geffen School of Medicine at UCLA
Los Angeles, California

Alexander R. Lloyd, MD
Resident Physician
Department of Physical Medicine and Rehabilitation
University of Pittsburgh Medical Center
Pittsburgh, Pennsylvania

Christopher C. Lo, MD
Instructor
Stein and Doheny Eye Institutes,
Department of Orbital and Oculofacial Plastic Surgery
University of California at Los Angeles
Los Angeles, California

S. Andrew McCullough, MD
Assistant Professor, Clinical Medicine
Assistant Director, Graphics Laboratory
Department of Medicine, Division of Cardiology
Weill Cornell Medicine
New York, New York

Matthew E. Pollard, MD
Fellow, Male Reproductive Medicine and Surgery
Scott Department of Urology
Baylor College of Medicine
Houston, Texas

Katelyn O. Stepan, MD
Fellow, Head and Neck Surgical Oncology and Microvascular Reconstruction
Otolaryngology — Head and Neck Surgery
Washington University School of Medicine in St. Louis
St. Louis, Missouri

Joseph M. Truglio, MD, MPH
Assistant Professor of Internal Medicine, Pediatrics and Medical Education
Program Director, Internal Medicine and Pediatrics Residency
Departments of Internal Medicine and Pediatrics
Icahn School of Medicine at Mount Sinai
New York, New York

寄稿していただいた方々

Paul J. Cummins, PhD
Assistant Professor, Medical Education
Department of Medical Education, The Bioethics Program
Icahn School of Medicine at Mount Sinai
New York, New York

Rocco M. Ferrandino, MD, MSCR
Resident Physician
Department of Otolaryngology — Head and Neck Surgery
Icahn School of Medicine at Mount Sinai
New York, New York

David W. Fleenor, STM
Director of Education, Center for Spirituality and Health
Icahn School of Medicine at Mount Sinai
New York, New York

Beverly A. Forsyth, MD
Associate Professor of Medicine, Infectious Diseases and Medical Education
Medical Director of the Morchand Center for Clinical Competence
Division of Infectious Diseases and Department of Medical Education
Icahn School of Medicine at Mount Sinai
New York, New York

Nada Gligorov, PhD
Associate Professor, Medical Education
Department of Medical Education, The Bioethics Program
Icahn School of Medicine at Mount Sinai
New York, New York

Joanne R. Hojsak, MD
Professor, Pediatrics and Medical Education
Director, Pediatric LifeLong Care Team
Pediatric Critical Care/Mount Sinai Kravis Children's Hospital
Icahn School of Medicine at Mount Sinai
New York, New York

Scott Jelinek, MD, MEd, MPH
Resident Physician
Department of Pediatrics
Icahn School of Medicine at Mount Sinai
New York, New York

Giselle N. Lynch, MD
Resident Physician
Department of Ophthalmology
New York Eye and Ear Infirmary of Mount Sinai
New York, New York

Anthony J. Mell, MD, MBA
Resident Physician
Boston Combined Residency Program
Boston Children's Hospital and Boston Medical Center
Boston, Massachusetts

Ann-Gel S. Palermo, DrPH, MPH
Associate Professor
Associate Dean for Diversity and Inclusion in Biomedical Education
Department of Medical Education
Office for Diversity and Inclusion
Icahn School of Medicine at Mount Sinai
New York, New York

Katherine A. Roza, MD
Assistant Professor
Northwell Health House Calls Program
Donald and Barbara Zucker School of Medicine at Hofstra/Northwell
New Hyde Park, New York

Annetty P. Soto, DMD
Clinical Assistant Professor and Team Leader
Division of General Dentistry
Department of Restorative Dental Sciences
University of Florida College of Dentistry
Gainesville, Florida

Mitchell B. Wice, MD
Integrated Geriatric and Palliative Care Fellow
Brookdale Department of Geriatrics and Palliative Medicine
Icahn School of Medicine at Mount Sinai
New York, New York

寄稿してくれた学生たち

Emily N. Tixier, BA
Medical Student
Icahn School of Medicine at Mount Sinai
New York, New York

Isaac Wasserman, MPH
Medical Student
Icahn School of Medicine at Mount Sinai
New York, New York

原著序文

『ベイツ診察法(Bates' Pocket Guide to Physical Examination and History Taking, 9th edition)』は,簡潔で携帯するのに便利な手引き書である。今版では臨床技能訓練と教育のあらゆる側面を補完するため新たな章を追加している。本書の特長は以下の通りである。
- 患者と出会う際の重要な要素を紹介
- コミュニケーションと対人関係の高度なスキルにおける枠組みを提供
- 患者面接と病歴聴取について解説
- 領域別診察と診断について詳細かつ段階的に図版とともに解説
- ごく一般的な正常所見と異常所見に絞ったまとめ
- 臨床推論のプロセスを段階的に解説
- 一般的な所見と特異的な所見を認識できるよう,図と写真,章末の表を収載

本書の改訂にあたり特筆すべき点は,一般的な徴候や症状に対する診断アルゴリズムを,各章(領域別)の本文最後に組み入れたことである。これらのアルゴリズムは,臨床上の意思決定において考慮すべき事柄について段階を追って検討できる有効なツールとして提供している。本アルゴリズムは,確定的なものではなく,意思決定をどのように行うべきかの一例として提示したものである。特定の症状を訴える患者には,それぞれ固有の特徴があることを忘れてはならない。あくまで診断を学習していくうえでの参考書として使用されるものであり,個々の患者に診断と治療のプロトコルを決定する唯一の手段ではない。

本書は,医療者と患者の間のコミュニケーションに必要な要素を学ぶための主要な教科書として使用されるものではない。医療者と患者の出会いの要素や,それに関連する病歴聴取や身体診察の技能を学ぶための教科書として使用することはできない。教科書として使用するには解説があまりにも簡潔であろう。本書は領域別または特定の集団に対する診察をはじめるときに思い出す補助ツールとして,また便利で簡潔な携帯用参考書となるよう制作したものである。このポケットガイドの使い方はさまざまであり,下記にまとめる。
- 患者との出会いにおいて考慮すべきさまざまな要素を確認し,覚える
- 病歴聴取の項目を確認し,覚える
- 診察手技を確認し,練習する
- 身体診察に関連する特別な技術を必要に応じて調べる
- 正常例および厳選した一般的かつ多様な異常例を確認する。診察者が何をみて,何を聞き,何を感じるべきか知っておけば,診察はよ

り鋭敏で，より正確なものになる
- 正常とする基準値，異常値など，考えられる所見の追加情報について調べる
- スクリーニング，健康維持，疾病予防に関連する推奨事項を確認する

目次

I. 健康アセスメントの基礎

- **第 1 章** 診察へのアプローチ —— *1*
- **第 2 章** 面接，コミュニケーション，対人関係スキル —— *21*
- **第 3 章** 病歴 —— *37*
- **第 4 章** 身体診察 —— *59*
- **第 5 章** 臨床推論，アセスメント，計画 —— *73*
- **第 6 章** 健康維持とスクリーニング —— *87*
- **第 7 章** エビデンスの評価 —— *111*

II. 部位別の診察

- **第 8 章** 全身の観察，バイタルサイン，疼痛 —— *121*
- **第 9 章** 認知，行動，精神状態 —— *139*
- **第 10 章** 皮膚，毛髪，爪 —— *159*
- **第 11 章** 頭部と頸部 —— *189*
- **第 12 章** 眼 —— *197*
- **第 13 章** 耳と鼻 —— *215*
- **第 14 章** 咽喉と口腔 —— *229*
- **第 15 章** 胸郭と肺 —— *241*
- **第 16 章** 心血管系 —— *263*
- **第 17 章** 末梢血管系とリンパ系 —— *291*
- **第 18 章** 乳房と腋窩 —— *309*
- **第 19 章** 腹部 —— *325*
- **第 20 章** 男性生殖器 —— *353*
- **第 21 章** 女性生殖器 —— *367*
- **第 22 章** 肛門，直腸，前立腺 —— *387*
- **第 23 章** 筋骨格系 —— *397*
- **第 24 章** 神経系 —— *449*

III. 特定の集団の診察

- **第 25 章** 小児：新生児から青年期まで —— *497*
- **第 26 章** 妊娠女性 —— *551*
- **第 27 章** 老年 —— *583*
- 索引 —— *614*

注意

本書に記載した情報に関しては,正確を期し,一般臨床で広く受け入れられている方法を記載するよう注意を払った。しかしながら,著者(訳者)ならびに出版社は,本書の情報を用いた結果生じたいかなる不都合に対しても責任を負うものではない。本書の内容の特定な状況への適用に関しての責任は,医師各自のうちにある。

著者(訳者)ならびに出版社は,本書に記載した検査機器,薬物の選択・用量については,出版時の最新の推奨,および臨床状況に基づいていることを確認するよう努力を払っている。しかし,医学は日進月歩で進んでおり,政府の規制は変わり,薬物療法や薬物反応に関する情報は常に変化している。読者は,薬物の使用に当たっては個々の薬物の添付文書を参照し,適応,用量,付加された注意・警告に関する変化を常に確認することを怠ってはならない。これは,推奨された薬物が新しいものであったり,汎用されるものではない場合に,特に重要である。

第1章 診察へのアプローチ

診察へのアプローチ

診察には，医療者主導のアプローチと，患者中心のアプローチの**両面**がある（図 1-1）。

- **医療者主導**のアプローチは，症状に焦点をあて，疾患の病理学的側面に注目するアプローチである。
- **患者中心**のアプローチは，患者に話を聞いて患者に主導権を委ね，患者の考えや解釈，不安や要望を把握し，症状や病気に関する個人的な側面を掘り下げるアプローチである。

この 2 つの重要なアプローチを組み合わせることで，診察において面接を効果的に行うことができる。

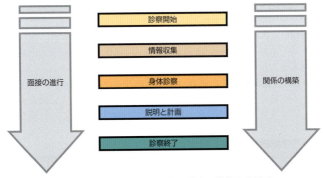

図 1-1 Calgary-Cambridge Guides 改訂版：診察の枠組みと流れ〔Kurtz S, et al. Marrying content and process in clinical method teaching: enhancing the Calgary-Cambridge guides. *Acad Med*. 2003; 78(8): 802-809. より掲載〕

診察の枠組みと流れ

一般的に診察はいくつかの段階に分けられる(Box 1-1)。この一連の流れのなかで，常に患者の心に寄り添い，気持ちを表現できるよう手助けし，話す内容に受け答えしつつ，その内容を吟味していかなければならない。

> **Box 1-1　診察の枠組みと一連の流れ**
>
> ステージ1．診察の開始
> - 準備と環境の調整
> - 挨拶とラポール構築
>
> ステージ2．情報収集
> - 情報収集の開始
> - 病気に対する患者視点の確認
> - 背景・現状を含めた，疾患に対する生物医学的視点の確認
>
> ステージ3．身体診察
>
> ステージ4．説明と計画
> - 適切な内容と量での提供
> - 方針の相談
> - 共同意思決定
>
> ステージ5．診察の終了

ステージ1：診察の開始

- **問診にふさわしい場面を準備する**。身だしなみを整える。患者にとって心地よく，すぐにでもプライベートな内容を話せる環境となるよう気を配る。
  - **環境を整える**。常に患者のプライバシーに配慮する。ベッドサイドにカーテンがあれば，必ず閉める。会話が他人に聞こえないよう空いている部屋へ移動を促す。会話しやすく，目線が合わせやすい距離をとる。
  - **診療記録を見直す**。診察の前に電子健康記録 electronic health record(EHR)^{訳注}を確認すると，過去の診断名，治療内容に関する有用な情報が得られることが多い。ただし，情報が不完全であったり，患者の話と食い違うこともあるため，記録してあ

訳注：個人の生涯にわたる診療情報の電子記録で，各医療機関で共有できる仕組みになっているもの。わが国にはまだこのようなシステムはない。

る情報に捉われすぎず，新しい目線，考え方をもつように心がける。
- **目標を設定する**。問診の目的を明確にする。診察者は，**医療者側の目標**と，**患者側の目標**の両方のバランスをとる必要がある。こうした複数の目標をうまく調整することは医療者の職務である。
- **患者へ挨拶する**。患者の名前を呼んで挨拶をし，自己紹介する。できれば握手する。初対面であれば，自分の役割，学生であること，これから患者診療にどうかかわっていくかを説明する。名前については可能な限り，どう呼ばれたいか患者に確認する。
  - 受診患者の全員に，**名前とジェンダー代名詞(性別代名詞)**についてどのように呼ばれたいかたずねる。患者の了承のない限り，ファーストネームで呼ぶことは控える。
  - 代名詞についてたずねる際，あなた自身の代名詞について伝えてから，「どのジェンダー代名詞を使いますか」と質問するとよいだろう。まず，「私は，he と him・she と her・they と theirs を使います」などと伝える。
- **ラポール rapport を構築する**(Box 1-2)。ラポールを構築するためのいくつかの手段があり，それは下記の通りである。
  - **守秘義務を守る**。同伴者や家族の入室を許可するかどうか患者に決めてもらい，同室内にいる場合，患者の許可を得てから問診をはじめる。
  - **患者が居心地よいように気を配る**。体調をたずね，(入院患者を)訪室した際には都合のよい時間かどうかを確かめる。居心地が悪い様子はないか，例えば落ち着きがなかったり，痛みや不安の表情を浮かべていないか注意する。ベッドの高さを調整するとよくなるかもしれない。
  - **環境を整える**。会話しやすく，目線が合わせやすい距離をとる。患者と目線の高さを合わせる。患者と自分の間に，机やベッドサイドテーブル，あるいはパソコンのモニターなど，物理的障害物がないようにする。
  - **細心の注意を払う**。患者の緊張がほぐれるよう，雑談にも時間をかける。記録形式にこだわらず，必要に応じて，日付と短い文あるいは単語の形でメモをとるようにする。診療記録を扱う際には，特に目線が合うように意識する。患者がデリケートな内容，あるいは心配なことについて話しているときには，ペンを置く，あるいはキーボードを打つ手は止める。

Box 1-2　各年齢層のラポールの築き方

特定の患者層	一般的な最初のアプローチ
新生児と乳児	● 新生児(生後30日まで)，乳児(生後1カ月～1年)は言葉を話せないが，こちらの感情や体の動きに反応を示すため，落ち着いた声で話すようにする ● 診察中は，抱っこしている人が楽な姿勢をとれるように配慮する ● 診察は，まずはじめに保護者に注意を向け，彼らの体調を気遣うところからはじめる。子どもに接するのと同様に保護者に気遣いを示すと，緊張がほぐれることが多い
幼児期，学童期の子ども	● 幼児(1～4歳)，学童(5～10歳)は自律性，社会性，好奇心が育っていく時期であり，医療者としてこれらすべてに注意を向けなければならない ● 一緒に遊ぶところから診察をはじめると子どもや親とのラポールを築きやすい。ジャンプ，お絵描き，ものまね，ボール投げといった遊びの仕方をみれば，この年齢での重要な発達のマイルストーンの多くを評価できる ● 自己紹介は，まず患児，そして家族の順に行う ● 学童期の子どもの場合，可能なら，年齢に合わせた質問をして問診を行う。必要に応じて，保護者に確認し，また補足してもらう
思春期の若者	● 一般的に，思春期の若者は，大人と同じように尊重され，意見を聞いてもらいたいと考えている ● 診察では，患者の自主性と家族の要望の間で折り合いをつけるのに難渋することがよくある ● 思春期の患者への問診には，同時に家族や保護者が居心地よく感じ，また心配事をきちんと聞いてもらえたと後に感じてもらえるように話を進めていくことが重要である ● 自由回答方式の質問を幅広く行い，患者の疑問や不安を共有できるように注力する ● このような診察を行っていくうえで重要なことは，患者と1対1の時間を増やしていくことである。診察の間，診察室における機密性，信頼性が保持されるようにすることが重要である
高齢者	● 高齢患者においては，その人が好む呼び方を確認するようにする。「ディアDear」や「スウィーティーSweetie」あるいは過度に砕けた呼び方は，人格を軽視し，貶めていると受けとられかねない ● 診察の環境調整に時間をかける。明るい照明で，適度に暖かい静かな環境，肘掛け椅子を用意し，そして診察台に移動しやすいように気を配る

(続く)↗

↘(続き)

- 特に杖や歩行器などの補助具を使用している場合は，高齢者が室内を安全に移動できるようにしておく
- 自由回答方式の質問や，回顧のために時間をとるようにする
- 患者に認知障害がある場合などは特に，必要時には家族や介護者も診察に加わってもらう

身体障害および感覚障害がある患者。患者本人から別の指定がない限り，障害のある患者を呼称する際には，人(people, person)を最初に置いた表現"people-first" language^{訳注}を用いる(例えば，person who is blind, person who uses a wheelchair, person with hearing loss)。介助者がいても，必ず患者本人と直接話す。Box 1-3 に，障害のある患者とラポールを築くための指針を記載している。

Box 1-3　身体障害や感覚障害がある患者とのラポールの構築

目の不自由な患者や弱視の患者	● 近づく際には必ず口頭で名乗り，部屋にいる他のスタッフを紹介する ● 立ち去る際には，患者に一声かける ● 手助けする前に，患者がどのような介助を希望するかたずねる。体に触れる前には許可を求める ● 書面の内容について，聴覚や触覚あるいは電子データ(音声ファイル，点字，大活字)で患者が希望する形で提供できるように準備しておく ● 診察の前に，これからの流れを説明し，質問がないかたずねる ● 身の回りのもの(衣服やその他の持ち物)が部屋のどこにあるかを患者に伝える。それらを無断で動かさない ● スタッフは，歓迎の意を表すとともに，物理的環境(ドア，段差，傾斜，トイレの場所など)について説明する ● 飼い主に断りなく介助動物の気をひいたり，触ったりしない
耳がよく聞こえない患者	● どのようなコミュニケーション方法がよいか，たずねる ● 主なコミュニケーションツールでなくても，筆記具は準備しておく ● 手話通訳や同時音声文字変換サービスが利用できることを患者に伝える

(続く)↗

訳注：blind person ではなく，person who is blind という語順とすることで，「障害があること」よりも，「1 人の人であること」を強調した表現となる。

↘(続き)

	● 効果的なコミュニケーションのために，要望があれば速やかに上記サービスを提供する ● 患者に対し，遠くから話しかけたり，別の部屋から話をしない ● 真正面から患者に話しかけ，口元がみえるようにする ● 普段通りの口調ではっきりと話す。大声を出したり，口を大袈裟に動かしたり，早口で話すようなことは避ける ● 周囲の騒音や眩しい光源は最小限に抑える
耳が聞こえない患者	● どのようなコミュニケーション方法がよいか，たずねる ● 手話通訳や同時音声文字変換サービスが利用できることを患者に伝える ● 効果的なコミュニケーションのために，要望があれば速やかに手話通訳または同時音声文字変換サービスを提供する ● 家族に通訳をしてもらうことは避ける ● 通訳者ではなく，患者に話しかける ● 主なコミュニケーションツールでなくても，筆記具は準備しておく
車椅子の患者	● 部屋に入るための通路を確保する ● 車椅子や補助器具も，個人的空間に含まれるものとして配慮する ● 頼まれない限り，車椅子を押さない ● 必要に応じて補助器具を提供する ● 必要に応じて行く先の障害物をとり除いたり，通れなければ別の機器に移乗する手助けをするといったサポートを行う ● 患者と車椅子の距離が離れないようにする

出典：World Institute on Disability. *Access to Medical Care: Adults with Physical Disabilities*. https://wid.org/2016/01/08/access-to-medical-care-dvd-training/より入手可能

レズビアン，ゲイ，バイセクシャル，トランスジェンダー(LGBT)の成人
- 2013年に行われた3万4,000人以上の成人を対象とする調査では，1.6％がゲイもしくはレズビアン，0.7％がバイセクシャル，1.1％が「その他」もしくは「わからない」と回答した。回答者の大半が18〜64歳であった。同性カップル世帯は72万6,000以上，その34％が同性婚カップルとの報告もある。
- LGBTの患者は，うつ病，自殺，不安，薬物使用，性的被害の割合や，HIV感染や性感染症(STI)のリスクが高い。
- 過去1年間に医療機関を受診したトランスジェンダーの1/3(33％)が，治療を拒否された，言葉による嫌がらせを受けた，身体的・性的な暴行を受けた，適切な治療を受けるために医療機関に対してトランスジェンダーについて説明しなければならな

- かったなど，トランスジェンダーであることに関連した負の体験が少なくとも1回あったという報告があり，有色人種や障害者ではその割合が高かった。
- 米国医学研究所(IOM)は，LGBTの成人が質の高い医療を受けるうえでの障壁として，「LGBTの健康上の需要に精通した医療提供者の不足，また医療現場での差別に対する恐怖」をあげている。

LGBT患者に不安を与えず，信頼してLGBTについての話をしてもらえるようになるには，時間を要する(Box 1-4)。実践し，学習する過程で間違えたときは謝罪することも，こうしたスキルを磨くのに役立つだろう。

Box 1-4　LGBT患者とのラポールの構築

よい実践	例
新しい患者を呼ぶときは，代名詞や性別を示す言葉は避ける。「sir(男性への呼びかけ)」「ma'am(奥様，お嬢様)」など	「今日はどうされましたか？」
新しい患者について同僚と話をするときは，代名詞や性別を示す言葉を避ける。あるいは「they」などの，性別的に中立な言葉を用いる。決して，人に対して「it」を用いない	●「あなたの患者は，この待合室にいます」 ●「彼らはここで3時の予約を待っています」
患者の希望する呼称，代名詞を確かめたい場合，礼儀正しく，そっとたずねる	●「お名前はなんとお呼びすればいいですか。また，代名詞は何を使いましょうか？」 ●「ご本人の意思を尊重するためにうかがいます。どのように呼ばれたいですか？」
診療記録と合わない場合，配慮しつつ名前について確認をとる	●「診療記録を記載するときには，別のお名前を用いてよろしいですか？」 ●「保険証のお名前をうかがってもよろしいですか？」
患者のパートナーについて，性別を決めてかからないようにする	「交際中の方はいらっしゃいますか？」

(続く)↗

↘(続き)

よい実践	例
その人が自分を呼ぶ言葉をそのまま用いる	● 「ゲイ」と自称する人に,「ホモセクシャル」という言葉は用いない ● 女性が別の女性を「(自分の)奥さん」と呼ぶ場合,「あなたの奥さま」と呼び,「あなたの友人」とは言わない
必要な情報だけ質問する	● 「自分はどこまで知っていて,何を知る必要があるのか? 相手に配慮するために,どのようにたずねればよいか」と自問してみる
間違いがあったら謝罪する	● 「不適切な代名詞を用いてしまい,申し訳ありません。礼を欠くつもりはありませんでした」

出典:Providing Inclusive Services and Care for LGBT People. National LGBT Health Education Centerより許可を得て掲載。https://www.lgbthealtheducation.org/wp-content/uploads/Providing-Inclusive-Services-and-Care-for-LGBT-People.pdf より入手可能

ステージ2:情報収集

- **情報収集の手順**
  - **目標を設定する**。診察の初めの段階で,医療者視点からみた問題点だけでなく患者にとっての問題点も把握しておくことが重要である。患者にとって一番心配なことは何かをたずね,問診の焦点を絞る必要がある場合も多い。例えば「今日は特に何か気になっていることはありますか? 一番気になっていることはどれですか?」 特定の訴えや問題があるわけではない患者もいるだろう。そうした場合もやはり,患者の話を聞くことからはじめることは重要である。
  - **患者に話してもらう**。自分の言葉で,自分の話をするよう促す。「○○について教えてください」といった自由回答方式の質問からはじめて,患者の好きなように回答してもらう。「はい」「いいえ」で答えさせる質問形式は,得られる情報量が最も少なく控えるべきである。**患者が答えている途中で話を遮ってはならない**。
  - **患者に話を主導してもらう**。患者が自発的に話せるよう,言葉とともに非言語的な合図を使って促す。「そうですね(Uh huh)」「それで?」「なるほど」といった言葉や,うなずいてみせるなどの相づちの手法を,初めの頃は特に意識して用いるようにする。

- **患者の病気について考えていることを理解する。疾患 disease** とは，医療者が，臨床診断にもとづいて，症状を整理し，説明するものである。**病気 illness** とは，その疾患によって患者がどのような体験をしているかということを説明する1つの形であり，人間関係，（生活，社会において果たす）自分の役割，幸福感に対しどのような影響を与えるかを含めた概念である。**問診の際には，この両方の視点から実際に起きていることをみなければならない。**患者が病気をどのように捉えているかを知るには，下記の4つの項目について，患者中心の質問をするのがよい。FIFE と覚えるとよい（Box 1-5）。

Box 1-5　患者の考えを知る（FIFE）

問題に関する恐れや不安といった患者の感情（Feeling）
問題の性質と原因についての患者の考え（Idea）
問題が患者の生活や，（生活，社会のなかで担う）役割（Function）に及ぼす影響
病気，医療者，医療に対する患者の期待（Expectation）。これは個人または家族の過去の経験にもとづいていることが多い

- **患者の感情のサインをみつけ，対応する。**患者は，直接的あるいは間接的に，言語的あるいは非言語的に，不安を伝えてくる。これは，意見という形であったり，感情として表出されることもある。こうしたサインを認識し，受け止めることは，ラポールの構築に有用である。また，医療者として病気に関する理解を深めることができ，患者満足度の向上にもつながる。患者の病気に対する考え方を知るために有用なテクニックについては，Box 1-6 を参照。

Box 1-6　NURSE を用いて感情のサインに対応する

NURSE	例
感情に名前をつける（Name）	「それは怖い思いをしましたね」
理解を示す（Understand），あるいは承認する	「そのように感じるのは理解できます」
敬意を払う（Respect）	「あなたはこの件に関して，普通よりもうまくやっています」

（続く）

↘(続き)

NURSE	例
支持する(Support)	「一緒にこの問題に取り組んでいきましょう」
質問する(Explore)	「他にどのように感じていましたか？」

- 生物医学的視点から，関連のある背景/経過について情報を収集する。1つひとつの症状には，明らかにしておくべき属性がある。特に，痛みについては，経緯，関連症状，時間経過を明らかにする。
  - 症状の本質的な特徴について，1つひとつを十分に理解することが重要である。常に症状の属性を引き出すようにする。**OLD CARTS** と覚えるとよい。すなわち，Onset(発症様式)，Location(部位)，Duration(期間)，Character(性質)，Aggravating/Alleviating Factors(増悪または改善因子)，Radiation(放散)，Timing(発症時期)，Setting(状況)である。また**OPQRST**もある。Onset(発症様式)，Precipitating/Palliating factors(増悪または改善因子)，Quality(性質)，Region/Radiation(部位または放散)，Severity(重症度)，Timing/Temporal characteristics(発症時期または現在の症状)である。
  - 既往歴，家族歴，個人歴・社会歴，そしてシステムレビューにより患者の病歴を詳細に把握する。個人歴・社会歴を確認することで，患者を1人の人間として捉え，患者の考え方や背景をより深く理解し，治療における協力関係がより盤石なものとなる。この点については，第3章「病歴」で説明する。

ステージ3：身体診察

診察においては，常に患者が不快な思いや恥ずかしさを感じないように配慮し，また手慣れた診療手技をみせることも，診察における患者の満足度を高めるために重要である。詳細は，第4章「身体診察」で説明する。

ステージ4：説明と計画

ここでは，医療者(疾患)の視点および患者(病気)の視点から，患者の主訴を確認し，また説明を行うことが含まれる。患者視点での問題に関連した情報を提供し，共同意思決定を行うことが目標である。

- **適切な内容かつ量での情報提供を行う**。患者の理解度を確認するために「ティーチ・バック teach back」という手法が有用である。患者に，治療方針について自分の言葉で説明してもらうというものである(p.24)。「ティーチ・バック」は，患者の知識を試すものではないことに留意する。むしろ，患者が理解できるようにあなたが適切に説明できているかどうかを確認するものである。
- **治療計画を共有する**。共同意思決定 shared decision making には3段階のプロセスがある。すなわち，選択肢を提示し，患者のための意思決定支援ツールがあればそれを用いてその選択肢を説明する。つぎに患者の希望をたずねる。そして，患者に意思決定の準備ができているかを確認し，必要ならば時間を延長したうえで，意思決定を行う。

ステージ5：診察の終了

- **問診，診療を終える**。話し合って決めた計画を患者が十分に理解していることを確かめる。検査計画，治療方針，再診予定についておさらいをする。最後に何か質問がないか，確かめておく。
- **内省の時間を設ける**。自分自身の価値観，思い込み，偏見を完全になくすのは不可能であり，自らの思考や感情が，聴取する内容や自分の振る舞いにどう影響するか，診療のたびに内省しなければならない。患者とのかかわりを通して内省する機会を得て，自己認識が深まっていくことも，患者ケアで最もやりがいを感じる部分の1つである。

医療における格差

健康の社会的決定要因

健康の社会的決定要因 social determinant of health とは，個人や集団の健康に影響を与える，社会的，経済的あるいは政治的要因のことである。さまざまな面で，医師や医療者は，患者の健康状態を改善し，また不平等を是正するように努めなければならない。
- 経済的安定(雇用，食糧不安，安定した居住環境，貧困)
- 教育(幼児の教育と発達，高等教育への入学，高校卒業，言語と読み書き能力)
- 社会と地域の環境〔市民参加，差別，収容(刑務所，施設など)，社会的結束力〕

- 健康と医療(医療へのアクセス,プライマリケアへのアクセス,ヘルスリテラシー)
- 近隣地域と物理的環境(健康的な食事習慣を支える食料品の入手しやすさ,犯罪と暴力,環境条件,住宅の質)

人種差別とバイアス
- **暗黙のバイアス implicit bias** とは,ある個人が所属する集団のアイデンティティに対する認識に影響され,その個人に対しても否定的な印象をもつような,一連の無意識の固定観念や連想のことである。
- **明示的バイアス explicit bias** とは,相手の所属している集団に対する認識からくる思い込み,決めつけ,連想にもとづいて,意識的または意図的な意思決定や贔屓をすることである。

こうしたバイアスが重なって,権益構造が構築され(**制度的バイアス institutional bias**),医療の不公平な配分につながり,これは特に社会的に疎外された集団において顕著である。医療者が診療におけるバイアスの影響を軽減するための有用なスキルがいくつかある(Box 1-7)。

Box 1-7　診療におけるバイアスを軽減するためのスキルと実践

感情や行動のパターンを振り返る	異なるアイデンティティをもつ患者のいる状況で,自分がどのように感じ,どのような行動をとるかに注意を払う。認識したパターンは,患者とのやりとりや臨床推論に影響するようなバイアスを表している可能性がある。こうしたバイアスへの気づきが,患者ケアに与える影響を軽減するための最初のステップである
診察の開始前には一呼吸を置き,バイアスがかかる可能性がある場合に備えておく	自分の潜在的なバイアスを認識したら,それを引き起こす可能性のある状況に気をつける。バイアスを認識しておくだけでも,その影響を最小限に抑えることができる。バイアスの影響を軽減することを意図した行動をとってもよい
患者行動に関するバイアスについて,代替仮説を立てる	多くのバイアスは,医療者が,患者の行動(ノンアドヒアランス,物質使用など)から立てた憶測に根ざしている。どのような構造的圧力(社会経済的地位,人種/人種差別,同性愛嫌悪など)が患者の行動に影響を与えているのか,また,それが自分自身の患者に関する考えに対してどのように影響しうるかを考える癖をつけるようにする

(続く)↗

↘（続き）

ユニバーサル・コミュニケーションと対人関係スキルを磨く	医療者は診察時に自身がバイアスをもっていることに気づかない場合が多い。ユニバーサル・コミュニケーションと対人関係スキルによって，患者とかかわる際に生じる無意識のバイアスの影響を軽減できる
患者のアイデンティティを確認する	多くのバイアスは患者のアイデンティティに関する医療者の思い込みによって生じる。患者にアイデンティティについて教えてほしいと率直に質問することで，医療者は思い込みを捨てて患者をより理解できるようになる
患者がバイアスを実感したときの話を聞く	患者が過去に医療の場で経験した目にみえる形，あるいは目にみえない形の偏見は，診療に影響を与える。こうした経験について話を聞いていくと，患者と協力関係を結び，また患者が医療に対してどのように考えているかを理解しやすくなる

文化的謙虚さ cultural humility とは，「個人が生涯を通じて学び続ける思慮深い実践者として，謙虚に自己反省と自己批判を繰り返していくプロセス」と定義され，これは，権力の不均衡に対処し，他者への配慮を目的とするものである。

臨床トレーニングのなかで経験する多様性に対して，自己反省，批判的思考，文化的謙虚さを実践していく必要がある（Box 1-8）。

Box 1-8　文化的謙虚さの 5R

	目的	質問
内省する Reflection	常に患者から何かしら学ぶことがあるという理解，謙虚に毎回の診療にあたる	今回の診療で，1 人ひとりからそれぞれ何を学んだか？
敬意を払う Respect	誰と接するときも，常に最大限の敬意を払い，尊厳を保つように努める	今回の診療にかかわった全員を尊重して接したか？
大切にする Regard	すべての人を大切に思い，いかなるやりとりにおいても無意識のバイアスをもたないようにする	無意識のうちにバイアスはなかったか？
関連性 Relevance	すべての診療において，文化的謙虚さとかかわり（関連性）があることを期待してこれを実践する	今回の診療で，文化的謙虚さはどのようにかかわっていたか？

（続く）↗

↘(続き)

	目的	質問
自己回復力 Resiliency	文化的謙虚さを体現することで,自己回復力を高め,自分以外の世界に対する慈みを育む	やりとりのなかで,自己回復力はどのような影響を受けたか?

出典：The 5Rs of Cultural Humility. Society of Hospital Medicine より許可を得て掲載。https://www.hospitalmedicine.org/practice-management/the-5-rs-of-cultural-humility/ (Accessed May 30, 2019)より入手可能

その他の主な注意点

スピリチュアリティ

スピリチュアリティ spirituality とは，宗教も含まれるが，それよりも広義の用語であり，人生の意味や目的，(葛藤からの)超越，他者とのつながりといった，さらに大きな普遍的テーマを扱うものである。意味や目的を探究し表現する方法や，時間，自己，他者，自然，そして偉大で神聖な存在とのつながりを感じる方法を求める，人間性の1つの側面といえる(FICAスピリチュアル歴確認ツール，p.46)。

医療倫理

医療倫理 medical ethics は，哲学の一分野である応用倫理学の下位分野であり，診療の指針となり，臨床における意思決定の助けとなる規範体系である。

自立性の尊重は，古典的原則である**利益 beneficence**，**無危害 non-maleficence**，**公平性 justice** とともに，医療倫理における普遍的原則として確立し，医療者の職業規範に組み込まれている(Box 1-9)。

Box 1-9　医療倫理の基本的価値観

基本的価値観	説明
利益 beneficence	● 医療者は病気の予防や治療によって，患者の利益のために行動すべきであるとする宣言
守秘義務 confidentiality	● 患者の個人情報が，許可のない範囲に開示されないように防止する義務

(続く)↗

↘(続き)

意思決定能力 decisional capacity	● 自律的な選択を行う能力であり,医療者が尊重すべきもの
インフォームド・コンセント informed consent	● 病気や怪我のために検査や治療を行う際,医療者は患者に自発的かつ十分な情報にもとづいた同意を得なければならないという原則 ● 患者は,自分が何のために治療を受けるのかを知らずに治療に同意することはできないため,この原則は,診断,予後,および治療の選択肢について患者に情報を提供する責任を包含している
公平性 justice	● どのような患者かにかかわらず,必要とする医療にもとづいて同等の医療が受けられるべきであり,医療者による治療は公平でなければならないという価値観
無危害 nonmaleficence (何よりもまず, 害をなすなかれ "first, do no harm")	● 医療者が患者に害を与えることを避け,治療の悪影響を最小限に抑えるべきであるとする指針
自律性の尊重 respect for autonomy	● 意思決定能力のある患者においては,治療方針の選択について,治療しないことも含めその判断が尊重されるという誓約。この考え方が医療倫理にとり入れられるようになり,医師患者関係は父権的なものから,より対等な協力関係へと変化した
真実を伝えること truth telling	● 医療者は,インフォームド・コンセントを得るために必要な情報だけでなく,関連する可能性のある情報を伝えるべきである(例:同様の処置について医師が扱った症例数)

意思決定能力

必要に応じて,患者に**意思決定能力 dicisional capacity** があるかどうかを判断しなければならないこともある(Box 1-10)。**能力 capacity** は臨床的な用語であり,医師による評価が可能である。一方,**権限 competence** は法律上の用語であり,裁判所のみが判断できる。能力に問題のある患者においては,病歴聴取の際,情報提供者あるいは代理の意思決定者が助けになる。**患者に,医療に関する永続的な委任状すなわち医療委任状があるかどうかを確認する。**

Box 1-10　意思決定能力を構成する要素

患者は以下のことを行えることが重要である
- 提示されている検査や治療に関して，関連する情報を理解する
- (自分の価値観や現在の病状を含めて)自分の置かれている状況を理解する
- 理性的に判断する
- 自分の選択を伝える

出典：Sessums LL, et al. Does this patient have medical decision-making capacity? *JAMA*. 2011; 306: 420.

臨床ジレンマへのアプローチ

臨床的な状況について倫理的な考察が必要な場合，発見的手法(ヒューリスティックス)は，倫理的ジレンマをどう判断するかについての指針を与えてくれる(**Box 1-11**)。この実践的手法は，最適，あるいは万能というわけではないものの，当面の目標を達成するには十分有用である。

Box 1-11　臨床倫理のジレンマに対する解決方法

1. 倫理的問題を明確にする
2. 関連情報を収集する
   - 医学的事実
   - 患者の要望や興味〔文化，宗教，社会的支援，経済的問題，生活の質(QOL)など〕
     - 患者に(意思決定)能力はあるか？
     - 患者は事前指示書を用意しているか，または代理人がいるか？
   - 関係者の要望
3. 倫理的原則とガイドラインを確認する
   - このケースに適用される法的なガイドラインはあるか？
   - このケースに適用される制度上のガイドラインはあるか？
   - どのような倫理的価値観が今回のケースに関連しているか？
4. 価値観や原則にもとづいて選択肢を明確にする
   - それぞれの倫理的価値観ごとに，それを優先した場合の行動指針を確定する
   - 例：原則 X を第一義とするならば，行動指針 Y は正当である
5. さまざまな選択肢を評価する
   - 法律，制度，倫理に関するガイドラインにもとづいて最も重要な原則を特定し，これにもとづいた行動指針を最善なものとみなす
6. 行動計画の立案

診療内容の記録

質のよい診療記録

診療記録には2つの目的がある。患者の健康状態に関する分析内容を記載することと，病歴，診察，検査結果，アセスメント，方針に関する特記すべき点を書面にすることである。よく整理された，わかりやすい診療記録は，患者ケアの最も重要なツールといえる。記録の順序と読みやすさ，そしてどの程度の詳細な情報が必要かを特に意識するとよい。Box 1-12 を用いて，自分の記録が，適切な情報が記載され，かつわかりやすいものであるかどうかを確認してほしい。

Box 1-12　質のよい診療記録であるかどうかのチェックリスト

- **わかりやすく整理されているか？**
  情報の整理は必須である。読み手が求める情報がすぐにみつけられるようにする。例えば，病歴の主観的な事項は病歴内にとどめ，身体所見の項目に紛れ込まないようにする
  - わかりやすい見出しをつけたか？
  - インデントや空白を用いて構成にメリハリをつけたか？
  - 現病歴を時間経過に従って記載しているか？　現在のエピソードからはじめ，つぎに関連する情報を記載する
- **記載された情報は，アセスメントに直接つながる内容か？**
  それぞれの問題や診断について，裏付けとなる支持的・否定的根拠を両方記述する。鑑別診断と診療方針の十分な根拠となるように詳細を記載する
- **関連する陰性所見が具体的に記述されているか？**
  病歴や検査所見を列挙していくことで，異常がある，または発症しうる原因が絞られていくことが多い。例えば，ひどいあざのある患者の場合，怪我や暴力がなく，家族性の出血性障害もなく，薬物治療や栄養不足がない，などの「診断に関連のある陰性所見」を記録しておく。抑うつ状態にある患者では，自殺願望がないことは，あわせて記録すべき重要な所見である。一方，一過性の気分変動では，自殺の言及は不要である
- **一般化されすぎていないか？　重要なデータが抜けていないか？**
  情報を記録しないということは，情報が失われるということである。当日にどれだけ鮮明に詳細を覚えていたとしても，数カ月後には思い出すことはできないだろう。「神経学的に異常所見を認めない」という表現は，たとえ自分の手書きで残したとしても，数カ月後には「自分は本当に反射に関して検査をしたのか」確信がもてなくなるだろう
- **情報が詳細すぎないか？**
  情報が過剰，あるいは冗長でないか？　細かい情報が多すぎて，目を皿のようにして読まないと重要な情報がみつけられないということはないか？　わ

(続く)↗

(続き)

かりやすい記述を心がける。「子宮頸部はピンク色で平滑」は,発赤,潰瘍,結節,腫瘤,嚢胞,その他の疑わしい病変がみられなかったことを同時に示しており,簡潔で読みやすい。重要性の低い部分,例えば,正常な眉毛や睫毛などについては,**診察したとしても省略してよい**。主訴や鑑別診断に関係しない陰性所見ではなく,**「心雑音なし」などの重要な陰性所見に絞って記載する**

● **文章表現は簡潔か？ 言い回し,短い単語,略語を適切に使用しているか？ 内容の無意味な繰り返しはないか？**
読み手は,特に指定のない限り,病歴は患者から聴取していると考えるものであるから,「患者によれば（○○はありません）」など前置き文句の繰り返しは避ける
  - 文章形式の代わりに単語や短いフレーズを使用することは一般的だが,略語や記号は,容易に理解できるものに限って使用する。可能であれば短い単語に置き換える,例えば,「触知する」は「触れる」,「聴取する」は「あり」など。不要な単語は省略する,例えば,以下のかっこ内の単語は省略する。「子宮頸部(の色)はピンク色」「肺は(打診上)清音」
  - 何を診察したかではなく,何の所見を得たかを記載する。「視神経乳頭を認める」は「視神経乳頭縁は明瞭」よりも情報量が少ない

● **必要に応じて,正確な計測値が記載されているか？**
正確な評価・計測を行い,後から比較ができるように,果物,ナッツ,野菜にたとえるのではなく,cm 単位で表記する
  - 「豆粒大のリンパ節」ではなく,「1×1cm 大のリンパ節」
  - 「クルミ大の前立腺腫瘤」ではなく,「前立腺左葉に 2×2cm 大の腫瘤」

● **文体は中立的で専門的か？**
客観的な記載でなければならない。患者記録には,敵意を含んでいたり,否定的な意見が含まれてはならない。煽ったり,貶めるような言葉や記号も用いてはならない
「患者は酒に酔い,予約時間にまた遅れてきた!!」といったコメントはもはや専門家によるものとはいえず,診療記録を閲覧する他の医療者に対しても悪い手本となる。さらに,法的な場での弁明も困難であろう

略語解説

Box 1-13 は診療記録でよく用いられる略語の種類を記載している。略語として使用可能なものをすべて記載しているわけではない。正しい略語かどうか自信がないならば,略さずに表記すること。

Box 1-13　診療記録によく用いる略語

測定単位

℃	度(摂氏)
cm	センチメートル
F	度(華氏)
hr	時間
kg	キログラム
lbs	ポンド
mcg	マイクログラム
mg	ミリグラム
min	分
oz	オンス

バイタルサイン

BP	血圧
HR	心拍数
RR	呼吸数
T	体温

薬剤投与経路

IM	筋注(筋肉内注射)
IV	静注(静脈内注射)
PO	経口投与

医療略語

Ø	なし
+/pos	陽性
−/neg	陰性
Abd	腹部
AIDS	後天性免疫不全症候群
AP	前後方向
CABG	冠動脈バイパス術
CBC	血算
CHF	うっ血性心不全
COPD	慢性閉塞性肺疾患
CPR	心肺蘇生法
CT	コンピュータ断層撮影法
CVA	脳血管障害
CVP	中心静脈圧
CXR	胸部X線写真
DM	糖尿病
DTR	深部腱反射
ECG/EKG	心電図
ED	救急部
EMT	救急救命士
ENT	耳鼻咽喉科
EOM	外眼筋
EtOH	アルコール
Ext	四肢
f	女性
FH/FHx	家族歴
GI	消化管
GU	泌尿生殖器
h/o	○○の病歴
HEENT	頭部・眼・耳・鼻・咽喉
HIV	ヒト免疫不全ウイルス
HRT	ホルモン補充療法
HTN	高血圧(症)
Hx	病歴
JVD	頸静脈怒張
L	左
LMP	最終月経
LP	腰椎穿刺
m	男性
Meds	薬剤
MI	心筋梗塞
MRI	磁気共鳴画像
MVA	交通事故
Neuro	神経所見
NIDDM	インスリン非依存性糖尿病
NKA	アレルギーなし
NKDA	薬物アレルギーなし
nl	正常/正常範囲
PA	後前方向
PERRLA	瞳孔左右差なし,正円,対光反射および輻輳反射あり
PMH/PMHx	既往歴
PT	プロトロンビン時間
PTT	部分トロンボプラスチン時間

(続く)↗

↘(続き)

R	右	U/A	尿検査
RBC	赤血球	URI	上気道感染症
ROM	(関節)可動域	WBC	白血球
SH/SHx	社会歴	wnl	正常範囲
SOB	息切れ(呼吸困難)	yo	歳
TIA	一過性脳虚血発作		

出典:Federation of State Medical Boards of the United States, Inc., The National Board of Medical Examiners®. (NBME®.). 2018. *Step 2 CS content description and information*. https://www.usmle.org/pdfs/step-2-cs/cs-info-manual.pdf. Updated November 2018. (Accessed May 30, 2019)より入手可能

第 2 章

面接, コミュニケーション, 対人関係スキル

面接(問診)は,単なる質問の羅列ではなく,患者の感情や行動を察知する高度な感性が求められる。このプロセスでは,患者のしぐさ,感情,懸念や不安に対して効果的に対応するためのさまざまなコミュニケーションスキルを駆使し,患者の語りを引き出していく。

熟練した面接の基礎

熟練した面接には,外来診療のすべての段階で活用できる柔軟で応用可能なコミュニケーションおよび対人関係のテクニックが必要となる(Box 2-1)。

Box 2-1 熟練した面接技術

熟練した面接技術	特徴
積極的傾聴	患者が伝えようとしていることに注意深く耳を傾け,患者の感情の状態を把握し,言語・非言語コミュニケーションスキルを用い,患者が懸念していることや不安に思っていることを話してもらえるよう促す
誘導型の質問	
● 自由回答方式の質問からはじめ,的を絞った質問へと移る	**全般的な質問から個別の質問へと進める**。「はい」「いいえ」の答えを強いる誘導尋問のような質問を避ける。「タール便がでましたか」ではなく,「どんな便がでましたか」が望ましい
● 程度のわかる答えを引き出す	「はい・いいえ」の答えではなく,程度のわかる答えを引き出す質問をする。「どのような動作をすると息切れしますか?」よりも「階段を上ると息切れしますか?」のほうがよい
● 一度にたくさんの質問をせず,1つずつ質問する	一度にたずねる質問は1つだけにする。「これからあげる病気にかかったことがありますか?」と告げ,病気をあげる際には,必ず間をおいてアイコンタクトをとるようにする

(続く)↗

↘（続き）

熟練した面接技術	特徴
● 答えやすいように複数の選択肢を示す	症状を説明することができないような患者もいるため，複数の選択肢を用意する
● 患者が伝えたいことを確かめる	自分の気持ちを言葉でうまく伝えることができない患者には，「風邪とおっしゃいましたが，もう少し詳しく教えてください」と説明を求める必要がある
● **相づちを打ちながら話を促す**	患者が話を続けやすいように，身ぶりや手ぶりを用いるが，過度に具体的にならないようにする。うなずいたり，少し間をおくようにしたり，前かがみでアイコンタクトをとり，「なるほど」「続けてください」「よくわかります」などと返すと，患者は話しやすくなる
● 患者の言葉を繰り返す	患者の言葉をおうむ返しに繰り返すことで，細かな点や実際の気持ちを患者から引き出しやすくなる
共感的な応答	言葉に表しても表さなくても，患者の気持ちは無意識のうちに表現されているものである。共感を示すことは，患者との信頼関係を築くうえできわめて重要であり，患者の苦しみの一部を引き受けると伝えるべきである。**共感を示すには，まず患者の気持ちを知る必要がある。**患者の気持ちを推測するのではなく，それを引き出さなければならない。 患者には理解と受容で応じる。「よくわかります」「それは大変でしたね」「悲しいですね」など，簡単な言葉をかければよい。共感は言葉だけでなくても，泣いている患者の腕に手を置いたりすることで示すこともできる
話を要約する	患者に，あなたが注意深く話を聴いていることを伝えるために，患者の話をまとめて要約する。また，あなた自身が理解したこと，理解できなかったことが明確になる。この技術により自分の予測を整理し，それを伝えることで，患者とより協力的な関係を築くことができる
話題を変える	面接中に話題を変えるときはその旨を伝える。それによって，患者は自分自身が面接の主役である感覚が高まる
協力関係を築く	患者との関係を継続的なものにするために，一緒に問題に取り組んでいきたいという意思を示す。何か問題が起こったとしても，医療者としてかかわり続けることを患者に保証する。たとえ学生であっても，このような支援は大きな違いをもたらす

（続く）↗

承認	患者が受け入れられていると感じられるように,患者が経験したことは正当なものであることを伝えたり,承認するような言葉をかけることで支援する
安心感を与える	時期尚早もしくは誤った形での安心感を与えてはならない。このような安心は,特に不安を表出することが弱みだと感じている患者の場合,心のうちを話すことを妨げてしまう可能性がある。**効果的に安心させるためには,まず患者の気持ちを確かめ,その場ですぐには安心させずに患者の気持ちを受け入れることである**

患者を励ます

医療者と患者の関係は,そもそも平等ではない。患者は,痛みや不安を抱き,医療システムに圧倒され,臨床評価のプロセスに不慣れであることなど,さまざまな要因を抱え傷つきやすくなっている。性別,民族,人種,社会階級の違いもこの不平等の原因となる。しかし結局のところ,患者はあなたのアドバイスを取り入れ,自分自身の健康を管理しなければならない(Box 2-2)。

Box 2-2 患者を励ます:協働するためのテクニック

- 患者の考えを引き出す
- 単に病気をみているのではなく,患者を心配していることを伝える
- 患者のペースで話を進める
- 患者の気持ちを引き出し,承認する
- 情報を患者と共有する,特に受診中に話題を変える際には気を配る
- 患者にはわかりやすく,あなたが考えている予測について説明する
- 自分の知識に限界があることを隠さない

わかりやすい言葉を使う

短い文章や単語を使い,必要な情報だけを伝えることが重要である。医学用語や略語,複雑な単語やフレーズの使用は避ける。以下の2つのアプローチが有効である。

- 「**Ask Me Three(3つの質問)**」。このアプローチは,患者が医療チームの一員として,より積極的に参加することを目的としてい

る。患者が面接のたびに 3 つの質問をし，それに面接者が答えることを促すものである。

1. 私のおもな問題は何か？
2. 私は何をしなければならないのか？
3. なぜそれをすることが私にとって重要なのか？

このアプローチを「**Tell Them Three(3 つの回答)**」に変更することで，面接者は患者のメッセージをより簡単で的を絞ったものにすることができる。

- **ティーチ・バック teach back**。患者が説明を理解できたかどうかを確認するためのアプローチには，他に「ティーチ・バック」がある。これは，面接者が話したことを，患者に自分の言葉で説明してもらう方法である(Box 2-3)。**この方法は，患者の知識を試すものではなく，患者が理解できるように，あなたがどれだけうまく説明できたかを確認するものであることを忘れてはならない。**

Box 2-3　ティーチ・バック

- アプローチ方法を考える。あなたが話した内容を患者にどのように説明してもらうか考える。例えば，つぎのように患者にたずねてみる。「今日はたくさんのことを話したので，私がきちんと説明できたかどうか確認させてください。それでは，一緒に話し合った内容について振り返ってみましょう」
- 「小分けにして確認する chunk and check」。話した内容を小分けにして，患者に説明してもらう
- 再度，説明内容を明らかにして確認する。患者の説明を聞き，患者が誤って理解している場合，別の方法でもう一度患者に説明する
- 時間をかけてゆっくりはじめ，最後までこのアプローチをやり通す
- 練習する。多少の時間はかかるが，いったんそのやり方に慣れてしまうと，躊躇することなくティーチ・バックを使用することができるようになり，時間もかからなくなる
- 新たに薬の服用がはじまったり，薬の服用量を変更するときは特に，**ショーミー show-me**(実際にみせながら具体的に説明する方法)を用いる
- 資料を渡し，それを使用しながらティーチ・バックを行う。患者の理解が深まるよう，資料を指し示し，重要な情報は再度確認しながら伝える

出典：Agency for Healthcare Research and Quality. 2015. *Use the teach-back method*: Tool #5. Rockville, MD. http://www.ahrq.gov/professionals/quality-patient-safety/quality-resources/tools/literacy-toolkit/healthlittoolkit2-tool5.html. Last reviewed February 2015 (Accessed May 30, 2019) より入手可能

差別的でない言葉の使用

人に向けて使用する言葉は，相手のアイデンティティ全体を反映し，その人が変化し，成長する能力をもっていることを踏まえた言葉であるべきである。意図せずに汚名を着せるような言葉を使うと，患者の心は遠ざかり，傷ついて，患者が助けを求めたり治療を受ける際に障害が生まれ，否定的な固定概念を永続させてしまう(Box 2-4)。

Box 2-4　スティグマ(訳注)を助長する言葉とその言い換え例

避けたほうがよい言葉	言い換え例
元犯罪者，凶悪犯，犯人，元重罪人，前科者，受刑者，収容者，犯罪者，重罪人，囚人	収監されていた・されている人，かつて収監された人
仮釈放者，保護観察者	仮釈放中の人，保護観察中の人
薬物乱用者，中毒者，ジャンキー	薬物を使用している人，薬物注射をしている人，依存症の人
統合失調症，うつ	統合失調症またはうつ病と診断されたことのある人
AIDS または HIV 患者，HIV に罹患している人，AIDS 被害者	HIV・AIDS とともに生きる人
売春婦，娼婦，街娼	セックスワーカー，transactional sex（金銭や物品などの授与を前提とした性行為）・survival sex（生きるために極度の必要に迫られて食料，寝る場所や薬物を得るために性行為）を行う人
レイプ被害者	性的暴行を受けたサバイバー，レイプからのサバイバー
障害者	障害(障がい)のある人
ふつうの人，健康な人，元気な人，典型的な人	障害(障がい)のない人
ドワーフ，小人	身長の低い人，小さい人
車椅子に縛られている人	車椅子や電動車椅子を使っている人

出典：Texas Council for Developmental Disabilities. *People first language*. http://www.tcdd.texas.gov/resources/people-first-language/ (Accessed May 30, 2019) より入手可能

訳注：ギリシア語の烙印，刻印を指す言葉に由来し，差別や偏見を意味する。

適切な非言語コミュニケーション

アイコンタクト，顔の表情，姿勢，顔の向き，頭を振ったりうなずいたりするなどの身ぶり，患者との距離，腕や足を組んでいるか開いているかといったことに最新の注意を払う。スキンシップ（患者の腕に手を置くなど）でも共感を伝えられるし，患者が感情をコントロールできなくなったときの助けにもなる。また，患者のパラ言語，つまり話す速度や声のトーンや大きさなど，患者の話し方に合わせることでも信頼感が高まる。ただし，非言語コミュニケーションの文化的差異には十分気をつける。

その他の注意事項

デリケートな話題を切り出す

デリケートな話題をどのように患者に切り出すか，その指標をBox 2-5 で紹介する。

Box 2-5　デリケートな話題を切り出すときの指標

- 患者に対して中立的である。あなたの役割は，患者から学び，患者がよりよい健康状態に至る手助けをすることである
- なぜその情報を知る必要があるのか理由を説明する。これにより患者の不安が軽減されるからである。例えば，「よりよいケアを行うために，あなたの性生活についていくつか質問させてください」と患者に伝える
- デリケートな話題を切り出すきっかけとなる質問を用意し，患者とともに評価と計画を行うにはどのような情報が必要なのか学ぶ
- 気づまりに感じていることについては，それを意識的に認識するようにする。その感覚を否定すると，関連する話題をすべて避けるようになってしまう可能性がある

インフォームド・コンセント

インフォームド・コンセント informed consent とは，医療者が患者に対して，今後行われる処置や介入のリスク，利益，代替案について伝えるコミュニケーション・プロセスである。

インフォームド・コンセントを得る前の話し合いを記録するのに必要な要素：

- 処置または治療の性質
- 処置や治療の有益性と有害性
- 合理的な代替案
- 代替案の有益性と有害性
- 上記の4つの要素に対する患者の理解度の評価

医療通訳者との連携

理想的な通訳者は，言語と文化の両方について訓練を受けた中立的な「文化的ナビゲーター」でなくてはならない(Box 2-6)。対面通訳も電話通訳も医療現場では重要な役割を担っているが，この2つのタイプの通訳はまったく別ものであり，電話通訳は対面通訳の代わりとして使えるものではない。電話通訳を通して，基本的なサービスが提供でき，特にめったに使用されない言語の通訳が求められるときや匿名性を守る必要がある場面で役立つ。電話通訳ではなく対面通訳が最適な状況は以下の場合となる。

- 重大な診断やその他の悪い知らせ
- 患者に聴覚障害がある場合
- 家族会議やグループディスカッション
- 視覚的要素を必要とするやりとり
- 複雑かつ個人情報を守る必要がある医療行為や知らせ

Box 2-6　通訳者を介して面接する際のガイドライン："INTERPRET"

紹介(Introduction)
部屋にいるすべての人を必ず紹介する。その際に各人の役割についても説明する

目標を明確にする(Note goal)
面接の目標を明確にする。どのような診断がつくのか？　どのような治療が必要か？　経過観察はあるか？

透明性(Transparency)
すべての発言が通訳されることを患者に伝える

倫理(Ethics)
面接中は，資格のある通訳者(家族，特に子どもではない)が通訳を行う。資格のある通訳者を採用することで，患者が自律性を維持し，自らのケアについて十分な情報を得たうえで意思決定を行うことが可能になる

(続く)

↘(続き)

> **信念の尊重（Respect belief）**
> 英語が不自由な患者が，考慮すべき文化的な信念をもっている場合，通訳者は文化的な仲介者として，患者が自分の信念を説明するのをサポートできることがある
>
> **患者中心（Patient focus）**
> 患者が面接の中心であり続けるべきである。面接者は，通訳者ではなく患者と接する。面接を終える前に，患者が疑問に思っていることを必ず聞いて対処する。トレーニングを受けた通訳者が常駐していない場合は，患者が質問できないことがある
>
> **主導権を握る（Retain control）**
> 面接者は，患者や通訳者が会話の方向性を決めることのないよう，主導権を握ることが重要である
>
> **説明する（Explain）**
> 通訳者を介して診察するときは，簡単な言葉と短い文章を使う。そうすることで，対応する訳語をみつけやすくなり，すべての情報を明確に伝えることができる
>
> **感謝する（Thank）**
> 通訳者と患者に時間を割いてくれたことを感謝する。診療記録には，患者が通訳を必要としていることと，今回誰が通訳したかを記入する

出典：Administration for Children and Families, U.S. Department of Health and Human Services. *INTERPRET tool: working with interpreters in cultural settings*. https://www.acf.hhs.gov/sites/default/files/otip/hhs_clas_interpret_tool.pdf/ (Accessed May 30, 2019) より入手可能

事前指示書

一般的には，すべての成人，特に高齢者や慢性疾患をもつ成人に対して，**事前指示書 advance directive** を作成し，患者の健康上の意思決定者として行動できる医療代理人を定め，**医療委任状 healthcare proxy（healthcare power of attorney）**を作成するようすすめることが重要である。末期的な病状の患者や終末期（予後が1年以下）の患者には，Physician Orders for Life Sustaining Treatment（POLST），Medical Orders for Life-Sustaining Treatment（MOLST）と呼ばれるフォームの記入が推奨される。これは，生命維持治療に関する患者の希望を，他の医療者に伝えるための実践的な医療指示書である。

悪い知らせの開示

悪い知らせを伝える際のコミュニケーションは複雑であり，深刻な問題につながる可能性が高いため，悪い知らせを開示する際の医療者の指針として SPIKES プロトコルが推奨されている（**Box 2-7**）。

Box 2-7 SPIKES：悪い知らせを伝えるための6ステップのプロトコル

ステップ	内容
面接の準備（Setting）	●プライバシーを確保する ●患者にとって大切な人に同席してもらう ●座る ●患者との信頼関係を築く ●十分な時間を確保し，中断を避ける
患者の理解度（Perception）の評価	●患者が状況をどのように認識しているかを合理的で正確に把握するために，自由回答方式の質問を用いる
患者に何を伝えてよいかの確認（Invitation）	●患者がどの程度まで知りたいと思うかを知る ●悪い知らせについての会話で真に問題になるのは「知りたいか」ではなく，「どのレベルまで知りたいか」である
患者への知識（Knowledge）と情報の提供	●患者の理解度，コンプライアンス，情報開示の希望などを評価したうえで，情報を提示する ●警告のメッセージではじめる ●主要な情報を伝えた後，一度間を置いてからつぎへ進む ●専門用語の使用を避ける
患者の感情（Emotion）への共感的（Empathic）な対応	●患者の最初の反応が感情的であることを予測する ●その感情を明確に認める準備をする
戦略（Strategy）とまとめ（Summary）	●つぎのステップについて話す前に，まず提供された情報を患者が理解していることを確認する

出典：Baile WF, et al. SPIKES-A six-step protocol for delivering bad news: application to the patient with cancer. *Oncologist*. 2000; 5(4): 302-311. VitalTalk. Serious News. https://www.vitaltalk.org/guides/serious-news/ (Accessed May 30, 2019) より入手可能

患者の病気に対する理解や見方を明確にするためのもう1つのフレームワークとして，「**Ask-Tell-Ask**」という手法がある。この手法は，患者へ新たな情報を伝える（**Tell**）前に，現況を患者がどのように理解しているかたずねる（**Ask**）ところから会話をはじめる。新たな情報を共有した後は，話の内容を患者がどの程度理解できたか確認する（**Ask**）。

多職種コミュニケーション

効率的で質の高い医療を提供し，優れた転帰をもたらすためには，効果的なコミュニケーション技術を用いてチームとして働くことが重要であることは間違いない。職種間で互いを尊重する環境は，共通の目標を設定し，協力して計画を立て，意思決定を行い，責任を共有することを促進するうえで不可欠となる。多職種コミュニケーションとチームワークを改善するためのフレームワークの1つに，SBAR（Situation-Background-Assessment-Recommendation）がある（Box 2-8）。

Box 2-8 SBAR：多職種コミュニケーションを促進するツール

SBAR	例
Situation（状況）	「私は……です。電話した理由は……」「患者の○○さんが……」
Background（背景）	「患者が入院した理由は……」
Assessment（アセスメント）	「この患者はおそらく……」
Recommendation（提言）	「移動させましょうか」「モニタリングを開始し，その後……しましょうか」

出典：Agency for Health Research and Quality (AHRQ). *TeamSTEPPS*. http://teamstepps.ahrq.gov/ (Accessed May 27, 2019) より入手可能

対応が難しい患者との出会い

Box 2-9 は，対応が難しい患者の状況と行動，およびそのような状況に対応する際に推奨されるアプローチについて示している。

Box 2-9 対応が難しい患者のアプローチ

対応が難しい患者の例	推奨されるアプローチ
沈黙する患者	●沈黙にはさまざまな意味がある。感情のコントロールが難しいなど，非言語的な手がかりを注意深く観察する ●うつ症状の問診を検討するか，精神症状について調べる検査を行う必要があるかもしれない

（続く）↗

↘(続き)

	● 沈黙は,あなたの質問の仕方に対する患者の反応かもしれない。患者に直接的な質問を多くしていないか? 患者の気分を害していないか?
饒舌な患者	● 最初の5〜10分は,注意深く話を聞く。患者は何かにこだわっているようにみえたり,過度に不安になったりしていないか? また,思考障害を示唆するような,アイデアの飛躍や思考プロセスの乱れはないか? ● 患者にとって最も重要と思われることに注目する。「あなたは多くの心配事を話してくれました。まずは,股関節の痛みに注目してみましょう。どのような感じなのか教えていただけますか?」あるいは「今日一番気になることは何ですか?」とたずねてみるのもよい
混乱した語り口の患者	● 患者の病歴が曖昧で理解するのが困難な状況にあることに加え,患者は脈絡のない話し方で症状を説明することがある ● 複数の症状が併存していたり,身体化障害を有する患者がいる。症状の背景に焦点をあて,心理社会的評価につながる問診を行う ● 精神疾患や神経疾患を疑う場合,意識レベル,見当識,記憶を中心に精神状態の診察に移行する
精神状態または認知能力に変化がある患者	● 患者が「意思決定能力」をもっているかどうかを判断する必要がある。意思決定能力とは,健康に関する情報を理解し,各選択肢とその結果を比較検討し,選択肢について徹底的に考え,決定したことを伝える能力のことである ● 医療上の意思決定を行うことができない患者の場合,医療代理人または永続的な医療委任状をもっている代理人を特定する
情緒不安定な患者	● 通常,泣くことや,あなたが患者の苦痛を静かに受け入れることには治療的な意義がある ● 「あなたが自分の気持ちを表現できてよかったと思います」といったサポートする言葉をかける
怒っている患者,攻撃的な患者	● 多くの患者には怒る理由があり,その怒りの矛先があなたに向けられることもある。患者の怒りの感情を受け入れ,患者の感情が表出できるようにし,患者の怒りに誘発されてあなたが怒らないようにする ● 患者の怒りに対して怒りで応じることなく,患者の感情を認める ● 怒っている患者のなかには,破壊的で好戦的な状態になる人もいる。そのような患者に近づく前には,警備員に一報を入れる。落ち着き,受け入れる姿勢をみせ,挑発的な態度は避ける

(続く)↗

↘(続き)

対応が難しい患者の例	推奨されるアプローチ
	● リラックスした姿勢で,威圧感を与えないようにする。ラポールが築けたら,よりプライバシーを守れる場所への移動を提案する
思わせぶりな患者	● 性的な感情に気づいた場合は,それは正常な人間の反応として受け入れ,専門家としての自身の行動に影響することのないよう,その感情を自覚し,認める ● このような感情を否定すると,不適切な対応をしてしまうリスクがある ● 患者とのいかなる性的接触や恋愛関係は倫理に反する。患者との関係は専門家としてのかかわりにとどめ,必要な場合は助けを求める
差別的な態度をとる患者	● 差別的な患者とのやりとりは,具体的に指摘して適切に処理する必要がある ● まず,患者の重症度を評価する必要がある。選択肢としては,患者へのケアを継続する,他のチームメンバーに支援を求める,またはその状況から完全に離れるなどがある ● つぎに,患者と治療をするうえでの関係を築くことをめざす。患者の差別的な行動の要因が判明しても,その行動が容認されたり,管理しやすくなるわけではない ● 最後に,臨床チームのなかであなたを支え,学習しやすい環境を整えることは,指導者の役割となる
アドヒアランスが低い患者	● 患者が提案された治療に協力しない場合,必ず患者に非があると考えるのは公平ではないため,コンプライアンスではなくアドヒアランスという言葉が好まれる ● アドヒアランス向上のための戦略としては,説明書類の使用,Eメールや手紙を使った通知やリマインダー,患者へのポジティブなフィードバック,投薬スケジュールの簡略化など,不快感や不便さを最小限に抑えるための措置,管理を変更するための疾患モニタリング,必要に応じたカウンセリングの提供などがあげられる
聴覚障害がある患者	● 患者の希望するコミュニケーション方法を確認する。患者は,アメリカ手話 American Sign Language(ASL)と呼ばれる独自の構文をもつ言語,あるいは手話と音声を組み合わせたさまざまなコミュニケーション手段を使用することがある ● 患者は聴覚障害が生じたときに聾文化に属していたのか把握する

(続く)↗

↘(続き)

	●手書きで質問し，回答を得るのが唯一の解決策となる場合もある ●患者の聴覚障害の程度に合わせて，唇の動きを読める患者には，よくみえるように十分に明るい部屋で直接向き合う。片耳のみに聴覚障害がある場合は，聞こえる側に座る。補聴器を使用している場合は，補聴器が正常に作動しているか確認する ●テレビなどの雑音は排除する
低視力または視覚障害がある患者	●握手をして接触をはかり，自分が誰なのか，なぜそこにいるのかを説明する ●慣れない部屋の場合は，患者に周囲の状況を説明する
知的障害のある患者	●中程度の知的障害をもつ患者は，通常，適切に病歴を説明することができる。学校での成績や自立して行動する能力に特に注意する必要がある。このような患者では，学校でどの程度まで勉強したか，卒業していないならそれはなぜかを確認する ●簡単な計算，語録，記憶，抽象的思考を調べる ●重度の知的障害の場合は，家族や介護者に病歴をたずねる ●「上から目線」つまり見下したような態度は避ける。性行動歴も同様に重要であるが，見落とされがちであるため注意する
個人的な問題に悩む患者	●患者から，医療者としての専門性の範囲を超えた個人的な問題について，助言を求められることがある。患者自身にその問題について話してもらうことは，あなたが意見をいうよりも治療効果が高い
識字能力の低い患者・ヘルスリテラシーの低い患者	●識字能力を評価する。患者によっては，うまく読めないことを隠そうとすることがある。患者が書かれた指示をどれくらい読めるか確認する。また，書いたものを上下逆に渡し，すぐに正しい向きに直すかどうかで判断できることもある ●文書中の情報を解釈する能力，食品ラベルや服薬に必要な指示情報を読む能力，効果的に話す・聞く能力など，医療サービスを効果的に利用するためのスキル，つまりヘルスリテラシーを評価する
言葉の壁がある患者	●患者が英語以外の言語を話す場合は，訓練を受けた通訳者がみつかるよう努める。理想的な通訳者は，互いの言語と文化について訓練を受けた中立的かつ客観的な人物が望ましい ●家族や友人は，個人情報保護の観点から通訳者として選定しない

(続く)↗

\(続き）

対応が難しい患者の例	推奨されるアプローチ
	● 通訳と一緒に面接をするときは，質問を明確に，短く，シンプルにする。患者に直接話しかける ● 2カ国語で問診票を作成するのは有効である
終末期にある患者や死期が近い患者	● 患者や家族が自分の気持ちを話したり，質問できる場を提供する ● 死にゆく患者は，自分の病気についていつも話したいとは思わないし，会う人すべてに打ち明けたいとも思っていない。話す機会を提供し，じっくり耳を傾けることに努めるが，一般的な会話レベルにとどまることを望む患者の場合はそれを受けとめ，支持する姿勢に徹する ● 終末期を迎えるあらゆる年代の患者と接するため，死や死生観についてまず自分自身の気持ちを整理し，コミュニケーションを円滑にするためのスキルを身につけることが重要である

コンピュータ化された臨床現場における患者中心主義の維持

効果的な電子健康記録 electronic health record（EHR）の使用は，コミュニケーション，説明，議論のプロセスを促進し，患者を中心としたコミュニケーションにつながる行動（例：画面共有，話題変更の合図，デリケートな議論の際の入力作業の中止）を促進することも示されている（Box 2-10）。

Box 2-10 コンピュータ化された臨床環境で患者中心の面接を行うための戦略

● 患者を診療室に呼び出す前に，患者の診療記録に目を通す
● コンピュータに向かう前に，患者の心配事をたずね，ラポールを築くことから面接をはじめる
● EHRを使用する際には，コミュニケーションを円滑にするために，コンピュータを移動したり，患者の居場所を変えたりする（面接者・患者・コンピュータの三角形をつくる）
● EHRを使用していても，体の向きを患者に向けたままにし，患者とのアイコンタクトを維持する
● 患者とのかかわりを維持し，沈黙が続かないように，コンピュータでの作業

（続く）

↘(続き)

中にも会話する
- コンピュータを使用する目的を説明し,コンピュータ上で何をしているのか説明する(例:何を探しているか説明する),入力しながら声を出して読む
- 患者と EHR の画面や情報を視覚的に,または口頭で共有する
- 患者を記録作成に参加させる
- 特にラポールを築くときや治療法について話し合うときには,患者とのやりとりと画面操作を同時に行わない。患者とコンピュータの間で注意が切り替わることを言葉や身ぶり・手ぶりで示す
- コンピュータ上の作業は,患者とのやりとりの合間を利用する(例:患者が身体診察後に着替えているとき)
- 診察後,患者の EHR に診察内容を記録する

出典:Crampton NH, et al. Computers in the clinical encounter: a scoping review and thematic analysis. *J Am Med Inform Assoc*. 2016; 23(3): 654-665; Biagioli FE, et al. The electronic health record objective structured clinical examination: assessing student competency in patient interactions while using the electronic health record. *Acad Med*. 2017; 92(1): 87-91.

第3章 病歴

病歴は,患者の情報を文書または口頭で整理するための構造化された枠組みである。この枠組み(フォーマット)は,臨床的推論を容易にし,患者ケアにかかわる他の医療者に患者の懸念,診断,計画を明確に提示するために必要な情報に焦点をあてるものである。

成人の場合,包括的病歴には,個人情報,病歴の情報源,主訴,現病歴,既往歴,家族歴,個人歴と社会歴,システムレビューが含まれる(Box 3-1)。診察室や病院の新患は,包括的病歴を作成する価値があるが,多くの場合,より柔軟で,焦点を絞ったあるいは問題志向型の面接が適切である。包括的病歴の構成要素は,患者の病歴を構成し,あなたが書く記録のフォーマットを構成するが,以下の示した順番通りに面接を行う必要はない。面接はより流動的で,患者の主導と合図に従うべきである。

Box 3-1　成人後の病歴を構成する要素

個人情報	●**個人に関する情報**:例えば患者の名前,年齢,出生時の性別やその後の性自認
情報源とその信頼性	●**病歴の情報源**:通常は患者本人だが,家族,介護者,友人,または診療記録の場合もある ●**信頼性**は患者の記憶,診察者への信頼度,気分に左右される
主訴	●患者が受診する理由となったおもな症状や懸念。1つか2つのことが多いが,まれにそれ以上のこともある
現病歴	●**主訴**に関する詳しい情報。各症状がどのように出現したかに沿って,発生したイベントを時系列にまとめる ●疾患に対する患者本人の考えや思い ●**システムレビュー**で得た現病歴に関連する所見(関連する陽性所見,関連する陰性所見と呼ばれる)(p.47~50参照)

(続く)↗

↘(続き)

既往歴	● **成人期**の病歴を，少なくとも**内科，外科，産婦人科，精神科**の4つに分類して，日付をつけてリスト化する ● 小児期の病歴を含めることもある ● 予防接種，スクリーニング検査，生活習慣，家での安全対策など，**健康の維持**のために実践していることを含む ● 服薬やアレルギーを含む
家族歴	● 兄弟姉妹，親，祖父母それぞれの年齢と健康状態，死亡年齢と死因を概説または図式化する ● 家族が高血圧，糖尿病，癌といった特定の疾患に罹患しているかを含む
個人歴と社会歴	● 喫煙歴，飲酒歴，違法薬物使用歴 ● 性行動歴 ● 学歴，家系，現在の家族構成，趣味，生活習慣
システムレビュー	● 各臓器系に関連する症状の有無

アセスメントを**包括的**に行うか**限定的**に行うかを決定する。主観的情報と客観的情報を区別する(Box 3-2)。

Box 3-2　主観的情報と客観的情報

主観的情報	客観的情報
患者があなたに話したこと	診察中に得た情報，検査情報，試験データ
システムレビューで得られた主訴からの症状と病歴	すべての身体所見または**徴候**

成人後の包括的病歴

成人の病歴を聞きとる際には，病歴の作成日時，年齢や性別などの個人情報，患者から提供される情報の質を反映する信頼性などを必ず記録しておく。

主訴

主訴 chief complaint(presenting complaint)は，患者が受診するに

至った主要な問題または状態(受診理由)を説明するために使用される用語である。主訴は，医療者の視点で情報収集をはじめるきっかけとなるものである。

主訴を記録するとき，患者の言葉が症状を的確に描写しており，一般的でなく特異的であるときは特に，その言葉を可能な限りそのまま記載すること。「胃が痛くて最悪の気分です」または「定期診察できました」のように記載する。

現病歴

現病歴は，簡潔で明確に，時系列に沿って受診の理由となった問題を説明したもので，発症した時期，発症時の状況，症状，治療歴を含めて記録する。**最も基本的な形式の現病歴は患者の問題についての病歴である。**Box 3-3, 3-4 に記載されたその特徴と，**鑑別診断の**明確化に役立つシステムレビューの関連領域から**関連する陽性および陰性所見**を記述することによって主訴を詳細に把握する。

Box 3-3　症状を表す特徴

特徴	説明
部位	問題，症状または痛みが生じる，または移動する部位
性質	問題，症状または痛みの質を説明する表現
程度または重症度	問題，症状または痛みの程度や範囲に関する患者の非言語的行動・言語的表現(数値評価スケール 0～10)，現在の問題，症状または痛みを以前のものと比較
発症時期	問題，症状または痛みが最初に生じた時期
●状況	発症時の状況。どのような行動や状況がその問題，症状または痛みを発症，悪化もしくは改善させるか
●時期・期間	問題，症状または痛みはどのくらい前にはじまったか，またはどのくらいの期間続いているか
●頻度	問題，症状または痛みはどのくらいの頻度で起こるか
増悪または改善因子	問題，症状または痛みとそれらの及ぼす影響を改善するためにとる行動または習慣
関連症状	問題，症状または痛みと同時に生じる他の症状または徴候

> **Box 3-4 症状の特徴を記憶するのに役立つ略語**
>
> | OPQRST | OLD CARTS |
> |---|---|
> | **O**nset(発症様式) | **O**nset(発症様式) |
> | **P**recipitating and **P**alliating factors
(増悪または改善因子) | **L**ocation(部位) |
> | | **D**uration(期間) |
> | **Q**uality(性質) | **C**haracter(性質) |
> | **R**egion or **R**adiation
(部位または放散) | **A**ggravating or **A**lleviating factors
(増悪または改善因子) |
> | **S**everity(重症度) | **R**adiation(放散) |
> | **T**iming or **T**emporal characteristics
(発症時期または現在の症状) | **T**iming(発症時期) |
> | | **S**etting(状況) |

既往歴

既往歴には患者が最近活動的かそうでないかなど,すべての医学的問題を含む。そこには,**小児期の疾患**,**成人後の疾患**,および**内科**,**外科**,**産婦人科**,**精神科**の4つの健康情報を記載する。また,患者の予防接種と年齢に応じた予防措置に関する情報も確認して記載する。

小児期の疾患:例えば,麻疹,風疹,流行性耳下腺炎,百日咳,水痘,リウマチ熱,猩紅熱,ポリオについてたずねる。また,喘息や糖尿病など小児慢性疾患に関する情報も確認する。

成人後の疾患:以下の4領域について患者に情報を提供してもらう。

- **内科**:糖尿病,高血圧,心筋梗塞,肝炎,喘息,ヒト免疫不全ウイルス(HIV),てんかん発作,関節炎,結核,癌などの疾患について,経過や入院状況も含めて確認する。
- **外科**:手術または手技の種類と実施日を確認する。手術や手技の名前を思い出せない場合は,手術した理由(手術適応)をたずねる。
- **産婦人科**:妊娠・出産歴,月経歴,避妊法,性機能について確認する。
- **精神科**:うつ病,不安症,自殺念慮・企図などについてたずねる。経過,診断,入院,治療も含めて確認する。

健康管理,**予防接種**と**スクリーニング検査**について最終実施日と結果を記載する。

精神疾患歴

最初に，自由回答方式の質問で，「あなたは今まで感情または精神疾患で問題を抱えたことがありますか？」とたずねる。その後，さらにつぎのような具体的な質問を行う。「今までにカウンセラーや心理療法士に相談したことがありますか？」「感情の問題で薬を飲んだことがありますか？」「あなた，または家族が精神疾患の問題で入院したことはありますか？」

気分の変化や，疲労，涙もろさ，食欲や体重の変化，不眠，漠然とした身体的な訴えなどの症状には注意する。うつ病のスクリーニングには，つぎの2つの質問の有効性が検証されている。「この2週間で，落ちこんだり，ふさぎこんだり，絶望的になったりしましたか？」「この2週間で，何かするときに興味や楽しみを感じないときがありましたか？」自殺念慮に関してもたずねる。「これまでに自分を傷つけようとしたり，自殺を考えたことはありますか？」その重症度を評価する。

服薬

薬物名，投与量，投与方法，使用頻度を含め記録する。また，処方せんなしで購入できる市販薬（OTC医薬品），ビタミン剤，ミネラルまたはハーブのサプリメント，点眼薬，軟膏，経口避妊薬，民間療法もリスト化する。

家族歴

祖父母，親，兄弟姉妹，子ども，孫を含む直系親族の年齢と健康状態，または死亡年齢と死因の概要を記録する。高血圧，冠動脈疾患，コレステロール高値，脳卒中，糖尿病，甲状腺疾患や腎疾患，癌（種類を特定する），関節炎，結核，喘息や肺疾患，頭痛，てんかん，精神疾患，自殺，アルコールや薬物依存，アレルギーのほか，患者から報告されたその他の症状について，近親者に**みられるか否か**記録する。

個人歴と社会歴

個人歴と**社会歴**では患者の性格や関心，問題への対処方法，強み，懸念を把握する（Box 3-5）。この情報を通して，患者とあなたの関

係がより密接になり，ラポールの構築につながる。なお，この個人歴には，**性的指向と性自認**，出生地，および個人的な環境要因，**職業と教育**，重要な**人間関係**とその**安全性**，家族・世帯構成を含む**家庭環境**，兵役・職歴・経済状況・退職といった重要な人生経験，**趣味，セクシャリティ，スピリチュアリティ**，および**社会支援システム**を含む。

Box 3-5　個人歴と社会歴の項目

- 性的指向と性自認
- 出生地や転居歴
- 重要な人間関係
- 身近な支援体制
- 職歴・職業
- 教育
- 生活習慣
- 日常生活動作(ADL)
- 栄養
- 運動
- 飲酒
- 喫煙
- 違法薬物使用
- 安全対策
- スピリチュアリティ
- 性行動歴

性的指向と性自認

性的指向と性自認 sexual orientation and gender identification (SOGI)について話をすることは，患者の人生における重要で多面的な核心部分に触れるきっかけになる。**自分がもっているかもしれない偏見について熟考し，批評を控えたアプローチをとることが患者の健康と幸福(well-being)を探求するためには不可欠である**。自由回答方式の質問をし，いつ，何を開示するかは患者が決められるように，包括的な言葉を使うべきである。

- 「あなたの性的指向はどのようなものですか？」に対する回答の範囲には，異性愛者またはストレート，レズビアン，ゲイ，バイセクシャル，パンセクシャル，クィア・クエスチョニング(決まっていない)などが含まれる。
- 「あなたの性自認はどのようなものですか？」に対する回答には，男性，女性，トランスジェンダー，トランスマン，トランスウーマン，クィア，ノンバイナリー，不明またはクエスチョニング，さらには「答えたくない」が含まれる。
- 性自認に関する追加情報を求めて「出生届の性別は何ですか？」と質問すると，より詳細にジェンダー歴を聞きとることができる。この質問をきっかけに，患者が本来どの臓器をもっているはずかを把握することができ，性感染症および癌検診を推奨する際の指

針が得られる。

家族と社会的関係

親や子ども，パートナー，友人，知り合いや遠い親戚についてたずねる。これらの人のなかから，患者と血の通った人間関係でつながり，患者の**社会的な支え**になってくれる人を特定する。

社会的関係は，ストレス，負担，緊張，葛藤，虐待につながる場合もあり，ひいては患者の健康を損なう可能性がある（Box 3-6）。「虐待を受けている患者さんは多いので，いつも同じようにうかがうことにしているのですが」と，一般的なことを聞くように切りだす。つぎに，「殴ったり脅迫したりする人との関係がありますか？」「誰かに不当に扱われたり，やりたくないことを強要されたことはありますか？」「怖いと思う人はいますか？」「知り合いに叩かれたり，蹴られたり，殴られたり，怪我をさせられたことはありますか？」などと続ける。打ち明けられたら，共感を示し，受け入れることと批評を控えた対応をとることが重要である。

Box 3-6　身体的・性的虐待の手がかり

- 怪我の理由が不明で，患者の話と矛盾があり，原因を隠そうとしているようにみえたり，困っているようにみえる
- 傷の手当を受けるのを渋る
- 傷害や「事故」の既往が繰り返されている
- 患者やパートナーがアルコールや薬物依存症である
- 患者のパートナーが面接の主導権を握ろうとしたり，診察室から離れようとしなかったり，ひどく不安げで気をもんでいるようにみえる
- 若年妊娠や複数のパートナー
- 腟感染症と性感染症を繰り返している
- 生殖器や肛門の痛みのために歩きづらかったり座りづらかったりする
- 腟の裂傷や打撲傷
- 骨盤診察（内診）や身体的接触に対する恐怖
- 診察室を退室することへの恐怖

飲酒歴

平均の飲酒量だけでなく，飲酒の**仕方**について確認することが重要である。まずは「飲酒状況について教えてください」など，簡単に「はい」「いいえ」では答えられない自由回答方式の質問を行う。「こ

れまで飲酒で問題が生じたことはありますか？」と「最近飲酒したのはいつですか？」の2つの質問に肯定的に答える場合は問題のある飲酒をしている疑いが非常に濃い。スクリーニングに最も広く用いられているのは **CAGE** 質問法で，減酒の必要性（**C**utting down），他者からの批判の煩わしさ（**A**nnoyance when criticized），飲酒への罪悪感（**G**uilty feeling），朝の迎え酒（**E**ye-opener）について質問する。2つ以上あてはまる場合，生涯にわたるアルコール乱用およびアルコール依存症，アルコール使用障害が疑われる。

喫煙歴

タバコの種類（紙巻タバコ，噛みタバコ）を含め，喫煙状況を確認する。「喫煙しますか？」「喫煙したことがありますか？」「どんなタバコを吸いますか？」「1日に何本のタバコを吸いますか？ 何年間続けていますか？」「噛みタバコは使用しますか？」と質問する。**喫煙歴は喫煙指数（pack-years）で示すことが多く，これは1日あたりの喫煙本数（箱）に喫煙年数を掛けて計算される。**禁煙した場合は，いつから禁煙しているかを記載し，「元喫煙者」と付記する。

違法薬物使用歴

最初に，感度と特異度の非常に高い質問，すなわち「過去1年間に，違法薬物または非臨床的な目的で処方薬を使用したことがありますか？」と質問する。使用を認める回答があった場合は，違法薬物および処方薬の非臨床的使用について具体的に質問する。「今までマリファナ，コカイン，処方精神刺激薬，メタンフェタミン，鎮静薬や睡眠薬，LSD・エクスタシー（MDMA）・マッシュルームといった幻覚剤，ヘロインやアヘンなどの街頭で売られているオピオイド，フェンタニル・オキシコドン・ヒドロコドンなどの処方オピオイド，その他の薬物を使ったことはありますか？」とたずねる。

性行動歴

特に批判や差別を受けた経験があれば，性に関する健康についての質問に答えることを不快に感じる患者もいる。1つか2つの文できっかけとなる言葉をかけるとよい。「よりよいケアができるよう，性生活についておたずねしたいのですが」「患者さんの性機能についていつもたずねさせていただいているのですが」と伝えるとよいだろう。直接的な問いかけをしたほうが，患者に指示に従ってもらい

やすい。

最も一般的な性行動歴スクリプト（記載様式）は，5つのP（**パートナー，方法，性感染症の予防，性感染症の既往歴，妊娠計画**）である（Box 3-7）。さらに6番目のPとして「追加質問」を加える。追加質問には，外傷，暴力，性的満足，性に関する健康への懸念・問題の評価，およびSOGIに関する支援を含める。これらのスクリプトは，患者の懸念を明確に把握できるよう考案されたもので，結婚しているかどうか，性的指向，妊娠や避妊に対する患者の向き合い方について憶測を避けることができる。

Box 3-7　性行動歴：5つのPと追加質問

全般的	●「あなたの性に関する健康や性行動について，最初に話すべき具体的な心配事や質問がありますか？」
パートナー Partner	●「最近，肉体関係をもったのはいつですか？」「そのときは性行為に及びましたか？」 ●「あなたの性的パートナーの性別は？」 ●「この6カ月間で何人と性交渉をもちましたか？　5年間ではどうですか？　生涯では？」 ●「この6カ月間で新しいパートナーをもちましたか？」
方法 Practice	●「あなたはどのように性行為をしますか？」または「あなたはどのような性行為をしていますか？（例：オーラルセックス，腟セックス，アナルセックス，アダルトグッズの共有）」 ●「体のどの部分を使用しますか？」または「あなたが性的に活発であるとき，体のどの部分がどこに行くのですか？（陰茎，口，肛門，腟，手，アダルトグッズ，その他の物）」
性感染症の予防 Protection from STI	●「HIVや性感染症からご自身を守るために何を行っていますか？」 ●「いつコンドームを使うのか教えていただけますか？　どのパートナーのときですか？」「コンドームを使用しない理由はたくさんありますが，あなたが性行為でそれを使用しない理由を教えていただけますか？」 ●「HIV感染やAIDSについて何か心配事はありますか？」
性感染症の既往歴 Past history of STI	●「性感染症に感染したことはありますか？」と質問し，はいと答えた場合は「どの病気に感染しましたか？」「いつ感染しましたか？」「どのように治療されましたか？　どのような薬を服用しましたか？」 ●「何らかの性感染症の検査を受けたことがありますか？」あるなら，「いつ検査を受け，結果はどうでしたか？」

（続く）↗

↘(続き)

妊娠計画 Pregnancy plan	● 「あなたは(さらに)子どもをもつ予定または希望がありますか?」 ● 「妊娠すること,またはパートナーが妊娠することについて不安はありますか?」「あなた自身またはパートナーが妊娠するのを防ぐために何かしていますか?」「避妊に関する情報が必要ですか?」「避妊について質問や不安はありますか?」
追加質問 Plus	● 「追加質問」には,外傷,暴力,性的満足,性に関する健康上の懸念・問題の評価,およびSOGIに関する支援を含める

出典:U.S. Department of Health and Human Services: Centers for Disease Control and Prevention. *Taking a sexual history: a guide to taking a sexual history.* Last Reviewed August 22, 2018. https://www.cdc.gov/std/treatment/sexualhistory.pdf (Accessed May 27, 2019) より入手可能。National LGBT Health Education Center. *Taking routine histories of sexual health: a system-wide approach for health centers.* Originally published February 15, 2016. https://www.lgbthealtheducation.org/ publication/taking-routine-histories-of-sexual-health-a-system-wide-approach-for-health-centers/ (Accessed May 27, 2019) より入手可能

スピリチュアル歴

スピリチュアル歴の聴取は,患者の信仰,またはスピリチュアリティにとって何が必要で,何を基盤としているのかをよりよく理解する助けとなる。それは,初診,毎年の定期検査,または再診時に聴取するとよい。患者中心で聴取を進め,積極的に耳を傾ける。最も広く使用されているのは,FICAスピリチュアル歴確認ツールである(Box 3-8)。

Box 3-8 FICA スピリチュアル歴確認ツール

信仰または信念 Faith or Belief	● 「あなたの信仰または信念はどのようなものですか?」 ● 「あなたはスピリチュアルな,または宗教的な信念をおもちですか?」 ● 「あなたの人生に意味を与えるものは何ですか?」
重要性と影響 Importance and Influence	● 「それはあなたの人生で重要なものですか?」 ● 「スピリチュアリティにはあなたの人生においてどのような重要性がありますか?」 ● 「スピリチュアリティはあなたが自分自身や健康への対処法に影響を与えていますか?」 ● 「あなたの信念はこの病気にかかっている間,どのようにあなたの行動に影響を与えていますか?」

(続く)↗

↘(続き)

	●「あなたのスピリチュアリティは健康に関する決断に影響を及ぼしますか？」 ●「健康を回復するうえであなたの信念はどのような役割を果たしていますか？」
コミュニティ Community	●「あなたはスピリチュアルな，または宗教的なコミュニティの一員ですか？ そのコミュニティはあなたにとって支えとなるものですか？ どのような支えでしょうか？」 ●「あなたが本当に愛する，または大切な人たちがいますか？」
対応 Address	●「私(あなたに医療を提供する人)に，ヘルスケアにおいて，どのようにあなたのスピリチュアリティの問題を扱ってほしいですか？」

出典：Borneman T, Ferrell B, Puchalski CM. Evaluation of the FICA Tool for spiritual assessment. *J Pain Symptom Manage*. 2010; 40(2): 163-173; Puchalski C, Romer AL. Taking a spiritual history allows clinicians to understand patients more fully. *J Palliat Med* 2000; 3(1): 129-137. Christina Puchalski, MD より許可を得て掲載

システムレビュー

システムレビュー review of systems(ROS)は面接の最後に，「はい」「いいえ」で答える質問を用い，頭からつま先まで行う。**システムレビューにもとづいた質問をすることで，患者が見逃していた問題や症状が明らかになることがある。システムレビューで特定されたおもな症状は，診療記録の現病歴か既往歴に記載する。**

全般

普段の体重，最近の体重変化，服が以前よりもきつくなったか，ゆるくなったか。倦怠感，疲労感，発熱。

皮膚

発疹，腫瘤，潰瘍，瘙痒感，乾燥，変色。毛髪や爪の変化，黒子(ほくろ)の大きさと色の変化。

頭部・眼・耳・鼻・咽喉(head, eyes, ears, nose, throat：HEENT)

頭部：頭痛，頭部外傷，めまい，立ちくらみ。**眼**：視力，眼鏡やコンタクトレンズの使用，痛み，充血，涙目，複視や霧視(かすみ目)，

斑点，飛蚊症，閃光，緑内障，白内障。**耳**：聴力，耳鳴，めまい，耳痛，感染，耳漏(耳だれ)。聴力が低下している場合は，補聴器使用の有無。**鼻・副鼻腔**：風邪をひきやすい，鼻づまり，鼻水，瘙痒感，花粉症，鼻血，副鼻腔の異常。**咽喉(口腔，咽頭)**：歯や歯肉の状態，歯肉の出血，義歯がうまく合っているか，直近の歯科検診，舌痛，口渇，繰り返す咽頭痛，嗄声。

頸部

腫瘤，リンパ節腫脹，甲状腺腫，疼痛，項部硬直。

乳房

腫瘤，疼痛，不快感，乳頭分泌物。

呼吸器

咳嗽，痰(色，量)，喀血，息切れ(呼吸困難)，喘鳴，深呼吸時の痛み(胸膜炎)，直近のX線所見。喘息，気管支炎，肺気腫，肺炎，結核も含めるとよいだろう。

心血管系

心臓の異常，高血圧，リウマチ熱，心雑音，胸痛や胸部不快感，動悸，息切れ，起座呼吸，発作性夜間呼吸困難，浮腫。

消化器

嚥下の異常，胸やけ，食欲，悪心。排便，便の色と量，排便習慣の変化，肛門からの出血や黒色便・タール便，痔核，便秘，下痢。腹痛，食物不耐性，過剰なガス(げっぷや放屁)。黄疸，肝臓や胆嚢の異常，肝炎。

末梢血管系

間欠性跛行，下肢の痙攣，静脈瘤，静脈血栓の既往，ふくらはぎ・すね・足の浮腫，寒い場所での指先やつま先の蒼白，発赤や圧痛を伴った腫脹。

泌尿器

頻尿,多尿,夜間多尿,尿意切迫,排尿時の痛みや灼熱感,血尿,尿路感染症,腎結石,失禁。男性では,尿線細小,尿勢低下,排尿困難,排尿後滴下。

生殖器

男性:ヘルニア,陰茎からの分泌物や陰茎の潰瘍,精巣の痛みや腫瘤,性感染症の罹患歴と治療歴,性機能。**女性**:月経の規則性・周期・期間,出血量,月経期以外の出血または性交後出血,最終月経,月経困難,月経前緊張。更年期症状,閉経後出血。腟分泌物,瘙痒感,潰瘍,腫瘤,性感染症の罹患歴と治療歴。妊娠回数,分娩の回数と分娩方法,流産回数(自然,人工),妊娠合併症,避妊方法。性的関心,性機能,性的満足,性交時の問題(性交疼痛症など)。

筋骨格系

筋肉痛や関節痛,硬直,関節炎,痛風,背部痛。もしあれば,障害のある関節や筋肉の部位,浮腫,発赤,疼痛,圧痛,硬直,筋力低下,運動や行動の制限について,その症状の起こる時間帯(例えば,朝か夕方か),持続時間,外傷歴を含め確認する。頸部痛や腰痛。発熱,悪寒,発疹,食欲不振,体重減少,筋力低下などの全身症状を伴う関節痛。

精神系

神経質,緊張感,不安。もしあれば,うつ病,記憶力低下,自殺企図・未遂についても確認する。

神経系

気分・注意力・会話の変化,見当識・記憶力・洞察力・判断力の変化,頭痛,浮遊感,めまい,失神,眼前暗黒感,痙攣,脱力,麻痺,しびれや感覚障害,ヒリヒリまたはチクチクした感じ,振戦やその他の不随意運動,痙攣。

血液

貧血,あざになりやすい,出血しやすい。輸血副作用。

内分泌

甲状腺の異常。熱または寒冷不耐症,過度の発汗,過度の喉の渇き(多飲症)や空腹感(多食症),多尿,手袋や靴のサイズの変化。

■ 臨床環境に応じた面接の調整

Box 3-9 に,必要に応じて面接を調整するためのガイドラインを示す。

Box 3-9　臨床環境に応じた面接の調整

臨床環境	調整
外来診療所(科)	● 患者は自分で移動することができ,介助を必要とせず,主訴の緊急度は低いことが多い ● 患者は外来で定期的に診察を受けるため,情報収集では主訴(ある場合)だけでなく,慢性的な健康問題や前回の診察以降の患者の変化にも注意を払う ● いつも行っている健康維持方法についても質問する
救急外来	● 患者の問題を引き起こしていると考えられる病態に関連する症状について質問し,まずは生命を脅かす疾患を除外する ● もし患者が混乱や精神状態の変化のために病歴を伝えられない場合,家族,介護者,他の医療者,救急隊,または可能であるならば患者の診療記録から病歴を取得する
集中治療室	● ほとんどの患者が,疾患の重症度,精神状態の変化,鎮静,人工呼吸器の使用のいずれか1つ,もしくは複数により,コミュニケーション能力が制限されている ● 病歴を家族や他の医療者,または患者の診療記録から取得する必要がある ● 患者がコミュニケーションをとれる場合,面接では患者がどのようなケアを希望しているかも確認する必要がある
介護施設	● まずは入居者自身から病歴を聴取する ● 認知機能に障害があると思われる場合は,家族やスタッフに必要な情報を確認する必要がある

(続く)↗

↘(続き)

自宅	●患者はおもに慢性疾患に罹患し,補助具または他の人の介助なしに自宅を離れることが困難な慢性機能障害をもつ(home-bound または home-limited status) ●身体機能レベルに焦点をあてる。自宅で患者がどの程度身体機能を行使できるかは,患者の健康状態全般に大きな影響を及ぼす ●環境に潜む危険,清潔さや維持のレベル,摂取可能な食品,服薬状況などを評価する

病歴を文書化する

診察の日時,年齢・性別・信頼性などの個人情報については,必ず記述すること。氏名はイニシャルに省略されることが多い。病歴の文書化における重要な点についてここで強調する。

主訴の記録

患者の言葉が症状を的確に描写しており,一般的でなく,特異的であるときは特に,その言葉を可能な限りそのまま記載すること。例えば「胃が痛くて最悪の気分です」「尿が濁っていて変なにおいがします」「胸の上に象が座っているような感じです」といった言葉である。複数の症状がある場合は,そのうちの1つが特に重要なものと判断できるかもしれない。もし同じくらい重要な症状が複数ある場合は,主訴としてその症状をリスト化し,現病歴に記載して詳細な説明を加える。主訴がない場合は,受診理由を「定期診察で来ました」のように記載する。

現病歴の記録

診療記録に現病歴を記載する方法を身につけるのは,初学者にとって最も困難な作業の1つである。 Box 3-10 に,診療記録の現病歴のセクションをまとめる際に役立つフレームワークを示す。

Box 3-10　現病歴の記録にあたって推奨されるステップ（主訴が1つの場合）

- 導入文からはじめる
- イベントの発生順に着目して，主訴の特徴をさらに明確にする
- つぎに，陽性所見とその妥当性を記載する
- 陰性所見とその妥当性を記載する
- 現病歴と関連があれば，病歴の他のセクションからの情報を加える

導入文

病歴の最初に置かれる導入文は，読み手が患者の抱える問題の原因として考えられるものは何か考えるための基礎となる。この導入文では，患者をめぐる臨床状況（問題の原因を示唆する，主訴に最も関連した重要な病歴など）を示したうえで，主訴を説明する。例えば**「JM は 48 歳男性，コントロール不良の糖尿病があり 3 日間の発熱後受診」**という導入文が考えられる。

時系列に着目して主訴を説明する

現病歴のセクションでは主訴の性質を記載して特徴を明示する（Box 3-11）。質問に対して患者がどう答えるかに応じ，明確に文章化できているか特に注意を払いながら情報を記録する。このセクションではイベントを時系列に沿って説明するため，症状の発生した時期に着目する。

Box 3-11　主訴の詳細を記録

詳細	例
部位	体の領域，両側性・片側性，左側・右側，前面・後面，上部・下部，びまん性・限局性，固定・移動性，他の部分へ放散
性質	鈍い・鋭い，拍動性，持続的・間欠的，むずがゆい，穿刺性，急性・慢性，改善性・増悪性，発赤または浮腫を伴う，痙攣性，電撃性，ヒリヒリする
程度または重症度	数値評価スケールで 10 段階の 8，中程度のめまい，カップに半分程度の血尿

（続く）↗

↘(続き)

発症時期	
● 発症 ● 時期・期間 ● 頻度	● 今朝,昨夜,6日前 ● 昨夜から,過去1週間,今日までずっと,2時間継続 ● 6時間おき,毎日,ときどき
発症状況	立位で悪化,座位で改善,食事で増悪,階段を下りるときに低下,フットボールをしている間
増悪または改善因子	イブプロフェンで改善,アセトアミノフェンで改善なし,○○すると改善または増悪
関連症状	全身症状,頻尿や尿意切迫,霧視を伴う頭痛,しびれや脚のうずきにつながる腰痛

患者の話を明確に記録する方法の1つは,各イベントを基準となる時点を1つ設定して,時系列に並べる方法である。基準となる時点を設定して記述することで,各イベントの時系列が追いやすくなる。

関連する陽性所見と陰性所見

このセクションでは,つぎのことを記載する。

● **関連する陽性所見**:診察中に特定され,主訴に関連していると思われる症状
● **関連する陰性所見**:鑑別診断に関連している症状がないこと

関連する所見,特に関連する陰性所見を手がかりにして,問題の原因として可能性のある病態を明確にするだけでなく,より可能性の低い病態を除外することができる。

追加関連情報

主訴に関連する追加情報があれば,それが通常は現病歴に含めないような内容でも,必要に応じて記載すべきである。例えば,肺炎を疑っている患者に発熱や咳がみられれば,現病歴に患者の喫煙歴を加えるとよいだろう。こうした追加情報は一般的には病歴の別のところに記載されるが,主訴の原因と思われるものをリスト化するにあたって考慮すべき情報であるため,現病歴に組みこむ。

Box 3-12 は，現病歴をどのように構成するかについての追加提案である。これらのテンプレートは，現病歴のストーリーを明確にすると同時に，患者の問題の原因を示唆する手がかりとなる。

Box 3-12 現病歴記録のための追加提案テンプレート

現病歴テンプレート(患者の慢性疾患を増悪させる症状と思われる主訴がある場合)
- 導入文：患者の臨床状況を示したうえでの主訴
- 慢性疾患の状況と症状管理を記述
  - 診断名または症状
  - 診断時期
  - 合併症
  - 治療
  - 増悪前の最近の症状管理
- 主訴を詳細に記述
- 本来あるべき症状群
- 本来ないはずの症状群
- 関連する既往歴，家族歴または社会歴
- 最終文：患者がどのような方法で受診したか

現病歴テンプレート(主訴がない場合)
- 導入文：患者の臨床的問題を簡単に記述
- 患者の慢性状態や疾患の現状報告
  - 関連する陽性または陰性所見
  - 現在の治療内容とその効果
  - 以前の関連検査や研究結果
- 最終文：患者がどのような方法で受診したか

既往歴を記録する

小児期の疾患をリスト化し，その後4つの領域で**成人後の疾患**をリスト化する(Box 3-13)。

- **内科**(例：糖尿病，高血圧，肝炎，喘息，HIV)。発症日時，また，入院日の情報も記載
- **外科**(手術の実施日・適応・種類)
- **産婦人科**(妊娠歴，月経歴，避妊法，性機能)
- **精神科**(疾患とその経過，診断，入院歴，治療歴)

目標は，重要な所見が記録され，あなたが下した評価を簡潔な形式で他の医療者，専門医，その他の医療チームのメンバーに伝えるこ

とができること,明瞭かつわかりやすい包括的な報告書を作成することである。**情報源とその信頼性**を含む**初期情報**から**システムレビュー**の結果までを記録した診療記録の標準的な形式を把握してほしい。

Box 3-13　病歴の例

2020/8/25,午前11：00
MN,54歳女性

情報源と信頼性
自己申告,信頼性あり

主訴
「この3カ月間ずっと頭が痛い」

現病歴
MNは54歳女性で,以前にもときどき頭痛があったが,「この3カ月間ずっと頭が痛い」ということであった。受診の3カ月前に症状がはじまるまでは元気だった。額の両側がズキズキする,放散のない,軽度から中等度(数値評価スケールは10点中3～6点)の頭痛で,これまでは1カ月に1～2回あり,4～6時間で治まっていたが,ここ最近は平均週1回発症。ストレスと関連性があり,睡眠や湿らせた冷たいタオルを額にあてると和らぐ。アセトアミノフェンはほとんど効果がない

　悪心を伴い,ときに嘔吐があり,何度か欠勤した。視覚変化,運動障害,意識消失や感覚異常はない。15歳で悪心・嘔吐を伴う頭痛がはじまった。20歳代半ばまで繰り返し出現し,その後2～3カ月に1回まで減少,やがてほぼ寛解した。彼女は頭痛は以前のものと同様だと感じているが,母親が頭痛を訴えた後に脳卒中で亡くなったことを懸念している。また,頭痛により仕事に支障がでること,イライラして家族にあたってしまうことで困っている。上司が厳しく,仕事でのプレッシャーが増しており,また娘のことも心配である。食事は1日3回,コーヒーは1日3杯,夜は紅茶を飲む習慣がある。頭痛の頻度が増しているため,本日受診した
　アレルギー：アンピシリンで発疹。環境・食物アレルギーなし
　内服：アセトアミノフェン頓用,1回1～2錠,4～6時間おき

既往歴
小児期：麻疹,水痘。猩紅熱やリウマチ熱の既往なし
成人期：**内科**：2016年に腎盂腎炎。発熱,右側腹部痛を伴う。アンピシリン開始数日後に全身に瘙痒感を伴う発疹あり。その後再発なし。最後の歯科受診は2年前。**外科**：6歳時に扁桃摘出術。13歳時に虫垂切除術。2012年にガラスを踏み裂傷を縫合。**産婦人科**：G3P3(3-0-0-3),正常経腟分娩。子どもは3人とも存命。初経は12歳。最終月経は6カ月前。**精神科**：なし

(続く)↗

↘(続き)

健康管理：予防接種：予防接種登録情報 immunization registry によると，年齢相応の予防接種済み。**スクリーニング検査**：2018年パップスメア検査正常，2019年マンモグラフィ正常

家族歴
父親は43歳時に列車事故で死亡。母親は静脈瘤，頭痛があり，67歳時に脳卒中で死亡。61歳の兄は高血圧があるのみ。58歳の兄は軽度の関節炎があるのみ。妹は生後まもなく亡くなったが死因不明。夫は54歳時に心臓発作で死亡。娘は33歳，片頭痛があるのみ。31歳の息子には頭痛がある。27歳の息子は特記事項なし。糖尿病，心疾患，腎疾患，悪性腫瘍，てんかん，精神疾患の家族歴はない

個人歴・社会歴
ラス・クルーセスで生まれ育つ。出生時の性別，現在の性自認はともに女性。高校卒業後，19歳で結婚。販売員として2年働き，夫とともにエスパニョーラに移り，3人の子どもを出産。15年前に経済的理由から販売員の仕事を再開。子どもは全員既婚。4年前に，ほとんど蓄えのないまま夫が心臓発作で突然死去し，娘のイザベルの自宅近くにある小さなアパートに転居。イザベルの夫ジョンはアルコールに関する問題をかかえており，イザベルとその2人の子ども(ケビン6歳とルシア3歳)は，MNのアパートを避難場所にしていて，MNは彼らの支えになりたいと思っている。緊張を感じ，神経をとがらせているが，うつ病ではないと申告。友人はいるが，家族の問題を話すような間柄ではなく，「こうした問題は，自分のなかに留めておきたい。噂話は好きではない」と話した。スピリチュアルアセスメント(FICA)では，子どもの頃からカトリック教徒であるが，夫の死後は教会に通っていないとのこと。信仰心は今も大切にしている一方，特定の信仰団体には属しておらず，精神的支援サービスの利用もしていない。教会に行かないことが不安感につながっていると認識しており，チャプレン(聖職者)との面会を了承している。毎朝7時に起床し，9時から夕方の5時30分まで働き，夕食は1人でとる

運動と食事：運動習慣はほとんどない。食事は高炭水化物食である
安全対策：シートベルト着用の習慣はある。日焼け止めを使用している。薬は鍵のかかっていない棚に，洗剤はシンクの下の鍵のない棚に置いてあり，拳銃は寝室の鍵のないドレッサーにしまってある
タバコ：18歳から1日1箱を36年間(36 pack-years)
アルコールや薬物：ワイン機会飲酒。違法薬物使用歴なし
性行動歴：性交渉にはほとんど興味がなく，また行為もない。性的パートナーは死別した夫のみ。性感染症に関しては，罹患歴はなく，検査をしたことがあるかどうか思い出せないという。HIV感染については心配していない

システムレビュー
全般：最近4年で4.5 kgの体重増加あり
皮膚：発疹その他の異常なし
頭部・眼・耳・鼻・咽喉(HEENT)：現病歴を参照。**頭部**：外傷歴なし。**眼**：5

(続く)↗

↘(続き)

年前から老眼鏡を使用。最後の検査は1年前。症状なし。**耳**：聴力に問題なく，耳鳴，めまい，感染なし。**鼻・副鼻腔**：花粉症・副鼻腔症状なし。**咽喉**(口腔，咽頭)：歯痛や歯肉出血なし
頸部：しこり，甲状腺腫，疼痛なし。リンパ節腫脹なし
乳房：しこり，疼痛，分泌物なし
呼吸器：咳，喘鳴，息切れなし
心血管系：息切れ，起座呼吸，胸痛，動悸なし
消化器：食欲良好。悪心・嘔吐，消化不良なし。排便は1日約1回。ただし，ストレスがあると2～3日硬い便が続く。下痢，出血なし。疼痛，黄疸，胆嚢や肝臓の問題なし
泌尿器：頻尿，排尿障害，血尿，最近の側腹部痛なし。咳でときどき尿失禁あり
生殖器：外陰部・骨盤に感染なし。性交疼痛なし
末梢血管系：静脈炎や下肢痛なし
筋骨格系：軽い腰痛があり，仕事の終わりに感じることが多いが，下肢への放散はない。以前は背筋を強化する運動をしていたが，今はしていない。その他の関節痛なし
精神系：うつ病の既往なし，精神疾患治療歴なし
神経系：失神，痙攣，運動・感覚低下なし。記憶障害なし
血液：易出血性なし，紫斑なし
内分泌：暑がりや寒がりでない。多尿。多飲なし

第4章 身体診察

包括的な身体診察

大半の初診患者や入院患者に**包括的な身体診察**を行う。一方,より**問題志向型**の焦点を絞った評価においては,患者が訴える症状から,どの部位を診察するか決定していく。

- **包括的かつ正確な診察のコツは,体系的に流れていくような診察を行うことである**。努力し実践することで,自身の習慣化された診察の流れを習得することができる。本書では,**患者の右側から診察すること**を推奨する。
- 視診,触診,聴診,打診といった診察手技を,体の各部位に行いつつ,同時に患者全体を鋭敏に捉える。
- 仰臥位から座位,立位から仰臥位といった**体位変換**を患者に依頼する回数をなるべく少なくするように努める。
- 身体診察の概要については,下記の順序で学習する。ただし,特に**筋骨格や神経の診察**では行う順序が医師によって異なることに注意すること。

診察の開始:準備

Box 4-1 の順序で診察の準備を行う。

Box 4-1 身体診察の準備

- 患者へのアプローチについて振り返る
- 照明や環境を調整する
- 診察器具を確認する
- 患者にとって快適な状況を整える
- 標準・普遍的予防策を遵守する
- 身体診察の順序,範囲,体位を決める

患者へのアプローチ，専門家としての振る舞い，患者が安心し，リラックスできる方法について，十分に検討する。**診察の開始前には常に患者の目の前で手を洗うこと。**

患者へのアプローチについて振り返る

自分が学んでいる立場にあると認識することが重要である。仮にそうでないと感じていたとしても，落ち着いて理路整然とし，十分な能力があるように振る舞うように努める。診察の一部を忘れたときは，順番通りでなくても，単純に忘れた箇所に戻って診察すればよい。ただしスムーズに行うことが大切である。一部の診察を忘れ，戻ることは特に初学者のうちは珍しくない。

照明や環境を調整する

ベッド（診察台）を適切な高さに調節する（診察後は元に戻すことを忘れないように）。診察がしやすくなるのであれば，患者に依頼して近づいてもらう。照明や静かな環境も重要である。

診察器具を確認する

Box 4-2 を用いて診察器具について確認する。

Box 4-2　身体診察のための器具や消耗品

- 聴診器
- 血圧計
- 検眼鏡
- 視力検査表
- 耳鏡：子どもを診察する場合は気密式耳鏡がよい。
- 音叉：128 および 256 Hz
- 神経反射用ハンマー（打腱器）
- 腟鏡
- 細胞学的検査および細菌学的検査のための検体採取器具
- 照明器具（ペンライトなど）
- 秒針付きの時計（タイマー）
- 触覚と 2 点識別テスト用の綿棒，安全ピン，その他の使い捨ての器具
- 舌圧子
- 定規または巻尺（単位は cm のものがよい）
- 使い捨てマスク

（続く）↗

↘(続き)

- 使い捨てガウン
- 口腔,腟,直腸検査用の手袋と潤滑剤
- 手指消毒液
- 紙とペンまたは鉛筆
- 小型の超音波装置
- ダーモスコープ
- 電子健康記録(EHR)にアクセスできるデスクトップパソコンまたはノートパソコン

患者にとって快適な状況を整える

患者のプライバシーや羞恥心への配慮を示す。
- 近くのドアを閉め,カーテンを閉じる。
- 以降の章で各部位の身体診察を学ぶと,ガウンやシーツの正しい使い方などドレーピングも習得できるだろう。**診断を犠牲にすることなく,かつ患者が最大限快適に過ごせるように,一度に身体の一部位がみえるようにする。**
- 診察の途中で,鼠径部の脈拍を診察する際など,特に恥ずかしさや不快感が生じる可能性があるときは患者に情報(状況)を伝えるようにする。またどのくらい患者が診察内容や所見について知りたいと考えているか推察する。
- 診察の各段階で,患者への指示を明確かつ礼儀正しく行えているかどうかに留意する。
- 診察を進めている間は,患者の表情をみて,「大丈夫ですか?」とたずねる。

診察の終了

診察終了後に,全体的な印象や今後の見通しを患者に伝える。転倒リスクを減らすためにベッドは低くし,必要があればベッド柵を上げる。退出するときには診察器具を洗い,使用済みの消耗品は処分し,手を洗う。

標準予防策,MRSA予防策の遵守

標準・普遍的予防策を遵守する。すべての患者において,接触の前後での手洗いを徹底する。個人防護具(手袋,ガウン,口・鼻・眼の防護具),安全な注射処置の実践,汚染された器具や部位の取り

扱い，咳エチケットと**呼吸器衛生**，患者隔離基準，器具・玩具・環境表面・洗濯の取り扱いも遵守する。

普遍的予防策の遵守

普遍的予防策 universal precaution は，応急処置や医療ケアを行う際に，ヒト免疫不全ウイルス（HIV）や B 型肝炎ウイルス（HBV），その他の血液を介して感染する病原体の感染を予防するために作られた一連の予防策である。**血液，血液を含んだ体液，精液，腟分泌液，脳脊髄液，関節液，胸水，腹水，心膜液，羊水には感染の可能性があると考えられる**。手袋，ガウン，エプロン，マスク，ゴーグルなどが防護具として用いられる。すべての医療者は，安全な注射処置の実践を行い，そして針，メス，その他の鋭利な器具による怪我を防ぐための予防策を遵守すべきである（Box 4-3）。もしこれらによる怪我があった場合，直ちに所属する医療機関の担当部署に報告する。

Box 4-3　医療施設における感染経路別予防策

予防策の種類	説明	必要となる個人防護具の種類			
		手袋	ガウン	マスク	レスピレータ
接触予防策	MRSA や *Clostridium difficile* などの接触を介して感染する病原体に対する予防策	✓	✓		
飛沫予防策	特に感染者が咳やくしゃみをしたとき，口腔・鼻・肺からの分泌物に接触することで感染する病原体に対する予防策。感染性のある飛沫は通常約 1 m しか拡散しない（インフルエンザや百日咳など）。ただし，COVID-19 の飛沫は最大約 2 m まで拡散する	✓	✓	✓	
空気予防策	結核や水痘といった空気中に長距離にわたり拡散する病原体に対する予防策 患者は廊下に空気が流出することを防ぐように設計された**陰圧室**に入室させる	✓	✓		✓

（続く）↗

↘(続き)

| 逆隔離予防策 | 医療者や来訪者が持ち込む病原体から患者を守るための予防策。通常，化学療法により免疫抑制状態となった患者が隔離される | ✓ | ✓ | ✓ |

出典：CDC. *Guideline for isolation precautions: preventing transmission of infectious agents in healthcare settings.* 2007. Updated November 14, 2018. https://www.cdc.gov/infectioncontrol/pdf/guidelines/isolation-guidelines-H.pdf（Accessed May 26, 2019）より入手可能

身体診察の順序や範囲，体位を決める

以下の点を念頭に置き，身体診察の順序を決定する。

- 患者が最大限快適であること
- 不要な体位変換を避けること
- 臨床的な効率を高めること

包括的診察を行うのか，**局所的診察**を行うのかを決める。一般に，頭からつま先に向かって診察を行う。初学者として大切な目標は，これらの原則を頭に置きながら，自分自身の診察の流れを構築することである。

患者の右側から診察するように練習するとよい。なぜなら，頸静脈圧を推定する際の信頼性がより高い，心尖拍動を触診する際に手を置きやすい，右腎は左腎よりも触知しやすいことが多い，診察台は右利きの人を想定して置かれていることが多い，といった利点からである。

座位をとれない**仰臥位**の患者を診察するには，まず頭頸部と前胸部の診察を行う。その後，患者を側臥位に回転させて，呼吸音の聴診を行い，背部の診察，皮膚の視診を行う。その後，再度患者を仰臥位に戻して残りの診察を行う。

頭からつま先までの身体診察

Box 4-4 を用いて，頭からつま先までの身体診察を行う。

Box 4-4　身体診察：想定される順序と体位

- 全身の観察
- バイタルサイン
- 皮膚（上半身の腹側と背側）
- 頭頸部（甲状腺とリンパ節を含む）
- 必要に応じて：神経系（精神状態，脳神経所見，上肢の筋力・筋肉量・筋緊張，小脳機能）
- 胸郭と肺
- 乳房
- 必要に応じて：筋骨格系（上肢）

- 心血管系〔頸静脈圧，頸動脈の立ち上がりや雑音，最強拍動点，第1心音（S₁），第2心音（S₂），心雑音など〕

- 心血管系〔第3心音（S₃），僧帽弁狭窄雑音〕

- 心血管系（大動脈弁閉鎖不全雑音）

- 必要に応じて：胸郭と肺（腹側）
- 乳房と腋窩
- 腹部
- 末梢血管系
- 必要に応じて：皮膚（下半身と四肢）
- 神経系（下肢の筋力・筋肉量・筋緊張，感覚，反射，足底反射）

- 必要に応じて：筋骨格系
- 必要に応じて：皮膚（腹側と背側）
- 必要に応じて：神経系（歩容を含む）
- 必要に応じて：筋骨格系（包括的な診察）

- 女性：内診と直腸診
- 男性：前立腺と直腸診

患者の体位を示す記号

- 座位
- 頭部30度挙上の仰臥位
- 上記と同じ姿勢で左側へ体を向ける
- 前かがみの座位
- 仰臥位
- 立位
- 仰臥位で，股関節を屈曲・外転・外旋し，膝関節は屈曲（砕石位）
- 左側臥位（左向きの臥位）

つぎの記号が出てくるまでは同じ体位で診察を続ける．2つの記号の間にスラッシュが入っている場合はどちらか一方，もしくは両方の体位で診察する

全身の観察

患者の全身の健康状態，身長や体格，性的発育を観察する．姿勢・運動・歩容，服装・身だしなみ・個人衛生，体臭や口臭に注意する．

表情を観察し，周囲の人や物事に対する態度・感情・反応について見落とさないようにする。患者の話に耳を傾け，意識状態や意識レベルについても注意する。

バイタルサイン

体位に禁忌のない限り，ベッドの縁に座ってもらうか，診察台を用いる。患者の正面に立ち，必要に応じて左右に移動する。血圧を測定する。脈拍と呼吸数を数える。必要に応じて，体温を測定する。

皮膚

顔を観察する。病変を特定し，その部位，広がり，配列，型，色調に注意する。毛髪と爪を視診，触診する。手の皮膚も調べる。他の部位を診察するときにも皮膚の評価を行う。

頭部・眼・耳・鼻・咽喉(HEENT)

頭部：毛髪，頭皮，頭蓋，顔を診察する。
眼：視力と視野を調べる。眼位とアライメントにも注意する。眼瞼部を観察し，両眼の強膜と結膜を視診する。光を斜めからあてて，角膜，虹彩，水晶体を視診する。外眼運動を評価する。室内を暗くして瞳孔を散大させ，眼底をみやすくする。瞳孔を比較し，対光反射を調べる。検眼鏡で眼底を視診する。
耳：耳介，外耳道，鼓膜を視診する。聴力を検査する。聴力低下を認めた場合は，左右差をみる検査〔Weber(ウェーバー)試験〕を行い，気導音と骨導音を比較する〔Rinne(リンネ)試験〕。
鼻・副鼻腔：鼻の外観を調べる。ライトや鼻鏡を使って，鼻粘膜，鼻中隔，鼻甲介を視診する。前頭洞や上顎洞の圧痛を触診する。
咽喉(口腔と咽頭)：口唇，口腔粘膜，歯肉，歯，舌，口蓋，扁桃，咽頭を視診する。この部位の診察中に，脳神経の評価を行ってもよい。

頸部

甲状腺の触診や，背部，胸郭背面，肺の診察を行うために座っている患者の背部に移動する。頸部リンパ節を視診，触診する。頸部の腫脹や拍動異常に注意を払う。気管の偏位を触知する。呼吸音を聴取し，努力呼吸を観察する。甲状腺を視診，触診する。

背部

脊椎と背部の筋群を視診，触診する。

胸郭(後面)と肺

脊椎と**上背部**の筋群を視診，触診する。胸郭を視診，触診，打診する。左右両側で横隔膜濁音の位置を同定する。呼吸音を聴取し，あらゆる副雑音を確認し，必要があれば声音振盪を確認する(p.249参照)。

乳房，腋窩，腋窩リンパ節

患者は座位のまま。再度，患者と対面するよう移動する。女性患者の場合，リラックスして腕を横に下ろした姿勢，つぎに腕を上げて，さらに手を腰にあてた姿勢で乳房を視診する。男女とも，腋窩の視診を行い，腋窩リンパ節を触知する。視診を続けながら乳房の触診を行う。

筋骨格系の診察における注意点

ここまでの診察で，筋骨格系の予備的な観察は済んでいる。両手と上背部の診察も終了している。必要があれば，患者は座位のままで，手，腕，肩，頸部，顎関節を診察する。関節を視診，触診し，可動域を確認する。このときに上肢の筋肉量・筋緊張・筋力・反射を調べてもよいし，後で神経診察と一緒に行ってもよい。

胸郭(前面)と肺

患者に仰臥位になってもらい，患者のベッドの**右側**に立つ。胸郭を視診，触診，打診する。呼吸音と副雑音を聴取し，必要があれば声音振盪を確認する。

心血管系

30度まで上体を起こし，頸静脈拍動を観察するのに合わせて角度を調整する。頸静脈拍動を観察し，頸静脈圧を胸骨角からの高さを用いて測定する。頸動脈拍動を視診，触診する。頸動脈雑音を聴取する。

心尖部で心音を聴取するときは患者を左側臥位にする。他の部位の心音を聴取するときは再度仰臥位になってもらう。大動脈弁閉鎖不全症を疑い，雑音を聴取するときは，患者は座位で，上体を前に倒し，息を吐いてから止めてもらう。前胸部を視診，触診する。心尖拍動の部位を確認し，その径，振幅，拍動時間に注意する。心尖部や胸骨下端では聴診器のベル部を用いて聴診する。他の各聴診部位では膜部を用いて心音を聴取する。S_1，S_2，そしてS_2の生理的分裂を聴取する。その他の異常心音や心雑音を聴取する。

腹部

頭を下げてベッドの位置を平らにする。腹部を視診，聴診，打診する。触診はまず軽く触れ，その後より深く触診する。肝臓や脾臓を打診し，つぎに触診して評価する。腎臓，大動脈とその拍動を探して触診する。腎臓の感染症が疑われる場合は，背部から肋骨脊柱角(CVA)を打診する。

末梢血管系

仰臥位にして大腿動脈の拍動を触診する。必要があれば膝窩動脈の拍動も確認する。鼠径リンパ節を触診する。下肢の浮腫，蒼白，潰瘍がないか視診する。圧痕性浮腫がないか触診する。患者を立位にして，静脈瘤がないか視診する。

下肢

仰臥位のままで下肢を診察し，末梢の血管系，筋骨格系，神経系を評価する。これらは患者が立位の状態でもさらに評価する。

神経系

座位または仰臥位で行う。神経診察は，末梢神経系の診察の後に，上肢の診察(患者が座位で行う)と下肢の診察(患者は仰臥位で行う)に分けて行ってもよい。

精神状態
評価する必要があるのに面接中に行えなかった場合は，患者の見当識，気分，思考過程，思考内容，認知異常，病識と判断，記憶と注意，情報と語彙，計算能力，抽象的思考，構成能力について評価を行う。

脳神経
まだ診察していなければ,嗅覚,眼底検査,側頭筋や咬筋の筋力,角膜反射,顔面の動き,嘔吐反射,僧帽筋や胸鎖乳突筋の筋力,舌の突出を確認する。

運動系
主要な筋群の筋肉量,筋緊張,筋力を評価する。

感覚系
痛覚,温度覚,触覚,振動覚,識別覚を評価する。左右差や四肢の近位と遠位を比較する。

反射
二頭筋,三頭筋,腕橈骨筋,膝蓋腱,アキレス腱の深部腱反射を評価する。また足底反射やBabinski(バビンスキー)反射も評価する(p.469〜472参照)。

協調運動,立位姿勢,歩容
急速変換運動,2点間運動(指鼻試験,踵膝試験など),歩容を確認する。立位姿勢を評価するためにRomberg(ロンベルグ)試験を行う。患者の歩容を観察し,継ぎ足歩行(つま先と踵を接触させて歩く),つま先歩行,踵歩行ができるか確認する。

その他の診察

直腸と**生殖器**の診察は最後に行うことが多い。

男性の生殖器の診察
陰茎と陰嚢内容物を診察し,間接ヘルニアの有無を確認する。

男性の直腸の診察
直腸の診察では,患者は左側臥位にする。仙尾部や肛門周囲を視診する。肛門管,直腸,前立腺を触診する(患者が立てない場合は,直腸診を行う前に生殖器を診察する(Box 4-5))。

女性の生殖器と直腸の診察
患者には砕石位をとってもらう。腟鏡を用いた診察では座位,その後,子宮と付属器の双手診,直腸診の際は上体を起こす。外生殖器,腟,子宮頸部を診察する。子宮頸部細胞診検査を行う。子宮と付属

器の触診を行い，双手診と直腸診を行う。

Box 4-5 特定の患者の状態に合わせた身体診察

患者の状況	対応方法
寝たきりの患者	●寝たきりの患者は，外傷や外科処置後の合併症予防のために，体重負荷や特定の動きを避ける必要があることが多い ●そのため，仰臥位で前頭部，前頸部，前胸部の診察しかできないことがよくある ●患者がベッドの上で体を横に向けても安全であれば，胸部後面の聴診など，背面の診察を行うことができる
車椅子を使用している患者	●頭頸部，心血管，肺などにおける特定の診察手技は，車椅子に座っている患者でも，必要に応じて前傾姿勢をとってもらうことで簡単に行うことができる ●しかし，腹部診察のように仰臥位で行わなければならない場合は，患者に車椅子からベッドに移ってもらわなければならない
外科処置後の患者	●動きに制限があるか確認する必要がある ●手術部位とその創部処置，腹部の腸管機能の回復，そして手術によっては末梢血管や神経の診察を特に注意深く行う必要がある ●チェストチューブ，留置カテーテル，静脈ラインなどのドレーン類，ライン類，チューブ類を評価する
肥満患者	●肥満患者を診察する際には，患者の脂肪分布に注意しておく ●皮膚を診察する際には，脂肪による皺の内側を診察する必要がある。これらの部位は湿っていて温かく，患者が毎日の衛生管理で見落としてしまうことが多いため，皮膚構造が壊れて感染症に罹患しがちである ●また下肢についても，肥満の慢性的な徴候である皮膚破壊，腫脹，血管性変化がないかを確認する
疼痛のある患者	●疼痛のある患者を診察する最初のステップは観察することである。呼吸数の増加，発汗，流涙，顔をゆがめる，歯を食いしばるなど，苦痛のサインがないか探す ●疼痛は一般的に血圧や心拍数を上昇させる ●診察をはじめる前に疼痛のコントロールを行うことを検討すべきである

所見の記録

目標は，重要な所見が記載され，簡潔な形式であなたの評価を，他の医療者や専門医，その他の医療チームメンバーに伝えることがで

きる，明瞭でわかりやすく，かつ包括的な記録の作成である（Box 4-6）。標準的な書式は**全身状態の観察**からはじまり，**神経診察**を最後に記載する。

Box 4-6　所見の記録例：身体診察

全身状態：MN は小柄で過体重の中年女性で，快活で質問への反応もよい。髪は手入れが行き届き，顔色はよく，問題なく臥位をとることができる
バイタルサイン：身長（靴を脱いだ状態で）157 cm，体重（衣服あり）65 kg，BMI 26。血圧 164/98 mmHg（右腕・仰臥位），160/96 mmHg（左腕・仰臥位），幅広いカフ使用で 152/88 mmHg（右腕・仰臥位）。心拍数 88 回/分，整。呼吸数 18 回/分。体温（口腔）37℃
皮膚：手のひらは冷たく湿潤だが，色調はよい。体幹上部に老人性血管腫が散在する。ばち状指，チアノーゼなし
頭部・眼・耳・鼻・咽喉（HEENT）：頭部：髪質はふつう。頭皮に病変なし。頭は正常大，外傷なし。眼：視力 20/30（0.6）（両眼とも），視野異常なし（対座法）。眼瞼結膜はピンク色，強膜は白色。瞳孔は 4 mm 大，2 mm まで縮瞳あり，円形，整，対光反射左右差なし。眼球運動異常なし。視神経乳頭辺縁は整で，出血や滲出なし。細動脈狭小化や網膜動静脈交叉現象なし。耳：耳垢のため鼓膜は一部不明瞭。左外耳道は異常なく，鼓膜は正常な光錐を認める。囁語も聴取可能。Weber（ウェーバー）試験では正中線上。気導＞骨導。鼻：粘膜はピンク色，中隔は正中，副鼻腔に圧痛なし。口腔：粘膜はピンク色。歯列異常なし。舌は正中で，扁桃の腫脹なし。咽頭に滲出液なし
頸部：項部硬直なし。気管偏位なし。甲状腺峡部をわずかに触知，葉部は触知しない
リンパ節：頸部・腋窩・滑車上（内側上顆）リンパ節は触知せず
胸部と肺：胸郭は左右対称で広がり良好。打診音は清音。呼吸音清，副雑音なし。横隔膜は両側で 4 cm 下降
心血管系：頸静脈拍動は，30 度半臥位にて胸骨角より 1 cm 上方。頸動脈の立ち上がりは正常で，血管雑音なし。心尖拍動は，胸骨中線より 8 cm 外側，左第五肋間，間欠的に軽く叩く感じでわずかに触知。S_1，S_2 良好，S_3，S_4 は聴取しない。右第 2 肋間に中音調で強さ II/VI 度の収縮期雑音を聴取するが，頸部に放散なし。拡張期雑音なし
乳房：左右対称で下垂。腫瘤なし，乳頭分泌なし
腹部：膨隆。右下腹部に治癒良好な瘢痕あり。腸蠕動音は活発。圧痛・腫瘤なし。季肋部肝腫長は右鎖骨中線上で 7 cm。辺縁は平滑で，右肋骨縁から 1 cm 下で触知。脾臓は触知せず，肋骨脊柱角に圧痛なし
生殖器：外性器に病変なし。息んだときに腟口部に軽度膀胱瘤あり。腟粘膜はピンク色。子宮頸部もピンク色，経産で，分泌物なし。子宮は前方で正中にあり，平滑で，腫大なし。付属器は肥満と弛緩不足のため触知せず。頸部と付属器に圧痛なし。パップスメア検査は施行済み。直腸腟壁に異常なし
直腸：外痔核なし，肛門括約筋は正常。直腸内腔に腫瘤なし。便は茶色で便潜血反応陰性

（続く）↗

↘(続き)

四肢：温かく浮腫なし。ふくらはぎは軟らかく，圧痛なし
末梢血管系：足関節にわずかに浮腫あり。下肢静脈瘤なし。うっ滞性の色素沈着や潰瘍なし。拍動（2+＝活発あるいは正常）

	橈骨動脈	大腿動脈	膝窩動脈	足背動脈	後脛骨動脈
右	2+	2+	2+	2+	2+
左	2+	2+	2+	2+	2+

筋骨格系：視診，触診上，関節変形・腫脹なし。手，手首，肘，肩，脊椎，股関節，膝，足関節の可動性良好
神経系：精神状態：意識清明，協力的である。思考に一貫性があり，理解力も良好。人，場所，時間の認識良好。**脳神経**：第Ⅱ～Ⅻ異常所見なし。**運動**：筋肉量，筋緊張は良好。**筋力**：三角筋，上腕二頭筋，上腕三頭筋，握力，腸腰筋，ハムストリング，大腿四頭筋，前脛骨筋，腓腹筋で左右差なく 5/5。**小脳**：急速変換運動および 2 点間認知の運動に異常なし。歩行は安定し，滑らか。**感覚**：痛覚，触覚，位置覚，振動覚，立体識別覚に異常なし。Romberg（ロンベルグ）徴候陰性
腱反射：

```
        ○
    ++ / \ ++
      /   \
   ++ ++ ++ ++
      ++ ++
   ++ /   \ ++
     /     \
    ↓ +   + ↓
```

第5章 臨床推論,アセスメント,計画

臨床推論 clinical reasoning の基本的なプロセスは,病歴,身体所見,予備的な診断・検査結果など,患者から集めた情報から展開される(Box 5-1)。

つぎのステップは,これらの情報を整理し,解釈して,簡潔で適切な**問題提示 problem representation**(要約文として診療記録に記録する)を行うことである。

この問題提示から,患者の問題に最も適切に説明できる**暫定的な診断**を選択するまで,問題の原因と思われる病態のリストを作成し,優先順位をつけ,検証する。この暫定的な診断は,患者の治療計画を決定するうえでの基礎となる。

> **Box 5-1 臨床推論プロセスの基本構造**
>
> - 初期の患者情報を収集する(病歴,身体所見)
> - 患者の情報を整理・解釈し,問題を要約する(問題提示)
> - 患者の問題に対する仮説を立てる(**鑑別診断 differential diagnosis**)
> - 暫定的な診断がつくまで,仮説を検証する
> - 診断・治療計画を立案する

初期の患者情報を収集する

このステップでは,患者の**症状 symptom**,身体診察で観察された**徴候 sign**,検査結果やその他の報告書から,患者の情報を収集する。異常所見や想定外の所見をすべて特定するためには,体系的に整理しておくことが重要である。

患者情報の整理と解釈

異常所見のリストができたら,それを整理して,考えられる原因を

絞り込む。その際，所見をいくつかの集団に分けて，1つの集団ごとに分析することが有効である。
- **解剖学的部位**：解剖学的に所見を分類することで，問題の潜在的な原因を指摘できる。ときには，身体の部位や臓器系で判断しなければならないこともある。
- **年齢**：若年患者は，高齢の患者に比べ，単一の疾患を有する可能性が高い。
- **発症時期**
- **異なる臓器系の関与**：症状や徴候が単一の臓器で起こる場合は，1つの疾患で説明できるかもしれない。しかし，一見無関係にみえる異なる臓器系に問題がある場合は，複数の病態が原因であることがある。
- **多臓器系の疾患**：経験を積むと，複数の臓器系の疾患を認識し，一見無関係にみえる症状を関連づける合理的な説明ができるようになるだろう。関連する危険因子は，速やかに調査する必要がある。

臨床情報の要約と問題提示

診察中に，患者の臨床情報を収集し整理すると同時に，これらの情報を要約して問題を提示する。つまり**臨床像**をどう捉えるかである(Box 5-2)。これは，通常，初期の患者情報(主訴，現病歴，疾患や症状に関連する危険因子)，既往歴と身体所見の主な特徴，検査結果などが含まれる。**問題提示は，診療記録の記載にあたり「要約文」と呼ばれる。**

Box 5-2　例：問題提示の作成

57歳の男性が，2時間前から胸の痛みを主訴に救急外来を受診した
「私道の雪かきをしていたら，突然，胸骨のすぐ後ろの胸の中央に中程度の痛みが走ったという。痛みは1〜2分続き，他の部位には移動しなかった。痛みとともに息切れがあるという。彼は過去35年間，1日1箱のタバコを吸っており，うっ血性心不全の既往歴がある。身体診察では，新たに第3心音(S_3)が出現した奔馬調律を認める心血管所見，肺基部の両側にcracklesを認める胸部所見，両脚の腫れが顕著である」

この症例に対する問題提示は，つぎのようになる
「うっ血性心不全の既往と1日1箱35年間の喫煙歴のある57歳男性が，急性で重度の労作性胸骨後痛とそれに伴う息切れを訴えている。身体診察では，新規のS_3奔馬調律，両側性肺基底部のcrackles，両側性下肢浮腫がめだつ」

所見における問題の原因を探り仮説を立てる

特定された問題または問題群に対して，それらの原因を探り仮説を立てる。自分の知識と経験を十分に活かし，幅広く文献を読み込む。このとき，疾患や異常に関する文献を読むことが最も有効である。鑑別診断を想起するには以下の Box 5-3，5-4 が参考になる。

Box 5-3　所見を呈する原因となる疾患を探すアプローチ

- 網羅的なリスト（仮説）を作成する
- 仮説を裏づける最も具体的で重要な所見を選択する
- 所見を生じうるすべての疾患と，仮説を照合する
- 所見を説明できない仮説は排除する
- 競合する仮説を検討し，最も可能性の高い仮説を選択する
- 生命を脅かす可能性のある疾患には特に注意する

Box 5-4　鑑別診断のための記憶補助ツール

Tom G. Prince, MD, Psychiatrist, General Hospital
（トム・G・プリンス医学博士，総合病院の精神科医）

- **T**oxin/Trauma including medications（薬物を含む毒素・外傷）
- **O**ncologic（腫瘍）
- **M**usculoskeletal/Rheumatologic（筋骨格系・リウマチ系）
- **G**astrointestinal（消化器系）
- **P**ulmonary（呼吸器系）
- **R**enal（腎臓）
- **I**nfectious（感染症）
- **N**eurologic（神経系）
- **C**ardiovascular（心血管系）
- **E**ndocrine（内分泌系）
- **M**etabolic/Genetic（代謝・遺伝）
- **D**ermatologic（皮膚）
- **Psych**iatric（精神）
- **G**enitourinary/**G**ynecologic（泌尿器科・産婦人科）
- **H**ematologic（血液）

VINDICATE

- **V**ascular（血管系）
- **I**nfectious（感染症）
- **N**eoplastic（腫瘍）
- **D**rug related（薬物関連）
- **I**nflammatory/**I**diopathic/**I**atrogenic（炎症性・特発性・医原性）
- **C**ongenital（先天性）
- **A**utoimmune/**A**llergic（自己免疫・アレルギー性）
- **T**rauma/**T**oxic（外傷・毒性）
- **E**ndocrine/Metabolic（内分泌系・代謝）

疾患スクリプト illness script は，疾患の病態生理，疫学，時間経過，重要な症状や徴候，診断，治療など，以前に経験した情報から

の記憶反応を引き起こすことが多い(Box 5-5)。患者の問題が、どのパターンにあてはまるか、試してみるとよい。

Box 5-5　急性冠症候群の疾患スクリプト

疫学・病態生理	高齢，危険因子は糖尿病，高血圧，脂質異常症，家族歴，喫煙歴など
発症の仕方	急性発症，必ずしも労作性狭心症は先行しない
臨床症状	漸増して最大の強さに達する胸痛，腕や肩へ放散する鈍い胸骨下部の痛み，発汗，呼吸困難，悪心・嘔吐，診察時の頻脈
診断のための検査	心筋バイオマーカーの上昇，心電図における ST 上昇・低下，T 波の変化，心エコーにおける局所的な壁運動の異常

仮説の検証

患者の問題についての仮説を立てたら，その**仮説を検証**する。仮説を確定，あるいは除外または 2，3 の仮説のうちどれが最も可能性が高いかを明らかにするために，必要に応じてさらなる病歴聴取，診察，検査を行う。

暫定的な診断をする

これまでに得た患者の情報をもとに，仮説の中で最も明確な説明ができる暫定的な診断を選ぶ。症状が限定される場合もあるが，解剖学的部位，経過，原因にもとづいて，問題をより具体的に定義することができる場合もある。ただし，臨床推論をするうえでは，Box 5-6 に示している認知エラーに注意する必要がある。

Box 5-6　診断における認知エラーの一般的なタイプ

認知エラー	特徴
投錨バイアス anchoring bias	臨床推論のプロセスの初期段階において，患者の初期症状から顕著な特徴に固執し，後から得た情報に応じて診断を調整することができないこと

(続く)↗

↘(続き)

利用可能性ヒューリスティックス availability heuristic	ある診断がより容易に思い浮かぶ場合,その診断が,より可能性が高い,あるいはより頻繁に起こると思い込んでしまうこと
確証バイアス confirmation bias	ある診断を支持する証拠を求めるがために,その診断を否定する説得力のある情報を無視すること
診断モメンタム diagnostic momentum	前の診察者が下した診断を優先し,別の診断につながるエビデンスを無視すること
フレーミング効果 framing effect	情報の解釈は,問題に関する情報のみせ方(フレーム化)に大きく影響される
表象エラー representation error	診断の確率を推定する際に,有病率を考慮しないこと
本能的バイアス visceral bias	感覚的な印象(患者に対する否定的・肯定的な感情)が診断の判断を誤らせる

出典：Croskerry P. The importance of cognitive errors in diagnosis and strategies to minimize them. *Acad Med.* 2003; 78(8): 775-780; Weinstein A, et al. Diagnosing and remediating clinical reasoning difficulties: a faculty development workshop. *MedEdPORTAL.* 2017; 13: 10650.

診断・治療計画の立案

診断・治療計画は,患者との話し合いにより特定した暫定的な診断から論理的に立案される。このステップは,しばしば広範囲に及び,暫定的な診断および治療的介入,患者教育,投薬の変更,必要な検査,他の医療者への紹介,カウンセリングやサポートのための再診などが組み込まれる。

共同意思決定の推奨

可能な限り,患者の同意を得るとともに,意思決定への参加を促すことが重要である。エビデンスにもとづく医療,医療者の判断,患者の価値観をもとに,患者と治療計画に向けた話し合いをする必要がある。特にさまざまな方法や選択肢があり,唯一の「正しい」計画が存在しないときには,このような方法をとることで最適な治療,治療へのアドヒアランスにつながり,患者の満足度を高めることができる。

要約文，アセスメント，計画の記録

要約文 summary statement，アセスメント assessment，計画 plan は，臨床推論および情報収集能力を最も強く反映する。まず主観的・客観的な情報の記述や観察から，それらの分析および解釈を行う。そして，関連する情報の断片を選択してまとめ，それらの意味を分析し，生物心理社会学および生物医学の原則を用いて論理的に説明する。

要約文の記録

問題の提示は，診断の「根拠となる」重要な情報の収集と絞り込みである。これが，**要約文**であり，診療記録の冒頭，「アセスメントと計画」の前に記載される。**要約文の目的は，それを読んだ人が，疾患スクリプトと照らし合わせて，診断にたどり着けるようにすることである。**

例えば，以下のようになる。
「うっ血性心不全の既往と1日1箱35年間の喫煙歴のある57歳男性が，急性で重度の労作性胸骨後痛とそれに伴う息切れを訴えている。身体診察では，新規のS_3奔馬調律，両側性肺基底部のcrackles，両側性下肢浮腫がめだつ」

よく練られた要約文には，しばしば**セマンティック・クオリファイアー semantic qualifier** と呼ばれる状態を示す形容する語が含まれる（Box 5-7）。セマンティック・クオリファイアーは，診断において考慮する点を比較対照するために使用できる二元的な（対になる）意味をもつ用語であり，効果的な臨床推論と関連があるといえる。

Box 5-7　セマンティック・クオリファイアーの例

- 急性，慢性
- 安静時，活動時（労作性）
- 持続的，間欠的
- びまん性，限局性
- 軽度，重度
- 既存，新規
- 鋭い，鈍い
- 片側性，両側性
- 若年，高齢

アセスメントと計画の記録

一般的に，アセスメントと計画は，**診断**に関するもの，**治療**に関するもの，またはその両方がある。**アセスメント**には，考えられる原因（**鑑別診断 differential diagnosis**）の簡単な説明を記載し，**計画**には，診断に至る手順や問題への対処を記載する（Box 5-8）。まず，診察で特定された患者の問題をすべてリスト化する。このリストには，既知の診断名，症状，異常，心理社会的問題を含める。なお，この**問題リスト problem list** は，臨床推論プロセスの初期段階に作成した鑑別診断リストと関連しているが，これに所見に対する診察者の分析や解釈を反映させてまとめたものである。問題リストとは以下のようなものである。

- 診察時にみられた異常や予期せぬ所見を総合的に判断したもの
- 既知の診断，新規または未診断の症状や徴候を含む
- 食料や住居環境に関する不安など，健康に影響を与える重要な社会的要因を含む
- 患者の主訴を最優先にして，順位づけされたもの

問題リストのもう1つの重要な項目は，**健康維持**である。予防接種，マンモグラフィや大腸内視鏡検査などのスクリーニング検査，栄養や自己検診に関する指導，運動やシートベルトの使用に関する推奨，重要なライフイベントへの対応など，健康維持に関するいくつかの重要な項目を定期的に記録しておくと，より効果的である。

Box 5-8　要約文，アセスメントと計画の例

よい記録は，「アセスメントと計画」のセクションで，臨床で取り上げた問題がリスト化され構成されている。それぞれの問題を優先度の高い順にリスト化し，所見の補足や鑑別診断を追加した後，その問題に対する計画まで記録する

要約文：MN は 54 歳の販売員で，小児期より片頭痛の既往歴があり，現在は慢性的かつ間欠性の拍動性頭痛が増悪傾向にある。頭痛は以前からの症状と似た特徴をもち，現在の生活上のストレスで促進される。頭痛は悪心・嘔吐を伴う。血圧の上昇がみられるものの，それ以外は，心血管系検査，神経学的検査ともに正常

アセスメントと計画

1. 頭痛

鑑別診断としては，以下の通り
- 片頭痛：患者には片頭痛の既往があり，現在の頭痛も同じようなものだと説

（続く）↗

明していることから，片頭痛の可能性が最も高い。拍動性，4～72時間の持続時間，随伴する悪心・嘔吐，日常生活に支障をきたしている点から片頭痛の診断を支持できる。また神経学的検査で正常であることからも診断がつく
- 緊張型頭痛：片頭痛ではあまりみられない両側性頭痛であることから，緊張型頭痛の可能性もある。54歳女性で，小児期から片頭痛があり，ズキズキした血管関連性のもので，悪心・嘔吐を頻繁に伴う。頭痛はストレスと関連しており，睡眠と冷湿布で緩和される。乳頭浮腫はなく，神経学的検査でも運動障害や感覚障害を認めない
- 他の重篤な疾患である可能性は低い。髄膜炎を疑うような発熱や項部硬直，局所症状はなく，生涯を通し長期間繰り返すことから，くも膜下出血ではなさそうである（通常，「人生最悪の頭痛」と表現される）。神経学的検査と眼底検査で正常であることから，腫瘍などの占拠性病変の可能性も低い

計画
- 片頭痛と緊張型頭痛の特徴を比較し検討する。また緊急検査の適応となる危険な徴候がないかも調べる
- バイオフィードバック療法や，ストレスへの対処法を検討する
- コーヒー，コーラ，その他の炭酸飲料など，カフェインを含むものを避けるよう指導する
- 非ステロイド性抗炎症薬（NSAID）の頓用を開始する
- 週2回あるいは月8回以上頭痛があれば，予防的投薬を開始する

2. 血圧上昇
収縮期血圧と拡張期血圧の上昇を認める。胸痛や息切れはなく，受診時は無症状であり，高血圧緊急症は考えにくい

計画
- 血圧の評価基準について話をする
- ヘモグロビン A_{1c}（HbA_{1c}）を検査し，糖尿病の有無を確認する。これによって目標血圧が変わってくる
- 2週間後に血圧を再検査する
- 減量と運動プログラムについて話し合う（4を参照）
- 減塩指導をする

3. 腹圧性尿失禁を伴う膀胱瘤
内診で認めた膀胱瘤からは，膀胱の弛緩が示唆される。患者は閉経周辺期である。咳嗽時に尿失禁がみられ，膀胱頸部の構造的変化が疑われる。排尿困難，発熱，側腹部痛はなく，影響のある薬物の内服もない。普段の尿は少量で尿漏れもないため，切迫性・溢流性尿失禁は疑われない

計画
- 腹圧性尿失禁の原因を説明する
- 尿検査の結果を確認する

↘(続き)

- Kegel(ケーゲル)体操(骨盤底筋体操)をすすめる
- 再診時に改善がみられなければ,腟内へのエストロゲンクリーム塗布を考慮する

4. 過体重
身長157 cm,体重65 kg,BMIはおよそ26

計画
- 食事内容をたずね,食べたものを日記に記録するよう指導する
- 減量する意欲を探り,次回受診時までの減量目標を設定する
- 栄養指導の予約をとる
- 運動プログラムを具体的に話し合う。特に,1週間ほぼ毎日30分間の歩行を検討する

5. ストレスと住居の不安
義理の息子がアルコールの問題を抱えており,娘や孫が患者のアパートに避難してくるため,このような人間関係が患者に緊張を強いている。また,患者は経済的にも厳しい境遇にあり,社会的支援や心の支えがなく,精神的に追い詰められているという。ストレスはこうした現在の状況からきている。現時点で明らかな抑うつは認めない(PHQ-2=0)

計画
- ストレスへの対処法について,患者の意向をたずねる
- 患者には生活相談,娘にはAl-Anon(アラノン)[訳注]の紹介など,社会支援を受けられるよう検討する
- 精神的支援を相談するためにチャプレン(聖職者)を紹介する
- 抑うつの徴候がみられないか経過観察を行う

6. 腰痛
長時間の立位により起こる。外傷や交通事故の既往はない。痛みの放散はなく,診察上,圧痛や運動感覚障害もない。椎間板や神経根の圧迫,転子部滑液包炎,仙腸関節炎は考えにくい

計画
- 減量や,運動をして腰部の筋肉を強化することが有効であることを伝える

7. 喫煙習慣
1日1箱を36年間(36 pack-years)。本日の診察では口腔内に悪性腫瘍の所見は認めない。複数のストレス要因があり,頭痛が悪化しているのが現状で,禁煙についてはまだ考えていない段階(前熟考期)である

(続く)↗

訳注:アルコール依存者の家族,友人の自助グループ。

↘(続き)

計画
- 外来での呼吸機能検査でピークフローもしくは FEV_1/FVC を調べ，閉塞性肺疾患の有無を評価する
- 低線量 CT 肺癌検診について相談する
- 今は禁煙への関心はみられないが，気持ちが変わったら，今後も継続してサポートすることを提案し，ニコチン置換療法や服薬に関する資料を提供する。生活上のストレス要因が改善し，頭痛が軽減した後で再度禁煙について扱う

8. 心雑音
Ⅱ/Ⅵ度の収縮中期雑音が，大動脈弁領域であり，年齢から大動脈弁硬化または狭窄が疑われる。重度の大動脈弁狭窄を示唆するような，息切れ，胸痛，失神はみられない。経過観察し，雑音が大きくなったり，何らかの症状を認めた場合，経胸壁心エコーを検討する

9. アレルギー：アンピシリンで発疹

10. 健康の維持
2018 年にパップスメア検査，2019 年にマンモグラフィ。大腸内視鏡検査の施行歴なし

計画
- 大腸内視鏡検査を指示。前処置薬を処方し，使用方法を説明する。説明書類を渡し，ティーチ・バック法を用いて説明する
- 喫煙歴を考慮し，口腔癌スクリーニングのため歯科受診を指示する
- 薬物やアルカリ性洗剤は，可能なら肩より高い位置にある鍵のかかる棚へ移すようアドバイスする。拳銃は弾薬を抜いて安全装置をかけ，鍵のかかる保管庫にしまうよう，また弾薬は拳銃とは別の場所に施錠して保管するよう強くすすめる

患者のプロブレムリスト

診察した患者の診療記録が完成した後，患者の問題を包括的にまとめた**プロブレムリスト patient problem list** を作成する(Box 5-9)。最も活動性があって深刻な問題を最初にリストアップし，その問題が発症した日を記録する。プロブレムリストは，電子健康記録(EHR)の要約ページに記載する。

Box 5-9　患者プロブレムリストの例

日付	問題番号	問題
2021/8/15	1	頭痛（おそらく片頭痛）
	2	血圧上昇
	3	腹圧性尿失禁を伴う膀胱瘤
	4	過体重
	5	社会的ストレスと住居の不安
	6	腰痛
	7	18歳からの喫煙習慣
	8	心雑音
	9	アンピシリンアレルギー
	10	健康維持

再診時に，プロブレムリストを参照することで，患者の病歴を簡単に振り返ったり，患者が言及していない問題の経過を確認し忘れるのを防ぐことができる。また，医療チームの他のメンバーが，患者の健康状態を一目で把握することもできる。

経過記録

記録は明確で，十分に詳細であり，フォローしやすいものでなければならない。また臨床推論を反映し，アセスメントと計画を明確に示すものでなければならない。広く採用されているのは SOAP（**S**ubjective data 主観的情報，**O**bjective data 客観的情報，**A**ssessment アセスメント，**P**lan 計画）で，情報や推論を評価するための認知的なフレームワークを提供している（Box 5-10）。

Box 5-10　経過記録のための SOAP

項目	概要
主観的情報 （**S**ubjective data）	患者の体験から得られた情報を記録する 患者の「主観的」な体験（病歴，経験した症状，痛みや不安，医師や他の医療者によって引き出されたその他の特徴）である
客観的情報 （**O**bjective data）	診察者によって評価された「客観的：情報の文書化（診察の所見，身体検査の所見，放射線検査）であり，主観的な病気の報告を医学的に診断する

（続く）↗

↘(続き)

項目	概要
アセスメント(Assessment)	診断に至るために「主観的」,「客観的」な証拠を統合し記録する 鑑別診断の詳細や,意思決定における有益性と有害性の二律背反が含まれる
計画(Plan)	治療に必要なステップに加えて,病気に対処するための追加検査や他の医療者とのコンサルテーションの必要性について詳述する

出典:Lenert LA. Toward medical documentation that enhances situational awareness learning. *AMIA Annu Symp Proc*. 2017; 2016: 763-771. より許可を得て引用

診察における口頭でのコミュニケーション

プレゼンテーションは,患者とその病歴について,体系的かつ正確な説明である(Box 5-11)。これは,医療者間の主要なコミュニケーション手段であり,臨床推論を伝えるものである。

プレゼンテーションは,患者の臨床記録として入手した情報をまとめ,患者の主訴に対する鑑別診断や管理方法に最も関連する情報のみを含める。以下は,新規患者の包括的なプレゼンテーションのフレームワークを示すものである。なお,プレゼンテーションで提供する情報の種類や詳細の程度は,状況に応じて異なる。

Box 5-11 プレゼンテーションのフレームワーク:新規患者

重要な問題,診断,計画について説得力のある主張をする。3~5分で終わるように,体系的に整理し,範囲を絞る

導入
- 主訴と入院理由を簡潔に述べる
- 診察で特定された,診断に関連する病歴を述べる

情報源
- 必要に応じて,患者から信頼できる病歴を得られない場合は,その理由を簡潔に述べる
- 患者以外の情報源を明示する
- 患者以外の情報源についてコメントしない限り,患者の説明は信頼できるものとみなされる

(続く)↗

↘(続き)

現在の病状
- 自分で下した診断をもとに,何を盛りこむかを決めること
- つぎのようにはじめるとよい。「患者は○○までは通常の健康状態でした」
- 分析せず,時系列順に整理する
- 症状を表す特徴に留意する
- 特に現在の病状の原因となっている過去の病歴(検査結果や治療的介入を含む),薬歴,家族歴,社会歴(心理社会的要因を含む)を説明する
- 診断を理解してもらうために,関連のある陽性所見と陰性所見を説明する
- 救急搬送の場合は,患者があなたの元に到着する前のトリアージや差し迫った治療方針の決定に著しく影響を与える,または変化させる病状のみ含める

その他の病歴
- 重要な過去の病歴(補足・データを含む)を説明する
- 現在のケアに影響のない軽微な診断は省略する
- 重要な薬物とその投与量を明示する。重要でない薬物は省略する
- アレルギーを明示する
- 重要な家族歴,社会歴,システムレビューの結果を説明する。すでに説明した情報を繰り返さないこと

身体診察
- 全身の状態と具体的なバイタルサインを必ず説明する
- 関連する身体所見と異常所見を説明する
- それ以外は「重要性が低い」と伝える

検査結果
- 関連する,または重要な検査結果を明示する
- まず,基本的な血液検査からはじめる
- その他の検査については「正常」であると伝える

まとめ
- つぎのようにはじめるとよい。「以上をまとめると……」
- 情報をそのまま繰り返すのではなく,評価し,総合的に判断した結果を伝える
- 診断に関するあなたの所感を示す
- 複数の問題がある場合は,最後にあげる問題リストに比較的小さな問題を盛りこみ,議論する

(続く)↗

↘(続き)

問題リスト
- 最も重要な問題からはじめる
- できる限り具体的な名称で問題を明示する
- 臓器系のみで問題を分類することは避ける
- あなたが問題の原因と考えているものを示す
- 問題を解決するための具体的な診断および治療に関する計画を示す

出典:Green EH et al. Developing and Implementing Universal Guidelines for Oral Patient Presentation Skills. *Teach Learn Med.* 2005; 17(3): 263-267. Taylor & Francis Ltd (http://www.tandfonline.com) より許可を得て改変

第6章 健康維持とスクリーニング

予防医療の概念

- **一次予防**には予防接種，予防薬，医療行為，行動カウンセリングが含まれる。
- **二次予防**とは，患者にまだ症状が現れていない(**無症状の asymptomatic**)段階における，疾患やそのプロセスを早期に発見するための介入(スクリーニング検査)である。二次予防をすすめる理論的根拠は，疾患の早期段階での治療は，進行段階で治療するよりも多くの場合効果があることである。

ガイドラインの推奨

以下に，推奨度を評価するための多くのアプローチの1つを示す(Box 6-1)。

Box 6-1 米国予防医療専門委員会(USPSTF)の格付け：グレードの定義と実践への示唆

グレード	定義	実践のための提案
A	USPSTFはこのサービスを推奨している。純利益が大きいことに高い確実性[a]がある	このサービスを提供する，または提供を検討する
B	USPSTFはこのサービスを推奨している。純利益が中程度であることに高い確実性がある，または純利益が中程度以上であることに中程度の確実性がある	このサービスを提供する，または提供を検討する

[a] 確実性とは，「ある予防医療サービスの純利益に関するUSPSTFの評価が正しい可能性」と定義され，純利益とは，「一般的なプライマリケア集団において実施された予防医療サービスの有益性から有害性を引いたもの」と定義される。

(続く)↗

↘(続き)

グレード	定義	実践のための提案
C	USPSTFは，専門家の判断と患者の好みにもとづいて，個々の患者にこのサービスを選択的に提供する，または提供を検討することを推奨している。純利益が小さいことに少なくとも中程度の確実性がある	個々の状況に応じて，選択した患者にこのサービスを提供する，または提供を検討する
D	USPSTFはこのサービスを推奨していない。純利益をもたらさない，または有害性が有益性を上回ることに中程度または高い確実性がある	このサービスの利用を控える
I	USPSTFは，このサービスの有益性と有害性のバランスを評価するには現在のエビデンスでは不十分であると結論づけている。エビデンスが不足している，質が低い，または矛盾しているため，有益性と有害性のバランスの判断が困難	このサービスを提供する場合，患者は有益性と有害性のバランスについての不確実性を理解する必要がある

スクリーニング

スクリーニングとは，早期の疾患や病気の前兆があり，早期治療の効果が期待できる無症状の患者を特定するための検査である（Box 6-2）。スクリーニングプログラムの多くは，癌，糖尿病，慢性ウイルス感染症，物質乱用，心血管疾患といった，相当数の罹患率と死亡率を伴う一般的な疾患を対象としている。

Box 6-2 USPSTFによる成人向けスクリーニングに対する推奨事項

スクリーニング	推奨度（年）	USPSTFの見解
腹部大動脈瘤	B（2019年）	USPSTFは，喫煙歴のある65～75歳の男性に対して超音波検査によるスクリーニングを1回は施行することを推奨
飲酒	B（2018年）	USPSTFは，妊娠女性を含む18歳以上の成人に対し，プライマリケアにおける不健康なアルコール摂取のスクリーニングを推奨。危険な飲酒をしている成人に対する簡単な行動カウンセリングによる介入は，不健康なアルコール摂取の減少につながる

（続く）↗

(続き)

HIV 感染症	A (2019年)	USPSTFは，思春期の若者および15〜65歳の成人に対するHIV感染のスクリーニングの施行を推奨。リスクの高い若年層と高齢者もスクリーニングを受けるべきである
親密なパートナーからの暴力(IPV)	B (2018年)	USPSTFは，妊娠可能な女性に対するIPVのスクリーニングを施行し，陽性となった女性には継続的な支援サービスを提供または紹介することを推奨
性感染症(STI) (クラミジア感染,淋病,梅毒)	B (2014年)	USPSTFは，すべての性的に活発な若者，またSTIのリスクが高い成人に対する集中的な行動カウンセリングを推奨
喫煙	A (2015年)	USPSTFは，すべての成人に喫煙についてたずね，禁煙を助言し，行動的介入およびFDAが承認した薬物療法の提供を推奨
(不健康な)体重, 糖尿病	B (2015年)	USPSTFは，40〜70歳の過体重または肥満の成人において，心血管リスク評価の一環として血糖値異常のスクリーニングを推奨

成人に対するスクリーニングのガイドライン

- 不健康な体重および糖尿病のスクリーニング
- 処方薬の誤用や違法薬物を含む物質使用障害のスクリーニング
- 親密なパートナーからの暴力(IPV)，家庭内暴力(DV)，高齢者虐待，社会的弱者への虐待のスクリーニング

不健康な体重および糖尿病のスクリーニング

- 米国の成人の約38％が肥満であり，そのうち約8％が高度肥満である。
- 過体重と肥満は，全原因による死亡リスクを20％増加させるといわれている。
- 糖尿病は心血管疾患の主要な危険因子であり，2015年には33万人以上の死亡の要因または一因となっている。

体重を身長の二乗で割った肥満指数 body mass index (BMI) は，過体重のスクリーニングによく使われる (Box 6-3)。BMI は体脂肪を直接測定するものではないが，より直接的な測定法である体脂肪

Box 6-3 肥満指数(BMI)による体重の分類

BMI(kg/m^2)	体重の状態
<18.5	低体重
18.5〜24.9	適正体重(正常または健康的)
25.0〜29.9	過体重
30.0〜34.9	肥満 I
35.0〜39.9	肥満 II
≧40	肥満 III(高度)

率および体脂肪量と相関している。

2型糖尿病の診断は,HbA1c値が6.5%以上,空腹時血糖値が126 mg/dL以上,または経口ブドウ糖負荷試験の結果が200 mg/dL以上であることを繰り返し測定することで行うことができる。糖尿病は,心血管疾患の重大かつ改善可能なリスク要因であることから,USPSTFは40〜70歳の過体重または肥満の成人に対して,血糖値の異常をスクリーニングするようグレードBの推奨を行っている。

処方薬の誤用や違法薬物を含む物質使用障害のスクリーニング

- 2017年の全米薬物使用と健康に関する調査(NSDUH)の報告書によると,調査前の1カ月間に違法薬物を使用した米国人は3,050万人と推定されている。
  - マリファナ使用者2,600万人
  - 医療目的ではない処方薬使用者320万人
  - コカイン使用者220万人
- 推定750万人が,少なくとも1つの違法薬物障害を有するというDSM-IVの基準を満たしていた。
- 2017年の薬物過剰摂取による死亡者は7万237人で,そのうち2/3以上がオピオイドによるものであった。

米国国立薬物乱用研究所(NIDA)は,まず,非常にセンシティブかつ具体的な質問をすることを推奨している。「過去1年間に何回,違法薬物を使用したり,非臨床的な理由で処方薬を使用したことがありますか?」

回答が肯定的であった場合，医療目的でない違法薬物や処方薬の使用について具体的にたずねる。「あなたは今までに，マリファナ，コカイン，処方された興奮剤，メタンフェタミン，鎮静薬や睡眠薬，リゼルグ酸ジエチルアミド(LSD)，エクスタシー，マッシュルームなどの幻覚剤，ヘロインやアヘンなどのストリートオピオイド(路上で入手できる違法なもの)，フェンタニル，オキシコドン，ヒドロコドンなどの処方されたオピオイド，その他の物質を使用したことがありますか？」 使用したことがあると答えた人には，さらに一連の質問をすることがすすめられる。

しかし，USPSTFは2008年に，違法薬物使用のスクリーニングを推奨するにはエビデンスが不十分であると結論づけた。USPSTFによるガイドラインは現在，見直しと更新が行われている。

IPV，DV，高齢者虐待，社会的弱者への虐待のスクリーニング

- 米国疾病対策センター(CDC)の報告によると，生涯において米国女性の3人に1人以上，米国男性の3人に1人がIPVを経験する。
- 全体では，女性の21％が生涯で深刻な身体的暴力を経験したのに対し，男性では15％であった。
- 状況が判明している女性の殺人事件の半数以上(55.3％)がIPVに関連していた。

USPSTFによる **IPV**(intimate partner violence，親密なパートナーからの暴力)の定義は，「配偶者，ボーイフレンド，ガールフレンド，デート相手，またカジュアルな付き合いを含む，恋愛または性的パートナーからの身体的暴力，性的暴力，心理的攻撃(金融資産へのアクセスを制限するなどの強制的な方法を含む)，またはストーカー行為」である。

IPVのスクリーニングは，一般的な「常態化させる(ふつうに行う)」質問からはじめるとよい。「虐待は私の患者さんの多くが経験していることなので，みなさんに聞くようにしています」「人間関係のなかで，危険や恐怖を感じることはありますか？」「知り合いに叩かれたり，蹴られたり，殴られたり，傷つけられたりしたことはありますか？」など。

USPSTFは，生殖可能年齢の女性を対象にIPVのスクリーニングを行い，スクリーニングで陽性となった人には支援サービスを紹介

することを,グレードBの推奨としている。USPSTFは,Humiliation, Afraid, Rape, Kick(HARK), Hurt, Insult, Threaten, Scream(HITS), Extended-HITS(E-HITS), Partner Violence Screen(PVS), Woman Abuse Screening Tool(WAST)などのスクリーニング尺度を推奨している。これらの検査の感度は64〜87%,特異度は80〜95%であった。スクリーニングでIPVが検出された後の効果的な介入として,カウンセリングや家庭訪問などの支援サービスを継続的に提供することがあげられる。

高齢者虐待とは,信頼できる人(介護者など)が高齢者に危害を加えたり,危害を加える危険性を生じさせたりする「行為」を指す。社会的弱者の定義は一般的に,「虐待を受けている,または受ける可能性があり,年齢,障害,またはその両方を理由とし,自分自身を守ることができない人」である。2008年に60歳以上を対象に行われた国勢調査では,10人に1人が過去1年間に虐待や,ネグレクトの可能性を報告していることが判明した。**USPSTFは,すべての高齢者や社会的弱者に対して,虐待やネグレクトのスクリーニングを推奨するかどうかを判断するには,十分なエビデンスがないと判断している(グレードI)。**

■ 行動カウンセリング

健康的な行動をとるべき患者や不健康な行動をやめるべき患者を特徴づける有用なモデルとして,Prochaska(プロチャスカ)とDiClemente(ディクレメント)による**トランスセオレティカルモデル**(行動変容段階モデル)がある。このモデルでは,行動変容は,時間をかけて展開されるプロセスとして概念化されており,一連の5つの段階(**前熟考期,熟考期,準備期,実行期,維持期**)を経て進行する(Box 6-4)。

Box 6-4 トランスセオレティカルモデル

段階	説明	患者の主張
前熟考期	患者は,当面の間行動を変えるつもりはなく,自分の問題に気づいていないことが多い	「何か行動を変える必要があるとは思っていません」

(続く)↗

↘(続き)

熟考期	患者は問題があることを認識しており,克服しようと真剣に考えている。行動に移すことは約束されていない	「自分の行動に不安を感じていますが,まだ変える準備はできていません」
準備期	患者はすぐに行動を起こす意思を示し,小さな行動の変化を報告する	「今すぐ行動を変えるつもりです」
実行期	患者は自分の問題を克服するために行動を変える	「今,自分の行動を変えているところです」
維持期	患者は行動変容のための行動を継続し,再発防止に努める	「自分の行動を変えました」
再発[a]	行動の変化が止まり,患者が以前の行動に戻ってしまう	「以前の行動に戻ってしまいました」

[a]「再発」それ自体はステージ(段階)には含まれないが,実行期や維持期以前の段階に戻ることを指す。

動機づけ面接

動機づけ面接 motivational interviewing は,十分に立証されている一連の技法であり,特に前熟考期,熟考期にある患者が,食事,運動習慣,禁煙,禁酒,服薬アドヒアランス,自己管理などに対し自らの行動を見直し,変えることができるような助けとなるものであり,かつ医療者にとって有効なものである(Box 6-5, 6-6)。

Box 6-5　動機づけ面接の誘導法

- **「たずねる」**:自由回答方式の質問をする。患者になぜ変わるべきなのか,どのように変わるべきなのかを考えさせる
- **「話を聞く」**:患者の経験を理解するために聞く。「今のところ禁煙は自分とは関係ないことと考えていらっしゃるのですね」といった要約や聞いたことを振り返る言葉によって,彼らの弁明を捉える。こうして共感を示すことで患者にさらに詳しい話をするよう促すことができる,否定的な反応への最善の対応策となることが多い
- **「知らせる」**:情報提供を行ってもよいかをたずね,患者が何を実践できそうかたずねる

出典:Rollnick S, et al. Motivational interviewing. *BMJ*. 2010; 340: 1243, with permission from BMJ Publishing Group Ltd. より掲載

Box 6-6　USPSTFによる成人向け行動カウンセリングに対するガイドライン

行動カウンセリング	推奨度(年)	USPSTFの見解
健康的な食事と身体活動		
対象者:過体重または肥満の成人,さらに心血管疾患(CVD)の危険因子を有する成人	B (2014年)	USPSTFは,過体重または肥満の成人,さらにCVDの危険因子を有する成人に対して,集中的な行動カウンセリング,およびCVD予防のための健康的な食事と身体活動を促進するための介入を推奨
対象者:既知のCVDの危険因子をもたない非肥満の成人	C (2017年)	USPSTFは,プライマリケア専門家が,高血圧,脂質異常症,血糖値異常,糖尿病の既往がない非肥満の成人に対して,健康的な食事と身体活動を促進するための行動カウンセリングを行うかどうかは個別に判断することを推奨
体重減量		
対象者:肥満指数(BMI)が30以上(肥満)の成人	B (2018年)	USPSTFは,BMIが30以上(肥満)の成人に対する集中的で多要素の行動介入の提供または紹介することを推奨

成人に対するカウンセリングのガイドライン

- 体重減量
- 健康的な食事と身体活動

体重減量のカウンセリングのガイドライン

USPSTFは,BMI≧30の成人と,BMI 25〜30で心血管疾患(CVD)の危険因子(高血圧症,脂質異常症,血糖値異常)を有する成人を対象に,CVDを予防するための集中的で多要素の行動介入を支持(グレードB)した。USPSTFは,食生活の改善と運動量の増加を組み合わせた効果的な集中的行動介入により,5%以上の減量が得られるとしている。これらの介入は多くの場合,1〜2年の期間にわたって行われ,体重の自己管理,減量を支援・維持するためのツール(歩数計,体重計,運動ビデオなど),動機づけのためのカウンセリングセッションなどの要素が含まれていた(Box 6-7)。

現実的な目標は5〜10%の減量であり、糖尿病やその他の肥満に関連した健康問題のリスクを減らすことが証明されている。減量の安全な目標は、1週間に約0.2〜0.9 kgである。

Box 6-7　適正体重を推進するためのステップ

1. BMIと腹囲（ウエスト周囲径）を測定する
   - BMI≧25の成人、ウエスト周囲径>102 cmの男性、>89 cmの女性は、心臓病や肥満関連疾患のリスクが上昇する
   - 75歳以上の高齢者では、ウエスト/ヒップ比（ウエスト周囲径÷ヒップ周囲径）を測定することで、よりよいリスク予測が可能となりうる。男性では>0.95、女性では>0.85でリスク上昇と判断する
2. 喫煙、高血圧症、高コレステロール、運動不足、家族歴など、CVDのさらなる危険因子を把握する
3. 食事摂取量を評価する
4. 患者の変化へのモチベーションを評価する
5. 栄養と運動に関するカウンセリングを行う

健康的な食事と身体活動のカウンセリングのガイドライン

CVDのリスクを低減するために、過体重または肥満で、他に1つ以上の既知のCVDの危険因子を有する成人に対して、健康的な食事と身体活動を推進する行動カウンセリングを行う必要がある。しかし、CVDの特定の危険因子をもたない非肥満患者に行動カウンセリングを行うことの是非については個別に判断すべきである。

心臓によい食事とは、野菜・果物・食物繊維・全粒穀物を豊富に含み、塩分・赤身の肉や加工肉・飽和脂肪を抑えたものである（Box 6-8）。おもな推奨事項は以下の通り。
- ナトリウムの過剰摂取は、CVDの主要な危険因子である高血圧症を引き起こす可能性があるため、ナトリウムの摂取量を2,300 mg/日未満に制限する。
- 添加糖分と飽和脂肪をそれぞれ総カロリーの10%以下に抑える。
- アルコールを摂取する場合は、適度な量とする。

Box 6-8　栄養カウンセリング：栄養源

カルシウム	牛乳、ナチュラルチーズ、ヨーグルトなどの乳製品　カルシウム入りシリアル、果物ジュース、豆乳、豆腐

（続く）

↘(続き)

	キャベツ，カブの葉，カラシナ，チンゲンサイなどの緑色野菜 イワシ
鉄	赤身肉，七面鳥のダークミート，レバー アサリ，ムール貝，牡蠣，イワシ，アンチョビ 鉄入りシリアル 栄養強化された穀物パン，全粒粉パン ホウレンソウ，エンドウ豆，レンズ豆，カブの葉，アーティチョーク 乾燥プルーン，乾燥レーズン
葉酸	調理された乾燥ソラ豆やエンドウ豆 オレンジ，オレンジジュース レバー ホウレンソウ，カラシナ ササゲ，レンズ豆，オクラ，ヒヨコ豆，ピーナッツ 葉酸入りシリアル
ビタミンD	ビタミンD入り牛乳，オレンジジュース，シリアル タラの肝油，メカジキ，サケ，ニシン，サバ，マグロ，マス 卵黄 キノコ類

出典：U.S. Department of Agriculture and U.S. Department of Health and Human Services. *Dietary Guidelines for Americans, 2010.* Washington, DC: U.S. Government Printing Office; 2010; *Choose MyPlate.gov.* より引用。http://www.choosemyplate.gov/index.html (Accessed June 8, 2019), Office of Dietary Supplements, National Institutes of Health. *Dietary supplement fact sheets: calcium; vitamin D.* http://ods.od.nih.gov/factsheets/list-all/ (Accessed June 8, 2019) より入手可能

米国農務省は，食生活の指針として「10 Tips：Choose MyPlate」を発表した（図 6-1，Box 6-9）。

図 6-1　皿（食事）を評価する

Box 6-9　10 Tips：Choose MyPlate

1. 自分なりの健康的な食事スタイルをみつける
2. 皿（食事）の半分を野菜と果物にする
3. 果物はまるごと食べる
4. 野菜の種類を増やす
5. 穀物の半分を全粒穀物にする
6. 低脂肪または無脂肪の牛乳やヨーグルトに切り替える
7. 蛋白質はいろいろな食品から摂取する
8. ナトリウム，飽和脂肪酸，糖分の少ない飲料や食品を摂取する
9. 甘い飲み物の代わりに水を飲む
10. 食べるもの，飲むもの，すべてが重要である

出典：*ChooseMyPlate*. USDA Center for Nutrition Policy & Promotion. https://www.choosemyplate.gov/ (Accessed May 30, 2019) より入手可能

身体活動。早期死亡，心血管疾患，高血圧症，2型糖尿病，乳癌・大腸癌，肥満，骨粗鬆症，転倒，うつ病といったリスクを軽減するなど，身体活動のメリットをエビデンスにもとづいて紹介している（Box 6-10）。体を動かすことは，高齢者の認知力や機能的能力の向上にも役立つ。運動不足の人は，強度の低い活動からはじめて，活動の頻度や時間を徐々に増やしていく"Start low and Go slow"を実践すべきである。医療者は，慢性肺疾患，心疾患，筋骨格系疾患をもつ患者を評価し，適切な活動の種類と量を決定する必要がある。

Box 6-10　米国人のための身体活動ガイドライン

- 成人は，毎週少なくとも150～300分の中強度の有酸素運動，または75～150分の高強度の有酸素運動を行うべきである
- すべての主要筋群を使う中強度または高強度の筋力トレーニングを週2日以上行う
- 身体活動の頻度，期間，強度を高めることで，より大きな健康上のメリットが得られる
- 成人は長時間の座位を避けるべきである。中強度から高強度の運動をどれだけ行っても健康上のメリットが得られる
- 高齢者は，バランス感覚を鍛えるトレーニングを行うことも大切である

USPSTFは，BMI 30以上の成人を，集中的で多要素の行動介入に紹介することを推奨している（グレードB）。しかし，心血管リスクのない成人に身体活動を促進するための行動カウンセリングを紹介するかどうかは，個別に判断することを推奨しており，行動を変える意欲のある人にはカウンセリングが有効であることを示唆して

成人に対するスクリーニングとカウンセリングのガイドライン

Box 6-11 にある健康行動に関するスクリーニングのための質問を使用し,リスクのある患者を特定し,効果的な行動カウンセリングと予防策を提供することが推奨されている。

- 不健康な飲酒
- 喫煙や他のタバコ製品の使用
- 性感染症(STD または STI)(クラミジア感染,淋病,梅毒)
- HIV・AIDS

Box 6-11 USPSTF による成人向け行動カウンセリングに対するガイドライン

スクリーニングとカウンセリング	行動カウンセリング	
	推奨度(年)	USPSTF の見解
(不健康な)飲酒	B (2018年)	USPSTF は,リスクのあるまたは危険な飲酒をしている人に対する,簡単な行動カウンセリングの介入を推奨
性感染症および HIV/AIDS の予防のための性習慣	B (2014年)	USPSTF は,すべての性的に活発な若者および STI のリスクが高い成人に対する集中的な行動カウンセリングを推奨
喫煙	A (2015年)	USPSTF は,すべての成人に喫煙についてたずね,禁煙を助言し,行動的介入および FDA が承認した薬物療法の提供を推奨

不健康な飲酒のためのスクリーニングとカウンセリング

- 2017 年の NSDUH では,過去 30 日間のアルコール飲料の消費状況から,12 歳以上の米国人 1 億 4,000 万人以上が現在飲酒をしていると推定された。
- 1,670 万人が「大量飲酒家」,6,660 万人が「ビンジ飲酒家」と分類された。
- 推定 1,600 万人の米国人が,『精神疾患の診断・統計マニュアル第 5 版(DSM-V)』の定義によるアルコール使用障害の基準を満たした。

飲酒：スクリーニング。 リスクのある行動の早期発見は困難である可能性が高いため，USPSTF は，妊婦を含むプライマリケアを受診するすべての成人に対して，リスクのあるまたは危険な飲酒のスクリーニングと，適応となる場合には簡単な行動カウンセリングによる介入を推奨している（グレード B）。

患者の飲酒歴を聴取した場合，簡単な質問をすることで，不健康な飲酒のスクリーニングをはじめることができる（Box 6-12）。

- Single Alcohol Screening Question（SASQ）では，「過去 1 年間に，1 日に 5 杯以上（男性）または 4 杯以上（女性）のお酒を飲んだことが何回ありますか？」と質問する。SASQ の不健康な飲酒の検出感度は 0.73〜0.88，特異度は 0.74〜1.00 である。
- Alcohol Use Disorders Identication Test-Consumption（AUDIT-C）は，飲酒の頻度，1 日の標準的な飲酒量，1 回の飲酒で 6 杯以上飲む頻度をたずねる質問である。
- AUDIT-C は 0〜12 のスコアで，カットオフ値を 3 以上（女性）または 4 以上（男性）とすると，感度は 0.73〜1.00 となり，これに対応する特異度は 0.28〜0.94 であった。
- 広く使われている CAGE 質問法は，Cutting down（飲酒量の減量），Annoyance when criticized（他人から批判されることへのいらだち），Guilty feeling（罪悪感），Eye-opener（朝の迎え酒）につ

Box 6-12　不健康な飲酒

基準飲酒量の換算： 基準飲酒量 1 ドリンクとは，通常のビールまたはワインクーラー（カクテル）>12 オンス（約 350 mL），モルトリカー 8 オンス（約 240 mL），ワイン 5 オンス（約 150 mL），80 プルーフ（アルコール度数，80 度）のスピリッツ 1.5 オンス（約 45 mL）に相当する

成人の飲酒量の定義―米国アルコール乱用・アルコール症研究所

	女性	男性
適度な飲酒量	≦1 ドリンク/日	≦2 ドリンク/日
安全でない飲酒量（アルコール使用障害の発症リスクの増加）[a]	>3 ドリンク/日かつ >7 ドリンク/週	>4 ドリンク/日かつ >14 ドリンク/週
ビンジ飲酒[b]	≧4 ドリンク/回	≧5 ドリンク/回

[a] 妊婦や，飲酒によって悪化する可能性のある健康上の問題を抱えている人は，一切の飲酒を控えるべきである。
[b] 通常 2 時間以内に血中アルコール濃度が 0.08％になる。

いて質問をするもので，アルコール依存症の検出に最も適している。

飲酒：カウンセリング。 最近，USPSTF はプライマリケア医に対し，不健康な飲酒をしている成人に行動カウンセリングをするよう，グレード B の推奨を行った．上述のスクリーニングツールは，リスクのある，あるいは危険な飲酒をしている成人の特定に利用可能である．USPSTF は，多くの効果的な行動介入をあげており，その内容は，要素（フィードバック，動機づけ面接，飲酒日記，認知行動療法，飲酒に関する行動計画），提供方法（対面，オンライン，1 対 1，グループ），頻度（少なくとも 4 回のセッション），強度（多くは 2 時間以下の介入）など多岐にわたる．

SBIRT（Screening, Brief Intervention, and Referral to Treatment）プログラム。 このプログラムは，物質乱用の専門家ではない医療者が，アルコール依存症ではない患者の飲酒の有害性を軽減し予防するために行う一連の診察のなかで実施されるようにデザインされている．「ブリーフインターベンション（さっと行える介入）」は，不健康な飲酒のリスクが低い人を対象に，飲酒量の上限を超えた場合の有害性について教育し，必要に応じて，飲酒と他の健康問題との関連性をみつけることである．不健康な飲酒のリスクが中～高度の患者，特に高リスクのスクリーニング結果が出た患者に対して，節酒をさせ，追加治療につなげる際に動機づけのテクニックを用いる．

喫煙に関する事実

- 過去数十年にわたって喫煙率が低下しているにもかかわらず，2017 年には 18 歳以上の米国成人のうち 4,740 万人（19％）がタバコ製品を使用しており，そのうち 4,110 万人が燃焼式タバコ製品を使用していた．
- 電子タバコや電子ニコチン送達システム（ENDS）は，若者の間で最も頻繁に使用されるタバコ製品となっており，その多くが 2 種類以上のタバコ製品を使用している．これらのデバイスの使用は，「ベイピング（電子タバコの煙を吸う行為）」と呼ばれている．
- 米国では，喫煙が原因で毎年 48 万人以上が死亡しており，これは全死亡者数の約 1/5 を占める．
- 副流煙に曝露した非喫煙者では，肺癌，耳や呼吸器の感染症，喘息のリスクが増加する．

喫煙:スクリーニング。 USPSTFは,すべての成人,特に妊婦を対象に喫煙状況をスクリーニングし,全喫煙者に禁煙のための行動介入や薬物療法を行うことを,グレードAの推奨としている。

診察で毎回たずねる質問として,「タバコ(紙巻きタバコ・葉巻,噛みタバコ,電子タバコ)やベイパー製品を使用したことがありますか?」などがある。非喫煙者の場合は,家庭や職場の人の喫煙状況や,受動喫煙についてたずねる。

喫煙:カウンセリング。 USPSTFは,すべての成人患者に喫煙状況をたずね,喫煙者には禁煙をすすめ,さらに行動支援や薬物療法を行うことを推奨している(グレードA)。

禁煙の準備ができているかどうかを評価するために,「5Aアプローチ」または「トランスセオレティカルモデル(行動変容段階モデル)」を用いる(Box 6-13)。

Box 6-13 禁煙への準備を評価する:ブリーフインターベンションモデル

5Aアプローチ	トランスセオレティカルモデル
● **Ask**:喫煙状況をたずねる	● **前熟考期**:「禁煙するつもりはありません」
● **Advise**:禁煙をすすめる	● **熟考期**:「心配ではありますが,今はまだ禁煙の準備ができていません」
● **Assess**:禁煙の意思を確認する	● **準備期**:「禁煙しようと思います」
● **Assist**:禁煙を支援する	● **実行期**:「禁煙しました」
● **Arrange**:フォローアップを計画する	● **維持期**:「半年前に禁煙しました」

薬物療法としては,パッチ,ガム,トローチ,吸入器などのニコチン置換療法(NRT)や,バレニクリン,bupropion SRなどがよく使われる。複数のNRTを組み合わせることで付加的な効果が得られ,また薬物療法と行動カウンセリングを組み合わせることで,どちらか一方のみの治療よりも高い効果が得られる。

性感染症のスクリーニングとカウンセリング

Box 6-14は,ヒト免疫不全ウイルス(HIV)と後天性免疫不全症候群(AIDS)を含む性感染症に関する実情である。

> **Box 6-14 クラミジア感染，淋病，梅毒，HIV/AIDS に関する事実**
>
> - 2017 年に新たに報告された約 240 万件の STI 症例のうち，約 72％がクラミジア感染，24％が淋病，4％が梅毒であった。近年，これらの 3 つの感染症の割合は増加傾向にある。これらの症例のほぼ半数は，15～24 歳の若者である
> - 現在，13 歳以上の米国人のうち 110 万人以上が HIV に感染しているが，最大 18％が診断されていない。HIV 感染のほとんどは，自身の感染に気づいていないか，未加療の HIV 陽性者によって生じている
> - 最もリスクが高いのは，男性と性交渉をもつ男性(MSM)(男性の新規感染者の 82％)，アフリカ系米国人(新規感染者の 43％)，ヒスパニック/ラテン系米国人(新規感染者の 26％)で，注射薬物使用者は新規 HIV 感染者の 6％を占めている

性感染症(クラミジア感染，淋病，梅毒)：スクリーニング。 USPSTF は，24 歳以下の性行動歴のある女性に対するクラミジア・淋病スクリーニングの推奨度をグレード B としているが，性行動歴のある男性に対する推奨を行うにはエビデンスが不十分であるとしている。USPSTF は，高リスクの非妊娠成人および若者の梅毒感染のスクリーニングについて，グレード A の推奨とした。危険因子には，MSM，HIV 感染者，投獄歴やセックスワーカーなどをあげている。USPSTF は，すべての妊婦に梅毒感染のスクリーニングを行うことを，グレード A の推奨とした。

HIV：スクリーニング。 2019 年 USPSTF は，15～65 歳の思春期および成人の HIV スクリーニングと，すべての妊婦のスクリーニングについて，グレード A の推奨をしている。また，感染リスクが高い若年層や高齢者に対してもスクリーニングを推奨している。CDC は，医療機関を受診した 13～64 歳の全員を対象とした HIV 検査と，すべての妊婦を対象とした出生前 HIV 検査を推奨している。MSM，複数の性的パートナーをもつ者，過去または現在の注射薬物使用者，性行為を金銭や薬物と交換する者，HIV 感染者の性的パートナー，両性愛者(バイセクシャル)といった高リスク群に対しては，少なくとも年 1 回の検査が推奨される。結核の治療を開始した患者や，STI 患者，STI 検査希望者は，HIV の重複感染の有無を調べる必要がある。

HIV 感染症を含む性感染症：カウンセリング。 USPSTF は，性行動歴のあるすべての若者と，HIV/AIDS を含む性感染症(STI)のリスクが高い成人に対する行動カウンセリングを，グレード B の推奨

とした。USPSTFは，行動カウンセリングによってSTIに感染するリスクを低減できるとし，成功した介入は，「STIとSTIの伝播に関する基本的な情報を提供し，その伝播リスクを評価し，コンドームの使用，安全な性行為に関するコミュニケーション，問題解決，目標設定などの適切なスキルのトレーニングを提供すること」と述べている。**カウンセリングは，対話形式で，是非の判断は避けて，一般的なリスク低減に関する情報と，患者の個人的なリスク行動にもとづいた個別のメッセージを組み合わせて行う必要がある。**

HIV感染を予防するための標準的な推奨事項は，低リスクな性行動を選択すること，注射薬物使用の治療を受けること，滅菌器具を使用すること，パートナーと一緒にHIV検査を受けること，コンドームを正しく使用すること，である。もう1つのHIV感染予防策は，2種類の抗レトロウイルス薬(テノホビルとエムトリシタビン)を含有する錠剤を毎日服用するPrEP(曝露前予防内服)である。PrEPは，性交渉や違法薬物の注射によってHIVに感染するリスクがあるHIV陰性者に推奨されている。継続的に使用することで，HIV感染のリスクを低減できることがわかっている。

コンドームの適正な使用は，HIV，HPV，その他のSTI感染予防に非常に有効である。おもな推奨事項は以下の通り。

- 性行為のたびに新しいコンドームを使用する。
- 性行為の前にコンドームを装着する。
- 水性の潤滑剤のみを加える。
- 性行為中にコンドームが破損した場合はすぐに引き抜き，引き抜く際にはコンドームがずれないようにする。

予防接種

免疫化 immunization とは，免疫生物学的製剤を投与することで，免疫を誘導または獲得することを意味する。免疫化には，能動的なものと受動的なものがある。**予防接種 vaccination** と免疫化という言葉は，しばしば同じ意味で使われるが，同義ではない。

予防接種の推奨事項については，Box 6-15および部位別の診察の各章に記載している。

Box 6-15 ACIP/CDC による成人に対する予防接種の推奨事項[訳注]

予防接種	ACIP/CDC 推奨(定期予防接種)
A型肝炎ワクチン (HepA)	●リスクはないが,A型肝炎の予防を希望する場合:HepA 2回接種または ●HepA・HepB 3回接種(0, 1, 6カ月)
B型肝炎ワクチン (HepB)	●リスクはないが,B型肝炎の予防を希望する場合:4週間以上の間隔を空けてHepB 2回または3回接種または, ●エンジェリックスBまたはリコンビバックスの3回接種(0, 1, 6カ月) ●HepA・HepB 3回接種(0, 1, 6カ月)
ヒトパピローマウイルス (HPV)ワクチン	●26歳までの女性および男性:21歳までの男性:初回接種時の年齢により,HPVワクチン2回または3回接種。22〜26歳の男性は個々の臨床的判断にもとづき接種可能(HPVワクチンは11〜12歳での定期接種が推奨されている) ●初回接種時15歳以上:HPVワクチン3回接種(0, 1〜2, 6カ月) ●27〜45歳のHPVワクチン未接種者で,HPVの新規感染リスクを有する者への接種を検討する ●初回接種時の年齢が9歳以上14歳未満で,かつ1回接種,または5カ月未満の間隔で2回接種歴がある場合:HPVワクチン1回接種 ●初回接種時の年齢が9歳以上14歳未満で,5カ月以上の間隔をあけて2回接種歴がある場合:HPVワクチン接種が完了とみなし,追加接種不要
インフルエンザワクチン —不活化ワクチン(IIV)・遺伝子組換えワクチン(RIV)・弱毒生ワクチン(LAIV)	●生後6カ月以上:年齢と健康状態にあったIIV,RIV,またはLAIVを年1回接種する
麻疹・流行性耳下腺炎・風疹(MMR)ワクチン	●麻疹,流行性耳下腺炎,または風疹に対する免疫の証拠がない:MMRを1回接種

(続く)↗

訳注:わが国の推奨する予防接種については,各種予防接種スケジュールを参照されたい。小児期からの接種はいうまでもなく,社会状況に応じた接種が必要である。

(続き)

13価肺炎球菌結合型ワクチン(PCV13)と23価肺炎球菌莢膜多糖体(ポリサッカライド)ワクチン(PPSV23)	●65歳以上(免疫能正常者) PCV13未接種者は，PCV13を1回接種する。その後，PCV13接種から1年以上経過，かつ最終のPPSV23接種から5年以上経過した後にPPSV23を1回接種 ●65歳以上で，PPSV23接種歴あり，PCV13未接種：PPSV23接種から1年後以降にPCV13を1回接種 ●PCV13とPPSV23の両方が適応となる場合，PCV13を先に接種する(PCV13とPPSV23の同時接種不可)
破傷風・ジフテリア(Td)ワクチンまたは破傷風・ジフテリア・無細胞性百日咳(Tdap)ワクチン	●11歳以降にTdap接種していない場合：Tdapを1回接種し，以降10年ごとにTd追加接種
水痘(VAR)ワクチン	●水痘に対する免疫の証拠がない場合：水痘ワクチン(VAR)未接種の場合，VARを4〜8週間隔で2回接種 ●VAR接種歴が1回の場合：初回接種から4週間以上あけてVARを1回接種
帯状疱疹ワクチン：遺伝子組換えワクチン(RZV)または生ワクチン(ZVL)	●50歳以上：帯状疱疹の既往，ZVL接種の既往にかかわらず2〜6カ月間隔でRZVを2回接種

A型肝炎ワクチン

慢性肝疾患や凝固因子障害のある人，MSM，注射・非注射の薬物使用者，ホームレス，A型肝炎が高または中流行国を旅行する人，A型肝炎が高または中流行国からの養子と個人的に密接に接触する人など，A型肝炎感染のリスクがある人には2回接種を推奨する。A型肝炎のリスクはないがA型肝炎の感染予防を希望する人も，2回の接種を完了する必要がある。

B型肝炎ワクチン

C型肝炎感染，慢性肝疾患，HIV感染，性的曝露リスク，現在または最近の注射薬物使用，皮膚や粘膜が血液に触れるリスクのある人，B型肝炎が高または中流行国に投獄されているか旅行する人など，**B型肝炎感染のリスクがある人には2回接種または3回接種**

を推奨する。リスクはないがB型肝炎の感染予防を希望する人も，2回接種または3回接種を受ける必要がある。

HPVワクチン

- HPVは米国で最も一般的なSTIで，新規感染者の約半数は15〜24歳の若者である。
- HPVは，女性では子宮頸癌，外陰癌，腟癌，男性では陰茎癌，女性と男性で肛門癌，口腔咽頭癌と関連している。

CDCでは，11歳または12歳の全員に9価のHPVワクチン接種を推奨している（ただし，9歳からの接種も可能）。初回接種時の年齢に応じて，6〜12カ月の間に2回接種（9〜14歳）または3回接種（15歳以上）のいずれかを行う。免疫不全の人や，性的虐待や暴行を受けたことがある人には，3回接種が推奨される。ガイドラインでは，26歳までの成人にHPVワクチンを接種することが推奨されているが，米国食品医薬品局は最近，27〜45歳の男女に対する9価のワクチン接種を承認した。

インフルエンザワクチン

- シーズンは通常，晩秋から春まで続き，12〜2月にピークを迎える。
- インフルエンザに関連する年間死亡者数は，ウイルスの種類やサブタイプによって異なり，近年では1万2,000〜8万人にのぼる。

CDCの予防接種実施に関する諮問委員会（ACIP）は，毎年，予防接種の推奨事項を更新している。利用可能なワクチンには2種類あるが，「インフルエンザ予防接種」は，死滅したウイルスを含む不活化ワクチンで，65歳未満には標準量，65歳以上には高用量を投与する。**6カ月以上の全人口，特に下記の集団に対して年1回の接種が推奨されている**。

- 慢性肺疾患，心血管疾患（高血圧症を除く），腎疾患，肝疾患，神経疾患，血液疾患，代謝疾患（糖尿病を含む）を有する成人および小児，何らかの原因で免疫抑制状態にある者，病的な肥満のある者
- 50歳以上の成人
- インフルエンザシーズン中に妊娠している，または妊娠する可能性のある女性
- 高齢者施設や長期介護施設の入居者

- アメリカ先住民およびアラスカ先住民
- 医療者
- 家庭内接触者，5歳以下の子ども（特に6カ月以下の乳児）および50歳以上の成人の介護者で，インフルエンザの合併症のリスクが高いと思われる病態にある者

肺炎球菌ワクチン

- **肺炎レンサ球菌**は，肺炎，菌血症，髄膜炎の原因となる。
- 2015年の侵襲性肺炎球菌感染症の患者数は2万9,382人，死亡者数は3,254人であった。
- しかし，2000年に乳幼児と小児を対象とした7価の肺炎球菌ワクチンが導入されたことで，直接的また間接的にも（集団免疫を介して）小児と成人の肺炎球菌感染症が減少した。

2010年以降，2歳未満の児には13価のPCV13を定期的に接種している。**2014年，ACIPは65歳以上の成人に対して，PCV13を接種した後に，23価の不活化PPSV23を接種することを推奨した**（Box 6-16）。**これらのワクチンは同時接種してはならない**。PPSV23接種歴のない65歳以上の成人は，まずPCV13を接種し，12カ月後にPPSV23を接種すべきである。PPSV23接種歴のある65歳以上の成人は，直近のPPSV23接種後1年以内にPCV13を接種する。

Box 6-16　高リスク成人に対する肺炎球菌ワクチンの推奨事項

リスク群	状態	PCV13 推奨	PPSV23 推奨	PPSV23 初回接種から5年後の再接種
免疫能の正常な患者	慢性心疾患		✓	
	慢性肺疾患		✓	
	糖尿病		✓	
	髄液漏	✓	✓	
	人工内耳	✓	✓	
	アルコール依存症		✓	
	慢性肝疾患，肝硬変		✓	
	喫煙		✓	

（続く）

↘(続き)

リスク群	状態	PCV13 推奨	PPSV23 推奨	初回接種から5年後の再接種
機能的または解剖学的無脾症の患者	鎌状赤血球症	✓	✓	✓
	先天性または後天性無脾症	✓	✓	✓
免疫不全患者	先天性または後天性免疫不全	✓	✓	✓
	HIV感染症	✓	✓	✓
	慢性腎不全	✓	✓	✓
	ネフローゼ症候群	✓	✓	✓
	白血病	✓	✓	✓
	リンパ腫	✓	✓	✓
	Hodgkin(ホジキン)病	✓	✓	✓
	一般的な悪性疾患	✓	✓	✓
	医原性免疫抑制	✓	✓	✓
	固形臓器移植	✓	✓	✓
	多発性骨髄腫	✓	✓	✓

破傷風・ジフテリア・百日咳ワクチン

- **破傷風 tetanus**(俗名は"lockjaw",痙攣により口が開かないことから)は嫌気性細菌である *Clostridium tetani* クロストリジウム・テタニを原因菌とし,皮膚の損傷部位から体内に侵入する。強い痛みを伴う筋肉の収縮を引き起こし,嚥下や呼吸に影響を与える神経疾患である。
- **ジフテリア diphtheria** は *Corynebacterium diphtheriae* コリネバクテリウム・ジフテリアエが原因菌で,通常,呼吸器系の飛沫を介して感染する。ジフテリアは,死んだ呼吸器組織である「偽膜」をつくり,それが気道全体に広がる可能性がある。合併症としては,肺炎,心筋炎,神経学的毒性,腎不全などがあげられる。
- **百日咳 pertussis**(俗名は"whooping cough")は,*Bordetella pertussis* ボルデテラ・パーツシスが原因菌の伝染性呼吸器疾患である。

Tdap ワクチン未接種の 19 歳以上のすべての成人は，1 回接種した後，10 年ごとに Td ワクチンの追加接種をする必要がある。

水痘ワクチン

- **水痘(水疱瘡)**は，通常，小児期に発症し，瘙痒感を伴う発疹を引き起こす。成人でも感染することがあり，特に免疫不全状態の患者では播種性疾患のリスクが増加する。
- 米国では 2006 年に水痘ワクチン接種プログラムが導入されたが^{訳注)}，それ以前は毎年推定 400 万人の患者が罹患していた。2014 年までに，水痘の年間発生率は約 85％減少した。

CDC は，1980 年以降に米国で生まれた成人で，水痘ワクチンを 2 回接種していない，または水痘罹患歴がない人に水痘ワクチンを推奨する。

13 歳未満の小児と，13 歳以上で水痘ワクチン接種歴がなく免疫を証明できない人には，水痘ワクチンの 2 回接種が推奨されている。生ワクチンは，妊婦や，免疫力が著しく低下している人(HIV 感染者や CD4 数が 200 未満の人)には接種すべきではない。

帯状疱疹ワクチン

- **帯状疱疹**は，感覚神経節内に潜伏していた水痘ウイルスの再活性化により生じるもので，通常，痛みを伴う片側性の小水疱性発疹が皮膚分節に沿って生じる。
- 帯状疱疹の生涯発症リスクは約 3 人に 1 人で，男性よりも女性のほうが高いといわれている。
- 帯状疱疹後神経痛(発疹部位の持続的な痛み)，皮膚細菌感染症，眼合併症，脳神経および末梢神経障害，脳炎，肺炎，肝炎など，成人の最大 4 人に 1 人が感染後に合併症を経験している。帯状疱疹のリスクは，癌，HIV 感染，骨髄や臓器の移植，免疫抑制療法など，免疫不全状態で増加する。
- また年齢の上昇も帯状疱疹および帯状疱疹後神経痛の発症に強く関連している。

帯状疱疹ワクチンは，50 歳以上の成人における帯状疱疹と帯状疱

訳注：わが国では 2014 年に定期接種開始。

疹後神経痛の短期的なリスクを効果的に低減する。ACIPは現在，免疫能が正常である50歳以上の成人にRZVを2回接種することを推奨している。接種は2～6か月間隔で行う必要がある。

特別な集団における予防医療

小児，妊婦，高齢者に対するスクリーニング，カウンセリング，予防接種の推奨事項については，「特定の集団の診察」の第25～27章に記載している。

第7章 エビデンスの評価

臨床における意思決定では，専門的な知識，患者の希望，そして入手可能な最適のエビデンスを総合的に評価することが求められる。本章では，病歴や身体所見をどのように診断テストとして用い，検体検査や画像検査，診断的手技の正確性をどのように評価し，そして臨床研究や疾病予防ガイドラインをどのように評価するのか，わかりやすい記述で注意深く説明する。さらに部位別の診察の各章を通じて，臨床推論に病歴や身体所見を活用するための最新のエビデンスを学ぶことができるだろう。

診断テストとしての病歴と身体診察の活用

臨床推論のプロセスは，患者が抱える問題の原因となりうるもののリストを作成することからはじまる（**鑑別診断 differential diagnosis**）。患者のことをより詳しく知ると，それらの鑑別診断が患者の問題をどの程度説明できるのかという可能性がわかるようになり，それにより追加検査や治療開始の必要性を判断できるようになる（図 7-1）。

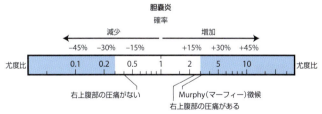

図 7-1 急性胆嚢炎に対する診断確率の修正（McGee S, ed. Abdominal pain and tenderness. In: *Evidence-Based Physical Diagnosis*. 4th ed. Elsevier; 2018: 445-456. e444. Copyright © 2018 Elsevier より許可を得て掲載）

診断テストの評価

診断テストを評価するうえで，所見の**妥当性 validity** と検査結果の**再現性 reproducibility** の2つの概念がある。

妥当性

そのテストは，患者に疾患があるか正確に特定できているだろうか？ このプロセスでは評価したいテストとゴールドスタンダード（疾患があるか判断するための最良の基準）とで結果の比較を行う。

2×2表は，診断テストの特性を評価するための基本的なフォーマットであり，そのテストが疾患の有無をどの程度特定できるかを示す（Box 7-1）。2つの列はそれぞれ，疾患のある患者と，疾患のない患者を表している。疾患の有無はゴールドスタンダードの検査にもとづいて判断される。2つの行はテストの陽性または陰性に対応している。4つのセル(a, b, c, d)は，それぞれ真陽性，偽陽性，偽陰性，真陰性であることを示す。

Box 7-1　2×2表の設定

病歴や身体所見	ゴールドスタンダード： 疾患あり	ゴールドスタンダード： 疾患なし
あり（陽性）	a 真陽性	b 偽陽性
なし（陰性）	c 偽陰性	d 真陰性

感度と特異度

- **感度 sensitivity** は，疾患のある人が検査で陽性になる確率である。これは2×2表において疾患ありの列で $a/(a+c)$ と表される。感度は「真陽性率」とも呼ばれる。
- **特異度 specificity** は，疾患のない人が検査で陰性になる確率である。これは2×2表において疾患なしの列で $d/(b+d)$ と表される。特異度は「真陰性率」とも呼ばれる。

非常に高い感度をもつ（つまり偽陰性率が非常に低い）検査が陰性であった場合，疾患を除外できることが多い。これは **SnNOUT** という語呂で表される〔感度の高い（Sensitive）検査が陰性（Negative）であれば，疾患を除外できる（rule OUT）〕。反対に，特異度が高い（つまり偽陽性率が非常に低い）検査が陽性であった場合，基本的には疾患があることを意味する。これは **SpPIN** という語呂で表される〔特異度の高い（Specific）検査が陽性（Positive）であれば，疾患はあると判断できる（rule IN）〕。

適中度

テストが陽性あるいは陰性のとき，どのくらいの確率で患者が実際に病気であるかを判断するには，陽性，陰性適中度を計算する（Box 7-2）。

Box 7-2　陽性，陰性適中度

- **陽性適中度** positive predictive value（PPV）とは，テストが陽性であった患者に疾患がある確率のことであり，2×2表の上の行（テスト陽性者）を用いて a/(a+b) の式で算出される
- **陰性適中度** negative predictive value（NPV）とは，テストが陰性であった患者に疾患がない確率のことであり，2×2表の下の行（テスト陰性者）を用いて d/(c+d) の式で算出される

疾患の有病率

適中度は一見非常に有用にみえるが，**有病率 prevalence of disease**（疾患がある患者の割合）により大きく左右される。有病率は患者集団や臨床環境の特徴と関連する。Box 7-3 は 2×2 表で，診断テスト

Box 7-3　適中度：有病率が10％，感度・特異度ともに90％の場合

	疾患あり	疾患なし	合計
テスト陽性	a 90	b 90	180
テスト陰性	c 10	d 810	820
合計	100	900	1,000

の感度，特異度がともに90％，有病率が10％の場合を示している。陽性適中度は，この表のテスト陽性の行から計算され，90/180＝50％となる。これはテストが陽性であった患者の半数に疾患があることを意味する。

感度＝a/(a＋c)＝90/100＝90％
特異度＝d/(b＋d)＝810/900＝90％
陽性適中度＝a/(a＋b)＝90/180＝50％

しかしながら，感度と特異度が同じでも，有病率が1％になってしまうと，表の中身は大きく異なってくる(Box 7-4)。

Box 7-4　適中度：有病率が1％，感度・特異度ともに90％の場合

	疾患あり	疾患なし	合計
テスト陽性	a 9	b 99	108
テスト陰性	c 1	d 891	892
合計	10	990	1,000

感度＝a/(a＋c)＝9/10＝90％
特異度＝d/(b＋d)＝891/990＝90％
陽性適中度＝a/(a＋b)＝9/108＝8.3％

尤度比

集団による有病率の違いを考慮したうえで診断テストの性能を評価するために，**尤度比 likelihood ratio(LR)**を用いることができる。疾患のある患者で，ある検査結果が得られる確率を，疾患のない患者でその結果が得られる確率で割ったものである。尤度比は，患者に疾患のある確率が，診断テストを行う前(検査前確率 pre-test disease probability)と結果が判明した後(検査後確率 post-test disease probability)でどの程度変化するか示している(Box 7-5)。

● **陽性尤度比**は，疾患のある患者でテストが陽性になる確率を，疾患のない患者でテストが陽性になる確率で割ったものである。

2×2表でいうと,これは真陽性率(感度)を偽陽性率(1-特異度)で割ったものといえる。高値(1より大きい数)であれば,陽性の結果は疾患のない人より,ある人から得られる可能性が高いということを示しており,陽性であった人に疾患がある確信が強まる。
- **陰性尤度比**は,疾患のある患者でテストが陰性になる確率を,疾患のない患者でテストが陰性になる確率で割ったものである。

2×2表でいうと,これは偽陰性率(1-感度)を真陰性率(特異度)で割ったものといえる。低値(1より小さい数)であれば,陰性の結果は疾患のある人より,ない人から得られる可能性が高いということを示しており,陰性であった人に疾患がない確信が強まる。

Box 7-5　尤度比の解釈

尤度比[a]	テストが疾患のある確率に与える影響
>10 または <0.1	大きな変化を生む
5〜10 または 0.1〜0.2	中等度の変化を生む
2〜5 または 0.2〜0.5	小さな(ときに重要な)変化を生む
1〜2 または 0.5〜1	確率をわずかしか変化させない(重要であることはめったにない)

[a] 尤度比が1を超える場合,結果が陽性のとき,疾患のある可能性は高い。尤度比が1未満の場合,結果が陰性のとき,疾患のある可能性は低い。尤度比が1の検査では,疾患の可能性についての追加情報は得られない。

Fagan のノモグラム

Fagan(フェイガン)のノモグラムは,ある診断テストの結果の尤度比によって診断確率がどのくらい変化するかを図示したものである(図7-2)。このノモグラムでは,まず左側の縦線にある検査前確率から,真ん中の縦線上にある検査結果がもつ尤度比に直線を引くと,右側の縦線にある検査後確率が判明する。

図7-2は,診断確率がどのように変化するかを示したフェイガンのノモグラムである。検査の陽性尤度比〔感度/(1-特異度)〕= 90%/9% = 10,陰性尤度比〔(1-感度)/特異度〕= 10%/91% = 0.11である。この例では,診断テストは90%の感度,91%の特異度を有している。検査前確率(有病率)を1%とすると,検査陽性時(青い線)は検査後確率が9%であることを示す。検査陰性時(赤い線)

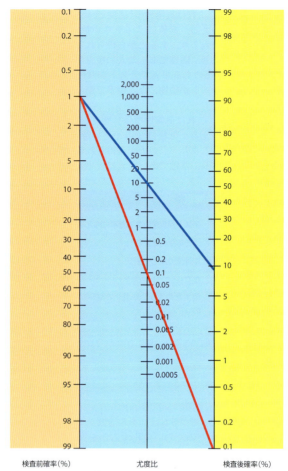

図 7-2 Fagan のノモグラム (Fagan TJ. *N Engl J Med*. 1975; 293(5): 257. Copyright © 1975 Massachusetts Medical Society. Massachusetts Medical Society より許可を得て掲載)

は検査後確率が 0.1％ となる。

■ 再現性

病歴や身体所見を評価するために重要なのは，診断するうえで，所

見に再現性があるか判断することである。

κ値

2人の臨床医が患者を診察したとき、ある所見の有無について常に一致した見解が得られるわけではない。偶然を超えた所見の一致がどの程度あるか理解することが、その所見が臨床判断をするのに十分有用であるかを知る際に重要である。**κ(カッパ)値**はその偶然を超えた一致度合いを測定した指標である。Box 7-6 はどのようにκ値を解釈するかを示している。

Box 7-6　κ値の解釈

κ値	一致の程度
<0.20	わずかな一致率
0.21〜0.40	平均的な一致率
0.41〜0.60	中等度の一致率
0.61〜0.80	優れた一致率
0.81〜1.00	非常に優れた一致率

例えば2人の診察者が75％の割合で、患者にある異常な身体所見があると同意しても、偶然に同意する可能性も50％あると考えられる。これは、偶然を超えて一致する可能性が50％残されており、実際に偶然を超えた一致が25％あったことを示している。その場合、κ値は25％/50％＝0.5であり、中等度の一致率を示す(図7-3)。

精度

再現性に関連して、**精度 precision** は、「同じ検査を変化のない同一の人に適用して同じ結果が得られるか」を示す。精度は検体検査結果についてよく用いられる。精度を計算するために使われる統計量は**変動係数 coefficient of variation** であり、標準偏差を平均値で割ったものである。これが低ければ、より優れた精度であることを意味する。

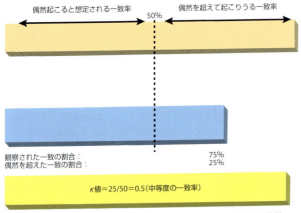

図 7-3 κ値(McGinn T et al. *CMAJ*. 2004; 171(11): 1369-1373. より許可を得て掲載)

エビデンスの批判的吟味

キャリアを通じて遭遇することになる新規の研究やガイドラインなどを解釈できるように,臨床文献の批判的吟味の方法を学ばなくてはならない。Evidence-Based Working Group という疫学の専門家たちのグループによって,研究を評価するための厳格で標準化された手法が提示されている。この手法は,治療や予防のための試験,診断テスト,メタ分析,経済分析,診療ガイドラインなどの幅広い臨床トピックに応用されており,以下の3つの基本的な問いにもとづく。

1. 結果は妥当であるか?(結果を信じられるか?)
2. 結果はどうなったか?(臨床への影響力の大きさと精度)
3. どのように結果を診療に応用するか?(一般化可能性)

結果は妥当であるか?

治療や予防介入の研究結果を評価する際には,**バイアス bias** を十分に理解することが重要である。臨床研究における重大なバイアスとして,選択バイアス,実行バイアス,検出バイアス,減少バイアスがある(Box 7-7)。

Box 7-7　エビデンスに影響を与えるバイアスの種類

選択バイアス selection bias
- 各群に参入する人を選ぶ際に，群間によって系統誤差が生じ，アウトカムに影響を与えてしまう場合に発生する
- 得られた結果の違いが，介入に起因するのか，各群が本来もつ違いに起因するのかわからないため，解釈に問題が生じる
- 被検者をランダムに各群に割りつけることが，このバイアスを最小化するための最善の方法である

実行バイアス performance bias
- 試験での介入以外で受けた治療について群間で系統誤差がある場合に生じる
- アウトカムの差を解釈する際に問題となる
- 被検者と検者を介入に対して盲検化する（被検者が介入を受けたかどうか，被検者と検者にわからないようにする）ことが，このバイアスを最小化する最善の方法である

検出バイアス detection bias
- アウトカムを診断，確認するための取り組みに系統誤差がある場合に生じる
- アウトカムの評価者を盲検化する（評価者に対し，被検者が受けた介入がわからないようにする）ことが，このバイアスを最小化する最善の方法である

減少バイアス attrition bias
- 研究を完遂しない患者の数に，比較する群間で系統誤差がある場合に生じる
- この差を考慮しないと，介入の効果を不適切に評価してしまう可能性がある
- 介入を受けたか，または完遂したかに関係なく，各群に当初割りつけられた患者全員を対象とする intention-to-treat（ITT）解析を行うことで，このバイアスを最小化することが可能である

■ 結果はどうなったか？

治療・予防介入の効果を示すのに使われる統計量は，**相対リスク relative risk**，**相対リスク差 relative risk difference**（減少と増加があり，それぞれ有益，有害であることを示す），**絶対リスク差 absolute risk difference**（減少と増加があり，それぞれ有益，有害であることを示す），**治療必要数 number needed to treat**，**害必要数 number needed to harm** などである（Box 7-8，7-9）。

Box 7-8　治療・予防介入を評価するための 2×2 表

	アウトカムの発生あり	アウトカムの発生なし	合計
介入群	a	b	a+b
対照群	c	d	c+d

Box 7-9 治療・予防介入の効果を示すのに使われる統計量

統計量	定義	計算
介入群イベント発生率(EER)	・介入群でアウトカムが発生する確率	a/(a+b) 上の行(介入群)を用いる
対照群イベント発生率(CER)	・対照群でアウトカムが発生する確率	c/(c+d) 下の行(対照群)を用いる
相対リスク	・対照群と比較した介入群でのアウトカム発生率	EER/CER
相対リスク差	・本来のアウトカム発生率が介入によってどの程度低下または上昇するか示す	(CER−EER)/CER または 1−相対リスク
絶対リスク差	・比較している群間でのアウトカム発生率差	CER−EER
治療必要数(NNT)[a]	・一定期間で1つのアウトカム発生を防ぐのに必要な治療被検者の数 ・多くの研究で、これらの計算値が治療群や介入群における治療効果の測定に用いられ、投薬、手技、診断テストの比較が行われる	絶対リスク差の逆数(分数の形式で報告される)

[a] 治療介入が実際には有害なアウトカムのリスクを増大させているとき、この統計量は害必要数(NNH)となる。

どのように結果を診療に応用するか?

結果を一般化できるかどうかを判断するためには、まず被検者の背景情報(例えば、年齢、性別、人種/民族、社会経済状況、病状)を確認する必要がある。その後、被検者の患者背景情報は自分の患者の背景情報と十分似ているだろうか? 行われた介入は自身の臨床現場で実行可能だろうか? そして最も重要なのは、介入によって起こりうる有益性と有害性の範囲を想定したときに、自分の患者に対してその介入を行うことが許容されるだろうか? これらを十分に判断することである。

全身の観察, バイタルサイン, 疼痛

病歴

本章では**全身症状**と呼ばれる,疾患に生じる一般的な症状に焦点をあてる。これらの症状はほとんどの場合には1つの臓器に限定されず,患者の「体質」,つまり患者の活力,健康,体力に関する身体症状が幅広く影響している。

よくみられる,または注意すべき症状

- 疲労感と脱力
- 発熱,悪寒,寝汗
- 体重変化
- 疼痛

疲労感と脱力

疲労感 fatigue は多様な原因によって生じる非特異的な症状である。患者の疲労感の特徴を探るため,自由形式の質問を用い,患者が経験していることを十分に説明するように促しなさい。アルゴリズム 8-1「疲労感のある患者へのアプローチ」参照。

脱力 weakness は疲労感とは異なり,筋力の低下を意味するものだが,その他の神経学的症状と一緒に後で述べる。

発熱,悪寒,寝汗

患者に急性もしくは慢性の疾患がある場合には発熱について質問する。患者が体温計を使って体温を測ったかどうかも確認する。**悪寒 chill** と,全身が震えて歯がガチガチ鳴る**悪寒戦慄 shaking chill** を区別する。**寝汗 night sweat** は結核や悪性腫瘍を想起させる。

症状の発症時期やその関連症状に焦点をあてる。患者の健康に影響している可能性のある感染の症状を熟知しておく。旅行歴、罹患中の人との接触、その他の罹患する可能性を高める通常とは異なる曝露歴についてたずねる。一方、アスピリン、アセトアミノフェン、ステロイド薬、非ステロイド性抗炎症薬の最近の使用によって発熱が隠されわかりづらいことがある。

体重変化

「どのくらいの頻度で体重測定をしますか？」「1年前と比べて体重は変化していますか？」といった質問からはじめるとよい。

- **体重増加 weight gain** はカロリー摂取がその消費を上回る場合に起こる。体液の異常な蓄積を反映していることもある。
- **体重減少 weight loss** には多くの原因があり、食欲不振、嚥下困難、嘔吐、食事摂取の減少、栄養素の吸収不良、代謝必要量の増加、さらに尿、便、傷害を受けた皮膚からの栄養素の喪失がある。また、慢性疾患、悪性腫瘍、アルコール、コカイン、アンフェタミン、オピオイドの乱用、マリファナからの離脱も考慮する。栄養失調の徴候に注意を払う。

疼痛

疼痛は外来診療において最も一般的に表現される症状の1つであり、そして過小評価されやすい（図 8-1, Box 8-1）。

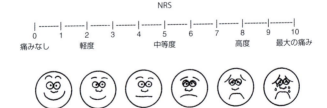

図 8-1 数値評価スケール（NRS）と表情尺度スケール（Wong-Baker FACES® Pain Rating Scale）(King MS, Lipsky MS. *Step-Up to Geriatrics*. Wolters Kluwer; 2017, Fig. 5-5. より)

Box 8-1 疼痛のアセスメント

- 集学的な目線を持って各種スケールを使用した疼痛評価法をとり入れ，患者の病歴や疼痛の要因を注意深く聴取する
- 専門家が**最も信頼できる痛みの指標**であると述べている，**患者の自己申告**を受け入れる
- 症状がある場合と同様に疼痛の特徴を追求する
- 疼痛の場所を患者に指し示してもらう。言葉での説明は疼痛部位を特定するには十分でないことがある
- 疼痛の**重症度**を判断するために一貫した方法を使用する

- **急性疼痛 acute pain** は有害な刺激によって生じる予測可能で正常な生理的反応であり，典型的には3～6カ月以内にはおさまるとされ，おもに手術，外傷，急性疾患と関連している。
- **慢性疼痛 chronic pain** は3～6カ月持続する癌もしくは他の疾患に関連した疼痛，急性疾患や外傷後に1カ月以上持続する疼痛，月単位もしくは年単位の間隔で繰り返す疼痛がある。

薬物療法，理学療法，代替療法など，患者が試したことのある治療法について必ず聴取する。関節炎，糖尿病，HIV/AIDS，薬物乱用，鎌状赤血球症，精神疾患などの患者が経験する痛みに大きく影響するような併存疾患について確認する。

診察の技術

全身の観察，バイタルサイン，疼痛評価の重要項目

- 全身の観察
- 身長および体重測定，BMI計算
- 血圧計を用いた血圧測定
- 起立時の血圧測定(適応がある場合)
- 動脈拍動，心拍数，リズム
- 呼吸数，リズム，深さ，努力呼吸について観察する
- 中核体温の測定
- 急性疼痛と慢性疼痛について評価する(必要な場合)

診察の技術	所見

全身の観察

外見の健康状態

	急性疾患もしくは慢性疾患があるのか,フレイルか,足腰は丈夫か,活動性は高いか?

意識状態

患者は覚醒しているか,意識は清明か,対話可能か?	そうでなければ,速やかに意識状態を評価する(p.144参照)。

苦痛の徴候

● 胸痛あるいは呼吸困難	胸部絞扼感,蒼白,発汗,努力呼吸,喘鳴,咳嗽
● 疼痛	痛みに身をよじる様子,発汗,痛む部位をかばう様子
● 不安障害あるいはうつ病	不安そうな表情,落ち着きのない動き,冷たく湿った手掌,無表情もしくは平坦な感情,視線が合わない,精神運動の遅延

皮膚の色と明らかな病変

詳細は第10章「皮膚,毛髪,爪」を参照。	蒼白,チアノーゼ,黄疸,発疹,あざ

服装,身だしなみ,個人の衛生状態

● 患者の服装はどうか? 気温や天候に合っているか? 衣服は清潔で状況に合っているか?	ボディピアスや刺青はアルコールや薬物使用に関連しているかもしれない。

診察の技術	所見
● 患者の毛髪,爪,化粧に注目する。	これらは,患者の性格,気分,ライフスタイル,自己評価などを知る手がかりになるかもしれない。

表情

アイコンタクトに注意してみる。自然だろうか? 目を見開いたままで瞬きせずにいるのか? 急に視線をそらすのか? 目を合わせようとしないのか?	甲状腺機能亢進症の状態,うつ病の感情に乏しい平坦もしくは悲しげな表情,アイコンタクトの減少は文化的なものなのか? それとも不安,恐怖,悲しみによるのか?

体臭と口臭

体臭は診断の手がかりになる。	アルコール臭,アセトン臭(糖尿病),尿毒症,肝不全による口臭。糖尿病で生じる腐った果物のような口臭(アルコール臭があるからといって,患者の精神状態や神経学的所見の変化をこれによるものだと決めつけてはいけない)

姿勢,歩行,動作

	左心不全の患者は座位を好み,慢性閉塞性肺疾患(COPD)の患者は座位で上半身を腕で支えながら前屈みになる姿勢を好む。

身長と体重

身長

患者の身長を測定する。筋肉質かそれとも不健康か,背が高いか低いかに注意する。全身の体型を観察する。	Turner(ターナー)症候群では低身長,Marfan(マルファン)症候群は上肢が長く,骨粗鬆症では身長低下がみられる。

診察の技術	所見

体重

患者はやせているのか？　患者が肥満であれば脂肪組織は中心性かそれとも全身に一様に広がりがあるか？　靴を脱いだ状態で体重を測定する。

肥満（BMI≧30）は，糖尿病，心臓病，脳卒中，高血圧，変形性関節症，睡眠時無呼吸症候群，およびいくつかの癌のリスクを増加させる。

Box 8-2 に示すように，**肥満指数 body mass index(BMI)を測定する**。BMI によって体重のみよりも正確な体脂肪を把握できる〔Box 6-3「肥満指数（BMI）による体重の分類」，p.90 を参照〕。

Box 8-2　BMI の計算

測定単位	測定方法
体重はポンド，身長はインチ	(1) 標準 BMI 表
	(2) $\dfrac{体重（ポンド）\times 700^a}{身長（インチ）}$
体重はキログラム，身長はメートルの二乗	(3) $\dfrac{体重（kg）}{身長（m^2）}$
いずれかの測定単位	(4) BMI 計算機（http://www.nhlbi.nih.gov/health/educational/lose_wt/BMI/bmicalc.htm）

[a] いくつかの組織では 704.5 を使用している。しかし，BMI の変動はほとんど無視できる程度である。換算式：2.2 lb=1 kg，1 in=2.54 cm，100 cm=1 m

出典：National Institutes of Health — National Heart, Lung, and Blood Institute. *Calculate your body mass index*. http://www.nhlbi.nih.gov/health/educational/lose_wt/BMI/bmicalc.htm (Accessed June 9, 2019) にて利用可能

バイタルサイン：血圧，心拍数，呼吸数，体温

血圧

血圧測定の方法
手動式カフや**自動式カフ**を用いた診察室スクリーニングは依然として一般的であるが，血圧の上昇があれば，診察室における手動式や自動式カフを用いた測定法よりも，心血管系疾患および末端臓器障害の予測性が高い**家庭血圧計や携帯型血圧計を用いた血圧モニタリング**による確認がさらに必要となる。自動化された携帯型血圧計では，24～48時間にわたり，通常，日中は15～20分ごと，夜間は30～60分ごとに，あらかじめ設定された間隔で血圧を測定する。これらの異なる血圧測定方法と，それらによって異なる高血圧の基準についてよく理解しておく。

高血圧のタイプ
高血圧の3つのタイプを認識することが特に重要である（Box 8-3）。これらの高血圧の存在を考えて，治療の効果を評価することが携帯型血圧計の使用目的である。Box 8-4は，正しいサイズの血圧計カフを選択するための指針である。Box 8-5～8-7に血圧測定に関する追加情報を示す。

Box 8-3　高血圧のタイプ

白衣高血圧（診察室でのみ観察される高血圧）	●診察室血圧が140/90 mmHg 以上かつ昼間（覚醒時）の平均血圧が 135/85 mmHg 未満 ●診察室で血圧が上昇している患者の20%までにみられる ●心血管リスクを正常からわずかに上昇させるが治療の必要はない。条件反射的な不安反応と関連している
仮面高血圧	●診察室血圧が 140/90 mmHg 未満であるが，家庭血圧測定や携帯式血圧測定によって昼間血圧が 135/85 mmHg 以上に上昇している ●一般人口の 10～30％いると見積もられている ●治療しなければ，心血管系疾患や末端臓器障害のリスクが増加する

（続く）

↘(続き)

夜間高血圧	●生理的な血圧の降下は，多くの患者が覚醒状態から睡眠状態に移行する際に生じる ●昼間の値の 10%未満の夜間降下は心血管系の予後不良と関連し，24 時間携帯型血圧測定でのみ確認できる ●夜間の血圧**上昇**型と，昼間血圧の 20%以上の著しい夜間の血圧**下降**型の 2 つのパターンがあり，いずれも心血管系予後が不良である

Box 8-4　適切な血圧計用のカフの選択

医師や患者にとって患者の腕に合うカフを使用することは重要なことである。正しいサイズのカフを選択するためのガイドラインに従う。
- カフの加圧バッグの幅は上腕周囲径の約 40%(平均的成人で約 12〜14 cm)
- カフ圧の加圧バッグの長さは上腕周囲径の約 80%(腕に巻くのに十分な長さ)
- 標準のカフは 12×23 cm であり，腕の太さに合わせて 28 cm まで長くしてよい

Box 8-5　正確な血圧測定のための手順

1. 患者は血圧測定前の 30 分間は喫煙，カフェイン摂取を避け，測定前 5 分間は安静にする
2. 診察室は静かで快適な暖かさにする
3. 血圧を測定する腕は着衣，透析用の動静脈瘻，上腕動脈切開の瘢痕，腋窩リンパ節の切除や放射線治療によるリンパ浮腫がない状態にする
4. 上腕動脈を触診し，脈が触知できることを確認する
5. 肘窩の上腕動脈が心臓と同じ高さになるように腕の位置を決定する。おおよそ第 4 肋間胸骨縁の高さである
6. 患者が座っていれば，その腕を患者の腰の位置より少し高い机の上に置く。患者が立っていれば胸部の中心の高さで患者の腕を支えるようにする

Box 8-6　臨床現場における成人の血圧測定の正確性に影響を及ぼす要因

	収縮期血圧への影響	拡張期血圧への影響
患者に関連した要因		
食事直後	↓	↓
飲酒直後	↓	↓

(続く)↗

↘（続き）

カフェイン摂取直後	↑	↑
喫煙（ニコチン摂取）直後やタバコ煙への曝露直後	↑	↑
膀胱充満	↑	↑
寒冷曝露	↑	↑
上腕麻痺	↑	↑
白衣高血圧	↑	↑
手技に関連した要因		
不十分な安静時間	↑	↑
足を組んだ状態	↑	↑
測定側の腕が支持されていない	↑	↑
測定側の腕が心臓の位置より低い	↑	↑
測定中の会話	↑	↑
カフサイズが不適切に小さい	↑	↑
カフサイズが不適切に大きい	↓	↓
聴診器がカフの下に置かれている	↑	↓
カフの減圧脱気速度が速い（＞3 mmHg/秒）	↑	↓
背もたれのない椅子	影響なし	↑
聴診器ヘッドによる過剰な圧迫	影響なし	↑

Box 8-7　血圧測定

- 加圧バッグの中心が上腕動脈の上にくるように置く。カフの下端が肘窩の約 2.5 cm 上にくるようにし，ぴったりと固定する。患者の肘をわずかに屈曲させる
- カフ圧をどの程度かけるかを決定するために，最初に橈骨動脈を触れることで収縮期血圧を推定する。片手の指で患者の橈骨動脈に触れながら，脈拍が触れなくなるまで，すばやくカフを膨張させる。血圧を読み，脈が触れなくなった圧にさらに 30 mmHg を加える。この圧の和を目標値として，その後の膨張を行い，不必要に高いカフ圧による不快感を防ぐことができる。また，この方法により聴診間隙（収縮期血圧と拡張期血圧の間にみられる無音の間隔）によって生じる誤差を避けることができる。
- 速やかにカフ圧を下げる
- 聴診器のベル部の縁を密着させるのに注意を払いながら上腕動脈の上に軽くあてる。聴診する音〔**Korotkoff（コロトコフ）音**〕は比較的低い音なので，ベル部を使うとよく聞こえるからである

（続く）↗

診察の技術	所見

↘(続き)

- 目標圧まで再び急速に加圧し,2〜3 mmHg/秒の速さでゆっくりとカフを減圧する。少なくとも2回連続した心音が聞こえる血圧に注意を払う。そこが**収縮期血圧**である
- ゆっくりとカフを減圧し続ける。消失点(通常,音が消えかかる点から数mmHgだけ低い)は,**拡張期血圧**を最もよく評価できる
- 収縮期と拡張期の両方の値を2 mmHg単位で読みとる。2分以上待ってから,それを繰り返す。読みとった値を平均し,最初の2回の測定値が5 mmHg以上異なる場合は,さらに追加して血圧を測定すべきである
- 少なくとも1回は両腕とも血圧測定を行う
- 降圧薬を服用している患者,失神や頭位性めまいの既往のある患者,血液量減少の可能性がある患者においては,(禁忌でない限り)仰臥位と立位の2つの姿勢で血圧を測定する

2013年に高血圧の予防・発見・診断および治療に関する第8回米国合同委員会(JNC8)は収縮期血圧と拡張期血圧の分類を更新した。Box 8-8 参照。

Box 8-8 成人高血圧の分類(JNC8)

区分 [a]	収縮期(mmHg)		拡張期(mmHg)
正常血圧	<120	かつ	<80
血圧上昇	120〜129	かつ	<80
ステージ1高血圧	130〜139	または	80〜89
ステージ2高血圧	≧140	または	≧90

[a] 2回以上の注意深い測定の平均にもとづく。収縮期血圧と拡張期血圧が2つの区分にまたがるときは,より高い区分のほうに分類する。

収縮期血圧と拡張期血圧の値が異なる区分に分類される場合,高いほうの区分を使用する。例えば,170/92 mmHgはステージ2高血圧であり,135/100 mmHgはステージ1高血圧である。**孤立性の収縮期高血圧 isolated systolic hypertension** では,収縮期血圧は140 mmHg以上,拡張期血圧は90 mmHg未満である。

起立後3分以内に収縮期血圧が20 mmHg以上低下する場合,特に症状を伴う場合は**起立性(体位性)低血圧 orthostatic (postural) hypotension** といわれる。

診察の技術	所見

心拍

橈骨動脈の拍動は心拍数を評価することによく使われる。示指と中指の指腹で,橈骨動脈を最大拍を触知するまで圧迫する(図 8-2)。心拍リズムが規則的であれば,15秒間脈拍を数えて4倍する。心拍リズムが異常に速いか遅い場合には,60秒間脈拍を数える。脈拍の不整が感じられれば,聴診器を使用して心尖部での心拍リズム(心尖部拍動)を評価する。

図 8-2 橈骨動脈拍動の触知

心拍リズム

橈骨動脈拍動を触知することからはじめる。つぎに聴診器を使用して心尖部を聴診することで心拍リズムを再確認する。リズムは規則的か? それとも不規則か? 不規則であるならそのパターンを確認する:(1)基本的には規則的なリズムだがその中に早期収縮が現れるのか? (2)その不整はいつも呼吸に伴って変動しているか? (3)完全に不規則(絶対不整)なのか?	絶対不整の脈拍リズムの触知は心房細動を示唆する。不整リズムに気づいたら,不整脈を特定するために心電図検査が必要である。

呼吸数と呼吸リズム

呼吸数,リズム,深さ,努力呼吸について観察する。頭頸部や胸部の診察の間に,視診または聴診器で気管の注意深い聴診を行い,呼吸数を1分間測定する。	表 15-3「呼吸数と呼吸リズムの異常」(p.259)を参照

診察の技術	所見
正常では，成人は安静時に約14〜20回/分の静かで規則的なリズムである。	

体温

診察の技術	所見
平均**口腔温** oral temperature は，普通37℃で，早朝から午後もしくは夕方にかけてかなり変動する。**直腸温** rectal temperature は口腔温よりも約0.4〜0.5℃高く，変化しやすい。**腋窩温** axillary temperature は口腔温よりも約1℃低く，測定結果が出るまでに5〜10分必要で，また他の測定方法よりも精度が低い。	**発熱** pyrexia とは体温の上昇をいう。**異常高熱** hyperpyrexia とは41.1℃を超えて体温が上昇することである。一方で**低体温** hypothermia とは異常に低い体温のことであり，直腸温で35℃未満である。
	発熱の原因には，感染症，手術や圧挫傷のような外傷，悪性腫瘍，急性溶血性貧血のような血液疾患，薬物反応，膠原病のような免疫疾患がある。
鼓膜温 tympanic temperature は口腔温や直腸温と比べて変動が大きい。研究によると，成人では**口腔温**と**側頭動脈温**が肺動脈温とより密接に相関している。ただし，口腔温と側頭動脈温のほうが0.5℃ほど低い。体温測定部位についてはBox 8-9参照。	低体温のおもな原因は寒冷曝露である。その他の原因には麻痺による運動低下，敗血症やアルコールの過剰摂取に伴う血管攣縮との関連，飢餓，甲状腺機能低下症，低血糖がある。高齢者は特に低体温になりやすく，発熱しにくい。

Box 8-9　さまざまな体温測定部位

体温測定部位	説明
口腔温	ガラス体温計もしくは電子体温計を選択
●ガラス体温計	●体温計を振って35℃未満まで下げる。そして舌下へ挿入し，口を閉じ，3〜5分間待つように患者に指示する。体温を測定した後，もう一度1分間挿入し，再度測定する ●破損を避けること
●電子体温計	●注意深く使い捨てカバーをプローブに装着し，体温計を約10秒間舌下に挿入する。

(続く)↗

↘(続き)

直腸温	● 患者に股関節を屈曲させ側臥位になってもらう ● 太くて先端の短い直腸体温計を選び,潤滑剤を塗って,臍部に向けながら肛門の中へ約3〜4 cm挿入する。3分後に取り出し,測定値を読む ● あるいは,プローブカバーに潤滑剤を塗った電子体温計を使用する。体温が表示されるまで約10秒間待つ
鼓膜温	● 外耳道にある耳垢は取り除いておく。プローブを外耳道に置く。体温の表示がされるまで2〜3秒待つ ● この方法は中核体温を測定し,正常な口腔温より約0.8℃高い
側頭動脈温	● 体温測定用のプローブを前額部の中央にあて,赤外線ボタンを押す。そして装置を前額部を横切るように動かし,つぎに頰部へおろし,さらに耳介後部へと移動させる。最も高い温度をディスプレイから読み取る ● メーカーからの情報によると,前額部と耳介後部の接触を組み合わせた温度測定は前額部単独での測定よりも正確である

疼痛管理

疼痛管理は,複雑な臨床上の課題がある。専門家は治療への反応や専門家への紹介を取り扱うための測定および追跡ツールに重点を置いた,段階的なアプローチを推奨している(Box 8-10, 8-11)。

Box 8-10　依存症,身体的依存,耐性

- **耐性**:薬物への曝露により,時間の経過とともに1つまたは複数の薬物の効果が減弱するような変化を生み出す状態
- **身体依存**:薬物の突然の中止,急激な減量,薬物の血中濃度の低下,および/または拮抗薬の投与によって生じる薬物群の離脱症候群などを生じるような状態
- **依存症**:遺伝的,心理社会的,環境的要因がその発症と発現に影響を及ぼす一次性,慢性,神経生物学的疾患である。薬物使用に対するコントロールの障害,強迫的な使用,害があるにもかかわらず使用を続ける,渇望などの行動のうち,1つ以上を含むことが特徴である

出典:American Pain Society. Definitions Related to the Use of Opioids for the Treatment of Pain. A consensus statement from the American Academy of Pain Medicine, the American Pain Society, and the American Society of Addiction Medicine, 2001. https://www.asam.org/docs/default-source/public-policy-statements/1opioid-definitions-consensus-2-011.pdf (Accessed June 7, 2019) より入手可能。American Society of Addiction Medicine より許可を得て掲載

> **Box 8-11 慢性疼痛の治療：測定にもとづいたケアのためのステップ**
>
> **ステップ1：痛みの強さと痛みの干渉を測定する。** 過去1カ月の痛みと日常生活への影響を患者自身に1〜10のスケールで評価してもらう。プライマリケア用の2項目式質問表を利用する
> **ステップ2：気分の状態を測定する。** 治療可能なうつ病，不安，心的外傷後ストレス障害（PTSD）は，慢性疼痛に伴うことが多い。PHQ-4は，不安と抑うつを検出するための4項目の質問票である。プライマリケアPTSD質問票は，PTSDの4つの質問からなるスクリーニングである
> **ステップ3：疼痛による睡眠への影響を測定する。** オピオイドの投与量は睡眠呼吸障害や睡眠時無呼吸症候群と相関がある
> **ステップ4：18〜30%と推定される薬物乱用併発のリスクを測定する**
> **ステップ5：オピオイドの投与量を測定し，** 利用可能なウェブベースの計算機を用いてオピオイドの投与量を計算する

出典：Tauben D. Chronic pain management: measurement-based stepped care solutions. *Pain: Clinical Updates*. International Association for the Study of Pain. December 2012. http://www.iasp-pain.org/PublicationsNews/NewsletterIssue.aspx?ItemNumber=2064 (Accessed June 9, 2019)より入手可能。本ステップは，International Association for the Study of Pain® (IASP)の許可を得て掲載している。許可なく他の目的で引用してはならない

疼痛治療とケアの提供においてよく知られている健康格差について注目すること。それは救急の現場でのアフリカ系米国人やヒスパニック系米国人の患者に対しての鎮痛薬の使用から癌治療，術後治療，腰痛に対する鎮痛薬使用における格差にまで多岐にわたる。意思決定において医療者の固定観念，言語障壁，無意識の偏見がこれらの格差を生み出している。自身のコミュニケーション法を自己評価し，知識およびそれに関する最良の診療の基準を追求し，患者を教育して力づける技術を向上させなければならない。

所見の記録

所見を記録する際，最初は文章を用いるかもしれないが，慣れてくれば慣用的な記述を用いるようになる。つぎの囲み部に示した文例には，ほとんどの診察記録に適したフレーズが含まれている。血圧，心拍数，呼吸数などの一般的な略語については説明は不要であろう。

診察の記録：全身の観察とバイタルサイン

コルテス夫人は若く，健康的な女性で，身だしなみがよく，丈夫で，快活である。身長 163 cm，体重 61 kg，BMI 24，BP 120/80 mmHg，HR 72 回/分，RR 16 回/分，体温 37.5℃

または

ロビンソン氏は顔色が悪く，慢性的な疾患がある，高齢の男性。意識は清明，良好なアイコンタクトあり，息切れがひどく一度に 2〜3 語以上話すことができない。呼吸時に肋間筋の陥凹がみられ，ベッドで上体を起こして座っている。やせて，全身の筋肉が落ちている。身長 188 cm，体重 79 kg，BP 160/95 mmHg，HR 108 回/分で不整，RR 32 回/分で努力呼吸，体温 38.4℃
これらの所見から COPD を疑う

健康増進とカウンセリング：エビデンスと推奨

健康増進とカウンセリングの重要事項

- 高血圧
- 血圧とナトリウム摂取

高血圧のスクリーニング

高血圧は米国における重要な公衆衛生上の問題である。
- **本態性高血圧** primary (essential) hypertension が高血圧の主要な原因である。危険因子には年齢，遺伝的素因，黒人，肥満や過体重，過量な食塩摂取，運動不足，過量なアルコール摂取があげられる。
- **二次性高血圧** secondary hypertension は高血圧症例の 5％未満を占める。その原因には閉塞性睡眠時無呼吸，慢性腎臓病，腎動脈狭窄症，薬物，甲状腺疾患，副甲状腺疾患，Cushing（クッシング）症候群，アルドステロン症，褐色細胞腫，大動脈縮窄症などがある。

米国予防医療専門委員会(USPSTF)は 40 歳以上の成人および高血圧のリスクの高い成人に毎年の血圧スクリーニングを行うことを強く推奨するグレード A の推奨を発表した。USPSTF はスクリーニングが心血管系疾患のイベント減少に大きく寄与するという質の高いエビデンスを一貫して示してきた。

2017年に米国心臓病学会 American College of Cardiology（ACC）と米国心臓協会 American Heart Association（AHA）は診察室での自動式血圧計による測定やABPMやHBPMで高血圧を確定することを推奨している。ACC/AHAは高血圧を収縮期血圧（SPB）＞130 mmHg もしくは拡張期血圧（DBP）＞80 mmHg と定義し、130～139/80～89 mmHg をステージ1、SPB＞140 mmHg もしくはDBP＞90 mmHg をステージ2とした。SPBが120～129 mmHg でDBPが80 mmHg 未満の成人は血圧上昇と分類された。正常血圧の成人は1年後の再評価、血圧上昇の成人は3～6カ月以内の再評価が推奨されている。

血圧とナトリウム摂取

米国医学研究所（IOM）は高血圧のリスクを減らすために、成人の1日の最大ナトリウム摂取量を 2,300 mg[訳注] と推奨している。ガイドラインに記載されているナトリウム摂取量 2,300 mg/日を遵守し、よく研究された食事計画である Dietary Approaches to Stop Hypertension（DASH）を採用することを検討するために、患者に対して食品の栄養内容表示を読むよう指導すべきである（表8-1「高血圧患者：食事変更の推奨」参照）。

訳注：ナトリウム（mg）×2.54÷1,000＝食塩相当量（g）であり、ナトリウム 2,300 mg は食塩 5.8 g に相当する。

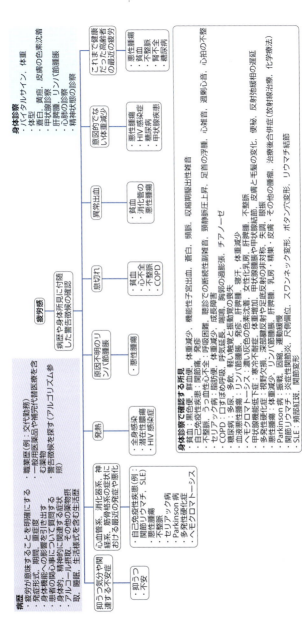

アルゴリズム 8-1 疲労感のある患者へのアプローチ（注：このアルゴリズムは包括的とはいえないが、病歴と診察から得られた情報を統合するための出発点としては有用である）COPD：慢性閉塞性肺疾患、HIV：ヒト免疫不全ウイルス、SLE：全身性エリテマトーデス

表 8-1	高血圧患者：食事変更の推奨
食事内容変更	**食物**
カリウムが豊富な食品を**増やす**	焼いたジャガイモやサツマイモ，白インゲン豆，ビーツの葉，大豆，ホウレンソウ，レンズ豆，インゲン豆
	ヨーグルト
	トマトペースト，トマトジュース，トマトピューレ，トマトソース
	バナナ，プランティン（調理用バナナ），多くのドライフルーツ，オレンジジュース
ナトリウムを多く含んだ食品を**減らす**	缶詰類（スープ，ツナ）
	プレッツェル，ポテトチップス，ピザ，ピクルス，オリーブ
	多くの加工食品（冷凍食品，ケチャップ，マスタード）
	揚げ物
	食卓塩（調理用も含む）

出典：U.S. Department of Agriculture and U.S. Department of Health and Human Services. *Dietary Guidelines for Americans, 2010*. Washington, DC: U.S. Government Printing Office; 2010。*Choose MyPlate.gov*. http://www.choosemyplate.gov/index.html (Accessed December 15, 2014) より入手可能。Office of Dietary Supplements, National Institutes of Health. Dietary Supplement fact sheets: calcium; vitamin D. Available at http://ods.od.nih.gov/factsheets/list-all/ (Accessed June 9, 2019) より入手可能

第9章 認知，行動，精神状態

病歴

本章では，認知，情動調節，行動における重大な障害によって臨床症状が特徴づけられ，それが何らかの基準概念からの逸脱によって測定され，社会的，職業的，またはその他の重要な日常生活活動において重大な苦痛や障害につながるあらゆる状態または症候群を指して「**精神疾患**」という用語を用いる。この用語は，米国で精神科医をはじめとするメンタルヘルス専門家が使用している診断マニュアル『DSM-5』でも使用されている。しかし，この命名法には固有の問題があり，「**精神病**」や「**精神科疾患**」などの用語が好まれる場合もある。実際，DSM-5では，この用語が精神疾患と身体疾患を区別しているようにみえるため，誤解を招く可能性があることを認めているが，現時点では適切な代替用語がないため，この用語の使用が続けられている。

よくみられる，または注意すべき症状

- 不安，過度の心配
- 抑うつ気分
- 記憶障害
- 医学的に説明のつかない症状

不安，過度の心配

「最近のご様子をお聞かせください」などの開かれた質問で確認する。詳しくは Box 9-1 を参照。

不安症および関連疾患をもつ患者に共通する危険因子は，不安症の家族歴，不安症または気分障害の既往歴，小児期のストレスの多いライフイベントまたは心的外傷，女性，慢性内科的疾患，および行動抑制である。

Box 9-1 不安症のスクリーニングに効果的な質問

- この 2 週間で,神経質になったり,不安になったり,イライラすることがありましたか?
- この 2 週間で,心配するのを止められなかったり,コントロールできないことがありましたか?
- この 4 週間で,急な恐怖心やパニックなどの不安発作を経験しましたか?

主訴の特徴として心配が優勢である場合,全般不安症またはパニック症が疑われる。

過度の心配が 4 週間以上続く場合は,全般不安症の可能性が示唆される。

抑うつ気分

不安と同様に,最初は開かれた質問をすることが重要である。「調子はいかがですか?」「気分はいかがですか?」は,うつ病のスクリーニングを開始するのに役立つ質問である(Box 9-2)。

アルゴリズム 9-1「うつ病患者へのアプローチ」を参照

抑うつエピソードの個人歴,うつ病の家族歴(第 1 度近親者),最近のストレスの多いライフイベントや幼少期の重大な苦難,慢性内科的疾患や障害を伴う内科的疾患について質問する。

愛する者を最近失った後の悲しみは普通であり,予想されることである。それはうつ病というより正常な死別反応の一部でありうる。

Box 9-2 うつ病のスクリーニングに効果的な質問

この 2 週間で,
- 落ち込み,ふさぎこみ,絶望的になったりしましたか?
- 何かするときに興味や楽しみを感じないことがありましたか(無快感症)?
- 眠りにつきづらい,またはすぐに目を覚ましてしまうといった問題はありましたか? または寝すぎてしまうことはありませんか?
- 自己嫌悪に陥ったり,自分は失敗作だと感じたり,家族を失望させたと感じることがありましたか?

(続く)↗

↘(続き)

- 倦怠感を感じ，活力を失うことはありましたか？
- 食欲不振や食べすぎは経験しましたか？
- 新聞を読んだりテレビをみるときなど，物事に集中しづらいことはありましたか？
- 動作や会話が緩慢だと他の人から指摘されることはありましたか？ または，そわそわしたり落ち着きがなく，いつもより動きが多くなることはありましたか？
- 死んだほうがましだと考えたり，または何らかの方法で自分自身を傷つけようと思ったことがありましたか？

大うつ病性障害は，少なくとも2週間の抑うつ気分/易刺激性気分によって特徴づけられる。持続性抑うつ障害は，少なくとも2年間持続する抑うつ気分/易刺激性気分が特徴である。

記憶障害

DSM-5 では，専門家グループとの検討の結果，**せん妄 delirium** と**認知症 dementia** が新たな**神経認知障害群 neurocognitive disorders** というカテゴリーの下に分類しなおされた。DSM-5 では，dementia に対応する用語として major neurocognitive disorder を採用している(訳注)。一方，比較的深刻ではないレベルの認知障害は**軽度認知障害 mild neurocognitive disorder** として分類され，これは外傷性脳損傷または HIV 感染による障害のある若年患者などに適用される。とはいえ，dementia という用語は臨床で広く使用されているため，DSM-5 でも依然として用いられている。表 9-2「神経認知障害：せん妄と認知症」，アルゴリズム 9-2「記憶障害患者へのアプローチ」を参照。

訳注：日本語版では，major neurocognitive disorder を「認知症」，dementia を「認知症(dementia)」と訳している(日本精神神経学会監修，『DSM-5 精神疾患の診断・統計マニュアル』東京：医学書院；2014.)。

「自分の記憶に関する不安はありますか？ または知人から記憶に関する懸念について指摘されたことはありますか？」とたずねる。	軽度認知障害の患者は，自分の物忘れを認識できうる。認知症の患者は，物忘れそのものより，自分の物忘れを知人が心配していることを記憶している可能性が高い。
「物忘れに最初に気づいたのはいつですか？」「時間の経過とともに徐々に起こったのですか，それとも突然でしたか？」とたずねる。	急性発症記憶障害では，重度の血管性認知症が危惧される。頭部外傷後の急性発症記憶障害では，外傷性脳損傷による認知症が疑われる。他のほとんどの認知症は潜行性である。

医学的に説明のつかない症状をもつ患者

患者が外来診察で訴える症状のうち，およそ半数を身体症状が占める。こうした症状の約 25％ は遷延性または再発性の症状で，診断が確定せず，改善に至っていない。一般的に，身体症状の 30％ は**医学的に説明がつかない**と考えられている。

身体症状と機能性身体症候群，一般的な精神疾患（不安症やうつ病，説明のつかない身体症状症，物質依存）が合併して現れることを認識していないと，不十分な治療や生活の質（QOL）の低下など，患者の負担が増えることになる。表 9-1「身体症状症および関連疾患：その種類と症状へのアプローチ」を参照。

メンタルヘルス・スクリーニング

6 週間以上続く説明のつかない状態は，うつ病，不安症，またはその両方のスクリーニングを促すべき慢性疾患として認識されつつある（Box 9-3）。すべての患者をスクリーニングすることは時間と費用がかかるため，専門家は，リスクのある患者に対して高い感度と特異度をもつ簡単なスクリーニングのための質問を行い，その後，必要に応じてより詳細な精査を行うという **2 段階のアプローチ**を推奨している。

Box 9-3 メンタルヘルス・スクリーニングのための患者認識情報

- 医学的に説明のつかない身体症状
- 複数の身体症状がある
- 身体症状の重症度が高い
- 慢性疼痛
- 症状が6週間以上続いている
- 医師が「面接困難」と評価している
- 最近のストレス
- 健康全般に対する自己評価が低い
- 医療サービスの利用が多い
- 物質使用障害

半数以上が抑うつまたは不安症をもつ。

表9-1「身体症状症および関連疾患:その種類と症状へのアプローチ」を参照

診察の技術

精神状態の評価の重要項目

- 意識レベルを含む外見と行動，姿勢，運動行動，服装，身だしなみ，衛生状態，表情，感情，態度を評価する
- 会話の多さ，速さ，声量，明瞭さ，流暢さを含む会話と言語を評価する
- 気分を評価する
- 思考と知覚を評価する
- 病識と判断を評価する
- 見当識，注意，記憶，および高次認知機能を含む認知機能を評価する

精神状態検査に使われる用語の多くは，日常会話でよく使われるものである。時間をかけて，精神状態の標準的な評価について，その正確な意味を理解すること(Box 9-4)。

Box 9-4　精神状態検査に使われる用語

意識レベル	清明または環境を認識できる状態
注意	特定の刺激や活動に集中または注目し続ける能力
記憶	情報を登録，記録する過程。近時記憶あるいは短期記憶は数分から数時間または数日までの保持。遠隔記憶あるいは長期記憶は数年レベルの保持
見当識	人，場所，時間に関する認識。記憶と注意の2つを要する
知覚	周りの事物や事物同士の関連を五感を通して捉えること。夢などの内的刺激も指す
思考過程	患者自身の思考の論理性，一貫性，関連性。つまり，人はどのようにして考えるかということ
思考内容	病識や判断のレベルを含め，患者が考えていること
病識	症状あるいは行動が正常か異常かを自覚すること
判断	行動決定の際に，選択肢を比較し評価する過程であり，現実や社会的慣習・社会的規範にもとづいていることもあれば，もとづいていないこともある
感情	観察可能であり，通常は偶然みられるもので，声，表情，態度に現れる
気分	人が世界をどう知覚するかを左右する，広範で持続的な情動である(**感情と気分の関係は，天気と気候の関係と同じ**)
言語	言葉を使って表現し，受けとめ，理解するための複雑な記号体系。精神機能を評価するのに必須
高次認知機能	語彙，知識量，抽象的思考，計算，二次元または三次元の対象の構成能力によって評価される

精神状態の評価は6つの要素(外見と行動，会話と言語，気分，思考と知覚，病識と判断，および認知機能)からなる。それぞれの内容は以下の項で詳述する。

外見と行動

以下の要素を評価する。

- 意識レベル：清明さや言葉と　　意識正常，嗜眠，昏蒙，昏迷，昏睡

診察の技術	所見
触覚刺激の反応を観察(Box 9-5)	
● **姿勢と運動行動**:運動の速度,範囲,特徴,適切性を観察	落ち着きのなさ,興奮,奇妙な姿勢,動作の鈍化,不随意運動
● **服装,身だしなみ,衛生状態**	潔癖症,無関心
● **表情**:安静時と会話中の表情を観察	不安,抑うつ,怒り,Parkinson病による無表情
● **態度,感情,人や物との関係**	妄想性障害患者の怒り・敵意・疑い・回避,躁病の高揚感や多幸感,統合失調症の平坦な感情やよそよそしさ,うつ病や認知症の無気力や鈍い感情

Box 9-5 意識レベル

意識レベル		患者の反応
清明	alertness	目は開いており,**ふつうの声のトーン**で話しかけられたときにあなたをみて,刺激に完全かつ適切に反応する
嗜眠	lethargy	眠気を催しているようにみえるが,**大きな声**で話しかけると目を開けてあなたをみて,質問に答えるが,その後眠りに落ちる
昏蒙	obtundation	**触覚**刺激が加えられると目を開けてあなたをみるが,反応は遅く,やや混乱している
昏迷	stupor	**痛み**刺激の後にのみ覚醒する。言葉による返答は遅いか,まったくない。刺激を止めると,無反応状態になる
昏睡	coma	目を閉じて覚醒しない。体内の生理的な反応も外部からの刺激に対する反応もみられない

会話と言語

会話の量,速さ,大きさ,明瞭さ,流暢さを記録する。適応が

失語症,音声障害,構音障害,気分障害による変化

診察の技術	所見

あれば，失語症の検査を行う。正確な文が書ける人は失語症ではない。

気分

患者の精神状態について質問する。異常な気分の性質，強さ，持続期間，安定性を記録する。適応があれば，自殺のリスクを評価する。

幸福感，高揚感，抑うつ，不安，怒り，無関心

思考と知覚

思考過程：論理性，関連性，構成，一貫性を評価する。

脱線，観念奔逸，支離滅裂，作話，思考途絶

思考内容：異常な思考や不快な思考について質問し確認する。

強迫観念，妄想，非現実感

知覚：通常とは異なる知覚（例：物をみたり聞いたりすること）について質問する。

錯覚，幻覚

病識と判断

患者の病気に対する洞察力と，意思決定や計画を立てる際に用いる判断力の程度を評価する。

症状における精神的原因の認識または否定。奇妙な，衝動的な，または非現実的な判断

認知機能

必要に応じて，以下の評価を行う。

見当識：時間，場所，人に対する認識。

見当識障害

診察の技術	所見
注意	
●**数字記憶範囲検査**：一連の数字を繰り返し順唱・逆唱する能力	認知症やせん妄では，数字記憶範囲検査，7の引き算，逆綴りの成績がよくないが，それ以外の原因もある。
●**7の引き算**：100から7を繰り返し引き算していく能力	
●W-O-R-L-Dなど，5文字の単語を逆に綴る	
遠隔記憶（例：誕生日や記念日，社会保障番号，出身校の名前，就いていた仕事，戦争体験）。	認知症末期において障害される。
近時記憶（例：その日の出来事）および**新しいことを習得する能力**。3つか4つの単語を，単語とは無関係な行動を2～3分行った後に思い出す能力。	認知症，せん妄，記憶障害では，近時記憶と新しいことを習得する能力が低下する。

高次認知機能

必要に応じて，以下の評価を行う。

知識と語彙：患者の知識の範囲と深さ，表現された考え方の複雑さ，使用された語彙に注意する。知識量については，大統領，その他の政治家，大都市などの名前をたずねる。	これらの特性は，知能，教育，文化的背景を反映している。精神遅滞の場合は制限されるが，早期の認知症ではかなり保たれる。
計算能力：足し算，引き算，掛け算など。	精神遅滞と認知症においては計算能力が低下

診察の技術	所見
抽象的思考力：以下のような質問に対して抽象的に答えることができる能力。 ● ことわざの意味，例えば「今日の1針，明日の10針（転ばぬ先の杖）」 ● ネコとネズミ，ピアノとバイオリンなど，存在や物事の類似性	具体的な反応（概念よりも詳細で観察可能である）は精神遅滞，認知症，せん妄でよくみられる。統合失調症では奇妙な反応をすることがある。
構成能力：患者につぎのことをしてもらう。円，十字，ひし形，箱などの図形や，交差する2つの五角形を描き写すこと，または数字と針がある時計の文字盤を描くこと。	認知症や頭頂葉の障害では，能力の低下がよくみられる。

所見の記録

最初は文章で，後に慣用的な記述を用いて，自ら得た所見を説明することになるだろう。以下の記載様式は，多くの記載内容に適した語句を含む。

行動や精神状態の診察の記録

精神状態：患者は意識清明，身だしなみよく，活気あり。会話は流暢で言葉も明瞭。思考過程に一貫性があり，病識もある。人，場所，時間に対する見当識は保たれている。7の引き算は正確。近時記憶と遠隔記憶は異常なし，計算能力は異常なし

または

精神状態：患者は悲しそうで，疲れてみえる。衣服はアイロンがけされておらず，話し方はゆっくりで，言葉は不明瞭。思考過程に一貫性はあるが，最近の日常生活で経験する問題に関する病識は限定的。人，場所，時間に対する見当識は保たれている。数字記憶範囲検査，7の引き算，計算能力に異常はないが，

反応が遅い。時計の描写はよい
これらの所見からうつ病を疑う

健康増進とカウンセリング：エビデンスと推奨

健康増進とカウンセリングの重要事項

- うつ病のスクリーニング
- 自殺リスクの評価
- 神経認知障害のスクリーニング（認知症とせん妄）

うつ病のスクリーニング

米国予防医療専門委員会(USPSTF)は，「正確な診断，効果的な治療，および適切なフォローアップ」を提供できる臨床現場でのうつ病スクリーニングについて，2016年にグレードBの勧告を行っている。気分と無快感症に関するつぎの2つの簡単な質問に「はい」と答えた場合，大うつ病性障害を検出する感度は83％，特異度は92％であり，より詳細なツールを使用するのと同程度に有効だとみられている(Box 9-2参照)。

- 「過去2週間で，ふさぎ込んだり，落ち込んだり，絶望したことはありましたか？」とたずね，**抑うつ気分**をスクリーニングする。
- 「過去2週間で，何か行うことにはほとんど興味や喜びを感じないことはありましたか？」とたずね，**無快感症**をスクリーニングする。

これらのスクリーニングのための質問は，Box 9-6に示すようにPatient Health Questionnaire-9(PHQ-9)で用いられている。すべての質問で陽性であれば，診断のためにより詳細な面接を行う必要がある。

自殺リスクの評価

自殺は，米国で10番目に多い死因であり，年間45,000人近くが死亡している。15～24歳では，自殺は2番目に多い死因である。自殺率は45～54歳で最も高く，つぎに高いのは85歳以上の高齢

Box 9-6　うつ病スクリーニング：Patient Health Questionnaire-9（PHQ-9）

回答を「全くない＝0点」，「数日＝1点」，「半分以上＝2点」，「ほとんど毎日＝3点」として総得点を算出したものが，PHQスコアとする。その範囲は0～27点である。この得点は，症状レベルの指標として用いられる。プライマリケア医が，簡単に記憶できるように，5点，10点，20点を症状レベルのカットオフポイントとしている。0～4点はなし，5～9点は軽微～軽度，10～14点は中等度，15～19点は中等度～重度，20～27点は重度の症状レベルであると評価する。

PHQ-9（Patient Health Questionnaire-9）日本語版（2018）

	この2週間，次のような問題にどのくらい頻繁（ひんぱん）に悩まされていますか？	全くない	数日	半分以上	ほとんど毎日
(A)	物事に対してほとんど興味がない，または楽しめない	□	□	□	□
(B)	気分が落ち込む，憂うつになる，または絶望的な気持ちになる	□	□	□	□
(C)	寝付きが悪い，途中で目がさめる，または逆に眠り過ぎる	□	□	□	□
(D)	疲れた感じがする，または気力がない	□	□	□	□
(E)	あまり食欲がない，または食べ過ぎる	□	□	□	□
(F)	自分はダメな人間だ，人生の敗北者だと気に病む，または自分自身あるいは家族に申し訳ないと感じる	□	□	□	□
(G)	新聞を読む，またはテレビを見ることなどに集中することが難しい	□	□	□	□
(H)	他人が気づくぐらいに動きや話し方が遅くなる，あるいは反対に，そわそわしたり，落ちつかず，ふだんよりも動き回ることがある	□	□	□	□
(I)	死んだ方がました，あるいは自分を何らかの方法で傷つけようと思ったことがある	□	□	□	□

あなたが，いずれかの問題に1つでもチェックしているなら，それらの問題によって仕事をしたり，家事をしたり，他の人と仲良くやっていくことがどのくらい困難になっていますか？

全く困難でない	やや困難	困難	極端に困難
□	□	□	□

©kumiko. muramatsu「PHQ-9日本語版 2018版」
PHQ-9日本語版（2018）の無断複写，転載，改変を禁じます。

〔Muramatsu K, Miyaoka H, Kamijima K, et al. Performance of the Japanese version of the Patient Health Questionnaire-9 (J-PHQ-9) for depression in primary care. *Gen Hosp Psychiatry*. 2018; 52: 64-69.〕

出典：村松公美子．Patient Health Questionnaire 日本語版シリーズ（PHQ，GAD）うつと不安のメンタルヘルスアセスメント．2021．https://n-seiryo.repo.nii.ac.jp/?action=pages_view_main&active_action=repository_view_main_item_detail&item_id=2014&item_no=1&page_id=27&block_id=90

者である。男性の自殺率は女性のほぼ4倍であるが,女性は男性より自殺企図の可能性が3倍高い。危険因子には,自殺または殺人の企図,意図,計画,自殺手段への接近,現在の精神病または重度の不安の症状,精神疾患の既往歴(特に入院との関連),物質使用障害,パーソナリティ障害,自殺企図の既往または自殺企図・完遂の家族歴が含まれる。

自殺の公衆衛生上の負担は大きいものの,USPSTFは,現在のエビデンスはプライマリケアでの自殺リスクのスクリーニングの有益性と有害性のバランスを評価するには不十分であると結論づけた(グレードI)。しかし,医療者は患者の示す手がかりや危険因子に注意する必要がある。

神経認知障害のスクリーニング

認知症

精神状態短時間検査 Mini-Mental State Examination は,認知症のスクリーニング検査として最も広く知られているが,商用利用を制限する著作権があり,あまり利用しやすくはない。現在推奨されるスクリーニング検査には,Mini-Cog と Montreal Cognitive Assessment(MoCA)がある。**Mini-Cog** は感度91%,特異度86%であり,また実施には3分程度しかかからない(Box 9-7)。

Box 9-7　認知症スクリーニング:Mini-Cog

方法
つぎのように実施する
1. 患者に,3つの関連のない言葉を注意して聞き取り,覚えるように依頼する。つぎに,記憶した言葉を繰り返してもらう
2. 白紙か,すでに輪郭として円が描かれた紙に,時計の文字盤を描いてもらう。患者に時間を示す数字を描いてもらった後,特定の時間の針を描いてもらうようにお願いする
3. 1.で聞き取った3つの言葉を繰り返すよう依頼する

スコアリング
時計描画テストの後に思い出した単語1つにつき1点とする
3つの単語のいずれも思い出せない場合,認知症として分類する(0点)
3つの単語すべてを思い出せる場合,認知症ではない,と分類する(3点)

(続く)↗

↘(続き)

1〜2語の単語を思い出せる場合，時計描画テストにもとづいて分類する*（描画テストに異常あり：認知症，正常：認知症ではない）

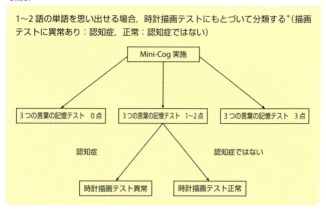

*すべての数字が正しい順序，位置に並び，針が要求された時間を明確に，正しく示す場合は，時計描画テストの結果を正常とみなす．

最近の研究でMoCAの感度と特異度はそれぞれ91％，81％で，Mini-Cogと同等あることが示された．実施時間は10分である（Box 9-8）．しかしUSPSTFは，薬理学的または非薬理学的介入が軽度から中程度の認知症の患者に利益をもたらすかどうかについてエビデンスが不十分であることから，認知症のスクリーニングについてグレードIとした．

せん妄

Confusion Assessment Method（CAM）は，リスクのある患者のスクリーニングに推奨される（Box 9-9）．CAMはベッドサイドで迅速かつ正確にせん妄を特定することができる．せん妄と認知症を判別する特徴に注意する（表9-2）．

Box 9-8 認知症スクリーニング：Montreal Cognitive Assessment(MoCA)

方法

Montreal Cognitive Assessment(MoCA)は軽度認知障害を簡便にスクリーニングするツールとして作成された．注意と集中，実行機能，記憶，言語，視空間認知，抽象的思考，計算，見当識といった異なる認知領域を評価することが可能である．測定時間は約10分である

スコアリング

右欄に記載した点数を合計する．就学期間が12年以下であれば1点を加え，最大30点となる．合計点が26点以上であれば正常とする

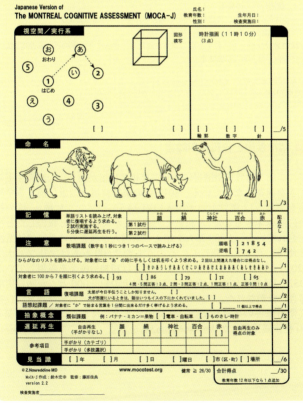

〔日本語訳は，鈴木宏幸，藤原佳典．Montreal Cognitive Assessment(MoCA)の日本語版作成とその有効性について．老年精神医学雑誌．2010；21(2)：198-202．より許可を得て掲載〕

Box 9-9 Confusion Assessment Method(CAM)診断アルゴリズム

1. **急性発症と変動性の経過**
   - 患者さんの精神状態は，ベースライン時と比べて急激な変化がみられましたか？
   - 異常な行動が日内で変動しますか？
2. **注意散漫**
   - 患者さんは集中することが困難ですか？
3. **支離滅裂な思考**
   - とりとめのない話や無関係な話をする，不明瞭，または筋の通らない考え方をする，意図が予測できず，変化についていけない
4. **意識レベルの変化**
   - 全体的に見て，この患者さんの意識レベルをどう評価しますか？
     （意識清明，過覚醒，傾眠，昏迷，昏睡）

スコアリング：上記の1と2の両方を満たし，さらに3と4のどちらかを満たす場合，せん妄と診断する

〔質問文の日本語訳は，渡邉明．The Confusion Assessment Method(CAM)日本語版の妥当性．総合病院精神医学．2013；25(2)：165-170 より許可を得て引用〕

精神疾患と物質使用障害

精神疾患と物質使用障害には有害な相互作用があり，公衆衛生上の大きな問題となっている。2017年の薬物使用と健康に関する全国調査では，12歳以上の米国人口の24.5％がビンジ飲酒（一度の機会に飲みすぎること）を報告し，約6％が大量飲酒を報告したと推定されている。3,000万人を超える米国人が調査の前月に違法薬物を使用したことを報告し，そのうち約2,600万人はマリファナ，220万人はコカインを使用，600万人は精神治療薬を誤用していた。DSM-IV基準にもとづいて，12歳以上の約2,000万人が物質使用障害に分類された。アルコール，処方薬の誤用，違法薬物を含む物質使用障害のスクリーニングに関する追加情報については，第6章「健康維持とスクリーニング」p.90を参照。

UNIT II　第9章　認知，行動，精神状態　155

病歴
- 発症，期間，重症度，増悪因子
- 身体的および心理的な関連症状
- 自殺傾向の評価
- 機能への影響を聞きだす
- 患者の心配事について聞く

病歴
- OTCとCAMを含む薬物治療
- アルコール，他の薬物，睡眠，
  アルコールを含む社会歴
- 生活習慣を含む社会歴
- 警告徴候：アルゴリズムを参照

身体診察
- バイタルサイン，体重
- 甲状腺検査
- 神経学的検査
- 精神状態検査

うつ病

病歴と随伴する身体所見の中に確信となるものがないか確認する

誤症状徴
- 双極 I 型障害
- 物質使用（精神刺激薬，大麻）

筋力低下
- 自己免疫疾患
- Cushing（クッシング）症候群
- 多発性硬化症
- 脳卒中
- 外傷性脳損傷

異常運動
- Parkinson（パーキンソン）病
- Huntington（ハンチントン）病
- Wilson（ウィルソン）病

意図しない体重増加
- 甲状腺機能低下症
- Cushing症候群
- 物質使用（アルコール，大麻，オピオイド）

筋骨格系疾患

自己免疫疾患

重度のストレス
または外傷歴
- 適応障害
- PTSD

積極的物質使用
- 物質使用による気分障害

大うつ病性障害

内科的または身体診察上の警告徴候がなく，少なくとも4つのうつ病関連症状
- 不眠または過眠
- 不快感または無価値感
- 罪悪感または無力感
- 活力低下
- 食欲低下または過食
- 集中力低下
- 緩慢な思考や会話，落ち着きがない
- 自殺念慮

身体所見で確認すべき所見
自己免疫疾患：蝶形紅斑，リンパ節腫脹，関節腫脹
Cushing症候群：中心性肥満，脂肪異栄養症，近位筋力低下，紫色皮膚線条，多毛，あざ
多発性硬化症：感覚の変化，局所性筋力低下，霧視，視野欠損，運動失調，異常反射
脳卒中：片側性感覚麻痺，片側性筋力低下，半側空間無視，視野欠損，構音障害，加速歩行，姿勢不安定
Parkinson病：動作緩慢，振戦，筋強剛，異常姿勢，仮面様顔貌，加速歩行，姿勢不安定
Huntington病：舞踏運動，筋強剛，不明瞭発語，記憶障害
Wilson病：肝腫，腹水，くも状血管腫，Parkinson病，運動失調，ジストニア，Keyser-Fleischer角膜輪
甲状腺機能低下症：皮膚乾燥，四肢浮腫，粘液水腫，脱毛，深部腱反射の遅延
アルコール中毒：意識レベルの低下，運動失調，不明瞭発語，過去の自殺企図歴
アルコール離脱：振戦，落ち着きがない，高血圧，頻脈
精神刺激薬使用：体温上昇，落ち着きがない，歯ぎしり，高血圧，徐脈，意識レベル変化，頻脈，振戦，鼻出血
オピオイド中毒：縮瞳，呼吸抑制，徐脈，低血圧，意識レベル低下，頻脈，高血圧，落ち着きがない，発汗
オピオイド離脱：散瞳，流涙，あくび，頻脈
大麻中毒：頻脈，口腔乾燥，結膜充血，顔面紅潮

自殺傾向
- 自殺傾向は臨床的な緊急事態であり，精神科医による評価が必要となる．患者が何かをきっかけに受動的自殺傾向とは，患者が死にたいと願うことである
- 積極的自殺傾向とは，患者が自殺を望むことである
- 計画とは，自殺企図の方法や行程を示すものである
- 意図とは，患者が自殺を強く望むことである
- 危険因子には，精神疾患，過去の自殺企図歴，自殺企図または未遂の内科的疾患または慢性疾患，物質使用，物質使用，ネガティブな社会的支援，失業などが含まれる

アルゴリズム 9-1　うつ病患者へのアプローチ（注：このアルゴリズムは包括的とはいえないが，病歴と診察から得られた情報を統合するための出発点として有用である）CAM：補完代替医療，OTC：市販薬，PTSD：心的外傷後ストレス障害

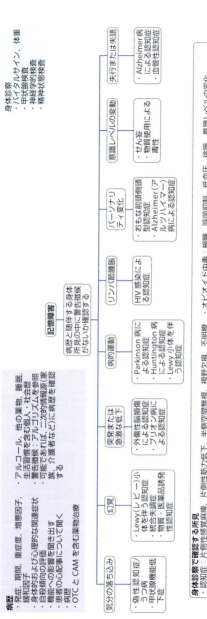

アルゴリズム 9-2 記憶障害患者へのアプローチ（注：このアルゴリズムは包括的とはいえないが、病態と診察から得られた情報を統合するための出発点としては有用である） CAM：補完代替医療、OTC：市販薬、PTSD：心的外傷後ストレス障害

表 9-1　身体症状症および関連疾患：その種類と症状へのアプローチ

障害の種類	診断的特徴
身体症状症	身体症状症は，非常に苦痛で，機能に重大な混乱を引き起こすだけでなく，身体症状に関連する過度かつ不均衡な思考，感情，および行動の原因となる。おもな身体症状が痛みである場合，その痛みは限局的であることが多い
病気不安症	深刻な疾患にかかっている，またはかかるのではないか，という考えにとらわれる。身体症状がある場合でも，その症状は軽度である
変換症/転換性障害	精神的因子が重要な要因だと考えられるような，神経学的または身体的疾患に似た一連の症状による症候群
他の身体的疾患に影響する心理的要因	苦痛，死亡，または機能障害のリスクを高め，身体的疾患に悪影響を与える臨床的に重要な心理的または行動的要因が 1 つ以上ある
作為症/虚偽性疾患	身体的または心理的徴候・症状のねつ造，または傷害や疾患を誘発するための行動をとり，それを隠すために虚偽の説明を行う。患者は，外的報酬がなくても，自身に疾患，障害，または外傷があると主張する
他の関連する障害または行動	
醜形恐怖症/身体醜形障害	他人には観察できない，またはわずかにしか観察できない，外見上の 1 つまたは複数の短所や欠陥へのこだわりがみられる
解離症/解離性障害	意識，記憶，アイデンティティ，情動，知覚，身体表象，運動制御，および行動の正常な統合における破綻または不連続がみられる

注意：診断に関するさらなる情報については DSM-5 を参照されたい。

表 9-2　神経認知障害：せん妄と認知症

	せん妄	認知症
精神状態		
意識レベル	低下。環境を明確に認識できるほど意識清明ではなく，注意を集中，維持，またはそらす能力が低下する	通常，疾患後期までは正常である
行動	活動はしばしば異常に減少（傾眠）または増加（不穏，過覚醒）	正常もしくは緩慢な動作。適切でない行動をとる場合がある
会話	ときにためらいがち，遅いまたは速い，一貫性がない	言葉が出てこない，失語症
気分	恐怖感または易刺激性気分から正常または抑うつ気分まで，変動が多く不安定	多くの場合，起伏がみられない，抑うつ気分
思考過程	まとまりがない，一貫性のないことがある	貧弱。会話にほとんど情報がない
思考内容	妄想が起きやすい，しばしば一過性	妄想がみられることがある
知覚	錯覚，幻覚（ほとんどの場合が視覚性）が生じる	幻覚が起こることがある
判断	障害される（程度はさまざま）	疾患の進行とともに障害が増悪
見当識	通常，特に時間に関する見当識が失われる。知っている場所が見知らぬ場所のように思える	かなりの程度保たれるが，疾患が進行すると障害される
注意	注意散漫，気が散りやすく，特定の課題に集中できない	通常は病気の末期まで影響されない
記憶	即時および近時記憶障害	近時記憶障害と新しいことを習得する能力の障害
原因の例	振戦せん妄（アルコール離脱による） 尿毒症 急性肝不全 急性中枢神経限局性血管炎 アトロピン毒性	**可逆的**：ビタミン B_{12} 欠乏症，甲状腺疾患 **不可逆的**：Alzheimer 病，血管性認知症（多発性梗塞による），頭部外傷による認知症

第10章 皮膚，毛髪，爪

病歴

よくみられる，または注意すべき症状

- 病変部位
- 発疹とかゆみ（瘙痒）
- 脱毛と爪の変化

病変部位

病変 lesion は健常皮膚からの変化がみられる部位で，単発または多発する場合がある。まずは，患者に新たな病変に関する不安がないかたずねる。例えば「皮膚，毛髪，爪に何か変化はありますか？」「何かが大きくなっていたり，痛み，しこりがあったりしますか？」と質問するとよい。患者が新たな病変を報告した場合，皮膚癌の既往や家族歴を聴取する。過去の皮膚癌の種類，部位，発症時期を確認し，定期的な皮膚の自己検診と日焼け止めの使用について質問する。アルゴリズム 10-1「一次性病変のある患者へのアプローチ」参照。

発疹とかゆみ（瘙痒）

発疹 rash は広範囲に広がる皮膚の病変である。患者が発疹を訴える場合は，その評価で最も重要な症状である**かゆみ（瘙痒 pruritus）**について質問する。

明らかな発疹がないのに全身に瘙痒がある原因としては，皮膚の乾燥，妊娠，尿毒症，黄疸，リンパ腫や白血病，薬疹，まれではあるが真性赤血球増加症や甲状腺疾患が考えられる。

かゆみは発疹が現れる前と後のどちらで発症したか？ かゆみを伴う発疹があれば、かゆみや涙目、喘息、アトピー性皮膚炎など、季節性アレルギーの有無について質問する。また患者は一晩中眠ることができるか、もしくはかゆみで目が覚めるか確認する。

脱毛と爪の変化

脱毛については、頭髪が薄くなったか、または抜け毛が多くなったかをたずね、抜け毛の場合、頭髪は毛根から抜けるか毛幹で千切れてしまうのか確認する。

毛根からの脱毛は、休止期脱毛症と円形脱毛症で認めることが多い。毛幹で頭髪が千切れる場合は、ヘアケアまたは頭部白癬による損傷を示唆する。

診察の技術

全身の皮膚診察の重要項目

患者の姿勢：座位
- 頭髪と頭皮を視診する
- 前額、眉毛、眼瞼、睫毛、結膜、強膜、鼻、耳、頬、唇、口腔、下顎、顎髭など頭頸部を視診する
- 上背部を視診する
- 肩、腕、手を視診し、さらに手は爪を触診する
- 胸部と腹部を視診する
- 大腿と下腿の前面を視診する
- 足底、趾間、足の爪を含む足と足趾を視診する

患者の姿勢：立位
- 腰背部を視診する
- 大腿と下腿の後面を視診する
- 腋毛と陰毛を含む乳房、腋窩および生殖器を視診する

患者に仰臥位、腹臥位の順で体位を変えてもらう方法もあるが、頭から足、前方から後方という系統的な診察の流れは変わらない

| 診察の技術 | 所見 |

標準的な手技:患者の姿勢―座位から立位

全身の皮膚診察を行うための患者体位を選ぶ。座位,もしくは仰臥位の後に腹臥位をとる方法のいずれでもよい。**毎回同じ順序で皮膚を診察するように心がける。そうすれば,診察のとりこぼしをする可能性が低くなる。**

患者の前に立って診察台を適切な高さに調整する。まずは頭髪と頭皮の診察を行う(図10-1)。

脱毛症 alopecia は,びまん性,斑状または全体的であることがある。男性型脱毛症と女性型脱毛症は加齢による正常な変化である。円形脱毛症では,突然巣状に頭髪が抜けることがある。瘢痕性脱毛症が認められた場合は皮膚科に紹介する。

薄毛は甲状腺機能低下症で認め,細い絹のような頭髪は甲状腺機能亢進症で認める。

表10-7「脱毛」を参照

図10-1 頭髪を分けて頭皮を露出させる

前額,眼(眼瞼,結膜,強膜を含む),睫毛,眉毛,鼻,頬,唇,口腔,下顎を含む頭頸部を視診する(図10-2〜10-4)。

顔面の基底細胞癌の徴候を探す。表10-4「ピンク色の病変:基底細胞癌と類似病変」を参照

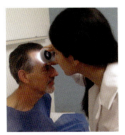

図10-2 前額の病変をダーモスコープで視診

診察の技術	所見

図 10-3　顔面と耳の視診

了承を得てからガウンをずらして肌を出す。

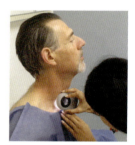

図 10-4　前頸部をダーモスコープで視診

肩，腕，手を視診する（図 10-5）。手の爪を色，形，病変に注意して視診，触診する。

表 10-8「爪とその周囲の所見」を参照

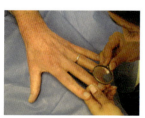

図 10-5　拡大鏡による手の視診と爪の触診

診察の技術	所見

胸部と腹部を視診する(図10-6)。ガウンをずらしてこれらの部位を露出させ,診察が終わったら元に戻す。

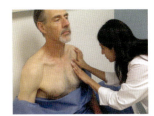

図10-6　胸部の視診

大腿と下腿の前面を診察する(図10-7)。爪甲を視診および触診し,足底と趾間を視診する(図10-8)。

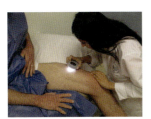

図10-7　大腿前面の病変をダーモスコープで視診

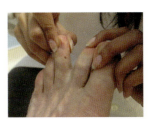

図10-8　趾間の視診

患者に立位になってもらい,腰背部および大腿と下腿の後面を視診する(図10-9)。必要に応じて,患者に殿部のガウンと下着をずらしてもらい殿部を露出させる。乳房と生殖器の診察は最後にしてもよい。

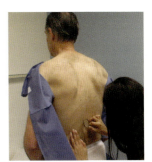

図10-9　患者を立位にして腰背部を視診

代替手技：患者の姿勢―仰臥位から腹臥位

見落としなく診察するため，仰臥位を好む診察者もいる（図10-10）。この方法ではまず，患者に診察台で仰臥位になってもらう。前頭部，顔面，前頸部の視診からはじめる。つぎに肩，腕，手に移り，それから胸部と腹部，大腿と下腿の前面，足へと進み，必要に応じて生殖器も診察する。ガウンをずらして診察部位を露出させる際は，患者から許可をとり，つぎにどの部位を診察するか説明するようにする。

図 10-10　仰臥位での皮膚診察

顔が下になるように**腹臥位 prone position** の姿勢をとってもらう。後頭部，後頸部，背部，大腿と下腿の後面，足底，（必要があれば）殿部を診察する。

皮膚診察を普段の身体診察に組み込む

全身の皮膚診察を普段の身体診察に組み込むようにする。頭頸部・腕・手の診察の際に皮膚診察も行うとよいし，肺の聴診時には背部の皮膚診察を行いやすい。普段から一般的な記録として皮膚所見を記載するようにしておくことにより，診察時間を節約し，皮膚癌を治療可能である段階で早期発見することにつながる。なお前述のように，全

一次性病変〔平坦な病変，隆起性病変，液体で満たされた病変や，膿疱，せつ（フルンケル），結節，嚢胞，膨疹，疥癬トンネル〕，表面粗造な病変，ピンク色の病変，褐色病変，および皮膚の血管病変，紫斑病変に関しては，表10-1～10-6 を参照

| 診察の技術 | 所見 |

身性疾患に関連する皮膚症状も多くある。

特殊な技術

皮膚の自己検診を患者に指導する

自己検診には，全身が映る大きさの鏡と手鏡，そしてプライバシーを保てる明るい部屋が必要である(Box 10-1)。**患者にはほくろ（黒子）を評価するための ABCDE 法を説明する。**アクセスしやすいウェブサイト，配布資料，または本章の Box 10-3 や表を使って良性および悪性病変の写真をみせながら，患者がメラノーマを特定できるように指導する。

Box 10-1　皮膚の自己検診法

鏡で体の前面と後面を観察し，さらに上肢をあげて左右を観察する

肘を曲げ，前腕，腋窩，手掌を丁寧に観察する

(続く)↗

診察の技術	所見

↘(続き)

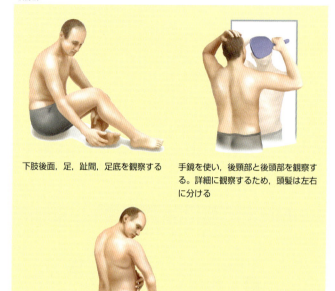

下肢後面,足,趾間,足底を観察する

手鏡を使い,後頸部と後頭部を観察する。詳細に観察するため,頭髪は左右に分ける

最後に手鏡を使って背部と殿部を観察する

出典:American Academy of Dermatology, Inc. How to SPOT Skin Cancer™ より。https://www.aad.org/public/spot-skin-cancer/learn-about-skin-cancer/detect/how-to-spot-skin-cancer(Accessed October 23, 2018)より入手可能

脱毛の診察

脱毛または薄毛の型を総合的に判断するために頭髪を診察する。頭皮に紅斑,鱗屑,膿疱,圧痛,浮腫,瘢痕がないか調べる。頭皮のさまざまな部位における頭髪の太さを確認する。頭髪が根元から抜けないか確認するため,母指と示指と中指で50〜60本をやさしくつかみ,しっかりと引っ張る(**hair pull test**)(図10-11)。

診察の技術

図 10-11 頭髪が根元から抜けるか確認する(hair pull test)

頭髪の脆弱性を調べるには，片方の手で頭髪の束を持ち，もう一方の手で毛幹に沿って引っ張る(**tug test**)(図 10-12)。頭髪が千切れたら異常である。

図 10-12 頭髪の脆弱性を確認する(tug test)

寝たきりの患者の評価

寝たきりの患者で，特にやせ細った患者，高齢患者，神経障害のある患者では，**圧迫による皮膚の損傷や潰瘍をきたしやすい**(Box 10-2)。褥瘡を起こしやすい患者の仙骨部や殿部，大転子，膝蓋，踵の皮膚を注意深く視診する。腰背部と殿部を診察しやすくするため，側臥位をとってもらう。

所見

すべての頭髪に休止期の毛球がみられる場合，最も可能性の高い診断は休止期脱毛症である。

若年女性のびまん性の非瘢痕性脱毛症で考えられる内科的要因は，鉄欠乏性貧血と甲状腺機能亢進症または甲状腺機能低下症である。

局所の発赤は壊死の可能性を示唆するが，深部組織損傷では発赤が先行しない場合もある。皮膚の損傷や潰瘍がないか注意深く調べる。

Box 10-2　改訂褥瘡の病期分類

改訂された新しい病期分類では，pressure ulcer の代わりに **pressure injury** という用語を使用し，ローマ数字ではなくアラビア数字を用いて病期を表す（図10-13）。
- **ステージ1**：消退しない発赤が限局してみられる損傷のない皮膚。ただし，色素沈着の強い皮膚では外観が異なる場合もある
- **ステージ2**：真皮の露出を伴う皮膚の部分的損傷
- **ステージ3**：皮膚の全層欠損。潰瘍面に脂肪組織が露出し，肉芽組織や創傷辺縁の創内への巻き込みをしばしば認める
- **ステージ4**：皮膚および組織の全層欠損。筋膜，筋肉，腱，靱帯，軟骨，骨が潰瘍内に露出し直接触知できる状態
- **病期分類不能**：皮膚および組織の全層欠損だが，水分を含んだ**壊死組織 slough** や乾燥した**硬い壊死組織 eschar** で覆い隠されているため潰瘍内の組織損傷の程度を評価できない状態
- **深部組織損傷**：常に消退しない暗紅色，栗色，紫色調の病変

所見の記録

皮膚病変や発疹を数，大きさ，色調，形状，表面の性状，分布，配列，一次性病変かどうかなどについて適切な用語を使って記録する。

皮膚，毛髪，爪の診察の記録

皮膚は温かく，乾燥している。爪にはばち状爪もチアノーゼも認められない。上背部，胸部，上肢に約 20 個の褐色の丸い斑状病変を認め，すべて対称性の色素沈着を伴い，悪性を疑う病変はない。発疹や点状・斑状出血はない
これらの所見からは発疹や疑わしい病変が認められず，正常な母斑と血行状態と判断できる

または

背部と腹部に疣贅性局面が散在。背部・胸部・上肢に，対称性の色素沈着を伴う小さな丸い褐色斑が 30 個以上多発。左上腕に紅斑を伴う境界不整，左右非対称な 1.2×1.6 cm 大で暗褐色および黒色調の単発局面
これらの所見は，良性の脂漏性角化症や母斑を示唆するが，メラノーマの可能性も考慮する

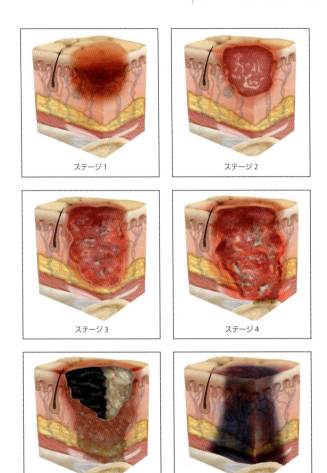

図 10-13 褥瘡の病期分類（Nettina SM. *Lippincott Manual of Nursing Practice*. 11th ed. Wolters Kluwer; 2019. Figure 9-3 より改変）

健康増進とカウンセリング：エビデンスと推奨

健康増進とカウンセリングの重要事項

- 皮膚癌の予防
- メラノーマを含む皮膚癌のスクリーニング

皮膚癌の予防

皮膚癌は，米国人では生涯において 5 人に 1 人が発症すると推定されている。最も一般的な皮膚癌は**基底細胞癌 basal cell carcinoma（BCC）**で，次いで**扁平上皮癌 squamous cell carcinoma（SCC）**，**メラノーマ melanoma** の順である。メラノーマは皮膚癌のなかでは最も発生頻度が低いが，高率に転移するため最も致命的であり，末期の致死率が高く，皮膚癌による死亡の 70％以上を占めている。非メラノーマ皮膚癌が致命的となることはまれである。

メラノーマ

米国におけるメラノーマの罹患率は他の癌よりも急速に増加しており，現在は男性では 5 番目，女性では 6 番目に多く診断される癌である。

国立癌研究所 National Cancer Institute によって開発された**メラノーマリスク評価ツール Melanoma Risk Assessment Tool**（https://mrisktool.cancer.gov/calculator.html から入手可能）は，地理的位置，性別，人種，年齢，水疱を伴う日焼けの既往，肌の色，ほくろの数と大きさ，そばかす，および日焼けによる損傷にもとづき，5 年間のメラノーマ発症リスクを評価することができる。

日光曝露と日焼けマシンの使用を避ける

生涯における総紫外線曝露量の増加は，皮膚癌リスクの上昇と直接相関する。断続的な日光曝露は慢性曝露よりも有害であると考えられている。**皮膚癌に対する最善の予防策は，日光にあたる時間を制限する，真昼の日光を避ける，日焼け止めを使用する，長袖の服やつばの広い帽子など日光から皮膚を守る衣類を着用する，などの方法で紫外線曝露を避けることである**。特に小児や 10 代，若年成人

に対し,日焼けマシンの使用を避けるように指導する。35歳未満では,日焼けマシンの使用によりメラノーマのリスクが75%上昇する。2009年に国際癌研究機関 International Agency for Research on Cancer は,紫外線を照射する日焼けマシンを「人に対して発癌性がある」と分類している。

日焼け止めの定期的な使用

2011年に行われた画期的な研究では,定期的な日焼け止め塗布により,メラノーマの発症を抑制できたと報告している。少なくとも紫外線防御指数(SPF)30または幅広い波長の紫外線から皮膚を保護できる日焼け止めを使用するよう患者に指導する。水に曝露される場合には撥水性の日焼け止めを使用すべきである。米国予防医療専門委員会(USPSTF)は,6カ月から24歳の皮膚の色が明るい人々に対して,紫外線曝露を最小限に抑えるための行動カウンセリングをグレードBで推奨している。

皮膚癌のスクリーニング

USPSTFでは,定期的な皮膚癌のスクリーニングを推奨するにはエビデンスが不十分(グレードI)であるとしながらも,定期的な皮膚診察にてABCDE法を参照し,悪性を示唆する皮膚病変に対し注意喚起するよう指導している。メラノーマは全身どこにでも発生するため,米国癌協会 American Cancer Society(ACS)や米国皮膚科学会 American Academy of Dermatology(AAD)では,50歳以上もしくは高リスクの患者に対しては全身の皮膚診察を推奨している。高リスク患者とは,本人または家族内複数発生例や異形成母斑,またはメラノーマの罹患歴のある患者である。メラノーマの少なくとも半数が,もともと存在する母斑から生じたものではなく,孤発性のメラノサイトから生じるため,新規および変化を伴う母斑は念入りに診察すべきである。

メラノーマのスクリーニング:ABCDE法

メラノーマがないかほくろをスクリーニングする際にはABCDE-EFG法を用いる(これは脂漏性角化症のような非メラノサイト系病変には適用されない)(Box 10-3)。メラノーマを検出するためのABCDE-EFG法の感度は43〜97%,特異度は36〜100%である。診断精度は,異常を定義する基準の数によって異なる。

Box 10-3　ABCDE 法

つぎの特徴のうち 2 つ以上が認められる場合，メラノーマのリスクが高まり，皮膚生検を検討する必要がある

	メラノーマ	良性母斑
非対称 （**A**symmetry） ほくろに左右差がみられる		
境界不整 （**B**order irregularity） 特にギザギザ，鋸歯状，境界不明瞭な所見がある	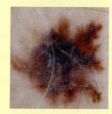	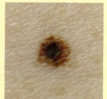
色調変化[a] （**C**olor variations） 2 色以上，特に青黒色や白色（退行による色素脱失），赤色（異常細胞に対する炎症反応）である	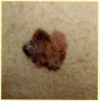	
直径（**D**iameter） **>6 mm**[b] 鉛筆の頭に付いている消しゴムより大きい		

（続く）↗

↘(続き)

> **進行[c]（Evolving）**
> 大きさ，症状，形状が急速に進行・変化する
>
>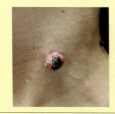
>
> 急速進行性結節型メラノーマの検出に役立つ EFG を追加すべきという意見もある
> - 隆起（Elevation）
> - 触診で硬く触れる（Firmness）
> - 数週間で進行する（Growing）

[a] 青色母斑にみられるような均一な青色を除き，より大きな色素性病変にみられる青または黒色は，メラノーマに関連している可能性が特に高い。
[b] 初期のメラノーマは 6 mm 未満である場合がある。6 mm を超える良性病変も多い。
[c] 進行・変化は，これらの基準のなかで最も感度が高い。所見に変化を伴う場合には，病変が良性にみえても皮膚生検を検討する。

患者によるスクリーニング：皮膚の自己検診

米国皮膚科学会と米国癌協会は，定期的な皮膚の自己検診を推奨している。皮膚癌やメラノーマの危険因子のある患者，特に頻回の日光曝露の既往やメラノーマの既往または家族歴，50 個以上のほくろまたは 5〜10 個を超える非典型的なほくろがある患者に対し，定期的な皮膚の自己検診を行うよう指導する。

> メラノーマの約半数は，患者またはパートナーによって最初に発見される。

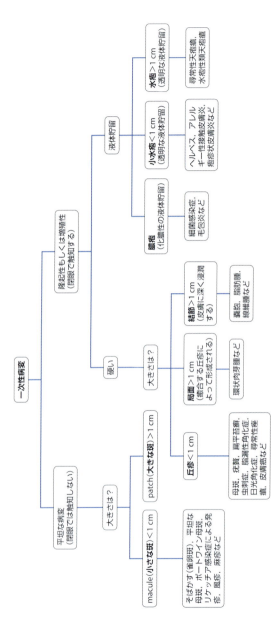

アルゴリズム 10-1 一次性病変のある患者へのアプローチ（注：このアルゴリズムは包括的とはいえないが，病歴と診察から得られた情報を統合するための出発点としては有用である）

表 10-1	一次性病変の記録：平坦な病変，隆起性病変，液体で満たされた病変

皮膚病変の数，大きさ，色調，表面の性状，形状，一次性病変，部位，配列などを正確に記録する。 以下に典型的な一次性病変と診断を示し，各病変の特徴をまとめる。

平坦な病変：病変上で指を滑らせても隆起を触知できない場合，その病変は平坦である。病変が平坦で小さい場合（＜1 cm），macule（小さな斑）と呼び，大きい場合（＞1 cm）は，patch（大きな斑）と呼ぶ

macule（平坦，小型）

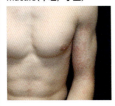

胸部，背部，上肢に 3～8 mm 大の癒合する丸い小紅斑が多発。**麻疹様の薬疹**

patch（平坦，大型）

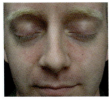

左右の頬部と眉毛に対称性に広がる大型の紅斑を認め，脂性の鱗屑が覆う。
脂漏性皮膚炎

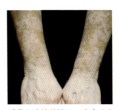

手背と遠位前腕に，癒合する大型の完全色素脱失斑。**白斑**

隆起性病変：病変上で指を滑らせ，触知できる場合，**隆起性**病変である。隆起性病変が小さい場合（＜1 cm），丘疹と呼び，大きい場合（＞1 cm），局面と呼ぶ

| 表 10-1 | 一次性病変の記録：平坦な病変，隆起性病変，液体で満たされた病変（続き） |

隆起性病変

丘疹 papule（平坦，小型）

頸部外側および腋窩の皺襞に，2〜4 mm 大，軟性，健常皮膚色〜淡褐色の丘疹が多発。**懸垂性線維腫**

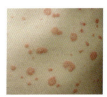

体幹に滴状の紅斑が散在し，表面平坦，境界明瞭な，鱗屑を伴う丘疹および局面を伴う。**滴状乾癬**

局面 plaque（隆起性，大型）

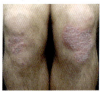

膝と肘の伸側に，銀白色の鱗屑に覆われた，赤色ないし明るいピンク色の境界明瞭な表面平坦の局面が散在。**局面型乾癬**

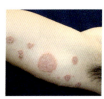

上下肢や腹部に，滲出液が乾燥した痂皮で覆われた多数の円形，貨幣状の湿疹性局面がみられる。**貨幣状湿疹**

液体で満たされた病変：隆起し，液体が貯留した小さい病変（<1 cm）を**小水疱**と呼び，大きい病変（>1 cm）は**水疱**と呼ぶ

小水疱 vesicle（液体貯留，小型）

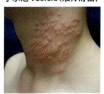

紅暈を伴う 2〜4 mm 大の小水疱と膿性小水疱が左頸部に集簇する。**単純ヘルペス**

水疱 bulla（液体貯留，大型）

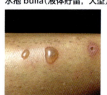

下肢に散在する緊満性水疱。**虫刺症**

| 表 10-2 | その他の一次性病変：膿疱，せつ（フルンケル），結節，皮下腫瘤・皮下嚢胞，膨疹，疥癬トンネル |

膿疱：好中球またはケラチンが集積した触知可能な白色の小水疱

両側頬部から耳下腺周囲に，約15〜20個の膿疱および痤瘡様丘疹。**尋常性痤瘡**

せつ（フルンケル）：毛包の炎症。複数のせつが集合し，よう（カルブンケル）を形成する

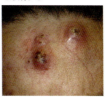

前額に2個の大型（2 cm）のせつがあり，可動性なし。**せつ腫症**（可動性のある深部感染病変は**膿瘍**である）

結節：丘疹より大きく深い

左側大腿に，孤立性の青褐色調，1.2 cm大の硬い結節を認める。dimple sign陽性（周囲皮膚を引っ張ってくぼむ）で，周囲に色素沈着を伴う。**皮膚線維腫**

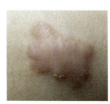

胸部中央の外傷歴のある部位に，単発性の4 cm大のピンク色〜褐色調，瘢痕様の結節。**ケロイド**

皮下腫瘤・皮下嚢胞：嚢胞とは，可動性の有無にかかわらず，液体または半固体成分が上皮で覆われたものである

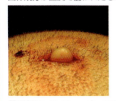

頭頂部に，6〜8 mm大，可動性のある皮下嚢胞。切除すると真珠様の白い球状物質を認める。**外毛根鞘性嚢腫**

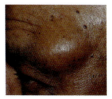

左こめかみに，9 cm大，可動性のあるゴム様硬の皮下腫瘤。**脂肪腫**

表 10-2	その他の一次性病変：膿疱，せつ（フルンケル），結節，皮下腫瘤・皮下囊胞，膨疹，疥癬トンネル（続き）

膨疹：1〜2 日以内に消長する（発生，消失する）真皮の限局性浮腫。これは**蕁麻疹**を示す重要な一次性病変である

疥癬トンネル：ヒゼンダニの侵入により形成された表皮の小さな線状または蛇行状病変

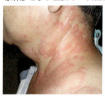

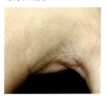

側頸部，肩，腹部，腕，下腿にさまざまな大きさの（1〜10 cm）膨疹を多数認める。**蕁麻疹**

腹部，殿部，陰囊，陰茎基部と亀頭部に，小さな（3〜6 mm）紅斑性丘疹が多発し，指間に 4 つの疥癬トンネルを認める。**疥癬**

表 10-3	表面粗造な病変：日光角化症，疣贅，有棘細胞癌

患者は病変の表面がざらざらしていると報告することが多い。多くは脂漏性角化症や疣贅のように良性であるが，扁平上皮癌やその前駆病変である日光角化症でも表面は粗造で角化している。

日光角化症

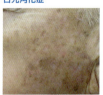

- 多くの場合，視診より触診のほうが特定しやすい
- 紫外線でダメージを受けた皮膚に出現した表在性の角化性丘疹が消長する

疣贅

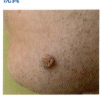

- 通常は，健常皮膚色〜ピンク色を呈し，表面の質感は角化した皮膚より疣贅に近い
- 糸状を呈することがある
- 拡大鏡やダーモスコープで，しばしば点状出血を認める

| 表 10-3 | 表面粗造な病変：日光角化症，疣贅，有棘細胞癌(続き) |

有棘細胞癌

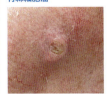

- ケラトアカントーマは扁平上皮癌の一種で，急速に発生し，中央がクレーター状を呈する
- 多くの場合，辺縁は平滑で，硬い
- 扁平上皮癌は治療せずに放置すると，非常に大きくなることがある（最も転移しやすい部位は頭皮，唇，耳である）

| 表 10-4 | ピンク色の病変：基底細胞癌と類似病変 |

基底細胞癌は，世界で最も一般的な癌であるが，幸いこの癌が皮膚以外に転移することはまれである。しかし，周辺の組織への浸潤と組織の破壊が進み，目や鼻，脳に重大な影響を及ぼす可能性がある。

基底細胞癌

表在性基底細胞癌

- 非治癒性のピンク色の斑状病変
- 局所的に鱗屑を伴うことがある

結節型基底細胞癌

- ピンク色の丘疹で，しばしば半透明または真珠様外観を呈し，表面に毛細血管拡張を伴う
- 局所的に色素沈着を伴うことがある
- ダーモスコピーでは，樹枝状の血管や局所的な色素小球など，特徴的なパターンを呈する

表 10-5	褐色病変:メラノーマと類似病変

注意深く観察すると,ほとんどの患者の体表には褐色の斑点がある。これらは通常,そばかすや良性母斑,日光黒子,または脂漏性角化症であるが,診察者および患者は,めだつものがないか注意深く観察し,**メラノーマの可能性を検討する必要がある**。十分に経験を積めば,メラノーマが目に入った際にそれを判別できるようになる。メラノーマについては p. 172〜173 の ABCDE 法と写真を参照。

メラノーマ

無色素性メラノーマ

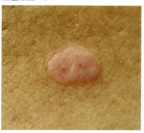

- 通常,皮膚色がかなり明るいタイプの人に好発する
- 無色素性メラノーマでは多彩な色調や色素沈着がみられないため,特定する手がかりとして最も重要なのは進行もしくは急速な変化である

類似病変

懸垂性線維腫または真皮内母斑

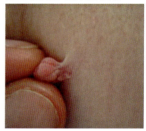

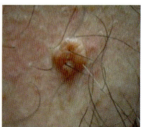

- 軟らかくて弾力がある
- 首周囲や腋窩または背部に好発する
- 無茎性母斑では褐色色素沈着が手がかりになることもある

表10-5　褐色病変：メラノーマと類似病変(続き)

メラノーマ

表皮内メラノーマ

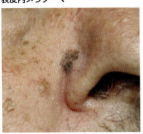

- 露光部でも非露光部でも生じる
- ABCDE法で特徴をみつける

メラノーマ

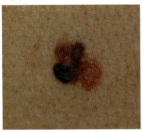

- 新規に、または既存の母斑から発生する可能性があり、ABCDE法での特徴を示す
- 異形成母斑が多くある患者は、メラノーマのリスクが高い

類似病変

日光黒子

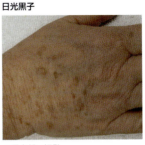

- 露光部に好発
- 淡褐色で均一な色調であるが、非対称の場合がある

異形成母斑

- 斑状病変の中央に「目玉焼き」様の丘疹性病変を認めることがある
- 患者の他の母斑と比較して、変化をモニターする

| 表 10-5 | 褐色病変：メラノーマと類似病変(続き) |

メラノーマ	類似病変
メラノーマ	**炎症を伴う脂漏性角化症**
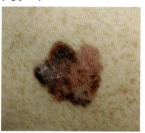	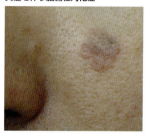
● 多彩な色調（褐色や赤色）がみられる場合がある ● ダーモスコピーでメラノサイト系病変の特徴がみられる	● 基部に紅斑を伴う場合，メラノーマに類似することがある ● 経験を積めば鑑別にダーモスコピーが役立つ
メラノーマ	**脂漏性角化症**
	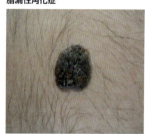
● 色は均一でも非対称性のことがある。手がかりとなる重要な特徴は急速な変化もしくは進行である	● 皮膚に「くっついた」疣贅のような形状で，暗褐色を呈することがある

| 表 10-6 | 皮膚の血管病変，紫斑病変 |

病変	特徴：所見，分布，臨床的意義
老人性血管腫 	● 鮮紅色または赤紫色。加齢とともに紫色調を呈することがある。1〜3 mm で円形，平坦，ときに隆起し，周囲に白暈を伴うことがある ● 体幹や四肢にみられる ● 病的な意味合いはない。加齢により増大，増加する
くも状血管腫[a] 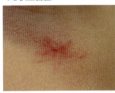	● 鮮紅色で，非常に小さいものから 2 cm 大のものまで。中心はやや隆起性，周囲に紅斑あり，放射状にのびる ● 顔面，頸部，上腕，上半身。腰より下方ではほとんど認めない ● 肝疾患，妊娠，ビタミン B 欠乏症でみられる。一部の人では異常なものではない
クモの巣状静脈瘤[a] 	● 青色調で，非常に小さいものから数 cm のものまで大きさはさまざま。形状もさまざま（クモの巣状，線状，不整，レース状） ● ほとんどが下腿の静脈近くに認める。前胸部にも認める ● 静脈瘤と同様に，表在性静脈内圧の上昇をしばしば伴う
点状出血/紫斑 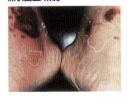	● 暗赤調または赤紫調で，時間経過とともに消退する。点状出血は 1〜3 mm 大。紫斑はより大型。円形，ときに不整，平坦 ● さまざまな部位に分布 ● 血管外に出血している場合には出血性疾患，点状出血では皮膚血管が塞栓している可能性がある

表 10-6　皮膚の血管病変，紫斑病変（続き）

病変	特徴：所見，分布，臨床的意義
斑状出血 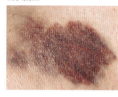	- 紫調または紫青色調で，時間経過とともに緑，黄，褐色に退色する。大きさはさまざまで，点状出血より大型。円形，楕円形または不整 - さまざまな分布 - 血管外に出血している場合にみられる。打撲や外傷に続発することが多い。出血性疾患でもみられる

[a] これらは毛細血管または小血管の拡張により生じ，赤色または青色調にみえる。
写真出典：くも状血管腫— Stedman's より，点状出血・紫斑— Kelley WN. *Textbook of Internal Medicine*. JB Lippincott; 1989.

表 10-7　脱毛

全身性またはびまん性脱毛

男性では，前頭部の生え際の退行と後頭部の頭髪の密度を確認する。女性では，生え際が退行することは少ないが，頭頂部から下方に向けて頭髪が薄くなっているか確認する

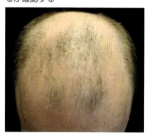

男性型脱毛症

女性型脱毛症

表 10-7　脱毛（続き）

休止期脱毛症および成長期脱毛症

休止期脱毛症では，全体として患者の頭皮と頭髪の分布は正常にみえるが，**hair pull test** は陽性となり，抜けた頭髪を確認するとほとんどの頭髪の毛球が休止期にあることがわかる。**成長期脱毛症**の場合，毛根から抜けるびまん性脱毛を認め，hair pull test では毛根が休止期である場合でもわずかである

休止期脱毛症では，分け目の幅は正常である

すべて休止期の毛根である休止期脱毛症患者における hair pull test 陽性所見

成長期脱毛症

表 10-7 脱毛（続き）

限局性の脱毛
円形脱毛症

小児や若年成人において，境界明瞭で通常は限局性の円形または楕円形の脱毛斑を突然発症し，頭髪のない表面に滑らかな皮膚が残る。目にみえる鱗屑や紅斑は認めない

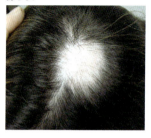

頭部白癬（しらくも）

鱗屑を伴う円形の脱毛斑を呈し，多くはヒトから感染するトリコフィトン・トンスランス *Trichophyton tonsurans* によることが多いが，まれにイヌやネコからのイヌ小胞子菌（*Microsporum canis*）により発症することもある

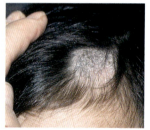 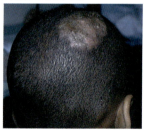

脱毛症の評価に関する完全な指針は，Mubki T, Rucnicka L, Olszewska M, et al. Evaluation and diagnosis of the hair loss patient: Part I. History and Clinical Examination. *J Am Acad Dermatol*. 2014; 71(3): 415.e1-415.e15 を参照。

写真出典：円形脱毛症 — Goodheart H, Gonzalez M. *Goodheart's Photoguide to Common Pediatric and Adult Skin Disorders*. 4th ed. Wolters Kluwer; 2016, Appendix Figure 10.

表 10-8　爪とその周囲の所見

爪囲炎
爪甲に接する後爪郭および側爪郭の表在性感染症。爪郭はしばしば赤く腫脹し、圧痛を伴う。手の最も一般的な感染症であり、通常、黄色ブドウ球菌（*Staphylococcus aureus*）やレンサ球菌属（*Streptococcus*）が原因である。指尖部の腹側に進展すると**ひょう疽 felon**（指腹部膿瘍）となる

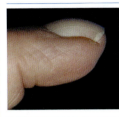

ばち状指
爪床で軟部組織が丸く腫脹し、爪甲と後爪郭の正常の角度が失われる。角度は 180 度以上となり、爪床はスポンジ様ないし浮いているように感じる。機序は解明されていない。先天性心疾患や間質性肺疾患、肺癌、炎症性腸疾患、悪性腫瘍で認める

爪甲損傷癖・習慣性チック
示指で母指の爪を擦る、またはその逆をすることで繰り返す外傷により生じる。爪の中央が陥凹し、小さな水平方向の溝が重なり「クリスマスツリー」様の外観を呈する

爪甲色素線条
爪母の色素増加によって生じ、爪が成長するにつれて線条を呈する。複数の爪にみられる場合は、人種差によるもので正常である可能性がある。線条が太い場合、特に拡大や不整がみられるときは、爪下のメラノーマを示唆する

表 10-8　爪とその周囲の所見（続き）

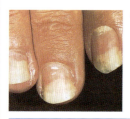

爪甲剥離症
白色不透明な爪甲が，痛みを伴わずにピンク色で半透明の爪床から剥離する

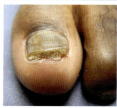

爪白癬症
爪の肥厚と爪下脆弱の最も一般的な原因は爪真菌症であり，ほとんどの場合，皮膚糸状菌である紅色白癬菌（*Trichophyton rubrum*）による

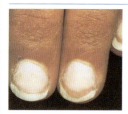

Terry（テリー）爪
爪甲はすりガラス状に白くなり，遠位端は赤褐色を呈し，爪半月が消失する。肝硬変などの肝疾患や心不全，糖尿病で認める

写真出典：爪囲炎，ばち状指，爪甲剥離症，Terry 爪— Habif TP. *Clinical Dermatology: A Color Guide to Diagnosis and Therapy*. 2nd ed. CV Mosby; 1990. Copyright © 1990 Elsevier より許可を得て掲載

第11章 頭部と頸部

病歴

よくみられる，または注意すべき症状

- 頸部腫瘤(首のしこり)
- 甲状腺腫瘤，結節，甲状腺腫

頸部腫瘤(首のしこり)

頸部のしこりや腫れを評価する。発症の仕方，滲出物，飲み込むときの痛み(嚥下障害)，息のしづらさ(呼吸困難)についてたずねる。

40歳以上の成人で持続する頸部腫瘤があれば，悪性腫瘍を疑うべきである。アルゴリズム11-1「頸部腫瘤のある患者へのアプローチ」を参照

有痛性のリンパ節腫脹は，一般に咽頭炎でみられる。

甲状腺の腫瘤，結節，甲状腺腫

甲状腺機能を評価し，甲状腺腫大(甲状腺腫)の有無をたずねる。甲状腺機能を評価するために，温度不耐性と発汗についてたずねる。

甲状腺腫では，甲状腺機能は亢進，低下，または正常である。甲状腺機能低下症では寒さに耐えられないという訴えがみられることがあり，甲状腺機能亢進症では，暑さに耐えられない，動悸，意図せぬ体重減少がみられることがある。

診察の技術

頭頸部の診察の重要項目

- 頭髪の診察
- 頭皮の診察
- 頭蓋骨の診察
- 頭部と顔面の皮膚の視診
- 頸部リンパ節の触診
- 気管の診察
- 甲状腺の診察

診察の技術	所見
頭部	

以下を診察する。

● 毛髪(量,分布,質感)	細い髪は甲状腺機能亢進症で,粗い質感の髪は甲状腺機能低下症でみられる。
● 頭皮(しこり,病変)	毛孔性嚢胞,乾癬,脂漏性皮膚炎,色素性母斑
● 頭蓋骨(大きさ,輪郭)	水頭症,外傷による頭蓋骨陥没
● 顔(左右対称性,表情)	顔面神経麻痺,うつ病による平坦な表情,怒りや悲しみなどの気分
● 皮膚(色,質感,毛髪分布,病変)	色白,きめ細かい,毛深い,痤瘡,皮膚癌

頸部

頸部を視診する。	瘢痕,腫瘤,斜頸

診察の技術	所見
頸部リンパ節を触診する。	HIV・AIDS，伝染性単核球症，リンパ腫，白血病，サルコイドーシスによる頸部リンパ節腫脹。腹部悪性腫瘍による鎖骨上リンパ節腫脹

- オトガイ下リンパ節：下顎骨の先端から数センチ後ろの正中線上を触診する

- 顎下リンパ節：下顎角と下顎骨の先端の中間を触診する

- 耳介前リンパ節：耳の前方を触診する

- 耳介後リンパ節：耳の後方で，乳様突起の表面を触診する

- 扁桃リンパ節(頸静脈二腹筋リンパ節)群：下顎角を触診する

- 後頭リンパ節群：後頭部を触診する

- 前浅頸リンパ節群：胸鎖乳突筋の前方で表在する結節を触診する

- 後頸リンパ節群：僧帽筋の前縁に沿って触診する

- 深頸リンパ節鎖群：胸鎖乳突筋の深いところにあり，触診できないことがある

診察の技術	所見
● 鎖骨上リンパ節群：鎖骨と胸鎖乳突筋が形成する三角のへこみを触診する	
気管の位置を視診し触診する。	頸部腫瘤や気胸による気管の変位
甲状腺を視診する。	
● 安静時	
● 嚥下時	
患者の背後から，甲状腺を触診し，峡部，片方の葉，反対の葉の順に触診する。	甲状腺腫，結節，甲状腺炎の圧痛。表 11-1「甲状腺の異常」を参照
● 安静時	
● 嚥下時（図 11-1）	

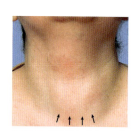

図 11-1 嚥下時における甲状腺腫のある甲状腺

所見の記録

所見を記録する際，最初は文章を用いるかもしれないが，慣れてくれば慣用的な記述を用いるようになる。多くの診療記録によく用いられる表現法を以下に示す。

頭部・眼・耳・鼻・咽喉（HEENT）の診察の記録

HEENT：頭部（Head）：頭部は外表上正常 normocephalic（NC）/外傷なし atraumatic（AT）。平均的な髪質。**眼（Eyes）**：視力は両眼とも 20/20（1.0）。強膜は白色（結膜はピンク色）。瞳孔は 4 mm で 2 mm まで縮瞳、両眼とも等しく円形で、対光反射および輻輳反射あり。視神経乳頭縁は明瞭、出血または滲出物なし、網膜血管狭窄なし。**耳（Ears）**：囁語に対する聴力は良好。正常な光錐のある鼓膜。Weber 試験は正中で、気導＞骨導。**鼻（Nose）**：鼻粘膜はピンク色、鼻中隔は正中、副鼻腔の圧痛なし。**咽喉（または口腔）（Throat（Mouth））**：口腔粘膜はピンク色、歯列は正常、咽頭に滲出物なし
頸部：気管は正中。頸部は軟、甲状腺峡部は触知できるが、葉部は触れない。
リンパ節：頸部、腋窩、滑車上、鼠径リンパ節腫脹なし

または

HEENT：頭部（Head）：頭部は正常（NC）/外傷なし（AT）。前頭部に禿げあり。**眼（Eyes）**：視力は両側とも 20/100（0.2）。強膜は白色で、結膜は充血している。瞳孔は 3 mm で 2 mm まで縮瞳、両眼とも等しく円形で、対光反射および輻輳反射あり。視神経乳頭縁は明瞭、出血や滲出物はない。動静脈比は 2：4、網膜血管狭窄なし。**耳（Ears）**：囁語に対する聴力は低下しているが、話し声では正常。鼓膜は明瞭。**鼻（Nose）**：鼻粘膜は紅斑を伴って腫脹し、鼻汁は透明。鼻中隔は正中。上顎洞に圧痛がある。**咽喉（Throat）**：咽洞-口腔粘膜はピンク色、下顎大臼歯にう蝕、咽頭は発赤、滲出物なし
頸部：気管は正中。頸部は軟、甲状腺は正中線上にあり、葉部は触知できるが肥大していない
リンパ節：顎下および前頸部リンパ節に圧痛、1×1 cm、弾性硬で可動性あり。後頸部、滑車上、腋窩、鼠径部のリンパ節腫脹なし

健康増進とカウンセリング：エビデンスと推奨

健康増進とカウンセリングの重要事項

- 甲状腺機能障害のスクリーニング
- 甲状腺癌スクリーニング

甲状腺機能障害のスクリーニング

米国予防医療専門委員会(USPSTF)は，潜在性甲状腺機能低下症の治療が冠動脈疾患イベントのリスク低下と関連するというエビデンスを報告したものの，無症候性の未妊娠女性へのスクリーニングを推奨する(あるいは推奨しないとする)にはエビデンスが不十分であると結論づけた。

甲状腺癌のスクリーニング

頸部の触診と超音波検査は，**甲状腺癌**のスクリーニングとして使用できる可能性はあるが，USPSTFはスクリーニングの有益についてエビデンスは不十分であるとした。

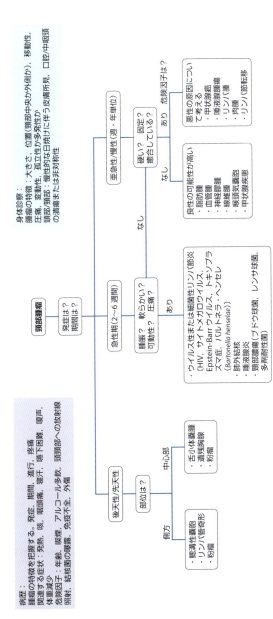

アルゴリズム11-1 頸部腫瘤のある患者へのアプローチ(注:このアルゴリズムは包括的とはいえないが、病歴と診察から得られた情報を統合するための出発点としては有用である)

表 11-1　甲状腺の異常

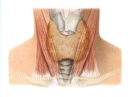

びまん性腫脹
甲状腺峡部と側葉を含む。触知できる明瞭な小結節がない。原因には，Graves（グレーブス）病，橋本甲状腺炎，地方病性甲状腺腫（ヨウ素欠乏性），散発性甲状腺腫がある

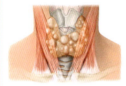

多結節性甲状腺腫
2つ以上の小結節による肥大した甲状腺は，腫瘍性過程というより代謝性過程を示す

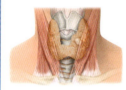

単結節
囊胞，良性腫瘍，癌に起因する。もしくは臨床的には認識されていないが，多結節性腺腫での触知可能な単一の小結節である可能性もある

第12章 眼

病歴

よくみられる，または注意すべき症状

- 視力の変化：霧視，視力低下，飛蚊症，光視症
- 眼痛，充血，流涙
- 複視（二重視）

視力の変化

「眼の具合はいかがですか？」と質問する。患者が視力の変化を訴えた場合，さらに詳細をたずねる。

徐々にぼやけてくる場合は，屈折異常によることが多く，高血糖でも起こりうる。

- 悪化するのは，近くをみるときか，遠くをみるときか？

近くの作業が困難な場合は**遠視 hyperopia**（遠目）や**老視 presbyopia**（加齢による視力低下），遠くの作業が困難な場合は**近視 myopia**（近目）を疑う。

- 突然発症したのか，徐々に発症したのか？

突然に発症した視力低下は，網膜剥離，硝子体出血，網膜中心動脈閉塞などが疑われる。

- 視野欠損があるのは視野全体か，一部分だけなのか？

核性白内障や黄斑変性では，緩徐な中心部の欠損が起こる。一方，周辺部の欠損は，進行した開放隅角緑内障でみられ，片側の欠損には半盲や四半盲（p. 210）がある。

- 視野欠損があるのは中心か周辺か？片側だけか？ 硝子体浮遊物があるのか？

これらの症状は，網膜から硝子体が剥離したことを示唆する。速やかな眼科専門医への紹介を要する。

眼痛，充血，流涙

眼や眼周囲の痛み，充血，過剰な流涙についてたずねる。

急性緑内障や視神経炎における眼痛が起こりうる。アルゴリズム 12-1「両眼に充血のある患者へのアプローチ」，アルゴリズム 12-2「片眼に充血のある患者へのアプローチ」を参照

複視

複視の有無を確認する。

複視 diplopia は，脳幹や小脳に病変がある場合や，複数の外眼筋の筋力低下や麻痺がある場合にみられる。

診察の技術

眼の診察の重要項目

- Snellen(スネレン)視力表を用いた視力検査
- 対面式の視野検査を行う
- 色覚とコントラスト感度の検査
- 眼の位置と配列を評価する
- 眉毛の視診
- 眼瞼と睫毛の視診
- 涙器の評価
- 結膜と強膜の視診
- 角膜，虹彩，水晶体の視診
- 瞳孔の視診
- 光に対する瞳孔の反応を観察する
- 角膜における反射を視診する
- 外眼筋の動きを観察する
- 視神経乳頭と眼杯，網膜，網膜血管などの眼底検査を行う

診察の技術 | 所見

視力

スネレン視力表または携帯カードで両眼の視力を検査する。

20/200 ^{訳注)} が意味するのは，正常な視力の人が 200 フィート離れて読める文字を患者は 20 フィート離れて読めるということである。

対面式による視野検査

静的視野検査（**小刻み指運動検査**）で視野を評価する（図 12-1）。

表 12-1「視野欠損」を参照

図 12-1 小刻み指運動による視野検査

以下を視診する。

- 眼の位置と配列

  眼球突出，斜視

- 眉毛

  脂漏性皮膚炎

- 眼瞼

  麦粒腫，霰粒腫，外反症，眼瞼下垂，眼瞼黄色腫，眼瞼炎。表 12-2「眼瞼の所見」，アルゴリズム 12-3「眼瞼腫脹のある患者へのアプローチ」を参照

訳注：わが国では，0.1 と表現される。

診察の技術	所見
● 涙器	涙嚢の腫脹，過剰な流涙
● 結膜と強膜	充血，結膜炎，黄疸，上強膜炎
● 角膜，虹彩，水晶体	白内障，また急性閉塞隅角緑内障における三日月状の影。表 12-3「眼球およびその周辺の所見」参照

瞳孔を視診する。

● 大きさ，形状，対称性	縮瞳，散瞳，瞳孔不同
● 直接対光反射と共感性対光反射	動眼神経（第Ⅲ脳神経）麻痺ではみられない。
● 近見反応 near reaction：近くのものに視線を移すと瞳孔が収縮し，それに伴い眼が輻輳し，水晶体の調節が起こる（凸面の厚みが増す）（図 12-2）。	緊張性瞳孔〔Adie（アディー）瞳孔〕では収縮が遅く，梅毒の Argyll Robertson（アーガイル・ロバートソン）瞳孔では収縮がみられない。甲状腺機能亢進症では輻輳が遅い。

図 12-2 近くのものに焦点を移すと瞳孔は収縮する（近見反応）

外眼筋を観察して評価する。

● 正面からの照明による角膜反射の対称性	眼球の位置がずれている（偏位がある）場合，非対称に反射する。
● 6つの眼球運動の検査（図 12-3）	脳神経麻痺，斜視，眼振，甲状腺機能亢進症による眼瞼遅滞

診察の技術	所見

図 12-3　外眼筋運動の検査

検眼鏡で眼底を検査する（Box 12-1）。

> ### Box 12-1　検眼鏡を使用するためのステップ
>
> - 部屋を暗くする。検眼鏡を点灯させて，白色光の大きい丸い光がみえるまで視度調節ダイヤルを回す。光の種類，望ましい明るさ，電気の充電具合を確認するために，まず手の甲に光を照射する
> - 視度調節ダイヤルを回してジオプトリーを 0 にする（**ジオプトリーとは，光を収束したり発散するレンズの力を測定する単位**）。0 ジオプトリーでは，レンズは光の収束も発散もしない。眼底を調べるとき，レンズの焦点を合わせるために視度調節ダイヤルを回せるように，指をディスクに添える
> - **右眼で患者の右眼を検査するときは，右手で検眼鏡を保持する。左眼で患者の左眼を検査するときは，左手で保持する**。こうすることで，患者の鼻にぶつからず，眼底をみるのに動きやすく，近づきやすくなる。練習すれば，利き目ではないほうの目を使うことにも慣れてくる。
> - あなたの骨眼窩の内側面に対して，垂直線から約 20 度の傾斜でハンドルを外側に傾け，確実に検眼鏡を支える。開口部がはっきりみえることを確認する。患者に少し上をみてもらい，あなたの肩越しにまっすぐ壁の上方の 1 点をみるように伝える
> - 患者から約 40 cm 離れて，患者の視線の側方 15 度に立つ。瞳孔に光線を照

（続く）

↘(続き)

射し，オレンジ色の光（**赤色反射**）を探す。赤色反射を遮るいかなる混濁にも注意する。あなたが近視で眼鏡を外しているなら，遠くにみえる対象にピントが合うまで，視度調節ダイヤルをマイナス（赤の方向）に調整する必要がある

- **患者の眉に，検眼鏡をもっていないほうの手の母指を置き**，検査する手を安定させる。光線を赤色反射に集中させながら，患者の睫毛およびもう一方の手の母指に触るぐらいまで，検眼鏡と一緒に15度の角度で瞳孔へ近づける
- 検眼鏡の焦点を合わせる間，患者の眼の焦点が変化しないよう，両眼を開けたまま遠くをみつめてもらい，リラックスしてもらう

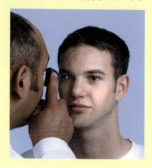

眼底を観察し，以下を確認する。

- 赤色反射　　　　　　　　　　　白内障，義眼

- 視神経乳頭（図12-4, Box 12-2, 　乳頭浮腫，緑内障性陥凹，視神経萎縮
  12-3）

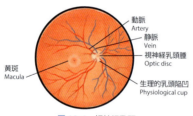

図 12-4　視神経乳頭

Box 12-2 視神経乳頭の異常

	病態	特徴
正常	視神経乳頭の血管は細く,色は正常	黄色がかったオレンジ色からクリームピンク色。視神経乳頭の血管は細い。境界明瞭な視神経乳頭の縁(鼻側は除く)
乳頭浮腫	静脈のうっ滞による充血と腫脹	充血してピンク色。視神経乳頭の血管は明瞭で,数も多く,視神経乳頭の境界では曲がっている。視神経乳頭は腫れて,ぼやけた縁をもつ
緑内障性陥凹	眼圧は上昇し,陥凹の増大(視神経陥凹が深くなる)と萎縮をまねく	拡大した陥凹基部は蒼白となる
視神経萎縮	視神経線維の死滅により,陥凹部の細い血管が失われる	白色。視神経乳頭の血管がみえない

- 動脈,静脈,動静脈交叉 網膜血管狭窄,高血圧性変化における銅線動脈

- 隣接する網膜(病変に注意) 出血,滲出物,綿花様白斑,微小動脈瘤,色素沈着。表12-4「眼底所見:糖尿病性網膜症」を参照

診察の技術	所見
● 黄斑	黄斑変性
● 前部構造	硝子体浮遊物，白内障

Box 12-3　視神経乳頭と網膜を検査するコツ

- **視神経乳頭の位置**を確認する。黄色がかったオレンジ色の丸い構造を探す
- つぎに**焦点を視神経乳頭に定める**。構造がぼやける場合，最もきちんと合う焦点をみつけるまで，視度調節ダイヤルを回転させる
- **視神経乳頭を観察する**。以下の点に注意する
    - 視神経乳頭の輪郭の鮮明さ
    - 視神経乳頭の色
    - **生理的乳頭陥凹の中心部の大きさ**(陥凹の拡大は慢性開放隅角緑内障を示す)
    - **網膜静脈の拍動**(頭蓋内圧の上昇による静脈拍動の消失は，頭部外傷や髄膜炎で起こる可能性がある)
- **網膜を視診する**。以下の特徴にもとづき，動脈と静脈を区別する

	動脈	静脈
色	淡赤色	暗赤色
大きさ	細い(直径は静脈の 2/3〜3/4)	太い
対光反射	明らか	不明瞭，または消失

- **4 方向の末梢に向かって血管を追う**
- **中心窩**と周囲の**黄斑**を視診する。黄斑変性は，**乾燥(萎縮)型**(頻度は高いが重症ではない)と**浸潤型(新生血管型)**がある。壊死細胞片(ドルーゼンと呼ばれる)は，硬性と軟性がある
- 頭蓋内圧の上昇により**視神経乳頭**が腫脹していないかどうか評価する

所見の記録

所見を記録する際，最初は文章を用いるかもしれないが，慣れてくれば慣用的な記述を用いるようになる。多くの診療記録によく用いられる表現法をつぎの診察の記録に示す。

頭部，眼，耳，鼻，咽喉（HEENT）の診察の記録

頭部（Head）：頭部は正常 normocephalic（NC）/外傷なし atraumatic（AT）。前頭部に禿げあり
眼（Eyes）：視力は両側とも 20/100（0.2）。強膜は白色で，結膜は充血している。瞳孔は 3 mm で 2 mm まで縮瞳，両眼とも同様に丸く，対応反射と輻輳反射あり。視神経乳頭縁は明瞭，出血や滲出物はない。動静脈口径比（AV 比）は 2：4，網膜血管狭窄なし。**耳（Ears）**：囁語に対する聴力は低下，話し声には正常に反応。鼓膜は異常なし。**鼻（Nose）**：鼻粘膜は発赤，腫脹し，鼻汁は透明。鼻中隔は正中。上顎洞に圧痛あり。**咽喉（Throat）**：口腔粘膜はピンク色，下顎大臼歯に齲歯，咽頭は発赤，滲出物なし
頸部：気管正中。頸部は軟，甲状腺峡部正中，葉部は触知できるが肥大なし。
リンパ節：1×1 cm 大の顎下・前頸リンパ節腫脹あり。弾性硬で，可動性，圧痛あり。後頸・内側上顆・腋窩・鼠径リンパ節腫脹なし
これらの所見から，近視，軽度の網膜動脈狭小化，上気道感染症を疑う

健康増進とカウンセリング：エビデンスと推奨

健康増進とカウンセリングの重要事項

- 視覚障害：白内障，黄斑変性，糖尿病性網膜症
- 緑内障のスクリーニング

視覚障害

視覚障害はよいほうの眼で矯正視力が 20/40（0.5）以下の場合で，**法的盲**とはよいほうの眼で矯正視力が 20/200（0.1）以下の場合はと定義される。視覚障害の主な原因は，**白内障，加齢黄斑変性，緑内障，糖尿病性網膜症**である。

2009 年，米国予防医療専門委員会（USPSTF）は，多くの治療法が視力を改善し，害を及ぼすリスクはわずかであることを認めながらも，高齢者の視力障害に対するスクリーニングを推奨するには十分な証拠がないとし，推奨グレードⅠを発表した。

緑内障のスクリーニング

原発開放隅角緑内障 primary open-angle glaucoma（POAG）は，米国における視覚障害および失明の主要原因の１つである。緑内障は，

視神経障害，通常は辺縁から始まる視野欠損を伴う緩徐な視力障害を引き起こす。

2013 年，USPSTF は，プライマリケア医による一般的な緑内障スクリーニングについて，診断と治療が複雑であることから，十分なエビデンスがないと判断し，グレード I の推奨にとどめた。しかし，米国眼科学会は，定期的な緑内障スクリーニングを強く推奨しており，検査は 40 歳から開始するが，リスクのある患者ではより早期の検査を可能としている。

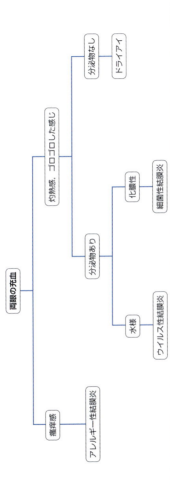

アルゴリズム 12-1 両眼に充血のある患者へのアプローチ（注：このアルゴリズムは包括的とはいえないが、病歴と診察から得られた情報を統合するための出発点としては有用である）

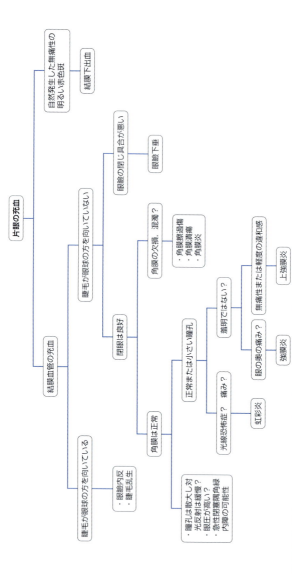

アルゴリズム 12-2 片眼に充血のある患者へのアプローチ (注：このアルゴリズムは包括的とはいえないが、病歴と診察から得られた情報を統合するための出発点としては有用である)

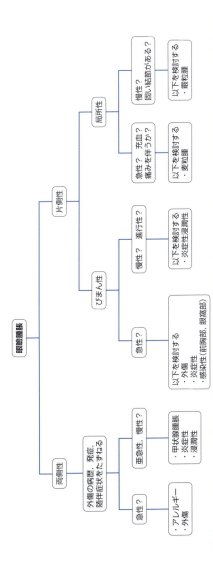

アルゴリズム 12-3 眼瞼腫脹のある患者へのアプローチ(注:このアルゴリズムは包括的とはいえないが、病歴と診察から得られた情報を統合するための出発点としては有用である)

表 12-1　視野欠損

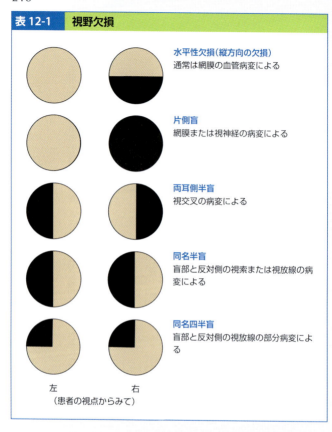

水平性欠損（縦方向の欠損）
通常は網膜の血管病変による

片側盲
網膜または視神経の病変による

両耳側半盲
視交叉の病変による

同名半盲
盲部と反対側の視索または視放線の病変による

同名四半盲
盲部と反対側の視放線の部分病変による

左　　　　右
（患者の視点からみて）

表 12-2　眼瞼の所見

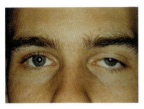

眼瞼下垂
弱い筋肉または神経障害による。眼瞼裂を狭くする上眼瞼の下垂

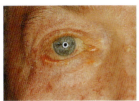

外反症
下眼瞼の縁が外転し，眼瞼結膜が露出している状態

内反症
眼瞼の縁が内転し，角膜や結膜を刺激し異物感を与えうる状態

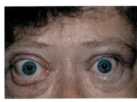

眼瞼後退と眼球突出
目を見開くような凝視は，甲状腺機能亢進症を示唆する。上眼瞼と虹彩の間にある強膜の縁に注意する。眼瞼が後退し，眼が上から下に動くときの眼瞼遅滞は，特に細かい振戦，湿った皮膚，心拍数が 90 回/分を超える場合，甲状腺機能亢進症の可能性が著しく高まる。眼球突出は Graves（グレーブス）病眼症によくみられ，自己反応性 T リンパ球が引き金となる

写真出典：眼瞼下垂，外反症，内反症— Tasman W, et al., eds. *The Wills Eye Hospital Atlas of Clinical Ophthalmology*. 2nd ed. Lippincott Williams & Wilkins; 2001.

表 12-3 眼球およびその周辺の所見

瞼裂斑
虹彩の両側の眼球結膜にできる無害な黄色い結節で老化に伴うもの

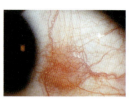

上強膜炎
上強膜の血管の炎症による局所の眼球発赤。関節リウマチ，Sjögren（シェーグレン）症候群，帯状疱疹でみられる

麦粒腫（ものもらい）
眼瞼縁に近い毛包の周囲にできる痤瘡様の感染症で，通常は黄色ブドウ球菌が原因

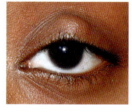

霰粒腫
慢性的に炎症を起こした Meibom（マイボーム）腺によって起こり，どちらかの眼瞼にできる結節

眼瞼黄色腫
脂質異常症で見られる黄色い斑点。患者の半数は高脂血症であり，原発性胆汁性胆管炎でもよくみられる

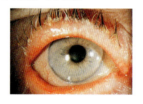

眼瞼炎
毛包の基部における瞼の慢性炎症で，多くは黄色ブドウ球菌によるものである。鱗屑を伴う脂漏性のものもある

写真出典：瞼裂斑— Shields JA, Shields CL, eds. *Eyelid, Conjunctival, and Orbital Tumors: An Atlas and Textbook*. 3rd ed. Wolters Kluwer; 2016. Figure 24-67. 上強膜炎，麦粒腫，眼瞼黄色腫，眼瞼炎— Tasman W, et al., eds. *The Wills Eye Hospital Atlas of Clinical Ophthalmology*. 2nd ed. Lippincott Williams & Wilkins; 2001. 霰粒腫— Bagheri N, Wajda BN. *The Wills Eye Manual: Office and Emergency Room Diagnosis and Treatment of Eye Disease*. 7th ed. Wolters Kluwer; 2017. Figure 6-2.

表 12-4　眼底所見：糖尿病性網膜症

非増殖網膜症(中等度)

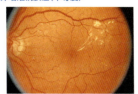

小さな赤い点または毛細血管瘤および上耳側にある輪状硬性白斑(白点)に注意する。硬性白斑の部位の網膜肥厚や浮腫が，黄斑の中心部まで及ぶと視力は低下しうる。診断には，専門的な特殊な立体カメラ撮影を必要とする

非増殖網膜症(重度)

上耳側部では，2つの綿花様白斑 cotton-wool patches の間の大きな網膜出血，そのすぐ上の網膜静脈の数珠状拡張 beading，耳側網膜動脈上方の曲がった小さな網膜の血管(IRMA：網膜内細小血管異常)に注意する

新生血管を伴う増殖網膜症

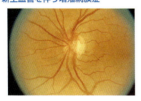

視神経乳頭上に発生した新しい網膜前血管と視神経乳頭の縁を越えてのびる血管に注意する。視力は通常正常ではあるが，重度の視力低下を起こすリスクが高い。光凝固術(レーザー治療)により，このリスクを50%以上低減できる

増殖網膜症(末期)

左記と同じ患者で，治療はせず2年が経過。新生血管をきたし，線維性増殖，黄斑の歪み，視力低下を伴う

写真出典：Early Treatment Diabetic Retinopathy Study Research Group. Courtesy of MF Davis, MD, University of Wisconsin, Madison. Source: Frank RB. Diabetic retinopathy. *N Engl J Med*. 2004 ;350(1): 48-58.

第13章 耳と鼻

病歴

よくみられる，または注意すべき症状

- 難聴
- 耳痛や耳漏
- 耳鳴
- 浮動性めまい dizziness と回転性めまい vertigo
- 鼻汁(鼻漏)，鼻閉
- 鼻出血

耳

「耳の聞こえ方はどうですか？」とたずねる。患者は，他の人が話しているのを理解するのに，特に困難があるか？ 騒がしい環境では違いがあるか？

感音性難聴 sensorineural loss(内耳)では，会話を理解することが難しく，他の人がつぶやいているように聞こえるという訴えがある。伝音性難聴(外耳または中耳)では，むしろ雑音が多い環境で聴き取りやすくなることがある。

耳痛 earache は，発熱，咽頭痛，咳，上気道感染に伴い起こるのかをたずねる。

外耳道の痛みがある場合は外耳炎を，呼吸器感染に伴う痛みがある場合は中耳炎を考える。

耳鳴 tinnitus は，内側からの音楽が鳴るような，激しく，うなるような音であり，多くの場合，原因不明である。

難聴と回転性めまいを伴う場合，耳鳴は Ménière(メニエール)病を考える。

めまいについてたずねる。

- 患者または周囲の環境が回転しているように感じる感覚（**回転性めまい**）は，眼振や運動失調を伴うことが多い（Box 13-1）。

    迷路（内耳）炎，第Ⅶ脳神経（顔面神経）病変，脳幹病変に伴うめまい。アルゴリズム 13-1「めまいのある患者へのアプローチ」を参照

- 気を失いそうな感じ，頭のフラフラ感（**前失神**）

    原因としては，特に薬物による起立性低血圧，不整脈，血管迷走神経発作（約 5%）などがある。

- 特に高齢者では，歩行時のふらつきや平衡感覚の欠如（**平衡障害**）

    転倒に対する恐れ，視力低下，筋骨格系疾患による脱力，末梢神経障害などがある（最大 15%）。

    精神医学的原因としては，不安，パニック障害，過呼吸，うつ病，身体化障害，アルコール，物質乱用などがある（約 10%）。

鼻と副鼻腔

鼻閉に伴い，鼻汁が出ることがよくある。くしゃみ，涙目，喉の不快感，目・鼻・喉の瘙痒感については，さらに詳しくたずねる。

原因としては，ウイルス感染，アレルギー性鼻炎（花粉症），血管運動性鼻炎などがある。瘙痒感は，アレルギー性の原因による。アルゴリズム 13-2「鼻炎のある患者へのアプローチ」を参照

鼻出血の場合は，出血源を注意深く特定する。出血は実際に鼻からなのか，それとも患者が咳をしたり血を吐いたりしたのか。出血部位，その重症度，関連症状を評価する。

鼻出血の局所的原因には，外傷（特に鼻をほじること），炎症，鼻粘膜の乾燥および痂皮，腫瘍および異物が含まれる。抗凝固薬，NSAID，および凝固異常症が寄与している可能性がある。

Box 13-1 末梢性めまいと中枢性めまい

	発症期間と経過	聴覚	耳鳴	その他の特徴
末梢性めまい				
良性頭位性めまい	多くの場合、患側を向いたり、頭を上に向けたりしたときに突然起こる	数週間続くが、再発することもある	影響しない	ない	悪心、嘔吐、眼振を伴うことがある
前庭神経炎	突発性	12~18ヵ月にわたって再発することがある	影響しない	ない	悪心、嘔吐、眼振
急性迷路炎	突発性	12~18ヵ月にわたって再発することがある	感音性難聴：片側	ありうる	悪心、嘔吐、眼振
Ménière病	突発性	再発性	感音性難聴：変動性、再発性、最終的には進行性	ある、変動する	患耳の圧迫感または充満感。悪心、嘔吐、眼振
薬物毒性	ループ利尿薬、アミノグリコシド系薬物、サリチル酸塩、アルコールに関連した急性発症または緩徐な発症	可逆性である場合もあれば、そうでない場合もある。部分的な適応が起こる	障害されうる	ありうる	悪心、嘔吐
聴神経腫瘍	第Ⅷ脳神経の枝である前庭神経による緩徐な圧迫	変化する	障害される、片側性	ある	第Ⅴ、Ⅶ脳神経を含むことがある
中枢性めまい	しばしば突然起こる	変化するが、連続することはまれ	影響しない	ない	通常、他の脳幹障害：構音障害、運動失調、交差運動障害、感覚障害を伴う

診察の技術

耳の診察の重要項目

- 耳介とその周囲組織を視診する（変形，腫瘤，くぼみ，皮膚病変）
- 耳介，耳珠，乳様突起を触診する（圧痛）
- 耳鏡で外耳道と鼓膜を観察する
- 囁語検査を用いて，聴力を評価する
- 難聴がある場合は，音叉試験で感音性難聴か伝音性難聴か判断する

診察の技術	所見

耳

両側を検査する。

耳介

耳介を視診する。	ケロイド，粉瘤

中耳炎が疑われる場合：

●耳介を上下に動かして，耳珠を押す。	外耳道炎の痛み（tug test）
●耳の後ろをしっかり押す。	中耳炎，乳様突起炎では圧痛を伴うことがある。

外耳道と鼓膜

耳介を上へ，後ろへ，そして少し外へ引き出す。耳鏡とそのチップで，視診する。	
●外耳道	耳垢　外耳道炎の腫脹と紅斑
●鼓膜（図 13-1）	急性中耳炎の鼓膜の発赤と膨隆。滲出性中耳炎，鼓膜硬化，鼓膜穿孔。表 13-1「鼓膜の異常」を参照

診察の技術　　　　　　　　　　　　　　　　**所見**

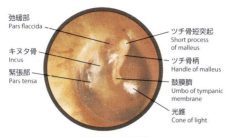

図 13-1 右鼓膜

聴力

聴力について「難聴または聞き取りにくいと感じますか？」というのはスクリーニングのための感度の高い質問である。話し声や囁語に対する聴力を評価する。または携帯型オージオメータで聴力を評価する（Box 13-2）。囁語検査は，30 dB 以上の著しい難聴を検出する。正式な聴力検査は，現在でも評価の基準となっている。

Box 13-2　聴力検査のための囁語検査

- 数字と文字の組み合わせを囁き，患者には，それを繰り返してもらう
- このとき，座っている患者の背後で腕の長さ（約 60 cm）で離れて立ち，口唇の動きを読みとられないようにする
- 左右の耳を個別に検査する。指で検査をしない耳を塞ぐ。検査をしない耳へ音が伝わるのを防ぐため，耳珠を，円を描くようにやさしく擦る
- 小さな声が出るよう，囁く前に完全に息を吐き出す
- 「4-K-2」や「5-B-6」など，数字と文字を組み合わせた 3 つの単語を囁く
- 患者が正しく応答すれば，その耳は正常であると考える
- 患者が正しく答えられない場合，またはまったく答えられない場合は，異なる 3 つの数字と文字の組み合わせでもう一度検査する。学習効果を排除するために，毎回異なる組み合わせを使用することが重要である
- 6 つの文字または数字のうち，3 つ以上を正しく繰り返すことができれば，スクリーニングテストで問題がない
- 正しく繰り返す単語が 3 つ以下の場合は，さらに聴力検査を行う
- 別の数字や文字の組み合わせを変えて，もう片方の耳も同様に検査する

聴力が低下している場合，512 Hz の音叉を使用する。

診察の技術

- 片側性の難聴患者にのみ，左右差に対する検査〔Weber（ウェーバー）試験〕を行う。振動させた音叉を頭頂部に置き，聴力を検査する。

- 空気伝導と骨伝導を比較する〔Rinne（リンネ）試験〕。振動させた音叉を乳様突起にあて，音叉を離したあとで聴力を確認する。

所見

片側伝音性難聴では，音は障害された耳で（側方に）聞こえる。アルゴリズム13-3「難聴患者へのアプローチ」を参照

伝音性難聴では，音は気導（AC）よりも骨導（BC）で長く聞こえる（BC＝ACまたはBC＞AC）。感音性難聴では，音は気導でより長く聞こえる（AC＞BC）。Box 13-3 を参照

Box 13-3　難聴のパターン

	伝音性難聴	感音性難聴
言語の理解障害	軽度のもの	しばしば問題となる
効果	騒がしい環境では，聞こえがよくなることがある 蝸牛神経に異常がないため，声は大きくならないままである	騒がしい環境では聞こえが悪くなる 神経が損傷しているため，声が大きくなることがある
一般的な発症年齢	小児期，若年成人期	中年かそれ以降
外耳道と鼓膜	多くの場合，目にみえる異常がある	目にみえない問題がある
Weber試験（片耳難聴の場合）	障害された耳にあてる	健常な耳にあてる
Rinne試験	（BC＝AC または BC＞AC）	AC＞BC

（続く）↗

診察の技術		所見	
↘(続き)			
原因	外耳道閉塞，中耳炎，鼓膜の固定・穿孔，耳硬化症，異物混入	持続的な大きな騒音，薬物，内耳炎，外傷，遺伝性疾患，加齢，聴神経腫瘍	

鼻と副鼻腔の診察の重要項目

- 鼻の前面および下面の視診
- 鼻閉の検査（適応がある場合）
- 鼻粘膜，鼻中隔，下・中鼻甲介，対応する鼻道を光源または耳鏡（最大のチップを用いて）で検査する
- 前頭洞を触診する
- 上顎洞を触診する

鼻と副鼻腔

視診と触診を行う。

● 鼻の外側

鼻先や鼻甲介の圧痛は，「せつ」などの局所感染を示唆し，特に小さな紅斑や腫脹がある場合は注意が必要である。

耳鏡を用いて，以下を検査する。

● 鼻中隔と鼻甲介を覆う鼻粘膜の色と腫脹に注意する。

ウイルス性鼻炎では腫脹・発赤，アレルギー性鼻炎では腫脹・蒼白，ポリープ（図13-2），コカイン使用による潰瘍偏位，穿孔急性副鼻腔炎で圧痛あり。

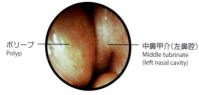

図 13-2 鼻ポリープ

診察の技術	所見
● 鼻中隔の位置と整合性を確認する。	偏位,穿孔
● 前頭洞と上顎洞を触診する。	急性副鼻腔炎で圧痛あり。

所見の記録

所見を記録する際,最初は文章を用いるかもしれないが,慣れてくれば慣用的な記述を用いるようになる。多くの診療記録によく用いられる表現法を以下に示す。

頭部,眼,耳,鼻,咽喉(HEENT)の診察の記録

頭部(Head):頭部は正常 normocephalic(NC)/外傷なし atraumatic(AT)。前頭部に禿げあり
眼(Eyes):視力は両側とも 20/100(0.2)。強膜は白色で,結膜は充血している。瞳孔は 3 mm で 2 mm まで縮瞳,両眼とも等しく円形で,対光反射と輻輳反射あり。視神経乳頭縁は明瞭,出血や滲出物はない。動静脈比は 2:4,網膜血管狭窄なし。**耳(Ears)**:囁語に対する聴力は低下しているが,話し声では正常。鼓膜は明瞭。**鼻(Nose)**:鼻粘膜は紅斑を伴って腫脹し,鼻汁は透明。鼻中隔は正中。上顎洞に圧痛がある。**咽喉(Throat)**:口腔粘膜はピンク色。下顎大臼歯は齲歯,咽頭は発赤,滲出液なし
頸部:気管は正中。頸部は軟で,甲状腺は正中線上にあり,小葉は触知できるが肥大していない。
リンパ節:顎下および前頸部リンパ節に圧痛,1×1 cm,弾性硬で可動性あり。後頸部,滑車上,腋窩,鼠径部のリンパ節腫脹はない
これらの所見から,副鼻腔の感染とそれに伴う鼻咽頭や粘膜のうっ血による両側性の難聴が考えられる

健康増進とカウンセリング：エビデンスと推奨

健康増進とカウンセリングの重要事項

- 難聴のスクリーニング

難聴

難聴とは，発話の過程で最も重要とされる 500〜4,000 Hz の周波数の音を聞き取ることができない状態を指す。65 歳以上の成人の 3 分の 1 以上は，**検出可能な聴力障害**を有する。定期的なスクリーニングには，質問票と携帯型オージオメータが有効である。

米国予防医療専門委員会(USPSTF)は，聴覚スクリーニング検査の有効性は，補聴器の恩恵を受ける可能性のある人々が実際に補聴器を使用するかどうかに依存すると指摘した。その結果，50 歳以上の成人に対する聴覚スクリーニングについて判断を下すには，証拠が不十分であると結論づけた(グレード I)。しかし，騒音曝露の低減と回避は，難聴を予防したり遅らせる方策として推奨されている。

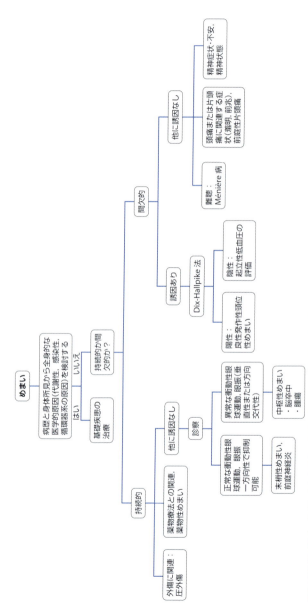

アルゴリズム 13-1 めまいのある患者へのアプローチ（注：このアルゴリズムは包括的とはいえないが、病歴と診察から得られた情報を統合するための出発点としては有用である）

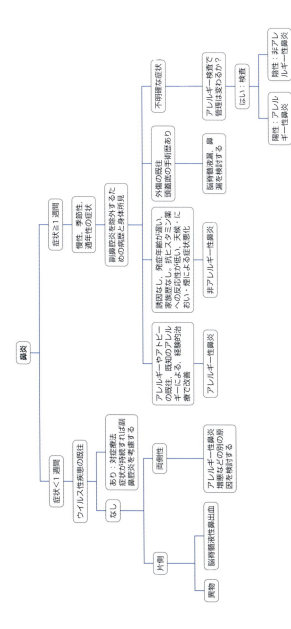

アルゴリズム 13-2 鼻炎のある患者へのアプローチ（注：このアルゴリズムは包括的とはいえないが、病歴と診察から得られた情報を統合するための出発点としては有用である）

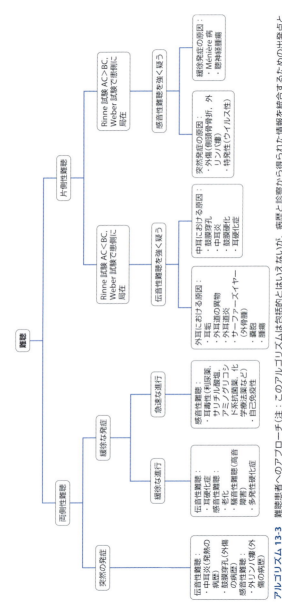

アルゴリズム 13-3 難聴患者へのアプローチ（注：このアルゴリズムは包括的とはいえないが、病歴と診察から得られた情報を統合するための出発点としては有用である）

表 13-1　鼓膜の異常

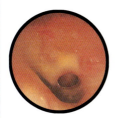

穿孔
中心部または辺縁部の鼓膜の穿孔
通常，**中耳炎**や外傷によるもの

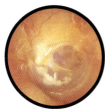

鼓膜硬化
石灰質の白い斑点
中耳炎による中耳の瘢痕化で，鼓膜や中耳にヒアルロン酸やカルシウム，リン酸の結晶が沈着する。重症化すると耳小骨を巻き込み，伝音性難聴を起こす

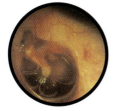

漿液性滲出液
鼓膜の奥に琥珀色の液体があり，気泡がある場合とない場合がある
ウイルス性上気道感染症や急激な気圧の変化（潜水，飛行）に伴う

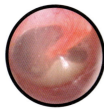

化膿性滲出液を伴う急性中耳炎
鼓膜が赤く膨れ上がり，そのランドマーク（目印）がなくなる
鼓膜や外耳道に痛みを伴う出血性小水疱が生じ，耳痛，耳からの血性分泌物，伝音性難聴を起こす。マイコプラズマ感染症，ウイルス感染症，細菌性中耳炎でみられる

写真の出典：穿孔— Michael Hawke, MD, Toronto, Canada の厚意による，漿液性滲出液— Hawke M, Keene M, Alberti PW. *Clinical Otoscopy: A Text and Colour Atlas*. Churchill Livingstone; 1984. Copyright © 1984 Elsevier の許可を得て掲載，化膿性滲出液を伴う急性中耳炎— Johnson JT. *Bailey's Head and Neck Surgery*. 5th ed. Wolters Kluwer; 2014. Figure 99-1.

第14章 咽喉と口腔

病歴

よくみられる，または注意すべき症状

- 咽頭痛
- 歯肉出血，歯肉腫脹
- 嗄声
- 口臭

咽頭痛

咽頭痛や咽頭炎 pharyngitis は，よくある訴えである。発熱，腫脹した腺組織，それに伴う咳の有無をたずねる。

特に咳のない，発熱，扁桃の滲出物，前頸リンパ節腫脹はレンサ球菌性咽頭炎を示す。

歯肉出血

歯肉からの出血は，歯を磨くときによく起こる。局所性病変や他の部位に，あざになりやすいなどの出血傾向がないかたずねる。

歯肉の出血は，通常，**歯肉炎 gingivitis** が原因である。

嗄声

嗄声は喉の使いすぎ，アレルギー，喫煙，刺激物の吸入が原因となりうる。

嗄声が2週間以上続くなら，喉頭鏡検査を紹介し，甲状腺機能低下症，胃食道逆流症，声帯結節，頭頸部癌，甲状腺腫瘍，神経学的障害〔Parkinson

（パーキンソン）病，筋萎縮性側索硬化症，重症筋無力症）を検討する。アルゴリズム 14-1「嗄声のある患者へのアプローチ」を参照

口臭

口臭 halitosis とは，息から発せられる不快な臭いのことである。

口臭の一般的な原因としては，口腔内の不衛生，喫煙，歯や口内器具への歯垢の付着があり，また全身性疾患の可能性もある。

診察の技術

口と咽頭の診察の重要項目

- 口唇の視診
- 口腔粘膜の視診
- 口腔粘膜の触診（病変や肥厚があれば行う）
- 歯肉の視診
- 歯肉縁，歯間乳頭の視診
- 歯の視診
- 硬口蓋と口腔底の視診
- 舌下神経（第XII脳神経）の検査（舌を突き出したときの対称性）
- 舌の視診
- 舌の触診（病変や肥厚があれば行う）
- 軟口蓋，前方と後方の口蓋弓，口蓋垂，扁桃，咽頭の視診
- 迷走神経（第X脳神経）の検査（口蓋垂の対称性）

診察の技術	所見

 口

以下を視診する。

● 口唇　　　　　　　　　　　　チアノーゼ，蒼白，口角炎。表 14-1「口唇の異常」を参照

診察の技術	所見
● 口腔粘膜	アフタ性潰瘍（口内びらん）
● 歯肉	歯肉炎，歯周病
● 歯	齲歯，歯の喪失
● 口蓋	口蓋隆起（良性）
● 舌，以下を含める。	
● 舌乳頭	舌炎
● 対称性	脳血管障害における第Ⅻ脳神経麻痺による片側への偏位
● あらゆる病変	紅板症，白板症（前癌）。扁平上皮癌またはその他の癌。表14-2「舌の異常」を参照
● 口腔底	癌が疑われる病変

咽頭

以下を視診する。

● 色調，滲出物の有無	咽頭炎
● 扁桃腺の有無と大きさ	滲出物，扁桃炎，扁桃周囲膿瘍
● 患者が「あー」というときの軟口蓋の対称性	脳血管障害による第Ⅹ脳神経麻痺で軟口蓋が上がらず，口蓋垂が反対側（健側）に偏位する。表14-3「咽頭の異常」を参照

所見の記録

頭部，眼，耳，鼻，咽喉（HEENT）の診察の記録

頭部（Head）：頭部は正常 normocephalic（NC）/外傷なし atraumatic（AT）。前頭部に禿げあり。**眼（Eyes）**：視力は両側とも 20/100（0.2）。強膜は白色で，結膜は充血している。瞳孔は 3 mm で 2 mm まで縮瞳，両眼とも等しく円形で，対光反射と輻輳反射あり。視神経乳頭縁は明瞭，出血や滲出物はない。動静脈比は 2：4，網膜血管狭窄なし。**耳（Ears）**：囁き声に対する聴力は低下しているが，話し声では正常。鼓膜は明瞭。**鼻（Nose）**：鼻粘膜は紅斑を伴って腫脹し，鼻汁は透明。鼻中隔は正中。上顎洞に圧痛あり。**咽喉（または口腔）（throat（mouth））**：口腔粘膜はピンク色，下顎大臼歯は齲歯，咽頭は発赤，滲出液なし
頸部：気管正中。頸部は軟で，甲状腺は正中線上にあり，小葉は触知できるが肥大していない
リンパ節：顎下および前頸リンパ節に圧痛，1×1 cm，弾性硬で可動性あり。後頸・内側上顆部・腋窩・鼠径リンパ節腫脹はない
これらの所見から，上気道感染症の可能性が示唆される

健康増進とカウンセリング：エビデンスと推奨

健康増進とカウンセリングの重要事項

- 口腔衛生
- 口腔癌，咽頭癌

口腔衛生

口腔衛生を促進していく。2〜19 歳子どもの 19％に未処置の齲歯があり，40〜59 歳成人の約 5％，60 歳以上の高齢者の 25％には歯がまったくない状態（無歯）であるという。齲歯，弛緩歯（ぐらつく歯），歯肉炎，歯周病の徴候（出血，膿，歯肉の退縮，口臭），口腔癌がないか口腔内を検査する。フッ素入りの歯磨き粉を使用し，歯磨きとフロスを行い，少なくとも年に 1 回は歯科受診をするように患者に助言する。

口腔癌，咽頭癌

口腔癌の約 75％は，喫煙と飲酒が原因である。ヒトパピローマウ

イルス(HPV)感染は，口腔・咽頭癌(扁桃，口腔・咽頭，舌根の病変)の原因としてますます重要となっており，症例の約70％を占める。

上記癌の主要なスクリーニングは，口腔における精密な検査といえよう。2014年，米国予防医療専門委員会(USPSTF)は，無症状の成人に口腔癌のスクリーニングを定期的に行うことを推奨するには十分なエビデンスがないと結論づけた(グレードⅠ)。米国歯科医師会は，口腔粘膜に疑わしい病変がある患者は，生検評価のために速やかに専門医に紹介することを推奨している。

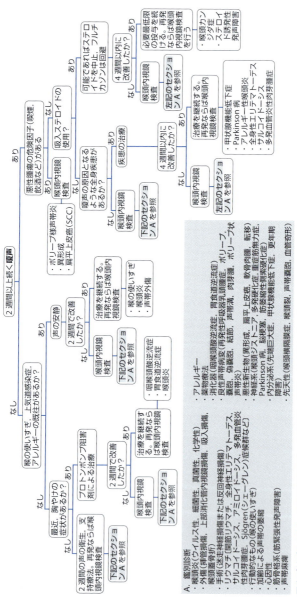

アルゴリズム 14-1 嗄声のある患者へのアプローチ（注：このアルゴリズムは包括的とはいえないが、病歴と診察から得られた情報を統合するための出発点としては有用である）

表 14-1　口唇の異常

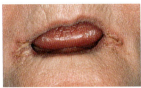

口角炎　口角の軟化とひび割れ

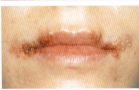

単純ヘルペス　痛みを伴う小水疱，その後，痂皮で覆われる。**冷痛症 cold sore** または**熱性疱疹 fever blister** とも呼ばれる

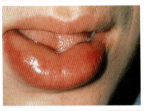

血管性浮腫　びまん性，緊満した，皮下腫脹，通常，アレルギー性である

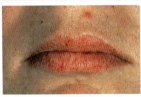

遺伝性出血性毛細血管拡張症　小さな赤い斑点。常染色体優性遺伝で，血管脆弱性，脳および肺を含む動脈血管奇形を生じる。鼻出血や消化管出血を伴う

表 14-1　口唇の異常(続き)

Peutz-Jeghers(ポイツ・ジェガース)症候群　口唇および頬粘膜の褐色斑，腸管ポリポーシスおよび消化器癌の高リスクに関連するため重要である

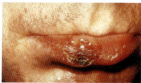

梅毒性下疳　潰瘍化し，痂皮化する硬い病変

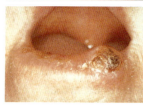

口唇癌　潰瘍化または痂皮化することがある，肥厚したプラークまたは不規則な結節。悪性

写真出典：口角炎・単純ヘルペス・血管性浮腫― Neville BW et al. *Color Atlas of Clinical Oral Pathology*. Lea & Febiger; 1991，遺伝性出血性毛細血管拡張症― Mansoor AM. *Frameworks for Internal Medicine*. Wolters Kluwer; 2019, Figure 40-2, Peutz-Jeghers症候群― Robinson HBG, Miller AS. *Colby, Kerr, and Robinson's Color Atlas of Oral Pathology*. 5th ed. JB Lippincott; 1990，梅毒性下疳― Wisdom A. *A Colour Atlas of Sexually Transmitted Diseases*. 2nd ed. Wolfe Medical Publications; 1989. Copyright © 1989 Elsevier より許可を得て掲載，口唇癌― Tyldesley WR. *A Colour Atlas of Orofacial Diseases*. 2nd ed. Wolfe Medical Publications; 1991. Copyright © 1991 Elsevier より許可を得て掲載

表 14-2　舌の異常

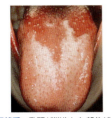

地図状舌　乳頭が消失した部分が散在し，地図状にみえる。良性

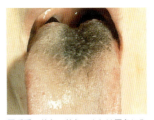

黒毛舌　黄色，茶色，または黒色にみえる伸長した乳頭から生じる。良性

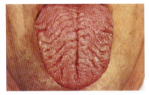

溝状舌　加齢に伴い出現することがある。良性

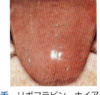

平滑舌　リボフラビン，ナイアシン，葉酸，ビタミンB_{12}，ピリドキシン，鉄の欠乏，および化学療法による治療でみられ，**乳頭の消失**から生じる

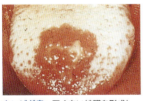

カンジダ症　厚く白い被膜を形成し，削り取るとただれた赤い表面がみえる。舌も赤くなることがある。抗菌薬，副腎皮質ホルモン，AIDS が原因となることがある

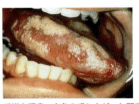

毛様白板症　白色の盛り上がった羽毛状の部分で，通常は舌の側面にある。HIV/AIDS でみられる

表 14-2　舌の異常（続き）

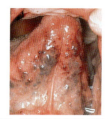

静脈瘤　加齢に伴う舌下部の暗色円形斑点。キャビア病変とも呼ばれる

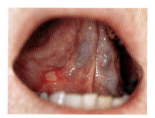

アフタ性潰瘍（口内びらん）　痛みを伴う，小さな白っぽい潰瘍で，赤い粘膜の輪（halo）がある。7〜10日で治癒する

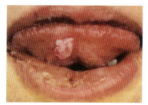

梅毒の粘膜斑　わずかに盛り上がった楕円形の病変で，灰色がかった膜に覆われている

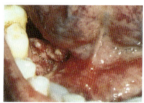

舌癌や口腔底癌　口の底や縁に結節や治癒しない潰瘍がある場合は，悪性腫瘍を考慮する必要がある

写真出典：地図状舌— Centers for Disease Control Public Health Image Library; ID #16520 より，溝状舌・カンジダ症・梅毒の粘膜斑・舌癌や口腔底癌— Robinson HBG, Miller AS. *Colby, Kerr, and Robinson's Color Atlas of Oral Pathology*. 5th ed. JB Lippincott; 1990，平滑舌— Jensen S. *Nursing Health Assessment: A Best Practice Approach*. 3rd ed. Wolters Kluwer; 2019, Figure 15-25，毛様白板症— Centers for Disease Control Public Health Image Library, photo credit Sol Silverman, Jr., DDS; ID #6061 より，静脈瘤— Neville B et al. *Color Atlas of Clinical Oral Pathology*. Lea & Febiger, 1991.

表 14-3　咽頭の異常

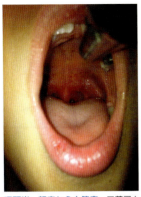

咽頭炎，軽度から中等度　口蓋弓と口蓋垂の赤みと血管増生に注意

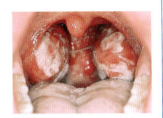

滲出性扁桃腺炎　扁桃腺に白い滲出液の斑点を伴う有痛性の発赤のある喉は，レンサ球菌性咽頭炎およびいくつかのウイルス性疾患に関連している

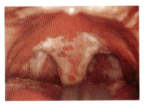

ジフテリア　ジフテリア菌（Corynebacterium diphtheriae）による急性感染症。咽頭は暗赤色で，口蓋垂，咽頭，舌に灰色の滲出物が出現する

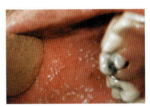

Koplik（コプリック）斑　赤地に塩の粒のような小さな白い斑点は，麻疹の初期症状である

写真出典：咽頭炎—Naline Lai, MD の厚意による．滲出性扁桃腺炎—Hatfield NT, Kincheloe CA. *Introductory Maternity & Pediatric Nursing*. 4th ed. Wolters Kluwer; 2018, Figure 41-12．ジフテリア—American College of Physicians, Inc の許可を得て Harnisch JP et al. Ann Intern Med. 1989; 111 (1): 71-82. Copyright © 1989 American College of Physicians. Inc. より掲載．Koplik 斑—Cornelissen CN, Hobbs MM. *Lippincott® Illustrated Reviews: Microbiology*. 4th ed. Wolters Kluwer; 2020. Figure 34.10.

第15章 胸郭と肺

病歴

よくみられる,または注意すべき症状

- 息切れ,呼吸困難
- 喘鳴
- 咳嗽と喀血
- 日中の眠気,いびき,睡眠障害
- 胸痛(第16章「心血管系」を参照)

息切れ,呼吸困難

息切れ shortness of breath や**呼吸困難 dyspnea** は疼痛を伴わず,労作の程度に合わない呼吸状態を不快に感じることである。息切れのある患者では,肺や心血管系の症状である可能性に注意する。

年齢,体重,体力に個人差があるために息切れを定量化する絶対的な基準はない。その代わりに,患者の日常生活における息切れの重症度評価を行うよう注力する。

表15-1「呼吸困難」,アルゴリズム15-1「呼吸困難のある患者へのアプローチ」を参照

喘鳴

高調性連続性副雑音 wheezes は患者や周りの人に聞こえる楽音様の副雑音である。

分泌物,喘息における組織の炎症,異物による下気道の部分的閉塞で起こる。

咳と喀血

咳の訴えに対して丹念に評価を行う。持続期間：**急性**（3週間未満）か，**亜急性**（3～8週間）か，**慢性**（8週間を超える）か？ 乾性咳嗽か，粘液性痰を含んでいる咳嗽か？ 血痕痰か，**喀血 hemoptysis** と呼ばれる血液そのものを咳き込んでいるのか？

表 15-2「咳嗽と喀血（血痰）」，アルゴリズム 15-2「咳嗽患者へのアプローチ」，アルゴリズム 15-3「喀血患者へのアプローチ」を参照

日中の眠気，いびき，睡眠障害

患者が過剰な日中の眠気と疲労を報告することがある。患者やパートナーにいびきの問題がないか質問する。

いびき，目撃者のいる 10 秒以上の無呼吸，窒息感での目覚め，朝の頭痛は閉塞性睡眠時無呼吸を示している。

胸痛

胸痛 chest pain や **胸部不快感 chest discomfort** の訴えからは心疾患が疑われるが，しばしば胸郭や肺の疾患が原因である。このような重大症状に対しては，Box 15-1 に示した可能性を念頭に置く。

第 16 章「心血管系」の表 16-1「胸痛」（p.284）を参照

Box 15-1　胸痛の発生部位と考えられる原因

発生部位	考えられる原因
心筋	狭心症，心筋梗塞，心筋炎
心膜	心膜炎
大動脈	大動脈解離
気管と主気管支	気管支炎
壁側胸膜	心膜炎，肺炎，気胸，胸水，肺塞栓，膠原病
皮膚，筋骨格系，神経系を含む胸壁	肋軟骨炎，帯状疱疹

(続く)↗

（続き）

食道	胃食道逆流症，食道痙攣，食道破裂
胸郭以外の臓器（頸部，胆嚢，胃など）	頸部関節炎，胆石疝痛，胃炎

心血管系と関連した労作性胸痛の詳細は，第16章「心血管系」(p.284〜285)を参照のこと。

診察の技術

胸郭と肺の診察の重要項目

- 胸郭
- 呼吸の診察（呼吸数，呼吸リズム，深さ，呼吸努力）
- 胸部後面と前面の診察
  - 胸部の視診
  - 胸部の触診
  - 胸部の打診
  - 胸部の聴診

診察の技術	所見

胸郭

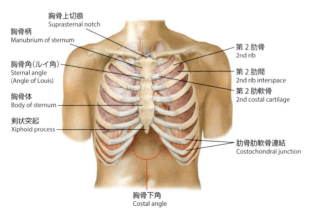

図15-1 胸壁の解剖

診察の技術	所見

胸郭(図 15-1)とその呼吸運動を観察する。

胸部の解剖学的位置を説明するための理論的な縦線を図 15-2, 15-3 に示す。

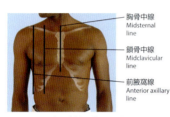

図 15-2 胸骨中線, 鎖骨中線, 前腋窩線

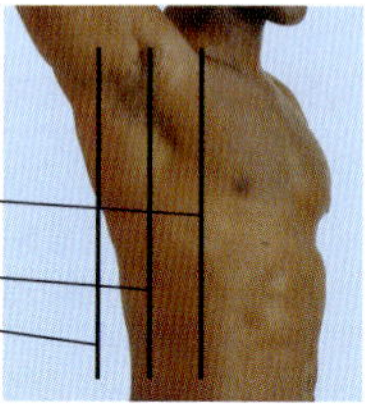

図 15-3 前腋窩線, 中腋窩線, 後腋窩線

以下に注意する。

- 顔面の色調

  口唇および口腔粘膜におけるチアノーゼや蒼白は低酸素血症を示している。

- 呼吸数, リズム, 深さ, 努力呼吸。成人の正常呼吸数は 14～20 回/分である。

  頻呼吸, 過呼吸, Cheyne-Stokes(チェーン・ストークス)呼吸。表 15-3「呼吸数と呼吸リズムの異常」を参照

- 吸気時の鎖骨上領域の陥凹

  慢性閉塞性肺疾患(COPD), 気管支喘息, 上気道閉塞で生じる。

- 吸気時の胸鎖乳突筋の収縮

  重症の呼吸困難を示す。

患者の胸部の形状を観察する。

正常または樽状胸(表 15-4「胸郭の変形」を参照)

胸部後面

胸部後面の視診

診察の技術	所見
● 胸郭拡張時の左右非対称	非対称的な胸郭の拡張は大量胸水で起こる。
● 吸気時の肋間の異常な陥凹	気管支喘息，COPD，上気道閉塞で陥凹が起こる。
● 呼吸運動の異常や片側の呼吸運動の**遅れ**	肺や胸膜の基礎疾患，横隔神経麻痺である。

胸部の触診

● 疼痛部位	肋骨骨折
● 目にみえる異常の評価	腫瘤，瘻孔
● 胸郭の拡張（図 15-4）	両側の胸郭拡張の低下は COPD や拘束性肺疾患で起こり，片側性の胸郭拡張の異常や遅延は胸膜や肺の基礎疾患に伴う慢性線維性変化，大葉性肺炎，副子固定を必要とする胸膜痛，片側性の気管支閉塞，片側性の横隔神経麻痺により生じる。

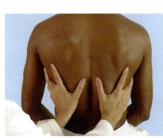

図 15-4　胸郭拡張の評価

● 触覚振盪音：患者に"ninety-nine"，"one-one-one"などの単語を繰り返し発声してもらう（訳注）。触覚振盪音が**増大，減少**もしくは**消失**しているかを明らかにして，その位置を特定する。	胸部への振動の伝達が，厚い胸壁，気管支閉塞，COPD，胸水貯留，線維化，空気（**気胸**），腫瘍の浸潤によって妨げられたときに，触覚振盪は減弱もしくは消失する。 非対称的な触覚振盪の減弱は，片側性の胸水，気胸，腫瘍により生じる。非

訳注：日本語では「ひとつ，ふたつ，みっつ……」と繰り返してもらう。

診察の技術	所見
	対称的な触覚振盪の増強は，片側性の肺炎で起こり，肺炎で硬化した組織を介してその伝達が強まる。
図15-5, 15-6に示すように，左右対称的になるよう「はしご式 ladder patern」に，各レベルで片方を反対側と比較しながら胸部を打診する（Box 15-2）。	打診の際，正常では空気を含んでいる肺が液体や固体組織に置き換わったときに濁音となり，肺気腫や気胸では過共鳴音となる。

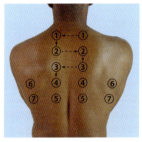

図15-5 「はしご式」打診や聴診の順序

図15-6 右中指で打診板となる他指を叩く

Box 15-2　打診音の特徴

	強弱/高低/持続時間	呼吸器疾患の例
平坦音	小さい/高い/短い	大量胸水
濁音	中間/中間/中間	大葉性肺炎
共鳴音	大きい/低い/長い	正常肺，単純性慢性気管支炎
過共鳴音	非常に大きい/より低い/より長い	COPD，気胸
鼓音	大きい/高い（楽音様の音）	広範囲の気胸

両側の横隔膜部の濁音の位置を打診で確認し，患者の最大吸気時に横隔膜の下降を評価する（図15-7）。	胸水や横隔神経麻痺は濁音位置を上昇させる。

診察の技術	所見

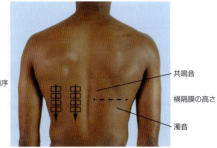

図 15-7 横隔膜の可動域の同定

聴診器を用いて「はしご式」の方法で胸部を聴診し,再び両側を比較する。	表 15-5「代表的な胸部疾患における身体所見」を参照
●呼吸音の評価(Box 15-3)	肺胞音,気管支肺胞音,気管支音。呼吸音の低下は気流の低下により生じる。

Box 15-3　呼吸音の特徴

	持続時間	呼気音の強弱/高低	聴取部位
肺胞音	吸気＞呼気	弱い/低音	両肺の大部分
気管支肺胞音	吸気＝呼気	中等度/中等度	前胸部第1・第2肋間や肩甲骨間
気管支音	吸気＜呼気	強い/高音	胸骨柄上
気管音	吸気＝呼気	非常に強い/高音	頸部の気管

線の長さは持続時間,太さは音の強弱,傾きは音の高低を示す。

診察の技術	所見
● 副雑音 adventitious sound を聴取（Box 15-4）	断続性副雑音 crackles（細かい fine，粗い coarse）と連続性副雑音（比較的高音 wheezes，比較的低音 rhonchi）

Box 15-4　副雑音

crackles（もしくは rales）	wheezes と rhonchi
断続性	**連続性**
● 断続的，楽音様でない，短い	● 正弦波のように周期的で，楽音様，長い（呼吸周期中に必ずしも持続しない）
● モールス信号の「トン」のよう	● モールス信号の「ツー」のよう
● fine crackles（細かい断続性副雑音・捻髪音）：弱い，高音（約 650 Hz），非常に短い（5～10 msec）· · · · ·	● wheezes：比較的高音（≧400 Hz）で甲高い音質，笛（様）音（>80 msec）
● coarse crackles（粗い断続性副雑音・水泡音）：やや強い，低音（約 350 Hz），短い（15～30 msec）· · · · ·	● rhonchi：比較的低音（150～200 Hz），いびき（様）音（>80 msec）

出典：Loudon R, et al. Lung sounds. *Am Rev Respir Dis*. 1994; 130: 663; Bohadana A, et al. Fundamentals of lung auscultation. *N Engl J Med*. 2014; 370: 744.

呼吸音の質，呼吸周期のタイミング，胸壁上の聴診可能部位を観察する．深呼吸や咳払いによりにこれら副雑音は消失するだろうか？	咳払いの後に音が消失した場合には無気肺が示唆される．
呼吸障害があれば頸部や肺野を聴診し，以下を確認する．	
● 吸気時の高音なヒューヒューする音（**ストライダー stridor**）の聴取	ストライダーは異物や喉頭蓋炎による上気道閉塞で生じ，早急な検査が要求される．
音声振盪（Box 15-5）や通常は聞こえない部位での気管支音を確認し，以下を患者に行っても	

診察の技術	所見
らう。	
● "ninety-nine" や "ee(イー)" と声を出す。	音がよりはっきり聞こえる場合は**気管支声 bronchophony** である。大葉の硬化(コンソリデーション)において「イー」が「エイ」に聞こえるのが**ヤギ声 egophony** である。
● "ninety-nine" もしくは "one-two-three" と囁く。	強く,よりはっきりと囁語が聞こえることを**囁語胸声 whispered pectoriloquy** という。

Box 15-5 音声振盪

含気のある正常肺組織	含気のない肺組織 [a]
普通は肺胞呼吸音が聞こえ触覚震盪音は正常である	普通は気管支音または気管支肺胞音が聞こえ,触覚振盪の増強がみられる
声はこもっており,不明瞭	声は大きくて,明瞭になる(**気管支声**)
"ee(イー)" という音がこもった長い "ee(イー)" と聞こえる	"ee(イー)" という音が "ay(エイ)" と聞こえる(**ヤギ声**)
囁語は聴取されたとしても減弱し,不明瞭になる	囁語は大きく,明瞭になる(**囁語胸声**)

[a] 大葉性肺炎や大量胸水の上縁レベル。

胸部前面

胸部前面を以下の点に注意して観察する。

● 胸郭の変形や非対称性	漏斗胸
● 吸気時の肋間隙陥凹	気道閉塞から生じる。
● 呼吸運動の障害や遅延	肺や胸膜における基礎疾患,横隔神経麻痺

診察の技術	所見

胸部前面を以下の点に注意して触診する。

- 圧痛部位 　　　　　　　　　　胸筋の圧痛，肋軟骨炎

- 目にみえる異常の評価 　　　　胸壁動揺（フレイルチェスト）

- 呼吸運動時の胸郭拡張

- 触覚振盪

図 15-8 に示した胸部領域で打診を行う。　　　　　　　　　　正常の心臓濁音界は肺気腫において消失するだろう。

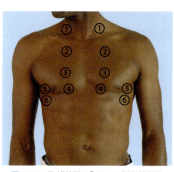

図 15-8 胸部前面の「はしご式」打診部位

胸部の聴診を行う。呼吸音，副雑音を聴診し，必要があれば前述した音声振盪も評価する。

所見の記録

胸郭と肺の診察の記録

胸郭は左右対称，拡張は正常。胸部打診は共鳴音，呼吸音は肺胞音で，crackles, wheezes, rhonchi は聴取されない。横隔膜は両側で 4 cm 下降する

または

胸郭は左右対称，中等度の脊柱後弯，前後径が拡大し，胸郭の広がりが減少。胸部打診は過共鳴音。呼吸音は弱い，呼気相は延長。触覚振盪は減弱し，気管支声・ヤギ声・囁語胸声の聴取はない。横隔膜は両側 2 cm 下降
これらの所見から COPD を疑う

健康増進とカウンセリング：エビデンスと推奨

健康増進とカウンセリングの重要事項

- 肺癌のスクリーニング
- 潜在性結核
- 閉塞性睡眠時無呼吸のスクリーニング
- 禁煙（第 6 章「健康維持とスクリーニング」，p.100〜101 参照）
- 予防接種：インフルエンザおよび肺炎球菌ワクチン（第 6 章「健康維持とスクリーニング」，p.106〜107 参照）

肺癌

肺癌は米国で 2 番目に多く診断されている癌であり，男女ともに癌死亡の最も多い原因である。喫煙は肺癌の主要な危険因子であり，肺癌死亡の約 90％を占める。喫煙を続けている人（もしくは過去 15 年以内に禁煙した人）に対して，平均で 1 日 1 箱のタバコを 30 年以上喫煙しており，年齢が 55〜80 歳なら，年に 1 回の低線量 CT スクリーニングが米国予防医療専門委員会（USPSTF）により推奨されている。

潜在性結核

活動性結核とは対照的に潜在性結核の患者は症状がなく，感染性に

乏しい。しかし，潜在性結核の治療を受けないと活動性結核に進展することがある。USPSTFはツベルクリン検査もしくはインターフェロンγ遊離試験（グレードBの推奨）による無症状の成人に対するスクリーニングを推奨している。

閉塞性睡眠時無呼吸のスクリーニング

2017年にUSPSTFは，閉塞性睡眠時無呼吸obstructive sleep apnea(OSA)に対して無症状成人のスクリーニングを行うことの利益と不利益のバランスを判断するためのエビデンスが不十分であると結論づけた。

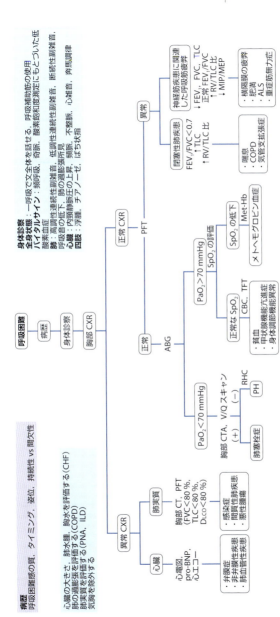

アルゴリズム 15-1 呼吸困難のある患者へのアプローチ (注：このアルゴリズムは包括的とはいえないが、病歴と診察から得られた情報を統合するための出発点としては有用である) ABG：動脈血ガス、ALS：筋萎縮性側索硬化症、pro-BNP：脳性ナトリウム利尿ペプチド、CBC：血算、CHF：うっ血性心不全、COPD：慢性閉塞性肺疾患、CTA：CT血管撮影法、CXR：胸部単純X線写真、DLCO：一酸化炭素肺拡散能、FEV1：1秒量、FVC：努力肺活量、MEP：最大呼気圧、Met-Hb：メトヘモグロビン、MIP：最大吸気圧、PH：肺高血圧、PFT：肺機能検査、PNA：結節性肺アミロイドーシス、RHC：右心カテーテル検査、RV：残気量、TFT：甲状腺機能検査、TLC：全肺気量

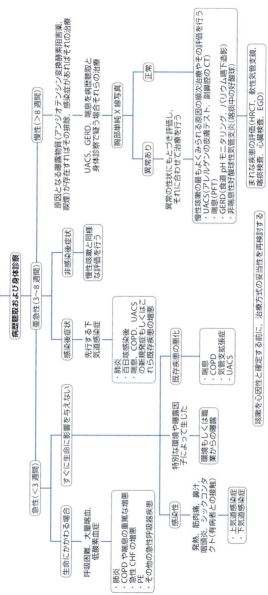

アルゴリズム 15-2 咳嗽患者へのアプローチ（注：このアルゴリズムは包括的とはいえないが，病歴と診察から得られた情報を統合するための出発点としては有用である）CHF：うっ血性心不全，COPD：慢性閉塞性肺疾患，EGD：上部消化管内視鏡検査，GERD：胃食道逆流症，HRCT：高分解能コンピュータ断層撮影，PE：肺塞栓症，PFT：肺機能検査，UACS：上気道咳嗽症候群

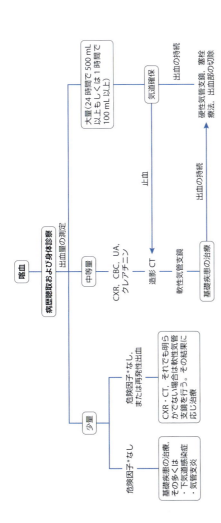

アルゴリズム15-3 喀血患者へのアプローチ（注：このアルゴリズムは包括的とはいえないが、病歴と診察から得られた情報を統合するための出発点としては有用である）。*危険因子：喫煙、40歳以上、結核や悪性腫瘍場の高いリスク。AVM：動静脈奇形。CBC：血算。CHF：うっ血性心不全。CXR：胸部単純X線撮影。DIC：播種性血管内凝固。PE：肺塞栓症。UA：尿検査

表 15-1　呼吸困難

疾患	経過	増悪因子と寛解因子
左心不全（左室不全もしくは僧帽弁狭窄症）	呼吸困難は緩徐に進行するか，もしくは急性肺水腫として突然発症する	↑労作，臥位 ↓呼吸困難は持続するが，安静や座位で寛解 **関連症状**：しばしば咳嗽，起座呼吸，夜間発作性呼吸困難。ときどき喘鳴
慢性気管支炎（COPDでみられることもある）	慢性の湿性咳嗽があり，呼吸困難は緩徐に進行する	↑労作，刺激物の吸入，呼吸器感染 ↓喀痰，呼吸困難は持続するが，安静で寛解 **関連症状**：慢性湿性咳嗽，繰り返す呼吸器感染。喘鳴も認められる
COPD	緩徐に進行する。比較的軽度の咳嗽が後にみられる	↑労作 ↓呼吸困難は持続するが，安静で寛解 **関連症状**：咳嗽，粘性の喀痰をわずかに伴う
喘息	急性の症状発現，無症状期がある。夜間発作が一般的である	↑アレルゲン，刺激物，呼吸器感染，運動，興奮 ↓増悪因子からの隔離 **関連症状**：喘鳴，咳嗽，胸部絞扼感
びまん性間質性肺疾患（サルコイドーシス，悪性新生物，石綿肺症，特発性肺線維症）	進行性で，その速度は基礎疾患による	↑労作 ↓呼吸困難は持続するが，安静で寛解 **関連症状**：脱力，疲労感。他の肺疾患に比べ咳嗽はまれ
肺炎	急性疾患で，原因により経過はさまざまである	**関連症状**：胸膜痛，咳嗽，喀痰，発熱があるが，これらは必発ではない
自然気胸	突然発症する呼吸困難	**関連症状**：胸膜痛，咳嗽
急性肺塞栓症	突然発症する呼吸困難	**関連症状**：しばしば症状なし。重症肺塞栓症では胸骨後面の圧迫される疼痛。胸膜痛，咳嗽，失神，喀血，もしくは深部静脈血栓症よる片側下肢の腫脹・疼痛。不安感，不安症状

表 15-2　咳嗽と喀血(血痰)

疾患	咳嗽と喀血，関連症状と背景
急性炎症性疾患	
喉頭炎	**咳嗽と喀血**：乾性咳嗽。量が一定しない喀痰がみられる **関連症状と背景**：急性，軽症で嗄声あり。ウイルス性鼻咽頭炎を伴うことがある
気管気管支炎	**咳嗽と喀血**：乾性咳嗽。喀痰を伴う **関連症状と背景**：急性，ウイルス感染症，胸骨後面の灼熱感あり
マイコプラズマ肺炎とウイルス性肺炎	**咳嗽**：繰り返す乾性咳嗽 **喀痰**：しばしば粘液性痰 **関連症状と背景**：急性発熱性疾患。しばしば倦怠感，頭痛，呼吸困難を伴う
細菌性肺炎	**咳嗽と喀血**：肺炎球菌感染症では，粘液性痰か膿性痰。血痕痰，全体的にピンク色や鉄サビ色の痰。肺炎桿菌では，上記同様の痰。もしくは粘性が強く，赤色で，ゼリー状の痰 **関連症状と背景**：悪寒，高熱，呼吸困難，胸痛を伴う急性疾患。通常は肺炎球菌，インフルエンザ桿菌，モラクセラ・カタラーリス *Moraxella catarrhalis* が原因。アルコール依存症では肺炎桿菌もみられる
慢性炎症性疾患	
後鼻漏	**咳嗽**：慢性咳嗽 **喀痰**：粘液性痰もしくは粘液膿性痰 **関連症状と背景**：咳払いを繰り返すと喉がすっきりする。後鼻漏は咽頭後部にみられる。慢性鼻炎を伴い，副鼻腔炎を生じることもある
慢性気管支炎	**咳嗽**：慢性咳嗽 **喀痰**：粘液性痰から膿性痰。血痕痰や血性痰のこともある **関連症状と背景**：長期間の喫煙歴。繰り返す気道感染，喘鳴や呼吸困難の悪化
気管支拡張症	**咳嗽**：慢性咳嗽 **喀痰**：粘液性痰から膿性痰。血痕痰や血性痰のこともある **関連症状と背景**：繰り返す気管支肺感染症，副鼻腔炎の合併
肺結核	**咳嗽と喀血**：乾性咳嗽。粘液性痰から膿性痰，血痕痰や血性痰のこともある **関連症状と背景**：早期は無症状。後に食欲不振，体重減少，疲労感，発熱，寝汗

表 15-2	咳嗽と喀血(血痰)(続き)
疾患	咳嗽と喀血，関連症状と背景
肺膿瘍	**咳嗽と喀血**：膿性痰で悪臭あり。血性痰のこともある **関連症状と背景**：しばしば口腔内嫌気性菌や口腔内不衛生から生じた感染から発症。嚥下障害や意識障害を伴う
喘息	**咳嗽と喀血**：特に発作の終わり頃，濃い粘液性痰を伴う咳嗽 **関連症状と背景**：間欠性の喘鳴と呼吸困難，咳嗽のみのこともある。しばしばアレルギー歴あり
胃食道逆流症	**咳嗽と喀血**：特に夜間や早朝にみられる慢性咳嗽 **関連症状と背景**：夜間の喘鳴(喘息に間違われることもある)，早朝の嗄声があり，咳払いを繰り返すと喉がすっきりする。胃食道逆流症や胸やけの病歴
悪性新生物	
肺癌	**咳嗽**：乾性咳嗽から湿性咳嗽まで **喀痰**：血痕痰か血性痰 **関連症状と背景**：多くは呼吸困難，体重減少，喫煙習慣
心血管疾患	
左心不全や僧帽弁狭窄症	**咳嗽**：しばしば乾性咳嗽，特に労作時や夜間に起こる **喀痰**：肺水腫によるピンク色の泡沫痰や，明らかな喀血に進行することもある **関連症状と背景**：呼吸困難，起座呼吸，夜間発作性呼吸困難
肺塞栓症	**咳嗽と喀血**：乾性咳嗽，ときに喀血を伴う。頻呼吸，胸痛や胸膜痛，呼吸困難，発熱，失神，不安。深部静脈血栓症が起こりやすい **関連症状と背景**：呼吸困難，不安，胸痛，発熱。深部静脈血栓症が起こりやすい
刺激性粒子，化学物質，ガス	**咳嗽と喀血**：さまざまな症状。ときに曝露から症状がでるまで潜伏期あり **関連症状と背景**：刺激物質への曝露。眼・鼻・咽喉の症状

出典：Irwin RS, Mawdison JM. The diagnosis and treatment of cough. *N Engl J Med*. 2000; 343: 1715; Metlay JP, Kapoor WN, Fine MJ. Does this patient have community-acquired pneumonia? Diagnosing pneumonia by history and physical examination. *JAMA*. 1997; 378: 1440; Neiderman M. In the clinic: community-acquired pneumonia. *Ann Intern Med*. 2009; 151: ITC4-1; Barker A. Bronchiectasis. *N Engl J Med*. 2002; 346: 1383; Wenzel RP, Fowler AA. Acute bronchitis. *N Engl J Med*. 2006; 355: 2125; Kerlin MP. In the clinic. Asthma. *Ann Intern Med*. 2014; 160: ITC3-1; Escalante P. In the clinic: tuberculosis. *Ann Intern Med*. 2009; 150: ITC6-1; Agnelli G, Becattini C. Acute pulmonary embolism. *N Engl J Med*. 2010; 363: 266.

表 15-3　呼吸数と呼吸リズムの異常

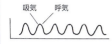
吸気　呼気

正常
呼吸数は成人で 14〜20 回/分。幼児では 44 回/分まで増加

速い浅呼吸（頻呼吸）
サリチル酸中毒，拘束性肺疾患，胸膜痛，横隔膜挙上などを含む多くの原因で起こる

速い深呼吸（過呼吸，過換気）
運動，不安，代謝性アシドーシス，脳幹障害など多くの原因で起こる。代謝性アシドーシスで生じる Kussmaul（クスマウル）呼吸は深い呼吸であるが，速い，遅い，正常の呼吸のいずれもある

遅い呼吸（緩徐呼吸）
糖尿病性昏睡，薬物誘発性の呼吸抑制に続発しうる

過呼吸　無呼吸

Cheyne-Stokes 呼吸
過呼吸と無呼吸の期間が交互にある。この呼吸様式は睡眠中の小児や高齢者では正常。脳障害，心不全，尿毒症，薬物誘発性の呼吸抑制でも生じる

失調呼吸〔Biot（ビオー）呼吸〕
呼吸の深さや回数は予測できず不規則性。原因には髄膜炎，呼吸抑制，脳損傷がある

ため息

ため息呼吸
頻回のため息によって呼吸が中断される。他の症状を伴う場合は，過換気症候群が示唆される。ときどきでるため息は正常

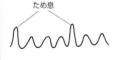
呼気延長

閉塞性呼吸
閉塞性肺疾患では気道の狭小化によって気流の抵抗が増大し，呼気が延長する。原因には喘息，慢性気管支炎，COPD がある

表 15-4　胸郭の変形

成人の正常な胸郭
胸郭は奥行きよりも横幅のほうが広い。つまり横径は前後径より大きい

樽状胸
前後径が増大している。幼児期や高齢者のものは正常で，COPDでもみられる

外傷性動揺胸郭
多発性肋骨骨折では胸郭の奇異性運動がみられる。横隔膜が下降すると胸腔内圧が減少する。損傷部位は吸気時に内側へ陥凹し，呼気時には外側へ移動する

呼気時
吸気時

漏斗胸
胸骨下部が陥凹している。心臓や大血管が圧迫され雑音が生じることもある

表 15-4 　胸郭の変形（続き）

鳩胸
胸骨が前方へ偏位し，前後径が増大している。前方へ突出している胸骨に隣接した肋軟骨は，押し下げられている

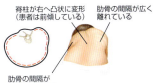

前方へ偏位している胸骨

押し下げられた肋軟骨

胸椎後側弯症
脊柱の異常な弯曲と椎体のねじれにより胸郭が変形している。これにより肺の所見の解釈が困難になる

脊柱が右へ凸状に変形（患者は前傾している）

肋骨の間隔が広く離れている

肋骨の間隔が狭くなっている

表15-5 代表的な胸部疾患における身体所見

	気管	打診音	呼吸音	声音振盪	副雑音
慢性気管支炎	正中	共鳴音	正常	正常	なし。連続性副雑音や断続性副雑音が聴取されることもある
左心不全(早期)	正中	共鳴音	正常	正常	肺の下部で吸気終末のcracklesが聴取される。wheezesが聴取されることもある
硬化[a]	正中	濁音	気管支音	増強[b]	吸気終末のcracklesが聴取される
無気肺(大葉性の閉塞)	患側へ偏位	濁音	通常は聴取されない	通常はみられない	なし
胸水	健側へ偏位	濁音	減弱もしくは聴取されない	減弱もしくはなし	通常はなし。胸膜摩擦音が聴取されることがある
気胸	健側へ偏位	過共鳴音もしくは鼓音	減弱もしくは聴取されない	減弱もしくはなし	胸膜摩擦音が聴取されることがある
COPD	正中	過共鳴音	減弱もしくは聴取されない	減弱	なし。もしくは慢性気管支炎による連続性副雑音が聴取される
喘息	正中	共鳴音から過共鳴音	wheezesによってはっきりしないことがある	減弱	wheezesが聴取される。cracklesが聴取されることもある

[a] 大葉性肺炎、肺水腫、肺出血にみられる。
[b] 聴覚振盪音、気管支音、ヤギ声、囁語胸声の増強を伴う。

第16章 心血管系

病歴

よくみられる，または注意すべき症状

- 胸痛(第15章「胸郭と肺」も参照)
- 息切れ：呼吸困難，起座呼吸，発作性夜間呼吸困難
- 動悸
- 浮腫と失神

胸痛

症状を引き起こしている部位が心臓や肺，さらに胸腔外まで幅広く考えられるため，系統立てて鑑別することが重要である。典型的な労作時の胸部・肩部・背部・頸部・腕の痛み，圧迫感，不快感は狭心症または心筋梗塞で認める。他方，引きつるような，ズキズキする，チクチクする感覚など非典型的な痛みも頻繁に認められ，まれに歯や顎の痛みが出ることもある。

前胸部痛の性状が引き裂かれるようなものであったり，背部や頸部に放散する場合は急性大動脈解離のことがある。

表16-1「胸痛」とアルゴリズム16-1「胸痛のある患者へのアプローチ」を参照

息切れ

息切れまたは**呼吸困難 dyspnea**(活動レベルに対して呼吸が不十分であるために不快感を自覚

起座呼吸と発作性夜間呼吸困難は左心不全や僧帽弁狭窄症，さらに閉塞性肺疾患でみられる。

すること)についてたずねる。**起座呼吸 orthopnea**(仰臥位で生じ，起き上がることで改善する呼吸困難)または**発作性夜間呼吸困難 paroxysmal nocturnal dyspnea**(夜間就寝中に突然の呼吸困難で目覚めること)についても問診する。

第15章「胸郭と肺」のアルゴリズム15-1「呼吸困難のある患者へのアプローチ」(p.253)を参照

呼吸困難，喘鳴，咳嗽，ないし喀血は，心臓由来と肺由来の可能性がある。

動悸

心拍動を不快に感じることや**動悸 palpitation** について聴取する。患者は脈が飛ぶ，脈が速い，ドキドキする，ドキンドキンと打つ，心臓が止まるなど，症状をさまざまに表現する。動悸は必ずしも心疾患によるものではない。

心拍不整の症状や徴候があれば，心電図をとる。心房細動はしばしばベッドサイドで脈の「絶対的不整」として同定される。

不安のある患者や甲状腺機能亢進症の患者は動悸を訴えることがある。アルゴリズム16-2「動悸のある患者へのアプローチ」を参照

浮腫と失神

浮腫 edema，特に下肢の浮腫，それに**失神 syncope** の既往についてもたずねる。

浮腫の大多数の原因は心臓(右室・左室機能不全，肺高血圧)または肺(閉塞性肺疾患)である。

末期心不全や不整脈によって失神が起こる。

心臓関連の症状を評価する際に，患者の病前の身体活動のレベルと有症状時の活動レベルを比較することも重要である。

診察の技術

心血管系の診察の重要項目

- 全身状態に注意し，心拍数と血圧を測定する
- 頸静脈圧を測定する
- 頸動脈(血管雑音)を片側ずつ聴診する
- 頸動脈拍動を触診し，立ち上がり(強さ，波形，タイミング)と振戦の有無を確認する
- 前胸壁(心尖拍動，前胸部の動き)を視診する
- 前胸部を触診し，隆起，振戦，触知できる心音がないか確認する
- 触診し，最強拍動点(PMI)または心尖拍動の位置を同定する
- 触診し，胸壁上の右室・肺動脈・大動脈流出路に対応する部位での心臓の収縮によって生じる拍動を同定する
- 心基部から心尖部にかけて6カ所で S_1 と S_2 を聴診する
- S_2 の生理的分裂および奇異性分裂を特定する
- 聴診して，S_3 や僧帽弁狭窄を示唆する僧帽弁の開放音を含む拡張早期の異常音と，拡張後期の S_4 がないか確認する
- 収縮期雑音と拡張期雑音を同定し，必要に応じて聴診手法も併用する。雑音が存在するなら，そのタイミング，波形，強さ，部位，放散，高さ，そして性質を確認する

診察の技術	所見

心拍数と血圧

橈骨動脈で脈拍数または心尖部で心拍数を数える。

触診法で収縮期血圧を推定する。それに30 mmHgを足した値を，カフの加圧目標とする。

この手技は聴診間隙を見極め，不適切に低い収縮期血圧を記録するのを防ぐうえで助けとなる。

血圧計で血圧を測定する。必要があれば再検査する。

起立性(体位性)低血圧は，仰臥位から立位になって3分以内に，収縮期血圧が20 mmHg以上低下し，心拍数が20回/分以上上昇することをいう。

| 診察の技術 | 所見 |

頸静脈

頸静脈拍動

右内頸静脈で頸静脈拍動の最高点を確認する。診察台の頭部を最初は30度上げ、循環血液量を考慮し必要に応じて角度を調整する。

頸静脈圧（JVP）

頸静脈拍動の最高点と胸骨角との間の垂直距離（高さ）を測定する。通常3〜4cm未満である（図16-1）。

右心不全ではJVPが上昇する。脱水または消化管出血による血液量減少ではJVPは低下する。

図16-1　JVPの測定

静脈拍動の波形を調べる。心房収縮を示す**a波**、静脈還流を示す**v波**に留意する。

a波は三尖弁狭窄、肺高血圧、肺動脈狭窄で異常に**顕著**になり、心房細動で**消失**する。**v波の増高**は三尖弁閉鎖不全症、心房中隔欠損症、収縮性心膜炎でみられる。

頸動脈拍動

頸動脈拍動の立ち上がりの強さと波形を触診する。正常な立ち上がりは勢いよいものである。

頸動脈拍動の立ち上がりは大動脈弁狭窄症で緩やかになり、大動脈閉鎖不全症で強くなる。

| 診察の技術 | 所見 |

交互脈

脈拍ごとの拍動の変化について頸動脈拍動を触診する。上腕動脈の上を聴診器で聴取しながら、血圧計のカフ圧を収縮期レベルまでゆっくりと下げる。

脈拍の強さの変動、または Korotkoff 音が突然これまでの2倍に聞こえることは**交互脈 pulsus alternans** を示唆する。交互脈は左室機能不全の徴候である。

奇脈

カフ圧をゆっくり下げ、以下の2つの血圧レベルを記録する。(1)Korotkoff(コロトコフ)音が最初にどこで聴取されたか、(2)呼吸周期を通して聴取するようになったのはどこか。この2つの圧の差は正常ではわずか3~4 mmHg 未満である。

吸気時に血圧が>10 mmHg 低下したら奇脈が示唆される。その場合、閉塞性肺疾患、喘息、心タンポナーデ、収縮性心膜炎を考慮する。

血管雑音の聴診

血管雑音 bruit は動脈血流の乱流により聞こえる雑音である。患者に10秒程度呼吸を止めてもらい、聴診器の膜部で聴診する。

血管雑音は通常動脈硬化による内腔狭窄が原因であるが、頸動脈の屈曲蛇行、外頸動脈疾患、大動脈弁狭窄症、甲状腺機能亢進症に伴う血流増生、胸郭出口症候群による外部からの圧迫などによっても生じる。血管雑音は原因疾患の重症度と相関しない。

■ 心臓

診察時の患者の体位や推奨される診察の手順については Box 16-1 を参照。

診察の技術	所見

Box 16-1　心臓診察の手順

体位	診察
仰臥位，30度の半座位（頭部30度挙上）	頸静脈圧や頸動脈拍動を診察した後，前胸部〔両側の第2肋間領域，右室領域，心尖拍動（範囲や位置）を含めた左室領域〕の視診および触診を行う
左側臥位	心尖拍動の範囲を触診で評価する。聴診器の**ベル部**で S_3 のような低調性過剰心音，開放音，僧帽弁狭窄症の拡張期ランブルなどが聴取できるか確認する
仰臥位，30度の半座位	6領域を聴診器の**膜部**，続いてベル部で聴診する。左右の第2肋間，胸骨左縁第4・5肋間，心尖部を聴取する。続いて右心系の心音・心雑音の評価のために胸骨右縁下部を聴取する。右心系の心音・心雑音は吸気で増強することが多い。いずれも**膜部**および**ベル部**で聴取する
十分な呼気後の前傾座位	胸骨左縁に沿って，また心尖部を**膜部**で聴取する。大動脈閉鎖不全症で聴取できる弱い漸減性雑音を確認する

視診と触診

隆起や振戦の評価のために前胸部を視診・触診する。

心尖拍動 apical impulse を視診，触診する（図16-2）。

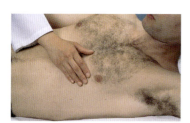

図 16-2　心尖拍動の触診

診察の技術	所見
必要であれば患者を左側臥位にする。下記を記録する。	
● 拍動の位置	心不全や心筋症，虚血性心疾患では心尖拍動の位置が変化する。
● 心尖拍動の範囲（正常では，仰臥位で 2.5 cm 以内）	心不全や虚血性心筋症による心拡大で心尖拍動の範囲や強さは増し，持続時間は延長する。
● 強さ：正常では**指の腹を打つ**程度	左室肥大では拍動は持続性で，うっ血性心不全（容量負荷）ではびまん性（広範）となる。
● 持続時間：胸骨左縁の心窩部領域で右室の拍動を触知する。	拍動が著明であれば右室拡大を疑う。
左右の傍胸骨第 2 肋間を触診する。そこで触知した振戦はすべて記録する。	大血管の拍動，S_2 の増強，大動脈狭窄もしくは肺動脈狭窄に伴う振戦などを評価する。

聴診

図 16-3 に記載の通り，心基部（左右の第 2 肋間）から心尖部に（あるいは心尖部から心基部に）聴診器を少しずつ移動させながら聴診する。

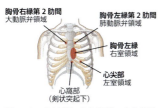

図 16-3 心基部から心尖部への心臓の聴診

診察の技術	所見
S_1, S_2 のような**高調音** high-pitched sound を聴取するには聴診器の膜部を使用する。	大動脈弁逆流や僧帽弁逆流の雑音, あるいは心膜摩擦音も聴取できる。
胸骨左縁下部や心尖部で低調音 low-pitched sound を聴取するには聴診器のベル部を使用する。	S_3, S_4, あるいは僧帽弁狭窄症の雑音を聴取できる。

それぞれの領域で下記を聴取する。

- S_1

  表16-2「心音」, 表16-3「第1心音(S_1)の変化」, 表16-4「第2心音(S_2)の変化」を参照

- S_2。胸骨左縁第2・3肋間での分裂は正常か？

  吸気時の分裂は生理的, 呼気時の分裂は病的

- 収縮期の過剰心音

  収縮期クリック

- 拡張期の過剰心音

  S_3, S_4

- 収縮期雑音

  収縮中期, 全収縮期, 収縮後期雑音

- 拡張期雑音

  拡張早期, 中期, 後期雑音

必要であれば, 僧帽弁狭窄あるいは大動脈弁逆流の雑音聴取のために2つの方法を使用する。

低調音聴取のために患者を左側臥位とし心尖部を聴取する（図16-4）。

左側臥位で S_3, 僧帽弁狭窄の拡張期雑音

診察の技術	所見

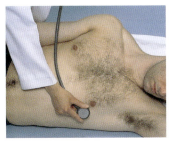

図 16-4 心尖部での低調音を聴取する方法

患者を前傾座位とし,呼気で呼吸を止めてもらう.胸骨下縁から心尖部にかけて聴取する(図16-5).	大動脈弁逆流による拡張期の漸減型拡張期雑音

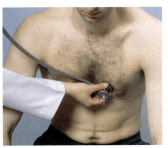

図 16-5 胸骨左縁での大動脈弁閉鎖不全症の雑音の聴取方法

心雑音の評価と記載

雑音が聴取されれば,下記を記載する.

● 心周期におけるタイミング(収縮期,拡張期):雑音を聴取する際には頸動脈拍動を同時に触知するとわかりやすい.	表 16-5「心雑音」,アルゴリズム 16-3「心雑音のある患者へのアプローチ」を参照

診察の技術	所見

頸動脈拍動と同時に聴取できる雑音は収縮期雑音。

- 雑音の形

プラトー型（帯型）か，漸増型か，漸減型か。

漸増-漸減型雑音は，初期に強度が増し，ピークを迎えて減弱する（例：大動脈弁狭窄症）

プラトー（帯型）雑音は，全収縮期にわたり強度が一定（例：僧帽弁閉鎖不全症）

漸増型雑音は，徐々に雑音が大きくなる（例：僧帽弁狭窄症）。

漸減型雑音は，徐々に雑音が小さくなる（例：大動脈弁閉鎖不全症）。

- 最強点の部位

雑音が**心基部 base** で最も大きい場合は大動脈弁，**心尖部 apex** の場合は僧帽弁に問題があることが多い。

- 放散

- 音調

高，中，低調音

- 音質

吹鳴様，粗い，楽音様，ランブル様

- 雑音の強度（Box 16-2, 16-3）

診察の技術　　　　　　　　　　　　　　　　　　　**所見**

Box 16-2　収縮期雑音の評価

強さ		特徴
Grade 1	Ⅰ/Ⅵ度	S_1, S_2 よりも弱い音，かすかに聴取
Grade 2	Ⅱ/Ⅵ度	S_1, S_2 と同程度の音，弱いが聴診ですぐに捉えられる
Grade 3	Ⅲ/Ⅵ度	S_1, S_2 よりも強い音，中程度の強さ
Grade 4	Ⅳ/Ⅵ度	S_1, S_2 よりも大きな音，**振戦を触知する**
Grade 5	Ⅴ/Ⅵ度	**振戦**を伴う，S_1, S_2 よりも強い音。聴診器を一部胸壁から離しても聴取可能
Grade 6	Ⅵ/Ⅵ度	**振戦**を伴う，S_1, S_2 よりも強い音。聴診器を全部胸壁から離しても聴取可能

Box 16-3　拡張期雑音の評価

強さ		特徴
Grade 1	Ⅰ/Ⅳ度	S_1・S_2 よりも弱い音，かすかに聴取
Grade 2	Ⅱ/Ⅳ度	S_1・S_2 と同程度の音，弱いが聴診ですぐに捉えられる
Grade 3	Ⅲ/Ⅳ度	S_1・S_2 よりも強い音，中程度の強さ
Grade 4	Ⅳ/Ⅳ度	S_1・S_2 よりも強い音，聴診器を胸壁から離しても聴取可能

■ 特殊な技術

収縮期雑音の判別に役立つ手法

Valsalva(バルサルバ)手技
患者に息んでもらう(息こらえをしてもらう)。

僧帽弁逸脱症が疑われた際には，クリックや雑音のタイミングを聴取する。

心室充満が減少すれば，僧帽弁逸脱症での収縮期クリックは速まり，心雑音の聴取時間は延長する。

診察の技術	所見
大動脈弁狭窄症と肥大型心筋症を鑑別するには，雑音の強度を意識する。	大動脈弁狭窄症では心雑音は減弱する。肥大型心筋症では増強することが多い。

蹲踞と立位

僧帽弁逸脱症が疑われた場合には，体位ごとにクリックと心雑音に注意し聴診する。	蹲踞は心室充満を増加させるため，クリックや心雑音は遅れる。逆に立位では速まる。
大動脈弁狭窄症と肥大型心筋症を鑑別するために，体位ごとに心雑音を聴取する。	蹲踞では大動脈弁狭窄症の心雑音は増強し，肥大型心筋症の心雑音は減弱する。立位では逆の変化が観察される。

所見の記録

心血管系の診察の記録

30度の半座位で，頸静脈圧は胸骨角より3cm上方。頸動脈拍動の立ち上がりは正常，血管雑音なし。PMIは第5肋間で，鎖骨中線より1cm外側，正常拍動（軽く叩くような拍動）。S_1およびS_2は明瞭。心基部で，S_2はS_1より大きく，病的分裂があり，A_2がP_2より大きい。心尖部では，S_1はS_2より大きい。心雑音・過剰心音なし

または

50度の半座位で，頸静脈圧は胸骨角より5cm上方。頸動脈拍動の立ち上がりは正常だが，左頸動脈で血管雑音を聴取。PMIはびまん性，径3cmで，第5および第6肋間，前腋窩線上で触知。S_1およびS_2はともに減弱し，心尖部でS_3を聴取。最強点が心尖部で，腋窩に放散する高調性で粗いLevine（レバイン）Ⅱ/Ⅵの全収縮期雑音を聴取
この所見は心不全を疑い，左頸動脈狭窄と僧帽弁閉鎖不全症を伴っていると思われる

健康増進とカウンセリング：エビデンスと推奨

健康増進とカウンセリングの重要事項

- 心血管疾患危険因子のスクリーニング

- **ステップ1**：各危険因子のスクリーニング
- **ステップ2**：ウェブサイト上の計算ツールを使用して10年後と生涯の心血管疾患発症リスクを計算する
- **ステップ3**：各危険因子への対応—高血圧，糖尿病，脂質異常症，メタボリック症候群，喫煙，家族歴，肥満
- 生活習慣と危険因子の改善を促す

高血圧（診断の大部分を占める）をはじめ，冠動脈疾患，心不全，脳卒中などの心血管疾患は，米国では男女ともに主要な死因となっている。心血管疾患の既往がない人に対する**一次予防 primary prevention**，心血管イベントの既往がある人に対する**二次予防 secondary prevention**は依然として重要度の高い臨床的課題である。

血圧，コレステロール，体重を至適レベルに保ち，運動，禁煙をすすめ，心血管疾患や脳卒中に対する危険因子を減らすよう，教育やカウンセリングを行う。

心血管疾患危険因子のスクリーニング

ステップ1：各危険因子のスクリーニング

個々の危険因子あるいは心血管疾患の各危険因子のスクリーニング，家族歴あるいは早発性心疾患の家族歴（第1度近親者で，男性は55歳未満，女性は65歳未満で発症）のスクリーニングを20歳からはじめる。推奨されるスクリーニング間隔はBox 16-4に記載した。

Box 16-4　主要な心血管疾患危険因子とスクリーニング間隔

危険因子	スクリーニング間隔	目標
早発性心疾患の家族歴	定期的	心血管リスクの予測
喫煙	毎回の受診時に	禁煙あるいは禁煙のための努力を継続
不健康な食生活	毎回の受診時に	食生活の改善
運動不足	毎回の受診時に	30分程度の中等度強度の運動を週5日
肥満（特に内臓脂肪型肥満）	毎回の受診時に	BMI≦25，腹囲：男性は102 cm以下，女性は89 cm以下

(続く)↗

↘(続き)

危険因子	スクリーニング間隔	目標
高血圧	毎回の受診時に	成人では 130/80 mmHg 未満
脂質異常症	平均リスクの 40〜75 歳の成人では 5 年ごと	米国心臓病学会(ACC)/米国心臓協会(AHA)のガイドラインを満たせばスタチン治療を開始
糖尿病	(正常なら)45 歳から 3 年ごと。危険因子を有するなら年齢に関係なくより頻回に行う	HbA_{1c} が 5.7〜6.4％の患者では糖尿病の予防あるいは発症を遅らせる
脈拍	毎回の受診時に	心房細動の検知と治療

出典：Arnett DK, Blumenthal RS, Albert MA, et al. 2019 ACC/AHA guideline on the primary prevention of cardiovascular disease: executive summary: a report of the American College of Cardiology/American Heart Association Task Force on Clinical Practice Guidelines. *J Am Coll Cardiol*. 2019; 74(10): 1376-1414; Grundy SM, Stone NJ, Bailey AL, et al. 2018 AHA/ACC/AACVPR/AAPA/ABC/ACPM/ADA/AGS/APhA/ASPC/NLA/PCNA guideline on the management of blood cholesterol: executive summary: a report of the American College of Cardiology/American Heart Association Task Force on Clinical Practice Guidelines. *Circulation*. 2019; 139(25): e1046-e1081; James PA, Oparil S, Carter BL, et al. 2014 evidence-based guideline for the management of high blood pressure in adults: report from the panel members appointed to the Eighth Joint National Committee (JNC 8). *JAMA*. 2014; 311: 507; Meschia JF, Bushnell C, Boden-Albala B, et al. Guidelines for the primary prevention of stroke: a statement for healthcare professionals from the American Heart Association/American Stroke Association. *Stroke*. 2014; 45: 3754; Flack JM, Sica DA, Bakris G, et al. Management of high blood pressure in Blacks: an update of the International Society on Hypertension in Blacks consensus statement. *Hypertension*. 2010; 56: 780; and American Diabetes Association. Standards of medical care in diabetes. *Diabetes Care* 2004; 27(suppl 1): s15-s35.

ステップ 2：ウェブサイト上のツールを用いる

40〜79 歳の患者に 10 年後および生涯におけるリスクを心血管疾患リスク計算ツールを用いて算出する(Box 16-5)。このツールで計算されたリスクをもとに，医師患者間でリスク低減について議論を行う。

Box 16-5　代表的なウェブサイト上の心血管疾患リスク計算ツール

ACC/AHA	http://cvdcalculator.com
ACC	http://tools.acc.org/ASCVD-Risk-Estimator-Plus/#!/calculate/estimate

ステップ3：各危険因子への対応

高血圧，糖尿病，脂質異常症，メタボリック症候群，喫煙，家族歴，肥満への対応を以下に記述する。

高血圧

米国予防専門医療委員会（USPSTF）は **18 歳以上のすべての人に高血圧のスクリーニングを行うよう推奨**している。臨床試験データの厳密な科学的レビューにもとづいた「高血圧の予防・発見・診断および治療に関する第 8 回米国合同委員会（JNC 8）報告」の血圧分類を使用する（Box 16-6）。

Box 16-6　成人の血圧分類（JNC 8）

分類 [a]	収縮期（mmHg）		拡張期（mmHg）
正常	＜120	かつ	＜80
高値	120〜129	かつ	＜80
ステージ 1 高血圧	130〜139	または	80〜89
ステージ 2 高血圧	≧140	または	≧90

患者の収縮期血圧，拡張期血圧が 2 つの分類に別れる場合，高いほうの血圧分類とすべきである。
[a] 血圧は 2 回の測定で得られた血圧の平均値を指す。
出典：James PA, Oparil S, Carter BL, et al. 2014 evidence-based guideline for the management of high blood pressure in adults: report from the panel members appointed to the Eighth Joint National Committee (JNC 8). *JAMA*. 2014; 311(5): 507-520.

糖尿病

Box 16-7，16-8 に示したスクリーニングと診断基準を用いる。

Box 16-7　米国糖尿病協会 2017：糖尿病の分類および診断—スクリーニング

スクリーニング基準
危険因子のない健康成人の場合：45 歳から，3 年ごと
BMI≧25 で，以下の危険因子のある成人に対して：
- HbA$_{1c}$≧5.7%，耐糖能異常，または前回検査で空腹時血糖異常
- 第 1 度近親者に糖尿病患者がいる
- 高リスク人種：アフリカ系米国人，米国先住民，ラテン系米国人，アジア系米国人，太平洋諸島系米国人
- 出生体重≧4.08 kg の児の母親，または妊娠糖尿病と診断された人

（続く）

↘(続き)

- 心血管疾患の既往
- ≧140/90 mmHg の高血圧または高血圧治療中
- HDL コレステロール＜35 mg/dL かつ/または中性脂肪＞250 mg/dL
- 多嚢胞性卵巣症候群の女性
- 運動不足
- 重度肥満・黒色表皮腫など，その他インスリン抵抗性に関連する状態

出典：American Diabetes Association. Classification and diagnosis of diabetes. *Diabetes Care.* Jan 2017; 40 (Supplement 1): S11-S24.

Box 16-8　米国糖尿病協会 2017：糖尿病の分類および診断—診断基準

診断基準	糖尿病型[a]	境界型
HbA1c	≧6.5%	5.7〜6.4%
空腹時血糖（2 回以上の検査で）	≧126 mg/dL	100〜125 mg/dL
2 時間血漿血糖値（ブドウ糖負荷試験）	≧200 mg/dL	140〜199 mg/dL
典型的な症状がある場合，随時血糖値	≧200 mg/dL	

[a] 典型的な症状がない場合，異常検査値は再検査して診断を確認することが必須である。ただし，2 つの異なる検査で両方とも異常値を示すなら，追加検査は必要ない。
出典：American Diabetes Association. Classification and diagnosis of diabetes. *Diabetes Care.* 2017; 40(Suppl 1): S11-S24.

脂質異常症

LDL コレステロールは，脂質低下治療の主要な標的である。USPSTF はすべての冠動脈疾患のリスクがある 35 歳を超える男性と 45 歳を超える女性に対する定期的な脂質スクリーニングをグレード A で推奨している。また，糖尿病・高血圧・肥満・喫煙・非冠動脈アテローム性動脈硬化・若年心血管疾患家族歴のいずれかを有する男性・女性に対して 20 歳から脂質異常症をスクリーニングすることをグレード B で推奨している。直近の ACC/AHA コレステロールガイドラインでは，高，中，低リスクレベルに応じてスタチン治療を開始することについて，エビデンスにもとづいた推奨が提示された（図 16-6）。

メタボリック症候群

メタボリック症候群 metabolic syndrome とは，心血管疾患および糖尿病のリスクを上昇させる危険因子を複数有する状態を指す。2009 年に国際糖尿病協会および関連学会が，以下の 5 つの危険因子のうち 3 つを有することを統一した診断基準として発表した。

図 16-6 ACC/AHA コレステロールガイドライン

一次予防：
年齢に応じて ASCVD リスクを評価
健康的な生活習慣を送るよう指導

0～19 歳
ASCVD を予防あるいはリスクを減らすため生活習慣
家族性高コレステロール血症の診断—スタチン治療

20～39 歳
生涯リスクを推算し、ASCVD リスクを減らすために年齢に応じた生活習慣を励行
早発性 ASCVD の家族歴があり、かつ LDL-C ≥ 160 mg/dL（> 4.1 mmol/L）でスタチン治療を考慮

40～75 歳、かつ LDL-C 70～<190 mg/dL（≥1.8～<4.9 mmol/L）、かつ糖尿病なし
10 年 ASCVD リスクに応じて患者とリスクについて話し合う

糖尿病あり、かつ 40～75 歳
中等量のスタチン治療（Class I）

糖尿病あり、かつ 40～75 歳
リスク評価を行い、高用量のスタチン治療を考慮（Class IIa）

LDL-C ≥ 190 mg/dL（≥ 4.9 mmol/L）
リスク評価は必要なし、高用量スタチン治療開始（Class I）

>75 歳
臨床評価、リスクについて話し合い

ASCVD リスクを上げる要因：
- 早発性 ASCVD の家族歴
- 持続的に LDL-C ≥ 160 mg/dL（≥ 4.1 mmol/L）
- 慢性腎臓病
- メタボリック症候群
- 女性特有の疾患（例：妊娠高血圧腎症、早発閉経）
- 炎症性疾患（特に関節リウマチ、乾癬、HIV）
- 人種（例：南アジアにルーツがある人）

脂質・バイオマーカー：
持続的な高中性脂肪血症（中性脂肪 ≥ 175 mg/dL（≥ 2.0 mmol/L））

必要に応じて計測した場合：
- hs-CRP ≥ 2.0 mg/L
- リポ蛋白 (a) 値 > 50 mg/dL または > 125 nmol/L
- apoB ≥ 130 mg/dL
- 足関節上腕血圧比（ABI）< 0.9

<5%
[低リスク]
リスクの話し合い：
危険因子を減らすよう生活習慣を励行（Class I）

5%～<7.5%
[境界リスク]
リスクの話し合い：
リスクを上げる要因が1つでもあれば、中等量のスタチン治療を考慮（Class IIb）

≥7.5%～<20%
[中間リスク]
リスクの話し合い：
リスク予測とリスクを上げる要因によりスタチン治療が支持されれば、中等量のスタチン治療を開始し、LDL-C（値を 30～49% 下げる）（Class I）

リスク分類が不明瞭な場合：
必要に応じて CAC 値を計測
CAC = 0 なら、低リスクで、かつければスタチン治療を行わないことを考慮
CAC = 1～99 なら（特に 55 歳以上）でスタチン治療を考慮
CAC = 100 を超えるかまたは 75 パーセンタイルなら、スタチン治療を開始

≥20%
[高リスク]
LDL-C を 50% 下げることを目標にスタチン治療を開始（Class I）

図 16-6 ACC/AHA コレステロールガイドライン（Grundy SM, et al. 2018 AHA/ACC/AACVPR/AAPA/ABC/ACPM/ADA/AGS/APhA/ASPC/NLA/PCNA Guideline on the Management of Blood Cholesterol: A Report of the American College of Cardiology/American Heart Association Task Force on Clinical Practice Guidelines. *Circulation.* 139(25): e1082-e1143. Copyright ©2018 American Heart Association, Inc. より許可を得て転載）．apoB：アポリポ蛋白 B．ASCVD：動脈硬化性の心血管疾患．CAC：冠動脈カルシウム．CHD：冠動脈疾患．HIV：ヒト免疫不全ウイルス．hs-CRP：高感度 C 反応性蛋白．LDL-C：LDL コレステロール

(1)腹囲の増加(人種および国ごとに異なる),(2)中性脂肪高値,(3)HDL コレステロールの低下,(4)血圧の上昇,(5)空腹時血糖の上昇。

その他の危険因子:喫煙,家族歴,肥満

喫煙 smoking は冠動脈疾患(CHD)と脳卒中のリスクを,非喫煙者および 10 年以上前から禁煙した既往喫煙者と比較して 2〜4 倍上昇させる。年間の CHD による死亡の約 1/3,数にして 12 万人以上の死亡が喫煙に起因している。また成人の 12%に,50 歳未満に発症した心筋梗塞または狭心症の**家族歴 family history** がある。この危険因子は,若年の再灌流治療の家族歴と合わせて,CHD および心血管疾患(CVD)による死亡の生涯リスクを 50%上昇させる。**肥満 obesity**,または BMI 30 以上は正常体重者と比較して,米国で年間 11 万 2,000 人の成人の超過死亡をきたしている。

生活習慣と危険因子の改善を促す

行動変容のための動機づけは難しいが,危険因子の軽減のためには欠かすことのできない臨床技能である。ACC/AHA の推奨を励行(Box 16-9)。

Box 16-9 心血管健康のための生活習慣改善

- 至適体重,または BMI 18.5〜24.9
- 1 日食塩摂取<6 g またはナトリウム摂取<2.3 g
- 定期的な有酸素運動。例えば,週 3〜4 回,1 回平均 40 分の早歩き
- 適度なアルコール摂取。男性 1 日≦2 杯,女性 1 日≦1 杯(2 杯=エタノール約 30 mL,ビール約 700 mL,ワイン約 300 mL,ウイスキー約 60〜90 mL)。果物,野菜,全粒穀物,低脂肪乳製品を豊富に摂り,飽和脂肪酸や総脂肪,スイーツ,赤身肉の摂取を控える

出典:Eckel RH, Jakicic JM, Ard JD, et al. 2013 AHA/ACC guideline on lifestyle management to reduce cardiovascular risk: a report of the American College of Cardiology/American Heart Association Task Force on Practice Guidelines. *Circulation*. 2014; 129: S76.

UNIT II | 第16章 心血管系 281

病歴:
疼痛感覚の質、労作 vs 非労作、体位との関連は？、上肢・頸部・耳への放散

身体診察
バイタルサイン: 低血圧、頻脈、奇脈
肺: 断続性副雑音
心臓: 頸静脈圧上昇、不整脈、心雑音、S_4 ギャロップ
胸壁: 新規の発疹

```
胸痛
├── 病歴
├── 身体診察
└── 心電図
    ├── 心電図異常
    │   ├── ST上昇型心筋梗塞
    │   │   ├── 上行傾斜型ST部分、PR低下 → 心膜炎
    │   │   └── トロポニン、pro-BNP、緊急カテ
    │   │       └── カテ後、診療ガイドラインにもとづく標準治療の開始を確認する：
    │   │           ・アスピリン
    │   │           ・抗血小板薬2剤併用療法
    │   │           ・高用量のスタトロンスタチン
    │   │           ・ACE阻害薬／ARB
    │   └── 非ST上昇型心筋梗塞
    │       └── TIMIスコアによってリスクを層別化
    │           ├── 低リスク（TIMI≤2）→ 虚血があればカテ
    │           └── 高リスク（TIMI≥2）→ 12時間以内にカテ
    └── 心電図正常
        調律、ST異常を評価する。水平型のST上昇が1mmを超える場合、直ちにカテラボチームに連絡する。ST低下であれば、15分おきに繰り返し心電図をとる。ダイナミックなST変化を示唆する。
        ├── 心臓バイオマーカー（繰り返しトロポニン、CK-MB 測定）
        │   ├── 異常
        │   │   └── 負荷検査、心電図正常：ETT
        │   │       低リスクまたは中リスク：負荷心エコーまたは負荷心筋血流検査
        │   │       (+) → CADに対して薬物治療を開始し、バイオマーカー陽性または薬物治療反応不良な場合カテを検討
        │   │       (−) → ・生活習慣および危険因子の是正
        │   │             ・CAD以外の胸痛の原因疾患を考慮
        │   └── 正常
        │       ├── 体位関連痛、炎症マーカー上昇（ESR, CRP）：・心膜炎
        │       ├── 触診で増悪する胸痛：・胸骨周囲痛、・肋軟骨炎
        │       └── 重症症状または異常バイタルサイン：他の原因疾患を考慮
        │           ・CT血管造影、経食道心エコー
        │           ・大動脈解離
        │           ・肺塞栓症
        │           ・気胸
```

アルゴリズム 16-1 胸痛のある患者へのアプローチ（注：このアルゴリズムは包括的とはいえないが、病歴と診察から得られた情報を統合するための出発点としては有用である）*危険因子：喫煙、糖尿病、高血圧、男性≥55歳、CADの家族歴。BNP：脳性ナトリウム利尿ペプチド、CAD：冠動脈疾患、CK-MB：クレアチニンキナーゼMB分画、CRP：C反応性蛋白、ESR：赤血球沈降速度、ETT：トレッドミル運動負荷試験、TIMIスコア：以下各1点：既知の50%狭窄以上のCAD、バイオマーカー陽性、年齢65歳以上、3つ以上のCAD危険因子、24時間に2回以上の胸痛発作、ST部位の0.5mm以上の変位、過去7日間にアスピリンの使用、カテ：冠動脈造影検査

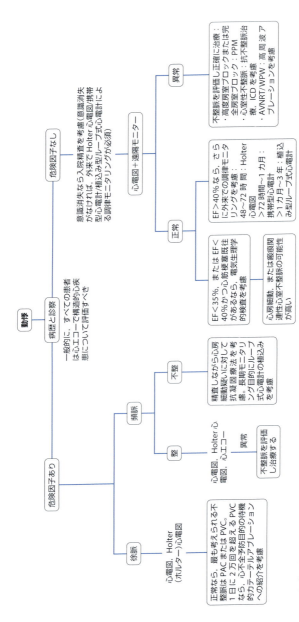

アルゴリズム 16-2 動悸のある患者へのアプローチ（注：このアルゴリズムは包括的とはいえないが、病歴と診察から得られた情報を統合するための出発点としては有用である）*危険因子：失神、原因不明の骨折、心筋梗塞の既往、既知の EF 低下、週>2 回の動悸。AVNRT：房室結節回帰性頻拍、EF：駆出率、ICD：植込み型除細動器、PAC：心房期外収縮、PPM：恒久的ペースメーカ、PVC：心室期外収縮、WPW：Wolff-Parkinson-White 症候群

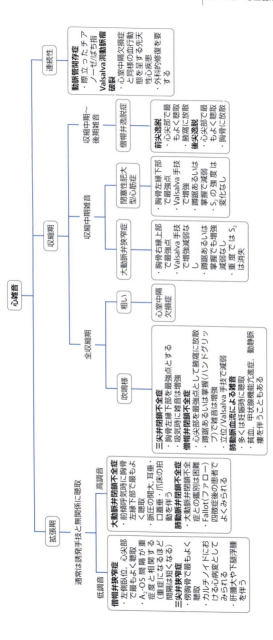

アルゴリズム 16-3 心雑音のある患者へのアプローチ（注：このアルゴリズムは包括的とはいえないが，病歴と診察から得られた情報を統合するための出発点としては有用である）．OS：開放音

表 16-1　胸痛

問題および部位	質，強さ，時間経過および関連症状
呼吸器系	
胸膜痛 病変部の胸壁	●鋭く，刃物で刺される感じ ●しばしば強い ●持続性 ●背景疾患に伴う関連症状（しばしば肺炎，肺塞栓症）
心血管系	
狭心症 胸骨後面もしくは前胸部全体，しばしば肩・腕・頸部・下顎・上腹部へ放散	●圧迫感，絞扼感，重たい感じ，ときに胸やけ ●弱い〜中等度，ときに疼痛というより不快感 ●通常は1〜3分で，長くても10分程度，20分持続することもある ●ときに呼吸困難，悪心，発汗
心筋梗塞 狭心症と同様	●狭心症と同質 ●しばしば激痛（そうでないこともある） ●20分〜数時間 ●悪心・嘔吐，発汗，脱力を伴うことがある
心膜炎 **胸骨後面もしくは前胸部**：左肩の先端および頸部へ放散することもある	●鋭く，刃物で刺される感じ ●しばしば強い ●持続性 ●前傾座位で改善 ●自己免疫性疾患，心筋梗塞後，ウイルス感染症，胸部の放射線治療に関連してみられる
解離性大動脈瘤 前胸部，頸部・背部・腹部へ放散	●引き裂かれる感じ ●非常に強い ●突然発症，早期にピークに達し，数時間以上持続 ●失神，片麻痺，対麻痺を伴うことがある

表 16-1　胸痛（続き）

問題および部位	質，強さ，時間経過および関連症状
消化管	
胃食道逆流症 胸骨後面，ときに背部へ放散	●胸やけ，または絞扼感 ●弱い〜強い ●さまざまな時間経過 ●逆流症状，嚥下困難を伴う。咳嗽，喉頭炎，喘息を伴うことがある
びまん性食道痙攣 胸骨後面，ときに背部・腕・顎へ放散	●通常は絞扼感 ●弱い〜強い ●さまざまな時間経過 ●嚥下困難を伴う
その他	
胸壁痛，肋軟骨炎 左乳房下部や肋軟骨に沿った部位が多い	●突き刺される感じ，または鈍い痛み ●さまざまな強さ ●一瞬から数時間，ときに数日 ●しばしば局所の圧痛を伴う
不安，パニック障害	●突き刺される感じ，または鈍い痛み ●狭心痛と似ていることがある ●呼吸困難，動悸，脱力，不安を伴う

表 16-2　心音

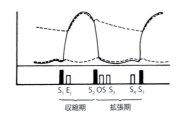

$S_1\ E_j \quad\quad S_2\ OS\ S_3 \quad S_4\ S_1$
収縮期　　　拡張期

所見	考えられる原因
S_1 増強	頻脈，高心拍出状態，僧帽弁狭窄症
S_1 減弱	Ⅰ度房室ブロック，左室収縮能低下，僧帽弁閉鎖不全症のような僧帽弁の可動性低下
収縮期クリック	僧帽弁逸脱症
胸骨右縁第2肋間の S_2 増強	高血圧，大動脈基部拡大
胸骨右縁第2肋間の S_2 減弱あるいは消失	石灰化を伴う大動脈狭窄症のような大動脈弁の可動性低下
P_2 増強	肺高血圧症，肺動脈拡大，心房中隔欠損症
P_2 減弱あるいは消失	加齢，肺動脈弁狭窄症
開放音	僧帽弁狭窄症
S_3	生理的(小児，若年成人で聴取する)，僧帽弁閉鎖不全症あるいは心不全など左室の容量負荷時
S_4	運動耐容能が高い(よくトレーニングされたアスリートなど)，心室コンプライアンスの低下に伴う拡張機能の低下，高血圧性心疾患や大動脈弁狭窄症など圧負荷に伴う左室肥大

表 16-3　第 1 心音(S_1)の変化

正常範囲の変化

心基部(左右の第 2 肋間)では S_1 は S_2 より弱い

心尖部では(必ずではないが)S_1 は S_2 よりも強い

S_1 の亢進

S_1 は(1)頻拍，PR 間隔の短縮，高心拍出量状態(運動，貧血，甲状腺機能亢進症など)，(2)僧帽弁狭窄症で亢進する

S_1 の減弱

S_1 は I 度房室ブロック，僧帽弁閉鎖不全症をきたす僧帽弁の石灰化，心不全や冠動脈疾患での左室収縮能低下時に減弱する

S_1 の強さの変化

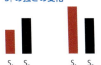

完全房室ブロックや完全な不規則リズム(心房細動など)で S_1 の強さは変化する

S_1 の分裂

三尖弁成分が聴取されるのであれば，通常は胸骨左縁下部に沿って S_1 の分裂は聴取できる。S_1 の分裂が心尖部で聴取される場合は，S_4 や大動脈駆出，収縮早期クリック，右脚ブロック，心室期外収縮の可能性を考慮する必要がある

表 16-4　第 2 心音（S_2）の変化

生理的分裂

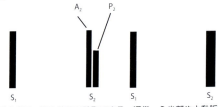

S_2 の分裂は左第 2・第 3 肋間で聴取できる。通常，心尖部や大動脈弁領域では S_2 の肺成分はかすかで聴取しづらく，大動脈弁由来の S_2 のみが単一音として聴取される。生理的分裂は吸気で増強し，多くは労作時に消失する

病的分裂

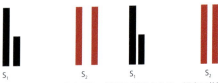

S_2 の幅広い分裂は呼吸全周期を通して明瞭に聴取される。幅広い分裂は肺動脈弁の閉鎖遅延（肺動脈弁狭窄症や右脚ブロックなどによる），あるいは僧帽弁閉鎖不全症に伴う大動脈弁の早期閉鎖により起こる

固定性分裂

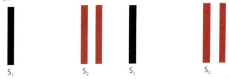

呼吸に伴う変化はみられず，心房中隔欠損症や右室機能不全の場合に確認される

表 16-4　第 2 心音（S_2）の変化（続き）

奇異性分裂あるいは逆分裂

呼気で明瞭となり吸気で消失する。大動脈弁の閉鎖が異常に遅れ，呼気で P_2 の後に A_2 が続く。左脚ブロック症例で確認される

A_2 と P_2 に関してより詳しく

胸骨右縁第 2 肋間での A_2 亢進（同部位では A_2 のみ聴取できることが多い）は高血圧など駆出圧が上昇するときに起こる。大動脈基部が拡大した場合にも，おそらく大動脈弁が胸壁に近づくがゆえに，A_2 が亢進して聴取される

胸骨右縁第 2 肋間における A_2 の減弱・消失は，石灰化に伴う大動脈弁狭窄症など，弁の可動性低下に伴い観察される。A_2 が聴取されなければ，分裂の有無も評価できない

P_2 の亢進。P_2 が A_2 と同等ないし大きい場合には，肺高血圧症を考える。他の原因としては肺動脈拡大や心房中隔欠損症があげられる。心尖部や右室基部で S_2 の幅広い分裂が聴取される場合には P_2 が亢進していると考える

P_2 の減弱ないし消失は，おもに加齢に伴う胸郭の前後径（腹背方向）の拡大が考えられる。肺動脈狭窄症でも起こりえる。P_2 が聴取できない場合は，分裂の評価はできない

表 16-5	心雑音	
		考えられる原因
収縮中期		無害性雑音（弁異常はない） 生理的雑音（妊娠や発熱，貧血など，半月弁を通過する血流量の増加に起因する） 大動脈弁狭窄症 大動脈弁狭窄症に類似した雑音を呈する疾患として，大動脈弁硬化，大動脈二尖弁，大動脈拡大，大動脈弁を通過する血流の病的な増加が鑑別にあげられる 肥大型心筋症 肺動脈弁狭窄症
全収縮期		僧帽弁閉鎖不全症 三尖弁閉鎖不全症 心室中隔欠損症
収縮後期		僧帽弁逸脱症，しばしばクリック（C）を伴う
拡張早期		大動脈弁閉鎖不全症
拡張中期と収縮前期		僧帽弁狭窄症：開放音（OS）を聴取
連続性雑音		動脈管開存：粗い，機械様
		心膜摩擦音：1〜3つの成分からなる耳障りな音
		静脈雑音：連続性，鎖骨中線上，拡張期でより強く聴取

第17章 末梢血管系とリンパ系

病歴

よくみられる，または注意すべき症状

- 四肢の痛み，腫脹
- 運動によって誘発される，締め付けられるような痛みと安静による改善（**間欠性跛行**）
- 下肢の冷感，しびれ，蒼白，色調変化，体毛の消失
- 腹部痛，側腹部痛，背部痛

四肢の痛み，腫脹

四肢に痛みがあるかたずねる。	Raynaud（レイノー）現象（病）での寒冷によって誘発される，指趾の虚血性変化（蒼白→チアノーゼ様→発赤）。アルゴリズム 17-1「下肢痛のある患者へのアプローチ」を参照
足部・下肢の**腫脹**または下肢（しばしば足首付近）の**潰瘍形成**についてたずねる。	**深部静脈血栓症 deep vein thrombosis(DVT)** では腓腹（ふくらはぎ）の腫脹を認める。**うっ滞性皮膚炎 stasis dermatitis** では特に足のぶらさげで色素沈着，浮腫，チアノーゼがみられる。**蜂窩織炎 cellulitis** では発赤や疼痛を伴う腫脹がみられる。アルゴリズム 17-2「下腿浮腫のある患者へのアプローチ」を参照

運動によって誘発される，締め付けられるような痛みと安静による改善（間欠性跛行）

運動誘発性で安静にすると寛解し，運動を控えてしまうような，10分程度で軽減する痛みである**間欠性跛行 intermittent claudication**はあるか？「歩いたり運動するときに足に痛みがあったり，締め付けられるような感覚を感じたことはありますか？」「休まないでどれくらいの距離を歩けますか？」「痛みは安静にするとよくなりますか？」とたずねる。

末梢動脈疾患 peripheral arterial disease(PAD)は労作による症候性の虚血をきたしうる。これは，労作時の下肢痛を起こし，しばしば前傾姿勢（狭窄した脊椎管内で脊髄を伸展させる）で軽減し，安静時には PAD の痛みほど軽減しにくい脊柱管狭窄症の神経原性疼痛と区別できる。

患者はほとんど症状を訴えないため，危険因子を特定しなければならない。喫煙，高血圧，糖尿病，脂質異常症，冠動脈疾患，そして PAD の警告症状を確認する(Box 17-1)。

患者の 10〜30％のみが腓腹部痛を呈し，古典的な労作で増悪し，安静にするとよくなる。

Box 17-1　末梢動脈疾患(PAD)の警告症状

- 歩行や運動を制限するような，脚の疲労，うずき，しびれ，痛み。もしあれば場所を特定する。勃起障害についてもたずねる
- 治りの遅い，または治癒しない下肢や足の傷
- 安静時に認める下肢や足の痛み，立位や臥位で変化する痛み
- 食後の腹痛とそれに関連した**摂食恐怖感**，体重減少

(続く)↗

症状のある場所から動脈虚血の部位がわかる。
- 殿部，股関節部：大動脈腸骨動脈部
- 勃起障害：腸骨動脈-陰部動脈
- 大腿：総大腿動脈，大動脈腸骨動脈部
- 腓腹(ふくらはぎ)上部：浅大腿動脈
- 腓腹(ふくらはぎ)下部：膝窩動脈
- 足：脛骨動脈，腓骨動脈

これらの症状から腹腔動脈，上・下腸管膜動脈由来の腸間膜動脈虚血を疑う。

↘(続き)

● 第1度近親者に腹部大動脈瘤の既往	第1度近親者での腹部大動脈瘤の有病率は15〜28％である。

下肢の冷感，しびれ，蒼白，色調変化，体毛の消失

下肢，足部の**冷感やしびれ**，**皮膚蒼白**，前脛骨面の**体毛の消失**についてたずねる。	PADでの前脛骨面の体毛の消失。「乾いた」茶褐色または黒色壊死性潰瘍が起こりうる。アルゴリズム17-3「下肢に色調変化を呈する患者へのアプローチ」を参照

腹部痛，側腹部痛，背部痛

特に高齢男性喫煙者には腹部，側腹部，背部の痛みについてたずねる。	腹部大動脈瘤が膨隆すると動脈や尿管を圧迫することがある。

診察の技術

末梢血管系の診察の重要項目

上肢
- 上肢の視診
- 上肢の触診（橈骨動脈拍動，上腕動脈拍動，滑車上リンパ節）

腹部
- 鼠径リンパ節の触診
- 腹部の触診（大動脈径と拍動）
- 腹部の聴診（大動脈・腎動脈・大腿動脈の雑音）

下肢
- 下肢の視診
- 下肢の触診（大腿動脈・膝窩動脈・足背動脈・後脛骨動脈の拍動，温度，腫脹）

さらに，血圧，頸動脈，大動脈，腎動脈，大腿動脈の評価手技について確認しておく

- 両側の腕で血圧を測定する（第8章「全身の観察，バイタルサイン，疼痛」，p.127〜130）
- 頸動脈の拍動を触れ，雑音を聴診する（第16章「心血管系」，p.271〜272）

(続く)↗

↘(続き)

- 大動脈・腎動脈・大腿動脈の雑音を聴取する。大動脈を触診し，最大径を測定する（第 19 章「腹部」, p.332～334）

| 診察の技術 | 所見 |

上肢

以下を視診する。

- 大きさや対称性，腫脹

  リンパ節腫脹，静脈閉塞

- 静脈走行

  静脈の側副路，浮腫，色調変化があれば上肢 DVT の徴候といえる。

- 皮膚や爪の色調，表面の様子

  境界明瞭な手指蒼白は Raynaud 病でみられる。

動脈を触診し，拍動の程度を評価する（Box 17-2）。

Box 17-2　推奨されている動脈拍動の評価

3+	跳ねるような拍動
2+	活発な，予測される通りの拍動（正常）
1+	減弱した，予測よりも弱い拍動
0	消失，触知しない

- 橈骨動脈（図 17-1）

  跳ねるような橈骨動脈・頸動脈・大腿動脈の拍動は大動脈弁閉鎖不全でみられる。

  閉塞性血栓性血管炎，急性動脈閉塞では消失する。

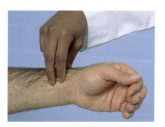

図 17-1　橈骨動脈拍動の触知

診察の技術	所見

● 上腕動脈（図 17-2）

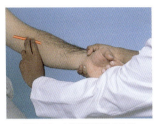

図 17-2 上腕動脈拍動の触知

滑車上リンパ節を触診する。	局所もしくは遠位の感染，リンパ腫，HIV ではリンパ節腫脹を認める。

腹部

大動脈・腎動脈・大腿動脈の雑音を聴取する。	
丁寧に触れ，二本の指で大動脈の幅を推定する。	直径 4 cm 以上の拍動性の腫瘤があれば腹部大動脈瘤を疑う。
表在性鼠径リンパ節を触れる（図 17-3）。大きさ，可動性，他のリンパ節との癒合，圧痛に注意する。	性器感染，リンパ腫，AIDS ではリンパ節腫脹を認める。

● 鼠径リンパ節水平群

● 鼠径リンパ節垂直群

診察の技術	所見

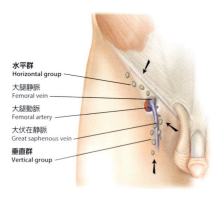

図 17-3　表在性鼠径リンパ節

下肢

以下を視診する。	表 17-1「動脈・静脈の慢性機能不全」，表 17-2「足部と足首部の一般的な潰瘍」を参照
● 大腿，腓腹の大きさ，対称性，腫脹	DVT でみられる静脈機能不全，リンパ節腫脹。腓腹の周囲径で(脛骨粗面の 10cm 下で計測する)左右差が 3cm 以上ある場合，DVT のリスクは 2 倍になる。
● 静脈の走行	静脈瘤
● 皮膚の色調や表面の様子	蒼白，発赤，チアノーゼ。**蜂窩織炎**または**血栓性静脈炎 thrombophlebitis** での紅斑，熱感。PAD における色素沈着や足部の潰瘍形成
● 毛の分布，皮膚温	PAD では萎縮性かつ無毛で冷感のある皮膚

診察の技術	所見
動脈を触診し,拍動を評価する。	急性動脈閉塞や閉塞性動脈硬化症による拍動の消失

- 大腿動脈

- 膝窩動脈(図17-4)

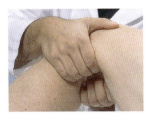

図17-4 膝窩動脈の触診

- 足背動脈,後脛骨動脈(図17-5,17-6)

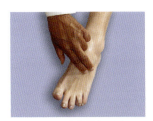

図17-5 足背動脈の触診

大腿動脈,膝窩動脈の拍動が正常であるにもかかわらず,足部の動脈(足背動脈,後脛骨動脈)の触知がない場合はPADである可能性が高まる。足関節上腕血圧比(ABI)を測定して確認する(Box 17-3)。

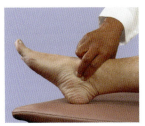

図17-6 後脛骨動脈の触診

診察の技術	所見
圧痕浮腫を触診する。	浮腫，心不全，低アルブミン血症，ネフローゼ症候群
腓腹部を触診する。	索状物や圧痛はDVTでみられる（必ずみられるわけではない）。
立位における静脈の走行を再度確認する。	静脈瘤

特殊な技術

末梢動脈疾患（PAD）を評価する

PADをスクリーニングするために，足関節上腕血圧比 ankle-brachial index（ABI）を使用する。（Box 17-3）0.9以下は異常とされる。

Box 17-3　ABIの測定

ABI測定法
1. 患者は暖かい部屋で仰臥位になり，少なくとも検査前10分間は安静にする

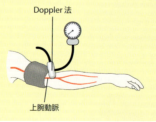

Doppler法
上腕動脈

（続く）↗

診察の技術	所見

↘（続き）

2. 図のように血圧カフを腕と足首に巻き，超音波用のゲルを上腕動脈，足背動脈，後脛骨動脈に塗布する
3. 収縮期血圧を上腕で測定する（上腕動脈圧）
   - Doppler 超音波トランスデューサを使って上腕動脈の拍動を特定する
   - 拍動が聴取できた圧より 20 mmHg 高い圧までカフをふくらませる
   - カフ圧をゆっくり抜き，聴取可能になった時点での血圧を記録する
   - 左右の腕で 2 回ずつ測定し，その平均値を上腕動脈圧として記録する

4. 足首で収縮期血圧を測定する（足背動脈圧）
   - Doppler 超音波トランスデューサを使って足背動脈の拍動を特定する
   - 拍動が聴取できた圧より 20 mmHg 高い圧までカフをふくらませる
   - カフ圧をゆっくり抜き，聴取可能になった時点での血圧を記録する
   - 左右の足で 2 回ずつ測定し，平均をとって足背動脈圧として記載する
   - 上記の手順を後脛骨動脈に対しても行う
5. ABI をそれぞれの足で計算する
   - ABI の値は小数点以下 2 桁で記録される

$$右 ABI = \frac{右足首での最大血圧（足背動脈もしくは後脛骨動脈）}{両上腕での最大血圧（右もしくは左）}$$

$$左 ABI = \frac{左足首での最大血圧（足背動脈もしくは後脛骨動脈）}{両上腕での最大血圧（右もしくは左）}$$

ABI の解釈

ABI 値	臨床的解釈
＞0.90（0.90〜1.30）	正常な下肢血流
＞0.60〜＜0.89	軽度の PAD
＞0.40〜＜0.59	中等度の PAD
＜0.39	重度の PAD

診察の技術	所見

手への動脈還流の評価

尺骨動脈も触診する。**Allen(アレン)テスト**を施行する。

1. 患者に拳を堅く握ってもらう。診察者は橈骨動脈と尺骨動脈の両方を母指で押さえ圧迫する(図17-7)。

図17-7　橈骨動脈と尺骨動脈の圧迫

2. 患者は手を開きリラックスし，やや屈曲させる(図17-8)。

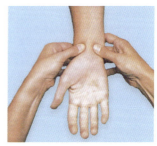

図17-8　手をリラックスさせた状態での手掌の蒼白

診察の技術	所見
3. 一方の動脈での圧迫を緩める。手掌の色は3〜5秒以内で元に戻る(潮紅する)(図17-9)。	 **図17-9** 手掌の潮紅:Allenテスト陰性(動脈還流の保持)
4. もう一方の動脈でも圧迫を緩める。蒼白なままであれば,圧迫を緩めたほうの動脈,もしくはその遠位枝の閉塞が示唆される(図17-10)。	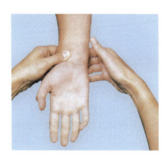 **図17-10** 手掌の蒼白:Allenテスト陽性(動脈閉塞性疾患の疑い)

所見の記録

末梢血管系の診察の記録

四肢は温かく,浮腫なし。静脈瘤およびうっ血性変化なし。腓腹部は柔軟で,圧痛なし。大腿および腹部に血管雑音なし。橈骨動脈,上腕動脈,大腿動脈,膝窩動脈,足背動脈(DP),後脛骨動脈(PT)の拍動は,2+で対称

または

四肢は腓腹中央下で蒼白となり,著しい脱毛あり。脚を下ろすと発赤あり,浮腫,潰瘍なし。両側大腿動脈の雑音あり,腹部血管雑音なし。橈骨動脈,上腕動脈の拍動は2+。大腿動脈,膝窩動脈,DP,PTの拍動は1+

(続く)↗

↘(続き)

(拍動については以下のように表形式で記述することもできる)

	橈骨動脈	上腕動脈	大腿動脈	膝窩動脈	足背動脈	後脛骨動脈
右側	2+	2+	1+	1+	1+	1+
左側	2+	2+	1+	1+	1+	1+

これらの所見からPADを疑う

健康増進とカウンセリング:エビデンスと推奨

健康増進とカウンセリングの重要事項

- 下肢におけるPADのスクリーニング
- 腹部大動脈瘤のスクリーニング

下肢におけるPADのスクリーニング

PADの有病率は年齢とともに上昇し,65〜75歳では8%程度,75歳以上では18%まで上昇する。心血管疾患の危険因子,特に喫煙や糖尿病はリスクを増加させる。PAD患者の40〜60%は冠動脈疾患や脳血管疾患を合併しており,またPADがあると,有意に心血管リスクを増加させる。PAD患者の多くは無症状,もしくは非特異的な下肢症状(痛み,痙攣痛,しびれ,疲労感など)にとどまる。米国予防医療専門委員会(USPSTF)は,ABIの相対的な有益性や有害性を見積もるエビデンスが不十分なため,PADのスクリーニングについては言及していない。しかしながら,AHA/ACCのガイドラインではリスクのある患者ではABIによるPADスクリーニングは妥当であると提言している(Box 17-4)。

Box 17-4 下肢におけるPADの危険因子

- 65歳以上
- 糖尿病の既往や喫煙歴のある50歳以上の患者
- 労作性の下肢症状
- 傷の治りが遅い

腹部大動脈瘤のスクリーニング

腹部大動脈瘤 abdominal aortic aneurysm（AAA）は腎動脈以下の大動脈径が3cm以上の場合とされる。腹部大動脈の直径が5.5cmを超えると破裂や死亡率が急激に上昇するといわれている。その他の危険因子としては喫煙，65歳以上，家族歴，冠動脈疾患，PAD，高血圧，コレステロール高値である。AAAは症状に乏しいことと，13～15年間での死亡率を50％減少させることができるため，USPSTFは65～75歳の，生涯で100本以上の喫煙歴のある男性に対し，腹部超音波でのスクリーニングを一度は行うことを推奨している。喫煙歴のある同年代の女性に関するエビデンスは不十分であり（グレードI），また，非喫煙女性に関しては推奨していない（グレードD）。

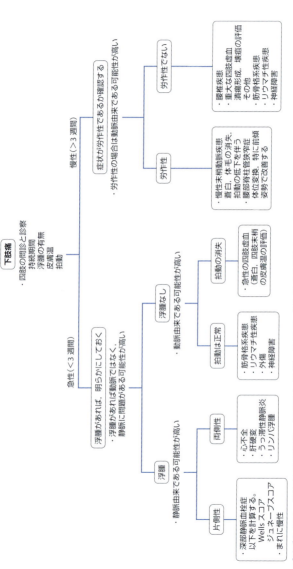

アルゴリズム 17-1 下肢痛のある患者へのアプローチ（注：このアルゴリズムは包括的とはいえないが、病歴と診察から得られた情報を統合するための出発点としては有用である）

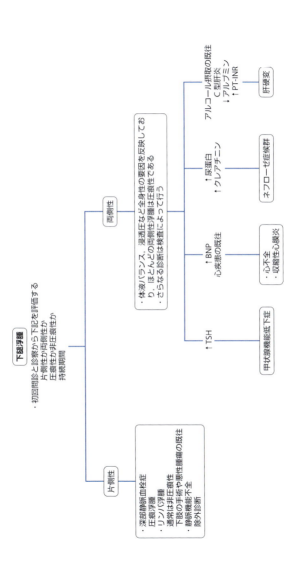

アルゴリズム17-2 下腿浮腫のある患者へのアプローチ（注：このアルゴリズムは包括的とはいえないが、病歴と診察から得られた情報を統合するための出発点としては有用である）BNP：脳性利尿ペプチド、PT-INR：プロトロンビン時間国際標準化比、TSH：甲状腺刺激ホルモン

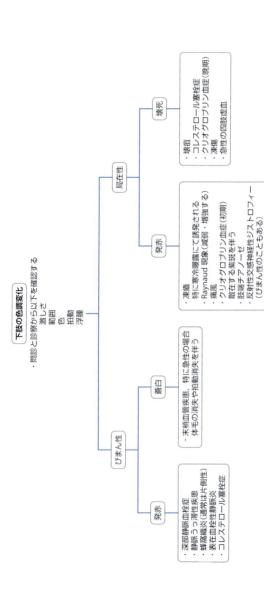

アルゴリズム 17-3 下肢に色調変化を呈する患者へのアプローチ（注：このアルゴリズムは包括的とはいえないが，病歴と診察から得られた情報を統合するための出発点としては有用である）

表 17-1　動脈・静脈の慢性機能不全

状態	特徴
慢性動脈機能不全 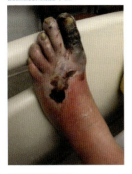	間欠性跛行が進行し，安静時痛をきたす。拍動は減弱または消失。特に下肢の挙上で皮膚は蒼白になり，下垂するとくすんだ赤色になる。皮膚冷感あり。浮腫はないか，軽度であるが，痛みを軽減させようと安静にした下肢においてみられる。薄く，光沢のある，萎縮した皮膚。足部，足趾に体毛の消失あり。厚く隆起した爪。足趾の潰瘍や，足部の小さな傷もみられる。壊疽の可能性あり
慢性静脈機能不全 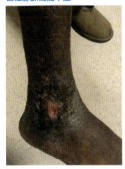	下肢の下垂により痛みがでてくるようになった。拍動は正常だが，浮腫のため触れにくいかもしれない。色調は正常もしくは下垂によりチアノーゼ様。点状出血や茶色の色素沈着がみられる。しばしば明らかな浮腫を伴う。うっ滞性皮膚炎や，皮膚の肥厚，瘢痕化が進むと脚が細くなる。足首の外側に潰瘍がみられる。壊疽はない

写真出典：Daniel Han, MD の厚意による

表 17-2　足部と足首部の一般的な潰瘍

潰瘍	特徴
動脈機能不全 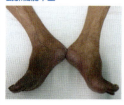	足趾，足部，または外傷部位にみられる。皮膚に肥厚や色素沈着はみられない。萎縮している可能性あり。ニューロパチーにより痛みを感じない場合を除き，しばしば激烈な痛みを伴う。壊疽の可能性あり。拍動は減弱しており，萎縮性変化を伴う。下肢の挙上で皮膚蒼白となり，下垂で暗赤色になる
慢性静脈機能不全 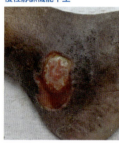	内果または外果にみられる。色素沈着し，ときに線維化を伴う。痛みはひどくはない。壊疽はない。浮腫，色素沈着，うっ滞性皮膚炎，下肢の下垂によって足部のチアノーゼ様変化が出じうる
神経障害性潰瘍 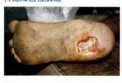	糖尿病ニューロパチーでみられるような，感覚鈍麻が生じている部位に圧力がかかることで起こる。皮膚は硬くなる。痛みはない（そのため潰瘍ができても気づかないことがある）。通常，壊疽はない。感覚鈍麻があり，アキレス腱反射は消失

写真出典：動脈機能不全— Alan Nissa（Shutterstock），慢性静脈機能不全— Casa nayafana（Shutterstock），神経障害性潰瘍— Zay Nyi Nyi（Shutterstock）

第18章 乳房と腋窩

病歴

よくみられる，または注意すべき症状

- 乳房のしこりや腫瘤
- 乳房の不快感や痛み
- 乳頭からの分泌物

乳房のしこりや腫瘤

「自分で乳房を検査しますか？」「どのくらいの頻度でしますか？」とたずねる。乳房の腫瘤やしこりについてもたずねる。正確な位置，できてからの期間，外傷の既往，圧痛，月経周期に伴う大きさの変化や変動などを確認する。すべての乳房の腫瘤は慎重な評価を必要とし，確定診断の手段を講じる必要がある。

しこりは，生理的なものと病的なものがあり，嚢胞や線維腺腫から乳癌に至るまで，さまざまである。アルゴリズム 18-1「乳房にしこりや腫瘤のある患者へのアプローチ」を参照

表 18-1「乳房の触知可能な腫瘤」を参照

乳房の不快感や痛み

乳房の不快感や痛みについて，たずねる。

乳房痛に関連する薬物には，選択的セロトニン再取り込み阻害薬，ハロペリドール，スピロノラクトン，ジゴキシンがある。アルゴリズム 18-2「乳房に不快感や痛みのある患者へのアプローチ」を参照

乳頭からの分泌物

乳頭からの分泌物，乳房の輪郭の変化，乳房のえくぼ形成，腫れ，乳房の皮膚のくぼみについてもたずねる（アルゴリズム18-3「乳頭に分泌物のある患者へのアプローチ」参照）。

診察の技術

乳房と腋窩の診察の重要項目

女性
- 腕を横におろした姿勢，腕を頭の上に置いた姿勢，手を腰にあてた姿勢，前屈みの姿勢の4つの姿勢で乳房を視診する（皮膚の外観，乳房の大きさ・左右対称性・輪郭，乳頭の特徴）
- 乳房の触診
- 腋窩の視診
- 腋窩リンパ節の触診

男性
- 乳頭と乳輪の視診
- 乳輪と乳房組織の触診

診察の技術	所見

女性の乳房

4つの姿勢で視診し，姿勢によって変化があるか確認する（図18-1～18-5）。

| 診察の技術 | 所見 |

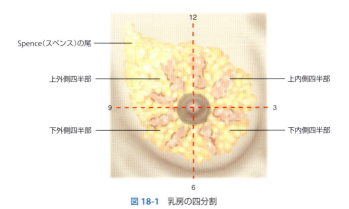

図18-1 乳房の四分割

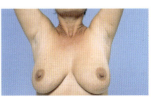

図18-2 両腕を横におろした姿勢での視診

図18-3 両腕を頭の上に置いた姿勢での視診

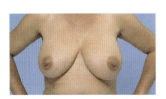

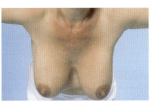

図18-4 両手を腰にあてた姿勢での視診

図18-5 前屈みの姿勢での視診

以下に注意する。
- 大きさと左右対称性   表18-2「乳癌の視覚的徴候」を参照

- 輪郭   平坦化，えくぼ形成は癌を示唆する。

診察の技術	所見

● 皮膚の外観

乳癌における浮腫（橙皮状皮膚 peau d'orange）

乳頭を視診する。
● 大きさや形，向きを比べる。

陥没，陥凹，偏位

● 発疹や潰瘍，分泌物に注意する。

Paget（パジェット）病の乳頭，乳汁漏出

豊胸・再建部位を含め，乳房を触診する。乳房を平らにした状態にするため，仰臥位にする。

垂直方向の連続パターン（現在のところ最も検証された手法）や円形法，くさび形法を用いる。**小さな同心円**を描くように触診する。

● **乳房の外側部**を診察するために，患者に仰臥位のまま，調べる乳房と反対側の腰のほうへ体を向け，手を額に置いて，肩は診察台につけたままにしてもらう（図 18-6）。

図 18-6 垂直方向の連続パターン（乳房の外側部）

● **乳房の内側部**を診察するために，患者に仰臥位のまま，診察台に肩をつけた状態で，手を首にあて，肘を屈曲させて肩の高さまで上げてもらう（図 18-7）。

図 18-7 垂直方向の連続パターン（乳房の内側部）

診察の技術	所見
鎖骨から乳房下溝線までと胸骨中線から後腋窩線,さらにSpenceの尾部まで広がる長方形の領域を触診する。	
以下に注意する。	
● 硬さ	生理的な結節
● 圧痛	感染症,月経前の圧痛
● 結節:結節があれば,位置,大きさ,形,硬さ,境界,圧痛,可動性に注意する。	嚢胞,線維腺腫,癌
左右の乳頭を触診する。	癌における肥厚
乳頭を中心として車輪状に,乳輪を圧迫する。分泌物を観察する。	分泌物の種類や発生源を特定しうる。
乳房切除の切開線に沿って,視診,触診する。	乳癌の局所再発

男性の乳房

乳頭と乳輪を視診・触診する。	女性化乳房,癌を疑う腫瘤,脂肪

腋窩

発疹,感染症,色素沈着を視診する。	化膿性汗腺炎,黒色表皮腫
中心,胸筋,外側,肩甲骨下など腋窩リンパ節を触診する(図18-8)。	リンパ節腫脹

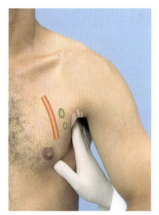
図 18-8 左腋窩の触診

所見の記録

乳房と腋窩の診察の記録

乳房は対称的で滑らか，腫瘤はない。乳頭には分泌物なし（腋窩リンパ節腫脹は通常，頸部リンパ節群の項目の後に記載される）

または

乳房は，びまん性の線維性嚢胞性変化を伴って下垂している。右乳房の上外側の 11 時方向，乳頭から 2 cm のところに，1×1 cm の硬い腫瘤があり，可動性で圧痛はなく，橙皮状皮膚に覆われている
これらの所見から，乳癌の可能性が示唆される

健康増進とカウンセリング：エビデンスと推奨

健康増進とカウンセリングの重要事項

- 乳癌のリスク評価
- 乳癌スクリーニング

乳癌のリスク評価

罹患女性の約50%で，素因となる危険因子が知られていない。十分に確立されている危険因子を以下にあげる（Box 18-1）。表18-3「女性における乳癌の相対的リスクを増加させる因子」を参照してほしい。

Box 18-1　乳癌の危険因子

修正不可能な危険因子
- 年齢（最も重要）
- 乳癌および卵巣癌の家族歴
- 遺伝的な変異
- 乳癌または非浸潤性小葉癌の既往歴
- 内因性ホルモン高値
- 乳房組織の高密度
- 乳房生検で異型を伴う増殖性病変がある
- 初経の早さに関連するプロゲステロンによる拮抗作用を受けないエストロゲンの曝露期間
- 最初の正期産妊娠の年齢
- 閉経後期
- マンモグラフィでの乳腺高密度（独立した強力な危険因子として重要性が増している）
- 胸部への放射線被曝歴
- ジエチルスチルベストロール曝露歴

修正可能な危険因子
- 1年未満の母乳育児
- 閉経後の肥満
- ホルモン補充療法の使用
- 喫煙
- アルコール摂取
- 運動不足
- 避妊の種類

乳癌発症の個人的リスクを女性が判断するために，いくつかの乳癌リスク評価計算式およびツールを使用することができる（Box 18-2）。

Box 18-2 乳癌のリスクを評価するための計算式

- Gail モデル:http://www.cancer.gov/bcrisktool/
- 米国疾病対策センター(CDC)の癌予防対策部門による Know BRCA Tool:
https://www.knowbrca.org/

乳癌スクリーニング

マンモグラフィと医療者による乳房の視触診の組み合わせは,最も一般的なスクリーニング方法である。しかし,専門家グループからの推奨は,Box 18-3 に示すように,スクリーニング方法,スクリーニング開始時期,スクリーニング間隔についてさまざまである。特に,リスクに応じたスクリーニングの指針となる証拠がより多く出てきているため,医療者は個々の患者をカウンセリングする際に十分な情報を得る必要がある。

Box 18-3 平均的なリスクの女性における乳癌スクリーニングの推奨事項[訳注]

団体	マンモグラフィ	視触診による乳房検診	乳房自己検診
USPSTF(平均的なリスクの女性)	50~74歳:隔年で実施 50歳未満:患者固有の要因にもとづいて,個別に検診を検討する 75歳以上:有益性と有害性のバランスを評価するには十分な証拠がない	マンモグラフィによる検診以外の追加的な有益性と有害性を評価するには十分な証拠がない	乳房自己検診の指導は推奨しないが,ブレスト・アウェアネス breast self-awareness(乳房を意識した生活習慣)は支持する

(続く)

訳注:わが国では,厚生労働省「がん予防重点健康教育及びがん検診実施のための指針」(平成20年3月31日付け健発第0331058号 厚生労働省健康局長通知別添)により,40歳以上を対象に2年に1回の問診およびマンモグラフィを推奨。この指針では視触診は推奨されていないが,実施の場合,マンモグラフィとあわせて行うよう勧告。なお自己触診は30歳以上の女性(40代以上であれば乳癌スクリーニング時に)に対する指導を推奨。

(続き)

米国癌協会（平均的なリスクの女性，2015年）	40〜45歳：任意の年1回の検診 45〜54歳：年1回の検診 55歳以上：2年に1回の検診（年1回の検診も任意で継続） 健康状態が良好で余命が10年以上の場合は，検診を継続する	推奨しない	推奨しないが，ブレスト・アウェアネスを促す
米国産科婦人科学会	40歳から検診を行う 検診は，共同意思決定プロセスにもとづいて，1年または2年ごとに行うべきである 少なくとも75歳まで検診を続ける	共同意思決定プロセスにもとづいて，25〜39歳の女性は1〜3年ごと，40歳以上の女性は1年ごとに検診を行ってもよい	推奨はしないが，ブレスト・アウェアネスについて指導すべきである

出典：Siu AL, U.S. Preventive Services Task Force. Screening for breast cancer: U.S. Preventive services task force recommendation statement. *Ann Intern Med*. 2016; 164: 279-296; Oeffinger KC, Fontham ET, Etzioni R, et al. Breast cancer screening for women at average risk: 2015 guideline update from the American cancer society. *JAMA*. 2015; 314: 1599-1614; Practice bulletin No. 179 Summary: Breast cancer risk assessment and screening in average-risk women. *Obstet Gynecol*. 2017; 130: 241-243.

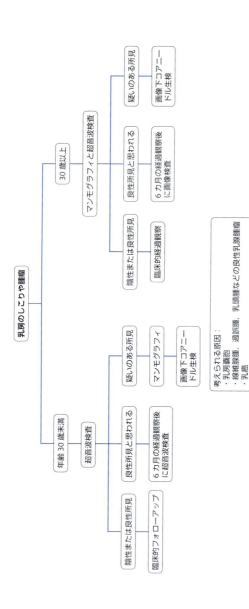

アルゴリズム 18-1 乳房にしこりや腫瘤のある患者へのアプローチ（注：このアルゴリズムは包括的とはいえないが，病歴と診察から得られた情報を統合するための出発点としては有用である）

乳房の不快感や痛み

```
乳房の不快感や痛み
├─ 局所的な痛み
│   ├─ 周期的な痛み
│   │   └─ CBEが正常であれば
│   │      ルーチンではない画像
│   │      検査は不要
│   └─ 非周期的
│       ├─ 年齢30未満
│       │   └─ 超音波検査
│       └─ 30歳以上
│           └─ 超音波検査とマンモ
│              グラフィ
│
│   考えられる原因：
│   ・ホルモン（薬や月経周期によるもの）
│   ・乳房腫瘤
│   ・乳腺炎、乳房膿瘍
│   ・外傷や手術の既往
│   ・肋軟骨炎や緊張筋骨痛症など乳房以外の原因
│
└─ 非局所的なまたはびまん性の痛み
    (乳房の25%以上)
    ├─ 年齢40歳未満
    │   └─ CBEが正常であれば
    │      ルーチンではない画像
    │      検査は不要
    └─ 40歳以上
        └─ マンモグラフィ

    考えられる原因：
    ・ホルモン（薬や月経周期によるもの）
    ・乳房が大きい
    ・妊娠
```

アルゴリズム 18-2 乳房に不快感や痛みのある患者へのアプローチ（注：このアルゴリズムは包括的とはいえないが、病歴と診察から得られた情報を統合するための出発点としては有用である）CBE：視触診による乳房検診

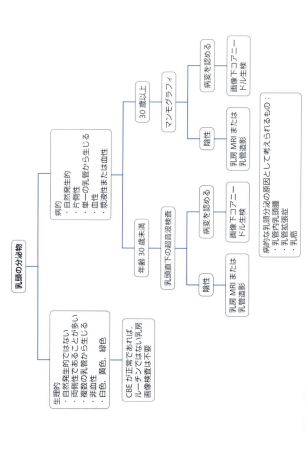

アルゴリズム 18-3 乳頭に分泌物のある患者へのアプローチ（注：このアルゴリズムは包括的とはいえないが、病歴と診察から得られた情報を統合するための出発点としては有用である）　CBE：視触診による乳房検診

表 18-1　乳房の触知可能な腫瘤

年齢	一般的な病変	特徴
15〜25 歳	線維腺腫	通常滑らか，ゴム状，円形，可動性あり，圧痛なし
25〜50 歳	囊胞	通常軟性〜硬性，円形，可動性あり。しばしば圧痛あり
	線維嚢胞性変化	結節性，ロープ状
	癌	不整，硬い，可動性あり，または周囲組織に固定
50 歳超	他の疾患とわかるまで癌として扱う	不整，硬い，可動性あり，または周囲組織に固定
妊娠・授乳期	乳腺腫，囊胞，乳房炎，癌	不整，硬い，可動性あり，または周囲組織に固定

出典：Schultz MZ, Ward BA, Reiss M. Breast diseases. In: Noble J, Greene HL, Levinson W, et al. eds. *Primary Care Medicine*. 3rd ed. St. Louis, MO; 2000; Pruthi S. Detection and evaluation of a palpable breast mass. *Mayo Clin Proc*. 2001; 76(6): 641-647. より掲載

表 18-2　乳癌の視覚的徴候

陥凹徴候
乳癌による線維化，脂肪壊死，乳管拡張により，ここに示す3つの陥凹徴候が生じうる

えくぼ形成

輪郭の異常
乳房の正常な凸凹に変化がないか，左右を比べる

乳頭陥凹と偏位
陥凹した乳頭は，平らになっているか内側に引き込まれ，幅が広がり，厚くなることがある。典型的には，乳頭は下にある癌のほうに偏位する

皮膚の浮腫
リンパ流障害により，毛穴の開大を伴う皮膚の肥厚としてみえる，いわゆる**橙皮状皮膚徴候**

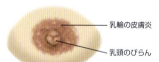

― 乳輪の皮膚炎
― 乳頭のびらん

乳頭 Paget 病
乳癌のまれな形であり，通常，まず鱗屑性で湿疹のような病変が生じ，滲出，痂皮，びらんを伴うことがある。乳房腫瘤が認められることもある。乳頭および乳輪で持続する皮膚炎があれば，Paget 病を疑う

表 18-3　女性における乳癌の相対的リスクを増加させる因子

相対的リスク	因子
>4.0	●年齢（65 歳以上，65 歳未満。ただし 80 歳まではすべての年齢でリスクは上昇する） ●非定型過形成 ●非浸潤性小葉癌 ●病理学的な遺伝子変異（例：BRCA1，BRCA2，PALB2，TP53）
2.1～4.0	●非浸潤性乳管癌 ●内因性ホルモン値が高い（閉経後） ●胸部への高線量放射線照射〔Hodgkin（ホジキン）リンパ腫の治療など〕 ●マンモグラフィでの乳腺の密度が高い ●乳癌の第 1 度近親者が 2 人以上いる
1.1～2.0	●アルコール摂取 ●初経が早い（11 歳未満） ●体重過多 ●内因性エストロゲンまたはテストステロン値が高い（閉経前） ●最初の満期妊娠の年齢が遅い（30 歳以上） ●閉経が遅い（55 歳以上） ●母乳で育てたことがない ●満期妊娠をしたことがない ●第 1 度近親者に乳癌患者が 1 人いる ●肥満（閉経後） ●卵巣癌，子宮内膜癌の既往歴がある ●運動不足 ●異型性を伴わない増殖性乳房疾患（通常の乳管過形成，線維腺腫） ●エストロゲンとプロゲスチンを含む更年期ホルモン療法を最近および長期間使用している ●最近のホルモン避妊薬の使用 ●成人期に体重が増加した ●身長が高い

注：いくつかの因子の相対的リスクは，乳癌の分子サブタイプによって異なる。
出典：American Cancer Society. *Breast Cancer Facts and Figures 2019-2020*. Atlanta: American Cancer Society, Inc.; 2019 より許可を得て掲載。https://www.cancer.org/content/dam/cancer-org/research/cancer-facts-and-statistics/breast-cancer-facts-and-figures/ breast-cancer-facts-and-figures-2019-2020.pdf（Accessed July 21, 2020）より入手可能

第19章 腹部

病歴

よくみられる，または注意すべき症状

胃腸障害

- 腹痛：急性・慢性
- 消化不良，吐き気，血液を含む嘔吐（**吐血**），食欲低下（**食欲不振**），早期満腹感
- 嚥下困難（**嚥下障害**）または痛みを伴う嚥下（**嚥下痛**）
- 腸機能の変化
- 下痢，便秘
- 黄疸

排尿障害および腎障害

- 恥骨上痛
- 排尿困難（**排尿障害**），尿意切迫，頻尿
- 尿の増加（**多尿**）または夜間の頻尿（**夜間多尿**）
- **尿失禁**
- 尿中の血液（**血尿**）
- 側腹部痛と尿管疝痛

腹痛の機序

3つの大まかな分類を理解する（Box 19-1）。

Box 19-1　腹痛の分類

| 内臓痛 | ● 腸や胆道系など管腔臓器が異常なまでに強く収縮したり，拡張したり，伸展されるときに発生 | ● 部位の特定が困難
● 痛みの性質は多様で，絶え間ない痛み，灼熱感，痙攣痛，鈍痛などがある
● 重度の場合，発汗，蒼白，悪心・嘔吐，不穏状態を呈することがある |

アルコール性肝炎を含むさまざまな原因の肝炎から，肝被膜が伸展されることによる右上腹部（RUQ）の内臓痛

（続く）↗

体性痛 または 腹壁痛	●臓側腹膜の炎症による痛み	●持続する鈍痛 ●一般的に内臓痛よりも重症 ●内臓痛よりも関連する臓器の上に局在することが多い
関連痛	●障害される臓器とほぼ同レベルの脊髄神経支配部位より遠位で発生	●胸部，脊椎，骨盤からの痛みが腹部に関連痛をきたしうる ●関連痛部位での触診では，圧痛を認めないことが多い

急性虫垂炎の早期では，炎症を起こした虫垂の拡張により臍周囲の体性痛ではじまり，虫垂周囲の臓側腹膜の炎症による右下腹部（RLQ）の限局した痛みに徐々に変化する。

胸膜炎または急性心筋梗塞からの疼痛は，上腹部領域に現れることがある。

十二指腸または膵臓に起因する痛みは背中に現れうる。胆道系の痛みは右肩または右胸郭背側に起こる。

消化管

患者に自分の言葉で痛みを説明するよう伝える。特に痛みのタイミング（急性または慢性か）を確認し，痛みの部位を指し示してもらう。

アルゴリズム 19-1「腹痛患者への痛みの部位にもとづいたアプローチ」を参照

重要なポイントを確認する。

「痛みはどこからはじまりましたか？」
「痛みはどのような感じですか？」
「1～10 のスケールでどのくらいの痛みですか？」
「どんなことで良くなったり悪くなったりしますか？」
「痛みは放散しますか，移動しますか？」

痙攣するような疝痛が続く場合は腎結石のサインである。突然の刺されるような激しい上腹部の痛みで背部に放散する場合は膵炎の典型的な痛みである。

上腹部痛は，胃食道逆流症 gastro-esophageal reflux disease（GERD），膵炎，および穿孔性の消化性潰瘍で起こる。右上腹部（RUQ）痛および上腹部痛は，胆囊炎および胆管炎においてよくみられる。

発熱や悪寒など，**痛みに関連して起こる症状**について，どのような順番で起こったか確認する。

上腹部の痛み，不快感，胸やけ

慢性または再発性の上腹部不快感，または**ディスペプシア**についてたずねる。関連する症状には，膨満感，悪心，上腹部の満腹感，胸やけなどがある。以下に留意する。

- ガスによる膨満感，特に頻繁なげっぷ，腹部の膨隆，または直腸によるガスの通過である放屁。

  腹部膨満感は乳糖不耐症，炎症性腸疾患 inflammatory bowel disease (IBD)，または卵巣癌でみられることがある。げっぷは，呑気症や空気を飲み込んで起こる。アルゴリズム 19-2「右上腹部痛を訴える患者へのアプローチ」を参照

- 通常の食事でも**早期満腹感**，不快な**腹部満腹感**があり，食事を全量摂取することができない。

  糖尿病性胃不全麻痺，抗コリン薬，胃出口閉塞，胃癌を考慮する。早期満腹感は肝炎の可能性もある。

- **胸やけ**，**嚥下障害**，または**逆流**はないか？

  GERD を示唆する場合もある。喘息患者の最大 90％が GERD 様症状を有する。

急性・慢性の下腹部痛，不快感

急性の場合，痛みは鋭く連続性か，それとも断続的で痙攣はあるか？

虫垂炎では臍周囲の痛みから右下腹部 (RLQ) の痛みへと移動する。RLQ の痛みは女性の場合，骨盤内炎症性疾患 pelvic inflammatory disease (PID)，異所性妊娠，卵胞の破裂の可能性がある。

	アルゴリズム 19-3「右下腹部痛を訴える患者へのアプローチ」を参照
	左下腹部(LLQ)の痛みは憩室炎を疑う。腹部膨隆を伴うびまん性腹痛，腸蠕動音亢進，触診時の圧痛は，小腸閉塞や大腸閉塞の可能性を示唆する。腸蠕動音の消失，腹部硬直，打診による圧痛，筋性防御を伴う痛みは腹膜炎を示唆する。アルゴリズム 19-4「左下腹部痛を訴える患者へのアプローチ」を参照
慢性の場合，排便習慣に変化はあるか？ 下痢・便秘は交互に起こるか？	結腸癌，過敏性腸症候群 irritable bowel syndrome(IBS)

消化器症状を伴う腹痛

● 悪心・嘔吐，食欲低下(**食欲不振 anorexia**)	妊娠，糖尿病性ケトアシドーシス diabetic ketoacidosis(DKA)，副腎不全，高カルシウム血症，尿毒症，肝疾患。食欲不振・過食症による悪心のない嘔吐
● 逆流	GERD，食道狭窄，食道癌
● コーヒー残渣様嘔吐(**吐血 hematemesis**)	食道胃静脈瘤，Mallory-Weiss(マロリー・ワイス)症候群による裂傷，消化性潰瘍
● 嚥下困難(**嚥下障害 dysphagia**)	固体も液体も通過しない場合，運動性に影響を及ぼす神経筋障害(例えばアカラシア)が考えられる。固体だけの場合は，Zenker(ツェンカー)憩室，Schatzki(シャッツキー)輪，狭窄，腫瘍などの器質的な異常を考える必要がある。

●痛みを伴う嚥下(**嚥下痛 odyno-phagia**)	放射線曝露,腐食性物質の摂取,サイトメガロウイルス感染,単純ヘルペス,HIV,アスピリンまたはNSAIDによる食道潰瘍
●下痢,急性(＜14日),持続性(14〜30日),慢性(＞30日)	急性感染症(ウイルス,サルモネラ菌,赤痢菌など),Crohn(クローン)病における慢性下痢,潰瘍性大腸炎,膵機能不全に伴う脂性下痢(脂肪便)。表19-1「下痢」を参照
●便秘	薬物,特に抗コリン薬やオピオイド。結腸癌,糖尿病,甲状腺機能低下症,高カルシウム血症,多発性硬化症,Parkinson(パーキンソン)病
●黒色便,タール便(血便,**メレナ melena**)	上部消化管出血
●ビリルビン血中濃度増加による黄疸。血清ビリルビン＞3 mg/dLの場合にみられる。	ウイルス性肝炎,肝硬変,原発性胆汁性胆管炎,薬物性胆汁うっ滞における抱合型ビリルビンの排泄障害
	胆石または膵臓癌,胆管癌,十二指腸癌による総胆管閉塞
尿と便の色についてたずねる。	尿中に排泄された抱合型ビリルビンの増加による褐色尿(肝炎),腸内へのビリルビン排泄が妨げられたときの灰白色の便
他に明らかな原因がないのに皮膚の瘙痒感があるか?	瘙痒感は,胆汁うっ滞性または閉塞性黄疸においてビリルビン濃度が著しく上昇する場合に起こる。
肝疾患の危険因子についてたずねる(Box 19-2)。	

Box 19-2　肝疾患の危険因子

- **肝炎**：衛生状態が悪い地域での旅行や食事，汚染された水や食料品の摂取（**A型肝炎**）。血液，血清，精液，唾液などの感染性体液への非経口または粘膜曝露，特に感染したパートナーとの性的接触または麻薬使用時の注射針の共有（**B型肝炎**）。違法薬物の使用または輸血を介した感染（**C型肝炎**）
- **アルコール性肝炎**または**アルコール性肝硬変**（飲酒歴について詳細にたずねる）
- 薬物，工業用溶剤，環境有害物質，麻酔薬による**中毒性肝障害**
- 胆嚢の疾患や手術に伴う肝外胆道閉塞
- **遺伝性疾患**の家族歴

尿路

排尿時の痛み，通常は灼熱感，ときに**排尿障害** dysuria（排尿困難）についてたずねる。	膀胱感染症（**膀胱炎**）
	尿道炎，尿路感染症，膀胱結石，腫瘍，および男性では急性前立腺炎にもみられる。女性では，尿道炎では内部灼熱感，外陰腟炎では外部灼熱感を呈する。

以下のいずれかがあれば注意する。

● **尿意切迫**：通常ではみられないような強く急激な尿意	切迫性尿失禁につながる場合がある。
● **頻尿**：通常ではみられないような頻繁な排尿	尿路感染症
● 発熱や悪寒，尿中の血液	尿路感染症
● 腹部，脇腹，背中の痛み	腎盂腎炎では持続する鈍痛，腎結石による尿管閉塞では重度の疝痛
● 前立腺による症状の場合，**排尿開始時に尿が出にくく**，**排尿時に息む必要があったり**，**尿線が細く尿勢が弱くなったり**，**排尿終了時に尿が滴下**したりする。	前立腺炎，尿道炎

以下を評価する。

- **多尿 polyuria**：24時間尿量の有意な増加 糖尿病，尿崩症

- **夜間多尿 nocturia**：夜間の頻繁な排尿 膀胱閉塞

- **尿失禁 urinary incontinence**：不随意の排尿（アルゴリズム19-5「尿失禁患者へのアプローチ」参照） 表19-2「尿失禁」を参照

  - 咳，くしゃみ，腹圧上昇に伴う失禁 **腹圧性尿失禁**（尿道括約筋緊張低下）

  - 尿意切迫からの失禁 **切迫性尿失禁**（排尿筋過活動または過活動膀胱）

  - 不完全排尿による残尿のため膀胱が緊満し漏れ出る。 **溢流性尿失禁**（解剖学的閉塞，膀胱を支配する神経の障害）。

診察の技術

腹部の診察の重要項目

腹部
- 患者の全身状態（表情，苦痛，顔色，精神状態）に注意する
- 視診：腹部の表面，輪郭，動きを観察する
- 触診や打診の前に，聴診器の膜部（ダイアフラム）を腹部区分の1カ所に置き，腸蠕動音を聞く
- 4区域すべてを軽く打診する
- 4区域すべてを片手で軽く触診する
- 4区域すべてを両手で深く触診する
- 腹膜炎の徴候を確認する

肝臓
- 右鎖骨中線に沿って肝臓サイズを推定する
- 肝臓縁の状態を触診する

(続く)

↘(続き)

脾臓
- Traube(トラウベ)三角に沿って打診し,脾腫大を確認する
- 仰臥位と右側臥位で脾臓縁を触診する

腎臓
- 拳で肋骨脊椎角 costovertebral angle(CVA)の叩打痛を確認する

大動脈
- 大動脈の拍動を触診する

特殊な技術
- 必要があれば特殊な診察を行う

診察の技術	所見

腹部

下記を含む腹部を視診する。

- 皮膚 — 瘢痕,線条,静脈,斑状出血(腹腔内出血または後腹膜出血)

- 臍部 — ヘルニア,炎症

- 体表の形,対称性,腫大した臓器や腫瘤の輪郭 — 腹水による脇腹や恥骨上の膨隆,大きな肝臓または脾臓,腫瘍

- 蠕動 — 消化管閉塞では増加

- 拍動 — 大動脈瘤では増加

以下を含め腹部を聴診する。

- 腸蠕動音 — 腸蠕動音の亢進または減弱

  腸蠕動音の変化は非特異的で,これのみでは診断にいたらない場合が多い。

診察の技術	所見
●血管雑音（図 19-1）	肝臓癌やアルコール性肝炎における肝臓の血管雑音

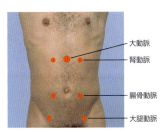

大動脈
腎動脈
腸骨動脈
大腿動脈

図 19-1 血管雑音のための腹部聴診の領域

大動脈，腎動脈，腸骨動脈，大腿動脈の部分的な閉塞よる血管雑音

●摩擦音

肝腫瘍，脾梗塞

鼓音と濁音を確認するため打診する。

腹水，消化管閉塞，妊娠子宮，卵巣腫瘍

腹部のすべての区域を触診する。

●筋性防御や反跳痛，圧痛をみるための軽い触診（図 19-2）

表 19-3「腹部圧痛」を参照。急性腹症または腹膜炎

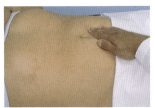

図 19-2 片手で4区域すべてを軽く触診

患者が自発的に痛みのために腹壁を緊張させたときにみられる筋性防御

腹膜炎による反跳痛。痛みは，抑えたときより手を離したときに強くなる。圧痛部分をゆっくりと押し下げてから，すばやく手を離す。

腹壁が硬い場合は腹膜の炎症を示唆する。

診察の技術	所見
●腫瘤や圧痛をみるための深い触診(図 19-3)	腫瘍,拡張した内容
	腹部腫瘤は,生理的(妊娠子宮),炎症性(憩室炎),血管(腹部大動脈瘤),腫瘍性(結腸癌),または閉塞性(拡張した膀胱・腸ループ)が考えられる。

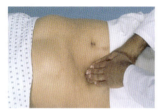

図 19-3 双手診で4区域すべてを深く触診

肝臓

中鎖骨線での打診による肝濁音(肝臓の大きさ)は,図 19-4 を参照	急性肝炎や心不全による肝腫大では打診上の濁音は増大する。肝硬変では濁音は減少する。

胸骨中線上で 4〜8 cm
右鎖骨中線上で 6〜12 cm
} 正常な肝臓の大きさ

図 19-4 中鎖骨線に沿った肝臓の大きさを推定するための打診領域

可能であれば患者が息を吸うときに肝臓の辺縁を触れてみる。	肝硬変の硬い辺縁
肋骨縁の十分下からはじめて,鎖骨中線における肋骨縁から肝臓の辺縁までの距離を測定する(図 19-5)。	肝腫大における肝臓の増大。図 19-6 のように RUQ での触診位置が高すぎると見逃す可能性がある。

診察の技術	所見

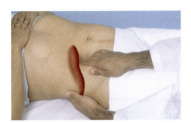 

図 19-5 肝臓の辺縁の触診 　　図 19-6 肋骨縁から触診をはじめると，肝臓の辺縁を見逃しうる

圧痛や腫瘤に注意する。　　　肝炎や心不全により腫大した肝臓の圧痛，腫瘍

脾臓

左下前胸部（Traube 三角）を通る打診で，鼓音から濁音への変化を探す。

仰臥位で脾臓を触診した後，膝を曲げて右側臥位になってもらう（図 19-7）。

図 19-7 脾臓縁（紫色）は肋骨縁の下で触知可能

診察の技術	所見

腎臓

腎臓は後腹膜にあり,著しく腫大しない限り触知できない。

肋骨脊柱角(CVA)の圧痛を確認する(図 19-8)。   腎盂腎炎時の圧痛

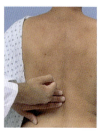

図 19-8 拳による打診で CVA の圧痛(叩打痛)を検出

大動脈

大動脈の拍動を優しく触診する(図 19-9)。高齢者ではその幅を推定する。   腹部大動脈瘤では直径≧3cm の拍動を有する臍周囲の腫瘤を触れる。破裂の危険性がないか評価する。

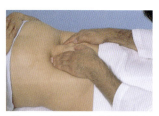

図 19-9 大動脈両側の上腹部を触診

| 診察の技術 | 所見 |

特殊な技術

- 腹水
- 虫垂炎
- 急性胆嚢炎

腹水の評価

○―/○― 濁音の移動を触診する。仰臥位で鼓音と濁音の領域を確認し、つぎに側臥位になってもらう（図 19-10）。

通常、腹水は下方に移動し、濁音界が変化する（図 19-11）。

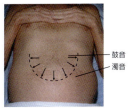

図 19-10 打診で腹水による濁音を明らかにするための領域と方向

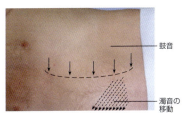

図 19-11 濁音の移動を確認するため右側臥位での打診領域

腹水のある腹部の臓器や腫瘤を腹部バロットマン（浮球法）により触診する。硬くまっすぐにした指を腹部に置き、臓器や腫瘤に向かって軽く突くようにして、その表面を触れる。

波動検査の所見は通常特異的ではない。

腹水を手ですばやく移動させると、臓器や腫瘤表面に触れたときに突然止まるため臓器・腫瘤の位置がわかる（図 19-12）。

診察の技術	所見
	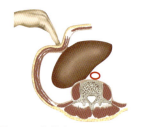 図 19-12　腹部バロットマンによる触診で腹水を変位させると，肝臓の触診が可能である

虫垂炎の可能性を評価する

局所の圧痛がないか触診する。多くの場合はMcBurney(マクバーニー)点に圧痛がある(図 19-13)。

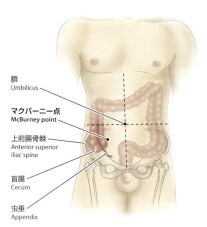

図 19-13　骨盤，盲腸，虫垂：McBurney 点の図
(Honan L. *Focus on Adult Health: Medical-Surgical Nursing.* 2nd ed. Wolters Kluwer; 2019. Figure 24-2 より)

筋硬直の確認のために触診する。

診察の技術	所見
直腸検査を行い,女性では骨盤の診察を行う。	特に虫垂が盲腸背側に位置する場合は,直腸診で限局した圧痛を呈する。

虫垂炎評価のための特殊な技術

● **Rovsing(ロブジング)徴候**:左下腹部を深く均等に押した後,すぐに指を離す。	腹部**左**側を圧迫したときに**右**下腹部に痛みがみられる場合は虫垂炎を示唆する(Rovsing 徴候**陽性**)。
● **腸腰筋徴候(psoas 徴候)**:患者の右膝のすぐ上に手を置き,患者に大腿部で検者の手を押してもらう。または,左側臥位で患者の右下肢を伸展させたままを股関節を過伸展する。	腸腰筋の刺激による痛みは,虫垂炎を示唆する(腸腰筋徴候**陽性**)。
● **閉鎖筋徴候**:仰臥位で膝を曲げた状態で患者の右大腿を屈曲し,股関節で大腿を内転させ,内閉塞筋を伸展する。	閉鎖筋徴候で右下腹部痛がある場合,虫垂炎で閉塞筋が刺激されている可能性を示唆する。
	右下腹部圧痛,Rovsing 徴候陽性,および腸腰筋徴候陽性であれば,2 倍の確率で虫垂炎を疑う。McBurney 点の圧痛があれば 3 倍の確率となる。

急性胆嚢炎の可能性を評価する

診察の技術	所見
聴診,打診を行い,圧痛を確認するため腹部を触診する。	腸蠕動音は亢進する場合も減弱する場合もある。イレウスでは鼓音となる。右上腹部痛を評価する。
Murphy(マーフィー)徴候を評価する。腹直筋縁で右肋骨縁下方に指を掛け,患者に深呼吸してもらう。	触診による強い圧痛があり,触診時に痛みで吸気をやめてしまう場合は,Murphy 徴候**陽性**である。

所見の記録

腹部診察の記録

腹部膨隆，腸蠕動音の亢進。軟らかく，圧痛なし。腫瘤および肝脾腫は触知せず。肝臓は右鎖骨中線上で 7 cm 触れ，辺縁平滑，右肋骨縁の 1 cm 下方で触知可能。脾臓は触知せず。CVA 圧痛なし

または

腹部平坦，腸蠕動音聴取せず。板状硬で右下腹部で圧痛，筋硬直，反跳痛が強い。打診により肝臓は鎖骨中線上で 7 cm 触れ，辺縁触知せず。脾臓触知せず。腫瘤触知せず。CVA 圧痛なし。腸腰筋徴候陽性
これらの所見は虫垂炎による腹膜炎の可能性を示唆する

健康増進とカウンセリング：エビデンスと推奨

健康増進とカウンセリングの重要事項

- ウイルス性肝炎：危険因子，スクリーニング，ワクチン接種
- 大腸癌のスクリーニング

ウイルス性肝炎：危険因子，スクリーニング，予防接種

感染性肝炎に対する対策には，感染経路に関するカウンセリングを含む（Box 19-3）。

- **A 型肝炎**：感染経路は糞口感染である。曝露後約 30 日で発症する。トイレ使用後やおむつ交換後，食事の準備前や食前に，石鹸と水で手洗いするようすすめる。希釈した塩素系漂白剤は，生活環境の消毒に利用できる。

Box 19-3　米国疾病対策センター(CDC)によるA型肝炎ワクチン接種の推奨事項

- すべての1歳児
- 慢性肝疾患を有する人
- A型肝炎ウイルスに感染するリスクが高い集団：流行感染率の高い地域への渡航者，男性同性愛者，違法薬物使用者，ヒト以外の霊長類にかかわる職業の人，および凝固因子障害を有する人
- ワクチンは流行地域への渡航前いつでも接種可能

- **B型肝炎**：血液，精液，唾液，腟分泌物などの感染した体液との接触で伝染する。感染すると劇症肝炎，慢性感染，さらには肝硬変および肝細胞癌のリスクを増加させる。リスクのある患者にカウンセリングと血清学的スクリーニングを行う(Box 19-4)。

Box 19-4　B型肝炎ワクチン接種のためのCDCの推奨事項：高リスク集団

- **成人における高リスク群**：以下にかかわる人(当人と従事者)。性感染症(STI)クリニック，HIV検査・治療プログラム，薬物乱用治療プログラムおよび違法薬物使用者プログラム，更生施設，男性同性愛者のプログラム，維持血液透析施設および末期腎疾患プログラム，発達障害者向け施設
- **感染血液への経皮的または粘膜的曝露がある人**：違法薬物注射の使用者，抗原陽性の家庭内接触者，発達障害者施設の入居者と職員，医療者，透析を受けている者を含む
- **性的接触者**：B型肝炎表面抗原(HBs抗原)陽性者のセックスパートナー，過去6カ月間に複数のセックスパートナーがいる人，STIの検査と治療を受けている人，男性同性愛者を含む
- **その他**：流行地域への渡航者，慢性肝疾患やHIV感染者，B型肝炎感染の予防を希望する人を含む

- **C型肝炎**：現在最も一般的な慢性肝炎の原因であるC型肝炎は，血液曝露および違法薬物注射の使用によって感染が拡大している。C型肝炎ワクチンはないため，予防には危険因子を避けるためのカウンセリングを行う。血清学的スクリーニングは高リスク群に対して推奨される。

大腸癌のスクリーニング

米国予防医療専門委員会(USPSTF)による 2016 年の勧告を記載する(Box 19-5)。

Box 19-5　大腸癌のスクリーニング—米国予防医療専門委員会(USPSTF)2016

- 50～75 歳：スクリーニングオプション(推奨度グレード A)
  - 便による検査
    - 年 1 回の糞便免疫化学検査(FIT)
    - 年 1 回グアヤック法による高感度糞便潜血検査
    - 1～3 年ごとの FIT および便 DNA 検査(FIT-DNA 検査)
  - 直接的観察検査
    - 10 年ごとの大腸内視鏡検査
    - 5 年ごとの S 状結腸内視鏡検査
    - 10 年ごとの S 状結腸内視鏡検査と 3 年ごとの FIT
    - 5 年ごとの CT コロノグラフィ
- 76～85 歳：平均余命とこれまでのスクリーニングを考慮し，個人に応じて方針を決定(グレード C)。これまでにスクリーニングを受けていない場合はスクリーニングによる利益が大きいと考えられる
- 85 歳以上：死亡率の低下や有害性を上回る有益性は見込めないため，スクリーニングは行わない(グレード D)

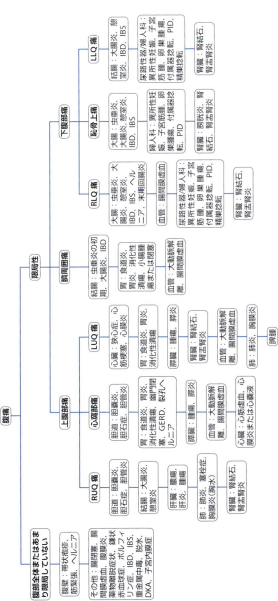

アルゴリズム 19-1 腹痛患者への痛みの部位にもとづいたアプローチ（注：このアルゴリズムは包括的とはいえないが、病歴と診察から得られた情報を統合するための出発点としては有用である）DKA：糖尿病性ケトアシドーシス，GERD：胃食道逆流症，IBD：炎症性腸疾患，IBS：過敏性腸症候群，LLQ：左下腹部，LUQ：左上腹部，PID：骨盤内炎症性疾患，RLQ：右下腹部，RUQ：右上腹部

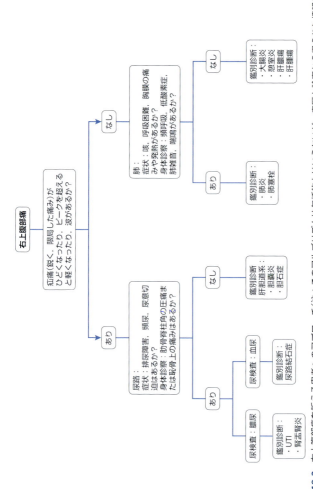

アルゴリズム 19-2 右上腹部痛を訴える患者へのアプローチ（注：このアルゴリズムは包括的とはいえないが、病歴と診察から得られた情報を統合するための出発点としては有用である）RUQ：右上腹部、UTI：尿路感染症

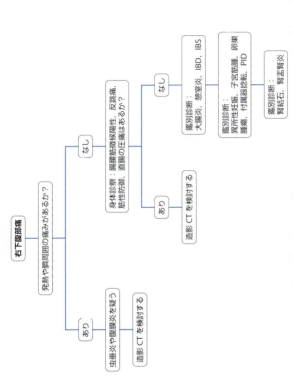

アルゴリズム 19-3 右下腹部痛を訴える患者へのアプローチ（注：このアルゴリズムは包括的とはいえないが、病歴と診察から得られた情報を統合するための出発点としては有用である）IBD：炎症性腸疾患，IBS：過敏性腸症候群，PID：骨盤内炎症性疾患

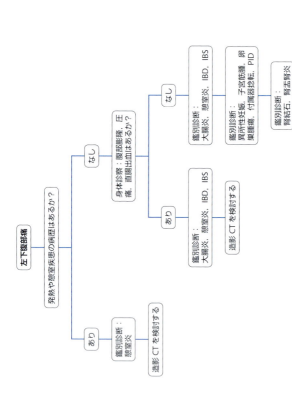

アルゴリズム 19-4 左下腹部痛を訴える患者へのアプローチ（注：このアルゴリズムは包括的とはいえないが、病歴と診察から得られた情報を統合するための出発点としては有用である）IBD：炎症性腸疾患，IBS：過敏性腸症候群，LLQ：左下腹部，PID：骨盤内炎症性疾患

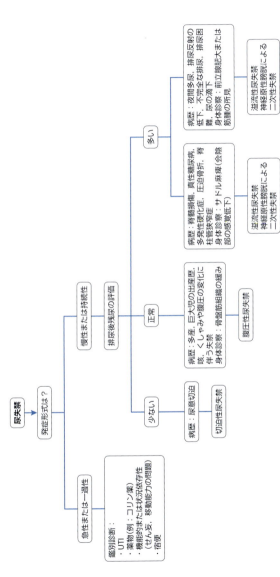

アルゴリズム 19-5 尿失禁患者へのアプローチ（注：このアルゴリズムは包括的とはいえないが、病歴と診察から得られた情報を統合するための出発点としては有用である）．UTI：尿路感染症

表 19-1　下痢

疾患/機序	便の特徴
急性下痢	
分泌感染（非炎症性）	
ウイルスによる感染，あらかじめ形成された細菌毒素〔黄色ブドウ球菌（*Staphylococcus aureus*），ウェルシュ菌（*Clostridium perfringens*），毒素原性大腸菌（*Escherichia coli*），コレラ菌（*Vibrio cholerae*）など〕，*Cryptosporidium* 属原虫，ランブル鞭毛虫（*Giardia lamblia*），ロタウイルス	水様便。血液，膿，粘液は伴わない
炎症性感染症	
コロニー形成や腸管粘膜侵入〔非チフス性サルモネラ（*Salmonella*），赤痢菌（*Shigella*），エルシニア（*Yersinia*）属，カンピロバクター（*Campylobacter*）属，病原性大腸菌，赤痢アメーバ（*Entamoeba histolytica*），*Clostridioides difficile*〕	軟便か水様便。しばしば血液，膿，粘液を伴う
薬物誘発性下痢	
マグネシウム含有制酸薬，抗生物質，抗腫瘍薬，下剤などの多くの薬物の副反応	軟便か水様便
慢性下痢（≧30 日）	
下痢症候群	
過敏性腸症候群：交代性の下痢・便秘を伴う腸運動の障害	軟便。粘液を伴うこともあるが，出血はない。便秘を伴う小さく硬い便
S 状結腸癌：悪性腫瘍による部分的な閉塞	線状の血液付着を伴う場合がある
炎症性腸疾患	
潰瘍性大腸炎：直腸および結腸の粘膜・粘膜下層の炎症，潰瘍	軟便か水様便。しばしば血液を含む
小腸型 Crohn 病（回腸末端炎），大腸型 Crohn 病（肉芽腫性大腸炎）：全層性の腸管壁慢性炎症。典型的には回腸末期，近位結腸，またはその両方に認める	小さく，軟便か水様便。通常は肉眼的出血はみられない（腸炎），あるいは潰瘍性大腸炎（大腸炎）と比べ出血が少ない

表 19-1　下痢(続き)

疾患/機序	便の特徴
大量の下痢	
吸収不良症候群：膵機能不全，胆汁酸欠乏症，細菌の過剰増殖などによる脂肪便(脂肪の過剰排泄)。脂溶性ビタミンと脂肪の吸収障害	典型的には大量の軟便，灰色～明るい黄色，脂っこいまたは油性，悪臭を伴う。トイレで水に浮く(脂肪便)
浸透圧性下痢：	
● 乳糖不耐症：腸内乳糖分解酵素の欠乏	水様下痢
● 浸透圧性下剤の乱用：下剤の常用，しばしば内緒で内服	水様下痢
分泌性下痢：細菌感染，絨毛腺腫の分泌，脂肪または胆汁酸塩の吸収不良，ホルモン関連〔Zollinger-Ellison(ゾリンジャー・エリソン)症候群におけるガストリン，血管作用性腸ペプチド〕など原因は多様	水様下痢

表 19-2　尿失禁 [a]

疾患	機序
腹圧性尿失禁：尿道括約筋が弱く，咳，くしゃみなどで一過性に腹腔内圧が上昇すると，膀胱圧が尿道抵抗を超え**少量の失禁**が起こる	● 女性では，膀胱や近位尿道筋の支持が不十分となり骨盤底筋群が脆弱化し，膀胱と尿道の角度が変化するために起こる。出産，手術，尿道括約筋の状態に影響を与える閉経後の粘膜萎縮や尿路感染が原因 ● 男性では前立腺手術
切迫性尿失禁：排尿筋収縮が正常よりも強く，正常な尿道抵抗を超えるために失禁が起こる。膀胱は通常小さい。**中等量の失禁**，尿意切迫，頻尿，夜間多尿	● 脳卒中，脳腫瘍，認知症，仙髄レベルより上方の脊髄病変など，大脳皮質から排尿筋への収縮抑制刺激の低下 ● 膀胱感染症，腫瘍，宿便など，感覚神経経路の過剰刺激 ● 排尿反射の障害。膀胱が低容量の状態で頻回に随意排尿を繰り返すことが一因になる
溢流性尿失禁：排尿筋収縮が不十分で尿道抵抗を超えられない状態。膀胱は通常大きく，排尿後も**尿が滴下**する	● 良性前立腺肥大症または腫瘍による膀胱出口の閉塞 ● 仙骨レベルでの末梢神経疾患に伴う排尿筋の収縮力低下 ● 糖尿病性神経障害などで反射弓が遮断され，膀胱感覚が障害される
機能性尿失禁：健康状態や周囲環境のためにトイレに間に合わない	● フレイル，関節炎，視力低下，その他の問題による移動能力の問題。不慣れな環境，トイレまでの距離が遠い，ベッドの手すりなどの環境因子や，身体的な運動制限など
薬物に続発する失禁：薬物はあらゆる種類の尿失禁に関与する可能性がある	● 鎮静薬，精神安定薬，抗コリン薬，交感神経遮断薬，強力な利尿薬

[a] 失禁患者は，複数種の失禁を複合的に患っている可能性がある。

表 19-3　腹部の圧痛

腹壁の圧痛

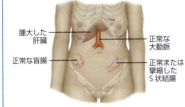

- 腫大した肝臓
- 正常な盲腸
- 正常な大動脈
- 正常または攣縮したS状結腸

腹膜の圧痛

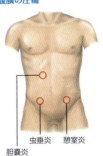

- 胆嚢炎
- 虫垂炎
- 憩室炎

胸部や骨盤の疾患による圧痛

急性胸膜炎

片側または両側，上または下腹部

急性卵管炎

第20章 男性生殖器

病歴

よくみられる，または注意すべき症状

- 陰茎からの分泌物や病変
- 陰嚢や精巣の腫脹や痛み

陰茎からの分泌物や病変

性感染症の可能性を評価するために，陰茎からの分泌物の有無・漏れがないか，下着の汚れがないかをたずねる。分泌物があれば，量や色，そして発熱，悪寒，発疹，関連する症状がないかを確認する。

淋菌性尿道炎では黄色分泌物，非淋菌性尿道炎では無色または白色の分泌物あり。

陰茎の痛みや増殖する病変についてたずねる。

性感染症は身体の他部位でも発症する。オーラルセックスやアナルセックスの有無，そして関連症状である咽頭痛，口腔内の瘙痒感や痛み，下痢，直腸出血についてもたずねる。

播種性淋菌感染症では発疹あり。

表20-1「男性生殖器の性感染症（STI）」，アルゴリズム20-1「陰茎腫瘤や病変のある患者へのアプローチ」を参照

陰嚢や精巣の腫脹や痛み

陰嚢や精巣の腫脹や痛みがないかたずねる。

ムンプス精巣炎・陰嚢水腫・精巣癌による陰嚢腫脹，および精巣捻転・精巣上体炎・精巣炎による痛みを探す。アルゴリズム 20-2「陰嚢腫瘤や痛みのある患者へのアプローチ」を参照

診察の技術

男性生殖器の診察の重要項目

- 皮膚，包皮，亀頭を視診する
- 尿道口を視診し，必要に応じて亀頭まで露出させて，陰茎を絞る
- 陰茎を触診をする
- 陰嚢の皮膚，陰毛，輪郭を視診する
- 精巣上体や精索を含めた左右の精巣を触診する
- 以下の特別な診察を行う
  - 鼠径ヘルニアを評価する
  - 陰嚢腫瘤を評価する

診察の技術	所見

男性生殖器

手袋をはめて男性生殖器(図 20-1)を診察する。患者は立位もしくは仰臥位とする。

 陰茎

以下を診察する。

● 陰茎の発育，皮膚や恥毛	性成熟，シラミ，疥癬
	第 25 章「小児：新生児から青年期まで」の表 25-6「男児・男子における性成熟段階」(p.545)を参照
● 包皮(あれば，皮膚を引っ張り下げる)	包茎，癌

診察の技術	所見

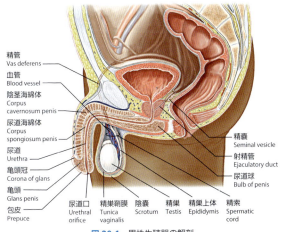

図 20-1　男性生殖器の解剖

- 亀頭　　　　　　　　　　　　　亀頭炎，下疳，ヘルペス，疣贅，癌

- 尿道口（陰茎を圧迫し尿道口　　 尿道下裂，尿道炎による分泌物
  からの分泌物を視診）

以下を触診する。
- 明らかな病変はないか　　　　　Peyronie（ペイロニー）病，下疳，癌

- 陰茎　　　　　　　　　　　　　尿道狭窄もしくは癌

　　　　　　　　　　　　　　　　表 20-2「陰茎と陰嚢の異常」を参照

陰嚢や内容物

以下を視診する。
- 陰嚢の皮膚　　　　　　　　　　発疹

- 陰嚢の輪郭　　　　　　　　　　ヘルニア，陰嚢水腫，停留精巣

- 鼠径部　　　　　　　　　　　　真菌感染症

診察の技術	所見

以下を触診する。
- 精巣(図 20-2),サイズ,形状,何らかの異常所見はないか評価する。

表 20-3「精巣の異常」を参照

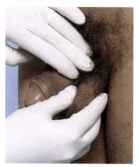

図 20-2　精巣と精巣上体の触診

- しこりや結節

精巣癌

- 圧痛

急性精巣上体炎,急性精巣炎,精索捻転,絞扼性鼠径ヘルニア

- 精巣上体

精巣上体炎,嚢胞

- 精索とその隣接部(図 20-3)

複数の蛇行静脈がある場合は静脈瘤で,嚢胞性のものは陰嚢水腫の可能性がある。

表 20-4「精巣上体と精索の異常」を参照

図 20-3　精索の触診

診察の技術	所見

特殊な技術

ヘルニアの診察

通常，患者は立位とする。	表20-5「鼠径部付近のヘルニア」を参照
患者を息ませて〔Valsalva（バルサルバ手技）〕，鼠径部および大腿部を視診する。	鼠径ヘルニア，大腿ヘルニア
陰嚢の皮膚を通して，外鼠径輪を触診し，息ませる（図20-4）。	間接(外)鼠径ヘルニア，直接(内)鼠径ヘルニア

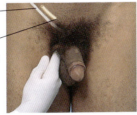

鼠径靱帯
Inguinal ligament
外鼠径輪
External inguinal ring

図20-4 陰嚢を皮膚ごと押し込む

陰嚢の透光性

強い光源を陰嚢腫瘤の裏にあてる。嚢胞性（光が赤く輝いて透過），固形性（光が遮断）を評価する。	陰嚢水腫

所見の記録

男性生殖器の診察の記録

割礼あり。陰茎分泌物や病変なし。陰嚢の腫脹や変色なし。精巣は両側性に下垂，滑らか，腫瘤なし。精巣上体に圧痛なし。鼠径ヘルニア，大腿ヘルニアなし

または

割礼なし。包皮は容易に反転可。陰茎分泌物や病変なし。陰嚢の腫脹や変色なし。精巣は両側性に下垂。右精巣は滑らか。左精巣側面に 1×1cm 大の硬い結節あり，可動性なし，無痛。精巣上体に圧痛なし。鼠径ヘルニア，大腿ヘルニアなし
これらの所見から精巣癌を疑う

健康増進とカウンセリング：エビデンスと推奨

健康増進とカウンセリングの重要事項

- 精巣癌のスクリーニング
- 性感染症(第 6 章「健康維持とスクリーニング」，p.101〜103 参照)

精巣癌のスクリーニング

精巣癌はまれであるが，早期に発見されると高率で治癒が可能である。20〜34 歳の白人男性で最も診断されることが多い癌である。危険因子は，白人，家族歴，HIV 感染，停留精巣の既往などである。2011 年，米国予防医療専門委員会(USPSTF)は，検診や自己検診によるスクリーニングでの健康上の有効性はないだろうと結論づけており，無症状の思春期男性や成人男性に対する精巣癌のスクリーニングについては反対の意志を表明している(グレード D)。一方，米国癌協会(ACS)は，一般的な身体診察の 1 つとして，精巣癌の診察を支持している。ACS は，定期的な精巣自己検診を推奨してはいないが，以下の場合には診察を受けるように推奨している。左右いずれかの精巣での無痛性のしこりや腫脹，肥大，また精巣や陰嚢の痛みや違和感，乳房の成長や痛み，下腹部や鼠径部に重さや鈍痛があるとき。

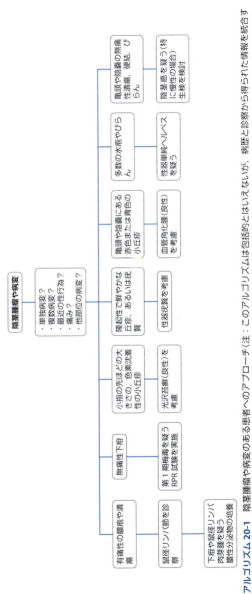

アルゴリズム 20-1 陰茎腫瘍や病変のある患者へのアプローチ（注：このアルゴリズムは包括的とはいえないが、病歴と診察から得られた情報を統合するための出発点としては有用である）RPR：迅速血漿レアギン

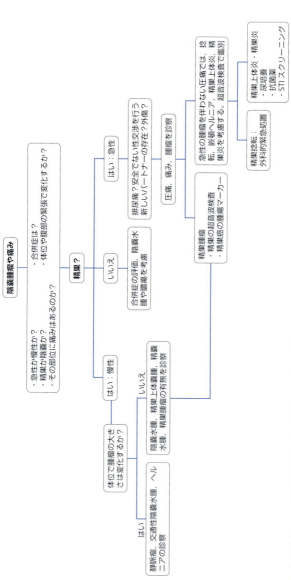

アルゴリズム 20-2 陰嚢腫瘤や痛みのある患者へのアプローチ（注：このアルゴリズムは包括的とはいえないが、病歴と診察から得られた情報を統合するための出発点としては有用である） STI：性感染症

表 20-1　男性生殖器の性感染症（STI）

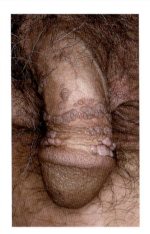 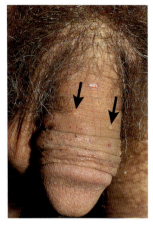

性器疣贅（尖圭コンジローマ）
- 外観：単一または複数の形のさまざまな丘疹やプラーク。円形，尖形（とげ状），薄型，細長い形がある。隆起したり，扁平化したり，カリフラワー状（疣状）にもなる
- 原因菌：ヒトパピローマウイルス（HPV），通常はサブタイプ6型，11型。発癌性のサブタイプはまれで，すべての肛門性器部疣贅の5〜10％程度である
- 潜伏期：数週間から数カ月間。感染部位には疣贅がみられない
- 陰茎，陰囊，鼠径，大腿，肛門に発生する。通常は無症候性であるが，瘙痒感や痛みを生じることもある
- 治療なしで消失することもある

性器ヘルペス
- 外観：亀頭や陰茎に，小さく散在または集積している小水疱（1〜3mm）。水疱の膜が破れている場合には，びらんとしてみられる
- 原因菌：通常，2本鎖DNAウイルスである単純ヘルペスウイルス2型（90％）
- 潜伏期：曝露後2〜7日間
- 初期経過は無症候性のこともある。再発時も通常，痛みが少なく，短期間の症状
- 発熱，倦怠感，頭痛，関節痛を伴う。局所的な疼痛や浮腫，リンパ節腫脹もみられる
- 帯状疱疹（通常，皮膚分節に沿って生じ，高齢者に多い）やカンジダ症による白癬との鑑別が必要

表 20-1　男性生殖器の性感染症（STI）（続き）

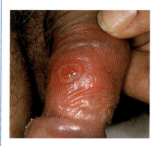 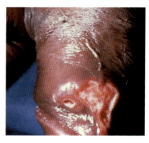

第1期梅毒
- 外観：赤色の小丘疹が現れ，最大で直径2cmの下疳あるいは無痛性びらんとなる。潰瘍面はきれいで，赤色かつ平坦で，キラキラ光っている。辺縁は隆起して硬い。3～8週間で治癒する
- 原因菌：梅毒トレポネーマ（Treponema pallidum）
- 潜伏期：曝露後9～90日間
- 7日以内に鼠径リンパ節腫脹となり，リンパ節が弾性，無痛性，可動性に腫脹
- 20～30%の患者では，下疳がまだ残っている間に（HIV感染の併発を示唆），第2期梅毒に進行する
- 性器ヘルペス，軟性下疳，クレブシエラ（Klebsiella granulomatis）による鼠径肉芽腫（米国ではまれ，4つの亜型があり同定は難しい）との鑑別が必要

軟性下疳
- 外観：赤色の丘疹や膿疱が最初に生じて，凹凸のある軟かい辺縁を有する深い有痛性潰瘍になる。壊死性の滲出物を含み，潰瘍面はもろい
- 原因菌：嫌気性グラム陰性桿菌の軟性下疳菌（Haemophilus ducreyi）
- 潜伏期：曝露後3～7日間
- 有痛性鼠径リンパ節腫脹となり，患者の25%で化膿性リンパ節腫脹となる
- 第1期梅毒，性器ヘルペスや，鼠径リンパ肉芽腫，K. granulomatisによる鼠径肉芽腫（2つとも米国ではまれ）との鑑別が必要

表 20-2　陰茎と陰嚢の異常

尿道下裂
陰茎の下表面に尿道が開口する先天的位置異常。実際の尿道口から，陰茎の頂部の正常部位まで開いている

陰嚢浮腫
圧痕性浮腫で，陰嚢皮膚が緊満する。心不全やネフローゼ症候群でみられる

Peyronie 病
通常，陰茎背側に沿って，無痛性の硬い結節が皮下に触知できる。陰茎弯曲，勃起痛を訴える

腫瘤を指で上から触れることができる

陰嚢水腫
無痛性で，精巣鞘膜内の液体に満ちた腫瘤である。透光性，かつ陰嚢内で腫瘤上に指を入れて触診できる

陰茎癌
通常は無痛性の硬い結節や潰瘍。割礼を受けていない男性にほぼ限定でき，包皮に覆われていることもある。持続する陰茎痛があれば，癌を疑う

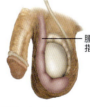

腫瘤上に指が入らない

陰嚢ヘルニア
通常，間接鼠径ヘルニアであり，外鼠径輪から突き出る。陰嚢内で腫瘤上に指を入れて触診できない

表 20-3　精巣の異常

停留精巣
精巣は萎縮し，鼠径管や腹部に留まり，陰嚢に内容物はない。上記の通り，触知できる精巣や精巣上体はない。停留精巣は精巣癌のリスクを著しく高める

小さな精巣
成人サイズは通常，3.5cm以下である。通常2cm以下の小さく硬い精巣はKlinefelter（クラインフェルター）症候群を示唆する。小さく軟らかい精巣は，肝硬変，筋強直性ジストロフィー，エストロゲンの使用，下垂体機能低下症でみられる精巣萎縮を示唆し，精巣炎後にみられることもある

急性精巣炎
精巣が急性炎症を起こし，痛み，圧痛があり，腫脹を生じる。精巣上体と区別するのは難しい。陰嚢の発赤もみられる。流行性耳下腺炎や他のウイルス感染症では通常，片側性である

早期　　　　　　　晩期

精巣癌
通常，無痛性結節として生じる。精巣内に結節がある場合は必ず，悪性腫瘍を精査する

精巣の悪性新生物が増大して広がると，臓器全体を侵す。精巣は正常より重く感じる

表 20-4　精巣上体と精索の異常

急性精巣上体炎
急激な炎症を起こした精巣上体は痛みや腫脹を伴い，精巣との区別は難しい。陰嚢は発赤し，精管にも炎症がみられる。主に成人に発生する。尿路感染症や前立腺炎の合併は診断につながる

精巣上体嚢腫や精巣上体嚢胞
精巣上部の無痛性で可動性のある嚢胞性腫瘤は精巣上体嚢腫や精巣上体嚢胞を示唆する。いずれも透光性がある。前者は精子を含み，後者は含まないが，臨床的には区別がつかない

精索静脈瘤
精索静脈瘤は精索の静脈拡張であり，通常左側にみられる。ミミズが入っている袋のようで精索と区別でき，また仰臥位で陰嚢を持ち上げるとゆっくりと消失する

精巣捻転
精索で精巣の捻転が起きると，陰嚢内で精巣が上部に牽引され，急性の痛みや腫脹を生じ，発赤や浮腫がみられる。尿路感染症との関連はない。循環障害をきたすと外科的緊急処置が必要となる

表 20-5　鼠径部付近のヘルニア

間接（外）鼠径ヘルニア

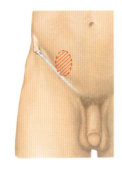

すべての年代で，男女問わずに最も多くみられる。鼠径靱帯上方で生じ，しばしば陰嚢内に脱出する。鼠径管内に下降し，指先に触知する

直接（内）鼠径ヘルニア

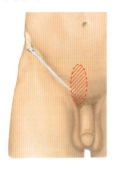

間接ヘルニアよりは少なく，通常は 40 歳以上の男性でみられる。鼠径靱帯上方の外鼠径輪近くで生じ，陰嚢内で脱出するのはまれである。前方に膨隆すると，指の横腹に触知する

大腿ヘルニア

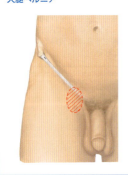

鼠径ヘルニアよりも少なく，男性よりも女性に多い。鼠径靱帯より下方，鼠径ヘルニアよりも外側に生じる。陰嚢内には決して脱出しない

第21章 女性生殖器

病歴

よくみられる，または注意すべき症状

- 初経，月経
- 閉経，閉経後性器出血
- 外陰部腟症状
- 骨盤痛：急性および慢性
- 性感染症(STI)
- 妊娠(第26章「妊娠女性」参照)

初経，月経

月経歴について，月経開始時期(**初経年齢**)を確認する。

最終月経 last menstrual period (LMP) の開始日，さらにその前の月経はいつから開始したか。連続する2回の月経の初日同士の間隔により定まる月経周期について，規則的か不規則か。月経出血は何日続くか，月経量はどのくらいか。

月経周期の変化は，妊娠や月経不順の可能性を示唆する。

無月経 amenorrhea。無月経は月経がない状態である。初経が開始しないものを**原発性無月経**，月経開始後に月経が停止したものを**続発性無月経**という。妊娠，

続発性無月経は妊娠，授乳，更年期による。また，栄養不良，神経性食欲不振，ストレス，慢性疾患，視床下部-下垂体-卵巣機能不全による低体重を原因とする。

授乳，閉経は続発性無月経の生理的原因となる。

妊娠による無月経では，一般的な初期症状として，乳房の圧痛・疼痛・膨隆，頻尿，悪心・嘔吐，易疲労性，胎動（通常，20週頃で感じられる）などがある。

無月経に続く多量出血は，流産，または機能性子宮出血の可能性がある。

アルゴリズム21-1「異常な子宮出血のある患者へのアプローチ」を参照

月経困難症 dysmenorrhea（痛みを伴う月経）はよくある疾患である。

プロスタグランジン産生亢進による原発性月経困難症。子宮内膜症，子宮腺筋症，骨盤内炎症性疾患（PID），子宮内膜ポリープによる続発性月経困難症がある。

月経前症候群 premenstrual syndrome には情動的かつ行動的症状が含まれる。その診断基準は，月経開始5日前から症状が起こり，少なくとも過去に連続した3回の月経で起こること，月経開始後4日以内には症状と徴候が消失すること，日常活動への支障，である。

閉経，閉経後出血

閉経 menopause は，12カ月間の月経停止として定義され，通常48〜55歳に起こる。ほてり，潮紅，発汗，睡眠障害などの症状と関連する。

閉経後の出血，月経停止後6カ月以上経過してからの出血は子宮内膜癌，子宮体部・頸部のポリープによる。

外陰部腟症状

腟分泌物や局所的な瘙痒感があれば，分泌物の量，色，硬さ，においをたずねる。

表21-1「外陰部の病変」，表21-2「腟分泌物」参照

アルゴリズム 21-3「外陰部腟症状のある患者へのアプローチ」参照

骨盤痛

急性か慢性(6 カ月以上)なのかを評価する。

急性骨盤痛の最も多い原因は，**骨盤内炎症性疾患 pelvic inflammatory disease(PID)**，卵巣嚢胞の破裂，虫垂炎。異所性妊娠，排卵時痛，卵管膿瘍などもある。慢性骨盤痛の原因には，子宮内膜症，PID，子宮腺筋症，子宮筋腫，性的虐待の既往，骨盤底の攣縮がある。

アルゴリズム 21-2「骨盤痛のある患者へのアプローチ」参照

診察の技術

女性生殖器の診察の重要項目

- 外性器の診察
  - 性成熟度の評価(思春期の場合)
  - 恥丘，陰唇，会陰の視診
- 内性器の診察
  - 子宮頸部の視診
  - 腟の視診
- 双手診の施行
  - 子宮頸部の触診
  - 子宮体部の触診
  - 卵巣の触診
  - 骨盤底筋の評価
- 直腸腟診の施行(必要時)

診察の技術	所見

外性器

性成熟度評価には陰毛を観察する。	思春期が正常または遅発性か。第25章「小児：新生児から青年期まで」の表25-7「女児・女子における性成熟段階：陰毛」(p.546)参照
外性器の診察を行う（図21-1）。	表21-1「外陰部の病変」を参照

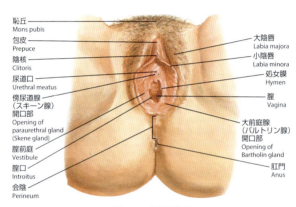

図21-1　女性外生器

● 小陰唇	単純ヘルペス・梅毒性下疳の潰瘍，Bartholin（バルトリン）腺嚢胞の炎症
● 陰核	男性化で肥大
● 尿道口	尿道小丘，尿道粘膜の脱出。間質性膀胱炎による圧痛
● 腟口	腟口が閉じている
● 必要に応じて尿道を絞り出して分泌物を確認する。	尿道炎による分泌物

診察の技術	所見

内診と子宮頸部細胞診

診察はデリケートな部位に及ぶため，診察者のほか介助者が同席すべきである。可能な限り，患者が最も快適であると思える性別の人を介助者とすべきである(Box 21-1)。

Box 21-1　女性生殖器診察を成功させるヒント

患者	診察者
● 診察前 24～48 時間は性交，腟洗浄，腟挿入薬の使用を避ける ● 診察前に膀胱を空にする ● 仰臥位になり，頭部と肩を軽く上げる。腹筋の緊張を減らすため，腕は脇に置くか，胸の前で組む	● 患者から診察をする同意を得て，介助者を依頼する ● 前もって診察の各ステップを説明しておく ● 腹部中央から膝を布で覆う。アイコンタクトをとるために膝の間で布を押さえて谷間をつくる ● 患者の予期しにくい動きや突然の動きは避ける ● 適正なサイズの腟鏡を選択する ● 温水で腟鏡を温める ● 患者の表情をみながら，検査を無理なく行えているか確認する ● 特に腟鏡を挿入するときは，丁寧かつ習熟した手技を心がける

手袋をしてから水で濡らした示指で，子宮頸部の位置を確認する。

患者に息ませ，腟口部の支持組織を評価する。　　　　　膀胱瘤，膀胱尿道瘤，直腸瘤

腟口の後方を圧迫して腟口を広げる。水で滑りやすくした適切な大きさの腟鏡を挿入。まず斜めに持ち(図 21-2)，つぎに水平に回転させて腟鏡全長を挿入する(図 21-3)。

診察の技術	所見

図 21-2　挿入時の角度

図 21-3　腟鏡全長を慎重に挿入する

腟鏡を静かに開き，子宮頸部を観察する。

- 位置

  子宮後傾の場合，子宮頸部は前方を向く。

- 色

  妊娠中は紫色を帯びている。

- 子宮口の形状（図 21-4）。上皮表面（扁平上皮と円柱上皮の接合部）

  楕円形（正常），または裂け目がある子宮口か？　分娩による裂傷（横断状）があるか？　コンジローマや子宮頸癌により，隆起してもろい，分葉状，疣状の病変があるか（表 21-3「子宮頸部の異常」参照）。

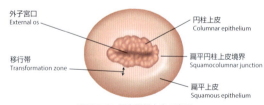

図 21-4　子宮頸部上皮の表面

診察の技術	所見
●帯下，出血の有無	クラミジア感染または淋病による粘性化膿性の子宮頸管炎の開口部からの分泌物(表21-2「腟分泌物」参照)
●潰瘍，結節，腫瘤の有無	ヘルペス，ポリープ，癌
細胞診〔Papanicolau(パパニコロー)塗抹標本〕の検体採取。	臨床的に明らかになる前の早期癌がみつかることがある

- 扁平上皮細胞と円柱上皮細胞の両方を採取するために，子宮頸管ブラシ(図21-5)または子宮頸管内膜ブラシ(妊婦を除く)を用いる。
- 妊娠女性の場合，水で湿らせた綿棒を使用する。

図21-5 子宮頸管ブラシ

診察の技術	所見
腟鏡を抜く際に，腟粘膜を観察する。	妊娠中は青みがあり深い襞となる。腟癌(まれ)。カンジダ腟炎，トリコモナス腟炎，細菌性腟炎による腟分泌物(表21-2「腟分泌物」参照)
両方の手で触診する(双手診，図21-6)。	
●子宮頸部と腟円蓋	PIDによる子宮頸部を動かすときの痛み
●子宮	妊娠，子宮筋腫。妊娠初期の軟化した子宮峡部(表21-4「子宮の位置と子宮筋腫」参照)
●左右の付属器(卵巣・卵管)	卵巣嚢腫または腫瘤，卵管炎，PID，卵管妊娠

診察の技術	所見

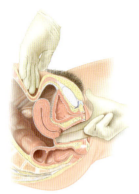

図 21-6　子宮頸部，子宮，付属器の触診

骨盤底筋群の強さを評価する。腟内にある指が子宮頸部から離れている状態で，患者に指の周りの筋肉をできるだけ強く，長く締めつけてもらう。

指を圧迫し，上下左右に動かし，3秒以上持続するしっかりとした圧迫感があれば，十分な強さである（表 21-5「骨盤底の弛緩」参照）。

◇◇ 必要に応じて，図 21-7 に示すように直腸腟診を行い，後屈子宮，仙骨子宮靱帯，直腸子宮窩，付属器を触診する。50歳以上の女性では大腸癌のスクリーニングを行う。

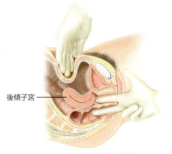

後傾子宮

図 21-7　直腸腟診

診察の技術	所見

特殊な技術

ヘルニアの評価

息んでもらい,以下の膨隆を触知する。	
● 大腿管	大腿ヘルニア
● 大陰唇から恥骨結節の側方	間接鼠径ヘルニア(外鼠径ヘルニア)

尿道炎の評価

示指を腟内に挿入し,尿道を内側から外側に向かってゆっくりと絞り出すように動かす(図21-8)。分泌物がないか注意する。	クラミジア・トラコマティス *Chlamydia trachomatis* 感染や淋菌感染による分泌物

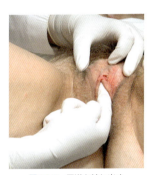

図 21-8 尿道を絞り出す

所見の記録

女性生殖器の診察の記録

鼠径部リンパ節腫脹なし，外陰に紅斑，病変，腫瘤なし。腟粘膜はピンク色。子宮頸部は経産を示し，ピンク色，分泌物なし。子宮は前屈，正中，平滑で，腫大なし。子宮付属器の圧痛なし。Papanicolaou 塗抹標本採取。直腸腟壁異常なし。直腸円蓋に腫瘤なし。便は茶色で便潜血は陰性

または

左右両側の鼠径リンパ節腫脹あり。外陰に紅斑，病変なし。腟粘膜と子宮頸部は，薄い均質な白色の分泌物で覆われ，軽度の魚臭あり。子宮頸部を綿棒で拭いても，外子宮口に分泌物なし。子宮は正中，子宮付属器に腫瘤なし。直腸円蓋に腫瘤なし。便は茶色で便潜血は陰性
これらの所見から細菌性腟炎を疑う

健康増進とカウンセリング：エビデンスと推奨

健康増進とカウンセリングの重要事項

- 子宮頸癌の予防
- 子宮頸癌のスクリーニング
- 更年期障害とホルモン補充療法

子宮頸癌の予防

子宮頸癌の最も重大な危険因子は，16，18型のヒトパピローマウイルス（HPV）の感染である。HPVワクチンの3回接種は，11歳の性交渉の前に接種することで，これら一連のHPV感染を予防する。また，本ワクチンは26歳までの未接種および免疫不全の女性にも推奨される。

予防接種実施に関する諮問委員会（ACIP）は，女性に対して11歳または12歳からの定期的なワクチン接種を推奨しており，9歳から接種することも可能である。また，過去に十分な予防接種を受けていない26歳までの女性にも接種が推奨される。

子宮頸癌のスクリーニング

2018年,米国予防医療専門委員会(USPSTF)は,21〜65歳の平均的リスクのある女性への検診をグレードAの推奨とした(Box 21-2)。また,21歳未満の女性,過去に適切なスクリーニングを受けた65歳以上の平均的リスクのある女性,子宮頸部を含む子宮摘出術を受けた女性にはスクリーニングを行わないよう推奨した(グレードD)。

Box 21-2 平均的リスクの女性に対する子宮頸癌検診ガイドライン[訳注]

項目	推奨
スクリーニング開始年齢	21歳
スクリーニング方法と間隔	21〜65歳:3年ごとの細胞診 または 21〜29歳:3年ごとの細胞診 30〜65歳:5年ごとの細胞診+HPV検査(高リスク型または発癌性HPV型),5年ごとのHPV検査(25歳または30歳)
スクリーニング終了年齢	65歳以上で,細胞診で3回連続陰性,または10年以内の細胞診+HPV検査で2回連続陰性で,直近の検査が5年以内
子宮頸部を含む子宮摘出術後のスクリーニング	推奨しない

平均的リスクとは,高異型度の前癌病変(子宮頸部高度異形成)や子宮頸癌の既往がないこと,免疫不全でないこと,ジエチルスチルベストロール(DES)への胎児期曝露がないことである。
出典:Curry SJ, Krist AH, Ownes DK, et al. Screening for cervical cancer: U.S. Preventive Services Task Force recommendation statement. *JAMA*. 2018; 320: 674.686.

更年期障害とホルモン補充療法

更年期における心理的・生理的変化を理解する。更年期症状に対するホルモン補充療法 hormone replacement therapy(HRT)のリスクについて(脳卒中,肺塞栓症,乳癌のリスク増加など),患者が検討できるよう手助けする。

訳注:わが国ではワクチン接種率が低いため,細胞診やHPV検査の必要性が異なる。スクリーニングの対象年齢と間隔については国立がん研究センター 社会と健康研究センター「有効性評価にもとづく子宮頸がん検診ガイドライン更新版」(2020年)を参照。

378

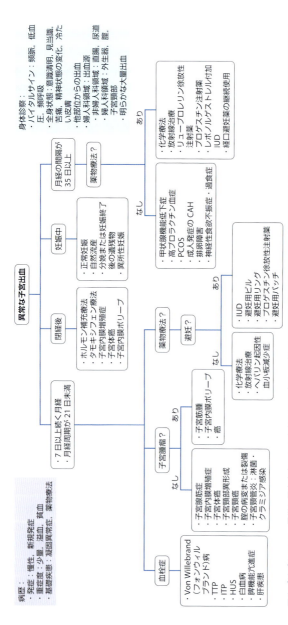

アルゴリズム 21-1 異常な子宮出血のある患者へのアプローチ（注：このアルゴリズムは包括的とはいえないが、病歴と診察から得られた情報を統合するための出発点としては有用である） CAH：先天性副腎過形成、HUS：溶血性尿毒症症候群、ITP：免疫性（特発性血小板減少性紫斑病、IUD：子宮内避妊具、PCOS：多嚢胞性卵巣症候群、TTP：血栓性血小板減少性紫斑病

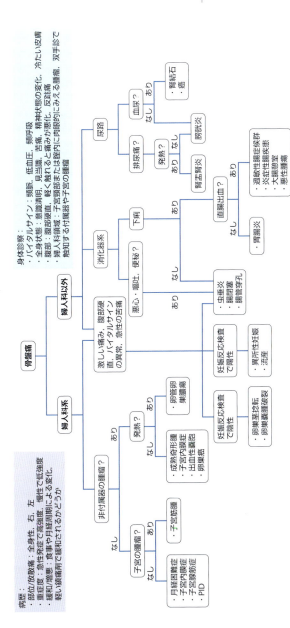

アルゴリズム 21-2 骨盤痛のある患者へのアプローチ（注：このアルゴリズムは包括的とはいえないが、病歴と診察から得られた情報を統合するための出発点としては有用である）PID：骨盤内炎症性疾患

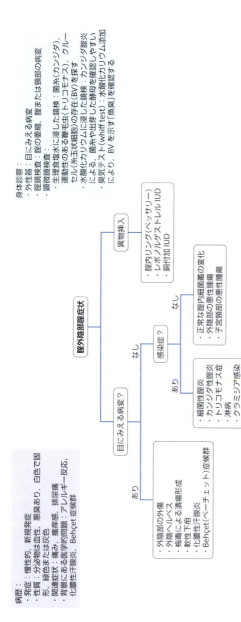

アルゴリズム 21-3 外陰部腟症状のある患者へのアプローチ（注：このアルゴリズムは包括的とはいえないが、病歴と診察から得られた情報を統合するための出発点としては有用である） BV：細菌性腟炎、IUD：子宮内避妊具

表 21-1　外陰部の病変

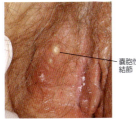
— 嚢胞性結節

類表皮嚢胞
陰唇上の小さく，硬い，円形の嚢胞性結節は類表皮嚢胞を示唆する。黄色を帯びている。腺の開口部が塞がれて生じた黒い点を探す

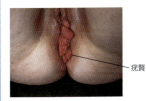
— 疣贅

性器疣贅（尖圭コンジローマ）
陰唇や腟前庭にできる疣状の病変は，HPV感染による尖圭コンジローマを示唆する

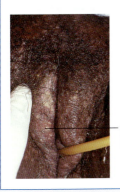
— 赤い基底部上の浅い潰瘍

性器ヘルペス
発赤を呈し，浅く，小さい，痛みを伴う潰瘍はヘルペス感染症を疑う。初回感染はこの図のように広範囲に及ぶことがある。再発では通常，局所的な小水疱がみられる

表 21-1　外陰部の病変（続き）

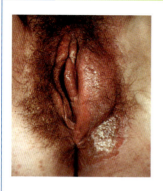

梅毒性下疳
硬い，痛みのない潰瘍は第1期梅毒の下疳を疑う。女性の下疳の多くが膣内に生じるため，発見されないことが多い

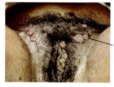

平坦な灰色の丘疹

第2期梅毒（扁平コンジローマ）
わずかに隆起した，円形または楕円形の平らな頂部をもつ丘疹で，灰色の滲出液で覆われているものは，第2期梅毒の症状である扁平コンジローマを示唆し，これらは伝染性である

外陰癌
高齢女性にみられる外陰部の潰瘍化あるいは隆起した赤色の病変は，外陰癌を示唆する

表 21-2 腟分泌物

正確な診断は検査評価と培養から決定する。

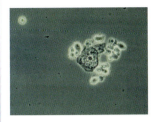

トリコモナス腟炎
分泌物：黄色がかった緑色で、しばしば多量。悪臭を伴う
他の症状：瘙痒感、腟の痛み、性交疼痛
外陰部：発赤
腟粘膜：正常または発赤。赤い斑点、点状出血もみられる
検査による評価：生理食塩液に浸して検鏡し、腟トリコモナスの有無を確認

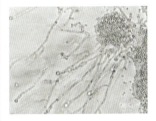

カンジダ腟炎
分泌物：白い凝乳様。しばしば粘稠。悪臭なし
他の症状：瘙痒感、腟の痛み、排尿痛、性交疼痛
外陰部：しばしば発赤、腫脹する
腟粘膜：しばしば発赤、白色の分泌物の付着がみられる
検査による評価：水酸化カリウム (KOH) 染色標本で、カンジダ属の分枝状の菌糸を確認する

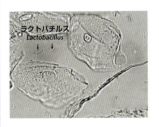

細菌性腟症
分泌物：灰色か白色、水っぽく、均質で、少量。悪臭を伴う
他の症状：陰部の魚臭を伴う
外陰部：通常は正常
腟粘膜：通常は正常
検査による評価：生理食塩液に浸して検鏡し、クルーセル（糸玉状細胞、辺縁が点状である腟上皮細胞）の有無を確認する。KOH染色後、臭気テスト (whiff test) により魚臭を検出する

表 21-3　子宮頸部の異常

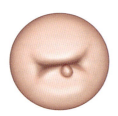

子宮頸管ポリープ
外子宮口から突出する，明るい赤色で，滑らかな腫瘤はポリープを示唆する。出血しやすい

粘液膿性子宮頸管炎
外子宮口から黄色の排膿があれば，クラミジア，淋菌，ヘルペスウイルスに感染している。淋菌感染では無症状のことが多い

子宮頸癌
不整かつ硬い腫瘤は，HPV 感染による癌を示唆する。初期病変は，Papanicolaou 塗抹標本（パップスメア）採取，HPV スクリーニング，続いてコルポスコピー（拡大腟鏡診）によりみつかることが多い

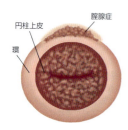

ジエチルスチルベストロール（DES）への胎児期曝露
さまざまな変化が生じる。円柱上皮が子宮頸部の大部分または全体を覆い，円柱上皮の腟壁への伸展（腟腺症），まれに腟上部に癌が生じることもある

表 21-4　子宮の位置と子宮筋腫

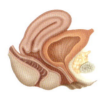

子宮前傾
腟に対してほぼ直角に前方にあり，最も一般的である。**子宮前屈**：子宮頸部に対して子宮体部が前方へ屈曲。前傾と前屈はしばしば同時に存在する

子宮後傾
子宮頸部が前方を向いており，子宮体が後方に傾く

子宮後屈
子宮頸部は前方に，子宮体部は後方に傾いている。子宮後屈あるいは子宮後傾は直腸壁を通してのみ触知される。まったく触知できない場合もある

子宮筋腫
よくみられる良性腫瘍で，硬く，しばしば不規則な形として触知される。複数みられることがある。子宮後面にある筋腫は子宮後傾と，子宮前面の筋腫は子宮前傾と間違えることがある

表 21-5　骨盤底の弛緩

骨盤底が弱くなると，臓器の位置がずれることがある。これらのずれは患者が息んで下腹に力を入れたときに最もよくみられる。

膀胱瘤
腟の上方に位置する膀胱が下降し，腟上部の前腟壁が膨隆する

膀胱尿道瘤
膀胱と尿道の両方の下降により前腟壁が膨隆する

直腸瘤
直腸の一部が下降し，後腟壁が膨隆する

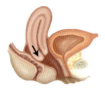

子宮脱
腟管へ子宮が下降する。3段階の重症度に分かれる。第1度：腟内にみられる（左図参照）。第2度：子宮頸部が腟口にみられる。第3度：子宮頸部が腟口の外に出る

第22章 肛門, 直腸, 前立腺

病歴

よくみられる, または注意すべき症状

- 排便習慣の変化
- 血便
- 排便時の痛み, 直腸の圧痛
- 肛門の疣贅, 裂肛
- 弱い尿勢

肛門直腸領域や周囲の構造に慣れる（図 22-1）。

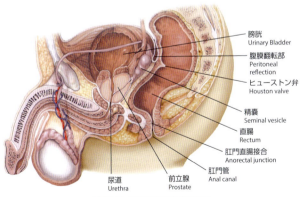

図 22-1 肛門と直腸（矢状断面）

■ 排便習慣の変化

排便習慣，便の大きさや太さ，下痢や便秘の有無についてたずねる。

便の太さの変化，特に鉛筆状の細い便は，大腸癌を示唆する。

■ 血便

黒色のタール便(メレナ melena)，血便 hematochezia，直腸からの鮮紅色の下血など，便に血液が混ざっていないか？便に粘液が混ざっていないか？

黒色のタール便は，ポリープや癌，消化管出血で生じる。粘液性の便は，絨毛性腺腫，炎症性腸疾患(IBD)や過敏性腸症候群(IBS)で生じる。

■ 排便時の痛み，直腸の圧痛

排便時の痛み，または直腸からの出血や圧痛はあるか？

痔核，性感染症(STI)からの直腸炎

■ 肛門の疣贅，裂肛

肛門に疣贅，裂肛，潰瘍はあるか？

ヒトパピローマウイルス(HPV)，第2期梅毒の扁平コンジローマ，Crohn(クローン)病による裂肛，アナルセックスによる直腸炎，性器ヘルペスによる潰瘍，第1期梅毒の下疳

■ 弱い尿勢

男性の場合では，排尿困難や尿失禁はないか？　尿勢が弱いか？　特に夜間の頻尿はあるか？　尿に血液が混ざっていないか？

これらの症状は，特に70歳以上の男性では，前立腺肥大症や前立腺癌による尿道狭窄を示唆する。米国泌尿器科学会(AUA)の症状スコアは，前立腺肥大症の重症度を評価するのに役立つ(表22-1「米国泌尿器科学会(AUA)による前立腺肥大症状スコア」を参照)。

アルゴリズム22-1「排尿症状のある患者へのアプローチ」(p.393)を参照

診察の技術

肛門直腸と前立腺の診察の重要項目

- 仙尾骨領域および肛門周囲領域を視診する
- 肛門を視診する
- 直腸診を行う
  - 肛門括約筋の緊張を評価する
  - 肛門管や直腸表面を触診する
  - 男性では，前立腺を触診する

診察の技術	所見

 前立腺のある患者

側臥位にするか，立位で診察台に向かって前傾姿勢にする（図22-2）。

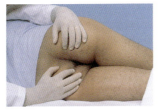

図22-2 左側臥位

以下を視診する。
- 仙尾骨領域　　　　　　　　毛巣嚢胞（毛巣洞）

診察の技術	所見
 図 22-3　前立腺の触診	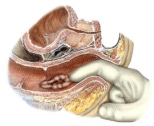 図 22-4　直腸癌
● 肛門周囲領域	痔核，疣贅，ヘルペス，下疳，癌，直腸炎からの裂肛，性感染症，Crohn病，肛門直腸の瘻孔
肛門管や直腸を，手袋をはめて潤滑剤をつけた指で触診する。	一部の神経原性疾患では括約筋の弛緩，直腸炎では括約筋の緊張
● 直腸壁	直腸癌（図 22-4）やポリープ
● 前立腺は，図 22-3 で示すように，中心溝を確認する。	前立腺結節や前立腺癌，前立腺肥大症，前立腺炎の圧痛
● 前立腺の上に凸凹や圧痛がある場合には触診する。	表 22-2「直腸診の異常」を参照

〰️/⚕️ 女性患者

通常，砕石位もしくは側臥位とする。	直腸棚での腹膜転移病変，炎症の痛み
肛門を視診する。	痔核
肛門管や直腸を触診する。	直腸癌，正常の子宮頸部，タンポン（直腸壁を通じて触知）

所見の記録

肛門，直腸，前立腺の診察の記録

肛門周囲に病変，裂肛なし。外肛門括約筋は正常。直腸円蓋に腫瘤なし。前立腺は滑らかで圧痛なし，正中溝を触知(女性では，子宮頸部圧痛なし)。便は茶色で，血便はなし

または

肛門周囲に病変，裂肛なし。外肛門括約筋は正常。直腸円蓋に腫瘤なし。前立腺の左外側葉で1×1cm大の硬い結節を触知。右外側葉は滑らか。正中溝が不明瞭。便は茶色で血便はなし
これらの所見は前立腺癌を疑う

健康増進とカウンセリング：エビデンスと推奨

健康増進とカウンセリングの重要事項

- 前立腺癌のスクリーニング

前立腺癌のスクリーニング

前立腺癌は米国で最も多く診断されている腺癌であり，男性では癌による死因の第2位である。危険因子は，年齢，前立腺癌の家族歴，アフリカ系米国人である。米国予防医療専門委員会(USPSTF)，米国癌協会(ACS)，米国泌尿器科学会(AUA)などの主要な専門機関は近年，ガイドラインを発表している(Box 22-1)。

Box 22-1 前立腺癌スクリーニングガイドライン

	米国予防医療専門委員会（2018年）	米国癌協会（2012年）	米国泌尿器科学会（2013年）
共同意思決定	はい	はい（意思決定支援を検討する）	はい
スクリーニング開始年齢			
平均的リスク	55歳	50歳	55歳
高リスク	推奨しない	40〜45歳	40歳
スクリーニング終了年齢	69歳	平均寿命10年未満	平均寿命10年未満
スクリーニング検査	PSA	PSA 直腸診（選択）	PSA 直腸診（選択）
スクリーニングの頻度	推奨しない	毎年（PSA<2.5 ng/mLなら2年に1回）	2年ごとが望ましい
生検の基準	推奨しない	PSA≧4 ng/mL 直腸診の異常所見 個別のリスク評価（PSA 2.5〜4 ng/mL）	特定のPSA値なし。バイオマーカー，画像所見，リスク計測の使用を検討し，生検に対する意思決定に役立てる

PSA：前立腺特異抗原 prostate-specific antigen

残尿感，頻尿や尿意切迫，尿勢が弱い，尿の出にくさ，血尿，夜間頻尿や骨盤内の骨痛などの症状がある場合には，早期に評価して治療するように促す。

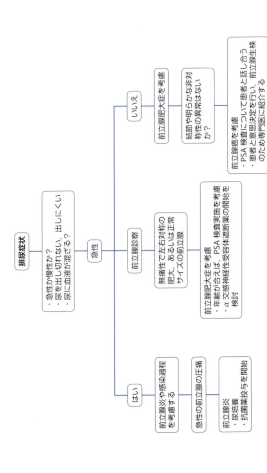

アルゴリズム 22-1 排尿症状のある患者へのアプローチ（注：このアルゴリズムは包括的とはいえないが、病歴と診察から得られた情報を統合するための出発点としては有用である）　PSA：前立腺特異抗原

表 22-1　米国泌尿器科学会(AUA)による前立腺肥大症状スコア

パートA　　　　　　　　　　　　　　　　　　　　　　　　　スコア

以下の各質問について1〜5点でスコアをつける，もしくは患者にスコアをつけてもらう

0=まったくない，1=5回に1回以下，2=半数以下，3=半数程度，4=半数以上，5=ほとんど常に

1. **残尿感**：この1カ月間に，尿をした後にまだ尿が残っている感じは，何回ありましたか？ _____

2. **頻度**：この1カ月間に，尿をしてから2時間以内に，もう一度したくなることが何回ありましたか？ _____

3. **尿線途絶**：この1カ月間に，尿をしている間に尿が途切れることが何回ありましたか？ _____

4. **尿意切迫感**：この1カ月間に，尿を我慢するのが難しいことが何回ありましたか？ _____

5. **弱い尿勢**：この1カ月間に，尿の勢いが弱いことが何回ありましたか？ _____

6. **緊満感**：この1カ月間に，尿をしはじめるためにお腹に力をいれることが何回ありましたか？ _____

　　　　　　　　　　　　　　　　　パートA　合計 _____

パートB　　　　　　　　　　　　　　　　　　　　　　　　　スコア

0=なし，1=1回，2=2回，3=3回，4=4回，5=5回

7. **夜間多尿**：この1カ月間に，夜寝てから朝起きるまで，通常，何回尿をするために起きましたか？(夜間0〜5回) _____

　　　　　　　　　　　パートAとBの合計(最高35点) _____

スコアが高いほど(最大35点)，重症であることを示す。7点以下では軽症と考えられ，一般的に治療の必要はない

出典：Madsen FA, Burskewitz RC. Clinical manifestations of benign prostatic hyperplasia. *Urol Clin North Am*. 1995; 22(2): 291-298. Copyright © 1995 Elsevier. より許可を得て掲載

表 22-2　直腸診の異常

外痔核（血栓形成された）
櫛状線より下に発生する，皮膚に覆われた拡張した痔核静脈叢。圧痛があり，腫脹した，青みがかった卵形の腫瘤が肛門の縁にみられる

裂肛
有痛性の縦長な楕円形潰瘍で，通常後面の正中線上にある。真下に腫大したセンチネル垂がある

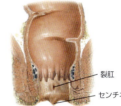

― 裂肛
― センチネル垂

肛門直腸瘻
肛門や直腸から肛門周囲や他臓器に開口する炎症性の瘻孔や管

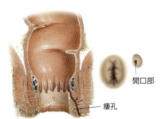

― 開口部
― 瘻孔

直腸ポリープ
柔らかい腫瘤で有茎性，無茎性あり。触知できないこともある

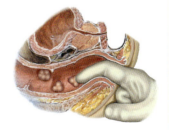

表 22-2　直腸診の異常(続き)

良性前立腺過形成
肥大し,無痛性で,表面は平滑で硬いが,わずかに弾力のある前立腺。肥大は触知しないものの症状が生じていることもある

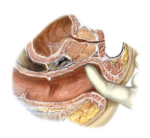

急性前立腺炎
急性感染により,前立腺には強い痛み,腫脹,硬さがある

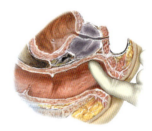

前立腺癌
前立腺の硬い部位は,結節状に感じるとは限らない

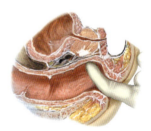

直腸癌
硬い,結節性の丸い辺縁を有する潰瘍化した癌

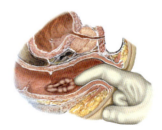

第23章 筋骨格系

関節を評価するための基本的な事項

関節を評価するには，それぞれの関節の構造と機能についての知識が必要である。各主要関節の表面のランドマーク（目印）とその内部の解剖学的構造を学ぶ。以下にあげた用語をよく理解すること。

関節の解剖：重要事項

- 関節の構造には，**関節包**と**関節軟骨**，**滑膜**と**滑液**，**関節内靱帯**，**関節近傍骨**などがある。関節軟骨は，荷電イオンや水分を含むコラーゲン基質で構成されており，関節の受ける圧力や負荷に応じてクッションとして機能する。滑液は隣接する比較的血管の少ない関節軟骨に栄養を与えている
- **関節外構造**には，関節周囲の靱帯，腱，滑液包，筋肉，筋膜，骨，神経，およびその上の皮膚がある
- **靱帯**は，骨と骨をつなぐコラーゲン線維のロープ状の束である
- **腱**は，筋肉と骨をつなぐコラーゲン線維である
- **滑液包**は，骨または他の関節構造物の上にあり，腱や筋肉が動いたときに生じる衝撃を吸収する滑液嚢である

関節の3つのタイプ（**滑膜性**，**軟骨性**，**線維性**）と，それぞれのタイプで可能な動きの程度を確認する（Box 23-1）。関節の解剖学的構造が，その機能と動きの程度を決定するということが重要である。

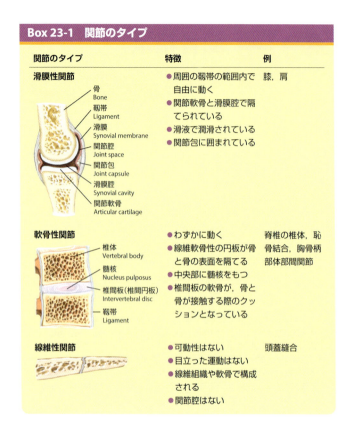

また,滑膜性関節の種類とその特徴も確認する(Box 23-2)。

Box 23-2 滑膜性関節の種類

滑膜性関節の種類	関節の形状	運動	例
球関節（球とソケット）	凹内に凸の表面	広範囲の屈曲，伸展，外転，内転，回旋，分回し運動	肩，股関節
ちょうつがい（蝶番）関節	平坦，平面	1つの平面内での運動。屈曲，伸展	手足の指趾節間関節，肘関節
楕円関節	凹あるいは凸	引き離すことのできない2つの連結表面の運動	膝，顎関節

病歴

よくみられる，または注意すべき症状

- 関節痛
- 頸部痛
- 腰痛

関節痛

部位

「関節に痛みはありますか？」とたずねる（Box 23-3）。患者に**痛みの部位を指差してもらう**。もし，痛みが限局していて，1つの関節にしかない場合は，**単関節性**である。**少関節性**（2〜4関節）あるいは**多関節性**（5ヵ所以上）ではないか確認する。

表23-1「関節とその周辺の痛みのパターン」，およびアルゴリズム23-1「筋骨格系症状のある患者へのアプローチ」を参照

単関節炎の場合は外傷性，結晶性，敗血症性関節炎，少関節炎の場合は淋病やリウマチ熱，結合組織病，変形性関節症（OA），そして多関節炎の場合はウイルス性または関節リウマチ（RA），全身性エリテマトーデス（SLE），乾癬などの炎症性疾患による関節炎が鑑別にあがる。

Box 23-3　関節痛を評価するためのコツ

- 患者に痛む部位を指差してもらう。多くの患者は痛みの部位を言葉で説明するのが苦手なので，これはかなりの時間短縮になる
- 症状の7つの特性（**部位**，**性質**，**程度や重症度**，**時期**，**発症様式**，**寛解因子**または**増悪因子**，**随伴症状**）を用いて痛みを特徴づける
- 特に外傷の既往がある場合は，受傷機転を明確にし，記録する
- 痛みが関節か関節外か，急性か慢性か，炎症性か非炎症性か，局所性（単関節性）かびまん性（多関節性）かを判断する

多関節性であれば，関節から関節へ痛みが移動するのか，1つの関節から多関節に徐々に広がっていくのか？ 病変は**対称性**（体の両側の同じような関節に発症する）か**非対称性**（異なる側の異なる関節に発症する）か？

リウマチ熱や淋菌性関節炎では移動性パターン，関節リウマチでは進行性かつ対称性パターン，乾癬，反応性，炎症性腸疾患（IBD）に伴う関節炎では非対称性パターン

全身のあちこちに「痛み」(筋肉の場合は**筋痛 myalgia**，関節炎を伴わない関節の場合は**関節痛 arthralgia**)があるか？

非関節性の炎症は滑液包(**滑液包炎 bursitis**)，腱(**腱炎 tendinitis**)，腱鞘(**腱鞘炎 tenosynovitis**)など。靭帯の伸展や断裂からの**捻挫 sprain**によっても起こる。

可動域制限やこわばりがないかたずねる。

関節性の痛みでは，能動および受動運動の制限と朝のこわばり(ゲル化)が起こる。非関節性の痛みでは，関節周囲の圧痛や受動運動制限はない。

性質

痛みはどのようなものか？「どのような痛みか表現できますか？」とたずねる。患者は，鈍い，不快，こわばっているなど，さまざまな言葉で痛みを表現する。

重症度

痛みはどの程度か？ 1〜10のスケールで重症度をたずねる。

一般に，炎症性の関節痛は，非炎症性のものに比べて非常に痛みが強いといわれている。

炎症性の関節疾患とは，感染性(例：淋菌，結核菌)，結晶性(痛風，偽痛風)，免疫関連(RA，SLE)，反応性(リウマチ熱，反応性関節炎)，特発性である。

非炎症性の関節疾患には，外傷(例：肩の腱板断裂)，オーバーユース(滑液包炎，腱炎)，変形性関節症(OA)，線維筋痛症がある。

発症様式と時期

急性関節痛は通常 6 週間まで，**慢性**関節痛は 12 週間以上続く。関節症状が出る時期（タイミング）を評価する。

急性敗血症性関節炎や結晶性関節炎（痛風，CPPD）では，急激に発症する激しい痛みを生じる。

痛みが外傷による場合，**受傷機転**や関節痛を引き起こした一連の出来事はどういったものか？

表 23-1「関節とその周辺の痛みのパターン」を参照

寛解または増悪因子

何が痛みを悪化させるか，和らげるかをたずねる。運動，安静，治療の効果はどうか？

炎症性の関節疾患（例：RA）では，安静にしていると痛みが悪化し，活動すると改善する傾向がある。機械的関節障害（例：OA）では，活動により痛みやこわばりが増す傾向があり，安静により改善する。

随伴症状

炎症
発熱，悪寒，圧痛，熱感，発赤があるか？

炎症性であれば，感染性（淋菌，結核菌），結晶性（痛風，偽痛風），免疫関連（RA，SLE），反応性（リウマチ熱，反応性関節炎），特発性関節炎を考える。非炎症性であれば，外傷（腱板断裂），反復使用（滑液包炎，腱炎），OA，線維筋痛症を考える。

可動域制限とこわばり
可動域制限やこわばりを評価する。

RA や PMR などの炎症性疾患では活動により徐々に改善する朝のこわばりがみられ，一方 OA では間欠的なこわばりやゲル化がみられる。

また，年齢も関節痛の原因を知る手がかりになる（Box 23-4）。

Box 23-4　年齢による関節痛の原因

60歳未満
- 反復運動過多損傷またはオーバーユース症候群（腱炎，滑液包炎）
- 結晶性関節炎〔痛風，結晶性ピロリン酸沈着症（CPPD）〕
- 関節リウマチ（RA），乾癬性関節炎，反応性関節炎〔Reiter（ライター）症候群〕〔炎症性腸疾患（IBD）でみられる〕
- 淋病，ライム病，ウイルス・細菌感染などによる感染性関節炎

60歳以上
- 変形性関節症（OA）
- 骨粗鬆症性骨折
- 痛風，偽痛風
- リウマチ性多発筋痛症（PMR）
- 敗血症性細菌性関節炎

全身症状

発熱，悪寒，発疹，倦怠感，食欲不振，体重減少，筋力低下など，関節疾患に関連した**全身症状**を評価する。随伴する全身症状および他の臓器系統に由来する全身症状に注意する。

RA，SLE，PMR，その他の炎症性関節炎に多い。高熱や悪寒がある場合は，感染症が疑われる。

■ 頸部痛

痛みの部位，肩や腕への放散痛，腕や下肢の脱力，膀胱直腸障害についてたずねる。

椎間板ヘルニアよりも，椎間孔インピンジメントによるC7またはC6脊髄神経圧迫のほうが一般的である。表23-2「頸部痛」を参照

自動車事故によくみられるような頸部外傷を訴える患者には，頸部圧痛についてたずね，頸髄損傷リスクを特定するための臨床判断ルール（NEXUS基準やカナダ頸椎ルールなど）を用いる。

■ 腰痛

「背中に痛みはありますか？」，「痛みは椎骨に沿った正中線上ですか，それとも正中線から外れていますか？」とたずねる。	表 23-3「腰痛」を参照。正中線上の痛みは，椎体圧潰，椎間板ヘルニア，硬膜外膿瘍，脊髄圧迫，癌の脊髄転移などにみられる。正中線から外れた部分の痛みは，筋挫傷，仙腸関節炎，大転子滑液包炎，坐骨神経痛，股関節炎，腎盂腎炎や腎結石のような腎疾患にみられる。
痛みが下肢に放散している場合は，それに伴うしびれ，うずき，脱力感についてたずねる。外傷の既往についてたずねる。	S1 領域の殿部および下肢後面に神経根性疼痛があり咳嗽や Valsalva（バルサルバ）手技で増強する場合，坐骨神経痛を考える。
膀胱直腸障害がないかどうか調べる。	特に会陰部にサドル型知覚麻痺やしびれがある場合，S2〜S4 領域の腫瘍や椎間板ヘルニアによる馬尾症候群を考える。
警告徴候（重篤な全身性疾患の危険因子）がないか確認する（Box 23-5）。	

Box 23-5　腰痛の警告徴候

- 20 歳未満もしくは 50 歳以上
- 癌の既往
- 説明のつかない体重減少，発熱，体調不良
- 1 カ月以上続く痛みや治療抵抗性の痛み
- 夜間や安静時の痛み
- 静注薬物の乱用，アルコールや薬物依存症，免疫抑制状態
- 活動性のある感染症または HIV 感染症
- 長期間のステロイド療法
- サドル型知覚麻痺
- 尿もしくは便失禁
- 神経症状または進行性の神経損傷
- 下肢脱力

診察の技術

診察の技術 **所見**

関節の診察手順

アプローチは大きく分けて，視診，触診，関節運動の評価（**みる，触る，動かす**）の 3 つに分けられる。この体系的なアプローチは，IPROMS（"I promise..."）という語呂合わせで覚えておくとよい。IPROMS とは，視診 Inspection，触診 Palpation，関節可動域 Range of Motion の評価，特殊な技術 Special maneuver のことである。

1. 視診 Inspection：**みる**—変形，腫脹，傷，炎症，筋肉の萎縮などの徴候がないか評価する。
2. 触診 Palpation：**触る**—表面の解剖学的な目印をたよりに，圧痛点や**捻髪音 crepitus**（骨の上を腱や靱帯が動くとカクカクする，軟骨が減っている，滑液貯留などの触知が可能なこと）を確認する。
3. 関節可動域 Range of Motion：**動かす**—関与する関節を患者に**能動的 actively** に動かしてもらい，その後，診察者が**他動的 passively** に動かす。
4. 特殊な技術 Special maneuver：**動かす**—必要に応じて，靱帯，腱，および滑液包の安定性と整合性を評価するために抵抗を加えた診察手技を行う。

また，炎症所見のある関節を視診，触診する（Box 23-6）。

Box 23-6　炎症の 4 徴候

- **腫脹**：触知できる腫脹には以下のものがある。(1) 滑膜。腫れぼったく，ふくらんでいるように感じる。(2) 関節腔内の過度の滑液貯留による滲出液。(3) 滑液包，腱，腱鞘などの軟部組織構造物

触知可能な腫れやふくらみは滑膜炎を示唆する。腱鞘炎では腱鞘上の圧痛を示す。

- **熱感**：指の背部を使い，障害のある側の関節と反対側の関節を比べ，左右両側の関節に障害がみられる場合

熱感は関節炎，腱炎，滑液包炎，骨髄炎などでみられる。

（続く）↗

診察の技術	所見

↘(続き)

> には，関節近傍組織と比較する
> - **発赤**：関節を覆っている皮膚の発赤は，関節周囲の炎症徴候のうち最もまれである。手指，足趾，膝など，浅い部分にある関節でみられることが多い
> - **自発痛や圧痛**：圧痛が生じている特定の解剖学的構造物を同定する

滑膜全体の圧痛と熱感は関節炎や感染症を示唆し，局所的な圧痛は損傷や外傷を示唆する。

圧痛のある関節の発赤は，敗血症性関節炎，結晶性関節炎，RAにみられる急性の炎症を示唆している。

顎関節

顎関節の診察の重要項目

- 顔面・顎関節を視診する
- 顎関節と咀嚼筋(咬筋，側頭筋，翼状筋)を触診する
- 開閉，突出・後退，横方向(左右)の動きなど可動域の評価をする

腫脹や発赤がないかどうか視診する。

以下を触診する。

- 患者が口を開閉する際の顎関節(図 23-1)

- 咀嚼筋：**咬筋，側頭筋，翼状筋**

可動域を評価する(Box 23-7)。

図 23-1 患者に口を開閉してもらいながら顎関節を触診する

診察の技術		所見

Box 23-7　顎関節の可動域

顎の動き	動作に関連する主筋肉	検査時の患者への指示
開ける	外側翼突筋下頭, 前斜角筋, 顎舌骨筋	「口を開けてください」
閉じる	咬筋, 側頭筋の前方〜中央部, 内側翼突筋, 外側翼突筋上頭	「口を閉じてください」
突き出す	外側翼突筋	「下あごを突き出してください」
引き戻す	側頭筋中央部〜後方	「下あごを手前に引いてください」
横方向に動かす	同側の側頭筋の中央部〜後方, 対側の外側翼突筋下頭	「下あごを左右に動かしてください」

肩

肩関節の診察の重要項目

- 肩と上肢帯を前方から, 肩甲骨と関連筋を後方から視診する
- 胸鎖関節, 鎖骨, 肩鎖関節, 烏口突起, 大結節, 上腕二頭筋腱, 肩峰下・三角筋下滑液包, そしてその下にある触知可能な SITS 筋を触診する
- 屈曲・伸展, 外転・内転, 内旋・外旋の可動域を評価する
- 必要に応じて特殊な技術を行う：painful arc テスト, Neer(ニアー)テスト, Hawkins(ホーキンス)テスト, drop arm テスト, empty can テスト

肩と肩甲骨の輪郭を前と後ろから視診する。肩の筋肉が萎縮しているようにみえるときは, 翼状肩甲になっていないか視診する。	筋萎縮。上腕骨頭の前方または後方脱臼。肩の高さが非対称な場合は側弯 表 23-4「肩痛」とアルゴリズム 23-2「肩痛のある患者へのアプローチ」を参照
以下を触診する。	
● 胸鎖関節から肩鎖関節までの鎖骨	外傷が原因の骨折の場合には「段差」がある。
● 上腕二頭筋腱（図 23-2）	

診察の技術	所見

- 腕を後方に持ち上げたときの肩峰下滑液包と回旋筋腱板(図 23-3)。

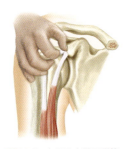

図 23-2　右肩の上腕二頭筋溝と上腕二頭筋腱の触診

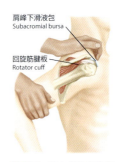

図 23-3　右上腕骨を後方に伸展し、SITS 筋付着部と滑液包を触診する

可動域を評価する(Box 23-8)。　肩関節炎

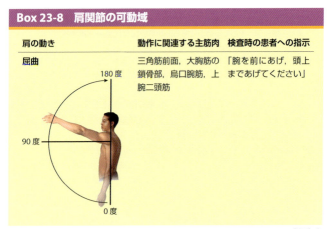

Box 23-8　肩関節の可動域

肩の動き	動作に関連する主筋肉	検査時の患者への指示
屈曲	三角筋前面、大胸筋の鎖骨部、烏口腕筋、上腕二頭筋	「腕を前にあげ、頭上まであげてください」

(続く)↗

診察の技術		所見

↘(続き)

伸展 180度 *0度 … 60度*	広背筋，大円筋，三角筋後面，上腕三頭筋長頭	「腕を後ろにあげてください」	
外転 180度 … 90度 … 0度	棘上筋，三角筋中央部，前鋸筋前面（肩甲骨を上方に回転させることによる）	「腕を外側にあげて，頭上まであげてください」	
内転 180度 … 90度 … 0度 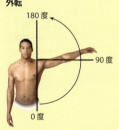	大胸筋，烏口上腕筋，広背筋，大円筋，肩甲下筋	「腕を頭上へあげ，横へおろしてください」	

(続く)↗

肩の動き	動作に関連する主筋肉	検査時の患者への指示
内旋	肩甲下筋，三角筋前面，大胸筋，大円筋，広背筋	「片方の手を下から背中に回して，肩甲骨に触れてください」
外旋 	棘下筋，小円筋，三角筋後面，棘上筋（特に頭上に腕を上げるとき）	「腕を外側に肩の高さまであげてください。肘を90度曲げて天井に向かってあげてください」あるいは「髪をとかしているような感じで片方の手を頭の後ろにもっていってください」

必要に応じて**回旋筋腱板 rotator cuff** の SITS 筋と上腕二頭筋腱を評価するための特殊な技術を行う（Box 23-9）。

肩峰下滑液包炎。SITS 筋（**棘上筋** Supraspinatus，**棘下筋** Infraspinatus，**小円筋** Teres minor，**肩甲下筋** Subscapularis）付着部の圧痛や，肩より上に腕を外転できない状態は，回旋筋腱板の捻挫，断裂，腱の断裂で起こる。

回旋筋腱板の捻挫，腱炎，断裂では，これらの手技ができない，もしくは痛みを生じる。

診察の技術	所見

Box 23-9　SITS 筋評価のための特殊な技術

痛みの誘発テスト

- **painful arc テスト**：患者の腕を 0〜180 度まで完全に外転させる

- **Hawkins インピンジメント徴候**：患者の肩と肘を 90 度に屈曲し手掌を下に向ける。つぎに，片手を患者の前腕に，もう片方の手を上肢に添えて，上肢を内旋させる。これにより，大結節が棘上筋腱や烏口肩峰靱帯に圧迫される

- **Neer インピンジメント徴候**：患者の肩甲骨が動かないように片手で押さえ，もう片方の手で患者の上肢を持ち上げる。これにより，上腕骨の大結節が肩峰に圧迫される

筋力テスト

drop-arm テスト：患者に上肢を肩の高さまで（90 度まで）完全に外転させ，ゆっくりとおろしてもらう。90〜120 度と肩の高さより高い挙上は，三角筋の動きを反映している

(続く)

診察の技術	所見

↘(続き)

複合テスト

empty can テスト：上肢を 90 度まで上げ、缶の中身を捨てるように母指を下に向けて上肢を内旋させる。上肢を上から圧迫しながら、患者に抵抗してもらう

肘

肘関節の診察の重要項目

- 肘の輪郭，尺骨の伸側面，肘頭突起を視診する
- 肘頭突起，内側上顆，外側上顆を触診する
- 屈曲，伸展，回内，回外の可動域を評価する
- 必要に応じて特殊な技術を行う：Cozen（コーゼン）テスト（外側上顆炎）

視診と触診：

- 肘頭突起 — 肘頭部滑液包炎。直接外傷または顆上骨折による後方脱臼

- 内側上顆と外側上顆 — 上腕骨上顆の遠位部における圧痛は上腕骨**外側**上顆炎（テニス肘），上腕骨**内側**上顆炎（野球肘）でみられる。

- 尺骨の伸側面 — リウマトイド結節

- 上腕骨上顆と肘頭突起の間の溝

可動域を評価する（Box 23-10）。 圧痛は関節炎でみられる。

| 診察の技術 | | 所見 |

Box 23-10　肘関節の可動域

肘の動き	動作に関連する主筋肉	検査時の患者への指示
屈曲	上腕二頭筋，上腕筋，腕橈骨筋	「肘を曲げてください」
伸展	上腕三頭筋，肘筋	「肘をのばしてください」
回外	上腕二頭筋，回外筋	「手のひらを上に向けてください」
回内	円回内筋，方形回内筋	「手のひらを下に向けてください」

必要に応じて特殊な技術を行う。

- **Cozen テスト**：患者の肘を安定させ，外側上顆を触診する。その後，手首を回内し抵抗に抗って伸展してもらう。肘の外側に沿って痛みが再現されるはずである（図 23-4）。

図 23-4　外側上顆炎である「テニス肘」の診察（Cozen テスト）
(Anderson MK. *Foundations of Athletic Training: Prevention, Assessment, and Management.* 6th ed. Wolters Kluwer; 2017. Figure 18-11a より)

診察の技術	所見

手首と手

手首と手の診察の重要項目

- 手首,手,指の骨,母指球と小指球,屈筋腱を視診する
- 橈骨,尺骨,橈骨茎状突起,解剖学的嗅ぎタバコ入れ(snuffbox),手根骨,中手骨,基節骨・中節骨・末節骨,手関節,MCP 関節,PIP 関節を触診する
- **手首**:屈曲と伸展,外転(橈側偏位)と内転(尺側偏位)の可動域を評価する。**指(MCP 関節,PIP 関節,DIP 関節)**:屈曲・伸展,外転・内転の可動域を評価する。**母指**:屈曲・伸展,外転・内転,対立運動の可動域を評価する
- 必要に応じて特殊な技術を行う:握力,母指腱鞘炎のテスト〔Finkelstein(フィンケルシュタイン)テスト〕,絞扼性ニューロパチー〔感覚,母指の外転と対立運動,Tinel(ティネル)徴候,Phalen(ファーレン)徴候〕

以下を視診する。

- 手首,手,指の運動 　　　　　損傷における強い運動制限

- 手首,手,指の輪郭 　　　　　OA による DIP 関節,PIP 関節の非対称変形,RA による PIP 関節,MCP 関節,手関節の対称変形,関節炎やガングリオンによる腫脹,屈筋腱損傷による指のアライメント不整,Dupuytren(デュピュイトラン)拘縮による屈曲拘縮

- 手のひらの輪郭 　　　　　　正中神経圧迫(手根管症候群)による母指球萎縮,尺骨神経圧迫による小指球萎縮

以下を触診する。

- 手関節(図 23-5) 　　　　　関節リウマチ,関節や伸筋腱鞘への淋菌感染による腫脹・圧痛

診察の技術	所見

図 23-5　左手関節の触診

● 橈骨・尺骨の遠位部

Colles(コレス)骨折による尺骨茎状突起上の圧痛

解剖学的嗅ぎタバコ入れ(snuff-box, 橈骨の茎状突起より末梢側にあるくぼみ), 母指外転筋腱, 母指伸筋腱(図 23-6)。

snuffbox 上の圧痛は舟状骨骨折を示唆する。伸筋腱と外転筋腱上の圧痛は, de Quervain(ド・ケルヴァン)病を示唆する。

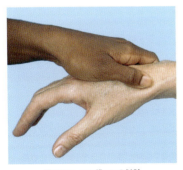

図 23-6　snuffbox の触診

診察の技術	所見
● 中手指節関節（MCP関節） （図 23-7）	関節リウマチによる腫脹

図 23-7　左手の MCP 関節の触診

● 近位・遠位指節間関節（PIP関節，DIP関節）	RAによるPIP関節の結節，OAによるPIP関節のBouchard（ブシャール）結節やDIP関節のHeberden（ヘバーデン）結節

可動域を評価する（Box 23-11）。

● 手首	関節炎，腱鞘炎

Box 23-11　手関節の可動域

手関節の動き	動作に関連する主筋肉	検査時の患者への指示
屈曲	橈側手根屈筋，尺側手根屈筋	「手のひらを下に向けた状態から指が床に向くように手首を曲げてください」
伸展	尺側手根伸筋，長橈側手根伸筋，短橈側手根伸筋	「手のひらを下に向けた状態から指が天井を向くように手首を上に曲げてください」
内転（尺側偏位）	尺側手根屈筋 尺側手根伸筋	「手のひらを下に向けた状態から，指先が真ん中を向くように手首を曲げてください」

（続く）↗

診察の技術	所見
↘(続き)	

| 外転(橈側偏位) | 橈側手根屈筋
長橈側手根伸筋,短橈側手根伸筋
ときに長母指外転筋 | 「手のひらを下に向けた状態から,指先が外側を向くように手首を曲げてください」 |

- 指：屈曲,伸展,外転・内転 　　ばね指,Dupuytren 拘縮
  （指を広げる,閉じる）

- 母指（図 23-8〜23-11）

図 23-8　母指の屈曲の診察

図 23-9　母指の伸展の診察

図 23-10　母指の外転・内転の診察

図 23-11　母指の対立運動の診察

診察の技術	所見

必要に応じて特殊な技術を行う。

- 握力(図 23-12)

図 23-12 握力の診察

手指屈筋群や手内在筋群の筋力低下による握力低下

- 母指の運動(図 23-13)

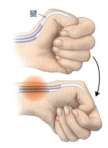

図 23-13 母指の腱鞘炎の診察(Finkelstein テスト)

de Quervain 病の場合は痛みを生じる。

- 手根管の診察

  - **Tinel 徴候**：手首の掌側で正中神経を軽く叩く(図 23-14)。

第 2〜4 指の痛み，しびれは，Tinel 徴候陽性

図 23-14 手根管症候群の診察(Tinel 徴候)

  - **Phalen 徴候**：手首を 60 秒間屈曲させる(図 23-15)。

第 2〜4 指の痛み，しびれは，Phalen 徴候陽性

診察の技術	所見

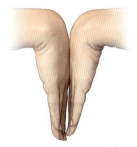

図 23-15　手根管症候群の診察（Phalen 徴候）

脊椎

脊椎の診察の重要項目

- 姿勢を視診する：頸部，胸部，腰部の弯曲を側方から観察し，脊柱の直立，肩のアライメント，腸骨稜，殿溝を後方から観察する
- 椎骨棘突起，傍脊柱筋，椎間関節，腰椎・仙椎，仙腸関節，腸骨稜，後上腸骨棘を触診する
- **頸椎**：屈曲，伸展，回旋，側屈の可動域を評価する。**胸椎・腰椎・仙椎**：屈曲，伸展，回旋，側屈の可動域を評価する
- 必要に応じて診察手技を行う：頸椎症性神経根症〔Spurling（スパーリング）テスト〕

脊椎を側面と背面から視診し，異常な弯曲がないか確認する。	後弯，側弯，前弯，突背，縁の弯曲
肩，腸骨稜，殿部の高さが左右非対称になっていないか確認する。	側弯，骨盤の傾斜，下肢長不同
以下を触診（図 23-16）する。	

診察の技術	所見

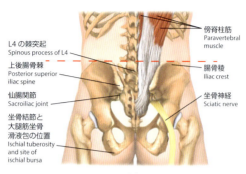

図 23-16 背部の解剖

● 各椎骨の棘突起	外傷，感染症の場合は圧痛がみられる。脊椎すべり症，骨折の場合は段差がみられる。
● 仙腸関節	仙腸関節炎，強直性脊椎炎
● 痛みがあれば，傍脊柱筋	異常な体勢，変性および炎症性の筋疾患，オーバーユースでは傍脊柱筋の攣縮がみられる。アルゴリズム 23-3「背部痛のある患者へのアプローチ」を参照
頸部と脊柱の可動域を評価する（Box 23-12，23-13）。	関節炎では可動性が低下する。

Box 23-12　頸椎の可動域

動き	動作に関連する主筋肉	検査時の患者への指示
屈曲	胸鎖乳突筋，斜角筋，傍脊柱筋	「顎を胸につけてください」
伸展	頭板状筋，頸板状筋，頸部小内在筋	「天井を見上げてください」
回旋	胸鎖乳突筋，頸部小内在筋	「肩越しに斜め後ろを振り返ってください。左右とも行ってください」
側屈	斜角筋，頸部小内在筋	「肩に耳をつけてください」

診察の技術　　　　　　　　　　　　所見

Box 23-13　胸椎・腰椎・仙椎の可動域

動き	動作に関連する主筋肉	検査時の患者への指示
屈曲	大腰筋，小腰筋，腰方形筋，内外腹斜筋や腹直筋など脊椎前方に付着する腹部筋肉	「つま先を触るような感じで前屈してください」
伸展	脊柱起立筋，横突棘筋群，腸肋筋，最長筋，棘筋のような背部の深部固有筋群	「背中をできるだけ後ろに反らせてください」
回旋	腹部筋肉，背部内在筋	「上半身を左右にねじってください」
側屈	腹部筋肉，背部内在筋	「上半身を横に倒してください」

診察の技術	所見

股関節

股関節の診察の重要項目

- 歩行を観察し，腰椎，下肢，股関節を前方および後方から視診する
- **前面のランドマーク**の触診：腸骨稜，腸骨稜結節，上前腸骨棘，大腿骨大転子，恥骨結節。**後面のランドマーク**の触診：上後腸骨棘，大転子外側，坐骨結節，仙腸関節。また，鼠径靱帯，腰筋滑液包，転子部滑液包，大殿筋坐骨滑液包を触診する
- 屈曲，伸展，外転，内転，外旋，内旋の可動域を評価する
- 必要に応じて特殊な技術を行う：鼠径部の歪み〔FABER(フェーバー)テストまたは Patrick(パトリック)テスト〕

歩行を観察する(図 23-17)。

踵を床につける　　足底全体が床に接触　　立脚中間位　　踵が床から離れる

図 23-17 歩行の立脚相

● 立脚相 stance(図 23-17 参照)と遊脚相 swing(足を前方に動かし，体重支持していないとき)	ほとんどの問題は，体重を支える立脚相で発生する。
● 歩隔 width of base(通常，左右の踵から踵まで 5～10cm)，骨盤基線の移動，膝の屈曲	歩隔が広い場合，小脳疾患や足の問題を示唆する。骨盤移動の障害は関節炎や股関節脱臼，外転筋の筋力低下でみられ，膝関節の屈曲障害があれば歩行が乱れる。

診察の技術	所見

以下を触診する。

- 骨のランドマーク：前方から—腸骨稜，腸骨稜結節，上前腸骨棘，大腿骨大転子，恥骨結節。後方から—上後腸骨棘，大転子外側，坐骨結節，仙腸関節

- 鼠径靱帯に沿う。NAVEL〔**N**erve（神経）—**A**rtery（動脈）—**V**ein（静脈）—**E**mpty space（空隙）—**L**ymph node（リンパ節）〕の順に診察する。

  鼠径ヘルニアや動脈瘤による膨隆

- 大腿骨の大転子上の**転子部滑液包**（図 23-18）

  転子部滑液包炎による局所性圧痛（患者は「腰痛」と表現することが多い）

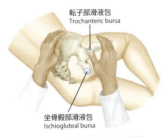

転子部滑液包
Trochanteric bursa

坐骨殿部滑液包
Ischiogluteal bursa

図 23-18 転子部滑液包の触診

- 坐骨結節の表層にある**坐骨殿部滑液包**

  長時間の座位による滑液包炎〔"weaver's bottom"（機織り工の尻）〕での圧痛

可動域を評価する（Box 23-14）。

診察の技術			所見

Box 23-14　股関節の可動域

股関節の動き	動作に関連する主筋肉	検査時の患者への指示	
屈曲	腸腰筋と大腿直筋（特に膝を屈曲させたとき）	「膝を胸のほうにもってきて体につけるように引き寄せてください」	反対側の下肢の屈曲は，その股関節の変形を示唆する。
伸展	大殿筋，中殿筋，大内転筋，ハムストリング（特に膝を伸展させたとき）	「あおむけに寝て，脚を外側に向かって開き，診察台から脚をはみださせてぶら下げてください」	腸腰筋膿瘍による痛み
外転	中殿筋，小殿筋，大腿筋膜張筋（TFL）	「あおむけに寝て，脚を外側に向かって開いてください」	
内転	短内転筋，長内転筋，大内転筋，恥骨筋，薄筋	「あおむけに寝て，膝を曲げ，脚のすねを真ん中に向かって動かしてください」	股関節炎によって制限される。
外旋	内外閉鎖筋，大腿四頭筋，上下双子筋	「あおむけに寝て，膝を曲げ，脚のすねと足部を真ん中を超えて反対側に動かしてください」	
内旋	中殿筋，小殿筋，大腿筋膜張筋，いくらか内転筋による補助	「あおむけに寝て，膝を曲げ，脚のすねと足部を真ん中から外側に向かって動かしてください」	股関節炎によって制限される。

診察の技術

所見

必要に応じて特殊な技術を行う。

- FABER〔**F**lexion（屈曲），**AB**-duction（外転），**E**xternal **R**otation（外旋）〕テストまたはPatrick テストによる鼠径部の歪みの診察。患者を仰臥位にし，片方の下肢を90度屈曲させ，足首が対側の膝の位置を超えるよう外旋・外転させる（図 23-19）。

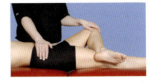

図 23-19 鼠径部の歪みのテスト（FABER テストまたは Patrick テスト）
(Anderson MK. *Foundations of Athletic Training: Prevention, Assessment, and Management.* 6th ed. Wolters Kluwer; 2017. Figure 16-19 より)

膝関節

膝関節の診察の重要項目

- 歩行の観察，膝，膝蓋骨周辺のくぼみ，大腿四頭筋の視診をする
- 大腿脛骨関節を触診する。**内側区画**：大腿骨内側顆，内転筋結節，脛骨内側プラトー，内側側副靭帯。**外側区画**：大腿骨外側顆，脛骨外側プラトー，外側側副靭帯。**膝蓋骨大腿骨区画**：膝蓋骨，膝蓋腱，脛骨粗面，膝蓋前滑液包，鵞足包，膝窩
- 屈曲，伸展の可動域を評価する
- 必要に応じて特殊な技術を行う。McMurray（マクマレー）テスト（半月板），外転（外反）ストレステスト（内側側副靭帯），内転（内反）ストレステスト（外側側副靭帯），前方引き出し徴候または Lachman（ラックマン）テスト（前十字靭帯），後方引き出し徴候（後十字靭帯）。滲出液をみる手技：膨隆徴候，バルーン徴候，膝蓋跳動

膝の内側（図 23-20）と外側の構造を確認する。

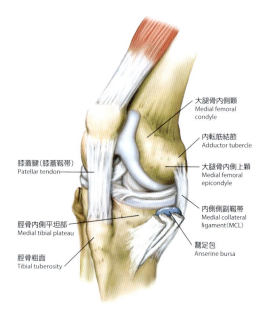

図 23-20 右膝の内側区画の構造

以下を視診する。

診察の技術	所見
●歩行における踵が床に着地するときの膝の伸展と，その他の遊脚，立脚などの全段階での膝の屈曲	大腿四頭筋の筋力低下や膝蓋骨軌道の異常における，踵を接地したときの膝くずれ
●膝のアライメント	内反膝（O脚），外反膝（X脚）。下肢麻痺やハムストリングの圧迫による屈曲拘縮
●大腿四頭筋の萎縮など膝の外観	膝蓋大腿疼痛症候群では大腿四頭筋の萎縮がみられる。膝蓋前滑液包炎（メイド膝）では膝蓋骨上に腫脹がみられ，膝蓋下滑液包炎や，より内側の鵞足滑液包炎の場合は脛骨結節上に腫脹がみられる。

診察の技術	所見
視診と触診:	表23-5「膝痛」, アルゴリズム23-4「膝痛のある患者へのアプローチ」を参照
大腿脛骨関節:膝を屈曲させた状態で診察する。	
●関節線:膝蓋腱の両側に母指をあてる。	変形性関節症における不整な骨性の隆起
●内側半月板および外側半月板	半月板断裂による圧痛
●内側・外側側副靱帯	内側側副靱帯断裂による圧痛(外側側副靱帯損傷はあまりみられない)
●膝蓋骨大腿骨区画(コンパートメント)	
●膝蓋骨	膝蓋前滑液包炎による膝蓋骨上の腫脹(メイド膝)
●膝蓋腱を触診し,患者に脚をのばしてもらう。	膝蓋腱の部分断裂または完全断裂による圧痛または膝の伸展不能
●膝蓋骨をその下部にある大腿骨に向かって押す。	**膝蓋大腿疼痛症候群 patellofemoral syndrome** による疼痛,捻髪音,膝痛の既往
●膝蓋骨を遠位へ押し,患者には膝を診察台にぴったりつけていてもらう。	**膝蓋軟骨軟化症 chondromalacia** による大腿四頭筋の収縮時の痛み
●膝蓋上囊	滑膜炎や関節炎による腫脹
●膝蓋骨下の空隙(膝蓋骨に隣接する空洞部)	関節炎による腫脹

診察の技術	所見
● 脛骨内側顆	鵞足滑液包炎による腫脹
● 膝窩表面	

可動域を評価する(Box 23-15)。

Box 23-15　膝関節の可動域

膝関節の動き	動作に関連する主筋肉	検査時の患者への指示
屈曲	ハムストリング：大腿二頭筋，半腱様筋，半膜様筋	「膝を曲げてください」
伸展	大腿四頭筋：大腿直筋，内側広筋，外側広筋，中間広筋	「足をのばしてください」

半月板，靱帯，滲出液を評価するための特殊な技術を行う。

● 内側半月板と外側半月板― McMurray テスト(図 23-21)：患者を仰臥位とし，踵をつかんで膝を屈曲させる。もう片方の手を膝関節の上に置き，母指が関節線に沿うようにしてつかむ。踵から下腿を外側に回転させ，関節の内側に対する外反ストレスを加えるために側面を押す。外旋させた下腿をゆっくり伸展させる。

図 23-21　McMurray テスト

同じ手技で下腿を内旋させると，外側半月板に負荷がかかる。	内側半月板の後部断裂の場合，外反ストレス，外旋，下肢伸展により内側関節に沿ってクリック音または断裂音(ポンという音)がする。

診察の技術

所見

- **内側側副靱帯 medial collateral ligament(MCL)（図 23-22）**：膝をわずかに曲げた状態で，片手で膝外側を内側に押し，もう片方の手で足首を外側に引っぱる〔**外転 abduction（外反 valgus）ストレステスト**〕。

内側関節線での痛みや側方動揺性は，内側側副靱帯の部分断裂または完全断裂を示唆する。

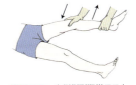

図 23-22　内側側副靱帯テスト

- **外側側副靱帯 lateral collateral ligament(LCL)（図 23-23）**：膝をわずかに曲げた状態で，片手で膝内側を外側へ押し，もう片方の手で足首を内側に引っぱる〔**内転 adduction（内反 varus）ストレステスト**〕。

外側関節線に痛みや隙間がある場合は，LCL の部分断裂または完全断裂を示唆する。

図 23-23　外側側副靱帯テスト

- **前十字靱帯 anterior cruciate ligament(ACL)**：(1)**前方引き出しテスト anterior drawer test**（図 23-24）：膝を曲げた状態で，診察者の母指を内側と外側の関節線上に置き，残りの指を大腿二頭筋の付着部に置く。脛骨を前方に引き，脛骨が「引き出しのように」前方にスライドするかどうかを観察する。反対側の膝と比較する。

脛骨近位部の前方へのすべり運動は，ACL の弛緩や断裂を示唆し，**前方引き出し徴候 anterior drawer sign 陽性**である。

図 23-24　前十字靱帯テスト（前方引き出しテスト）

診察の技術	所見
（2）**Lachman テスト**（図 23-25）。片方の手で大腿骨遠位部を，もう片方の手で脛骨近位部を握る（母指は関節線上に置く）。大腿骨は前方へ，脛骨は後方へ動かす。	ACL 断裂における脛骨の前方への著明な逸脱。

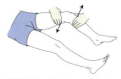

図 23-25　Lachman テスト

- 後十字靱帯 posterior cruciate ligament(PCL)：**後方引き出しテスト posterior drawer test**（図 23-26）：患者の姿勢と診察者の手の位置は ACL テストと同様にする。脛骨を後方に（引き出しをスライドするように）押し，大腿骨下での後方移動を観察する。

PCL が単独で断裂することはまれである。

図 23-26　後十字靱帯テスト（後方引き出しテスト）

滲出液を評価する。

膝窩嚢胞または Baker（ベイカー）嚢胞

- **膨隆徴候 bulge sign**（少量の滲出液をみるため）：膝蓋上嚢を圧迫し，膝の内側を下向きになで（図 23-27），滲出液を外側表面へ押し出すように圧迫し（図 23-28），そして膝蓋骨外側縁の後ろを叩く（図 23-29）。

外側から叩いて，内側に向かって液体の波動を触れる場合，膨隆徴候陽性であり，滲出液が存在する可能性がある。

診察の技術	所見

下向きになでる

図 23-27 膨隆徴候（ステップ 1）：膝蓋上囊から下方に向かって液体を絞る

内側からの圧迫

図 23-28 膨隆徴候（ステップ 2）：膝の内側を圧迫して，液体を外側へ押し出す

軽く叩き滲出液の波動をみる

図 23-29 膨隆徴候（ステップ 3）：膝蓋骨の外側縁に貯留した液体によって形成された膨隆を軽く叩く

- バルーン徴候 balloon sign（多量の滲出液をみるため）：一方の手で膝蓋上囊を圧迫し，もう一方の手の指で，膝蓋骨近くの関節腔に液体が入っているのを触知する（図 23-30）。

触知可能な液体の波動があればバルーン徴候陽性である。

図 23-30 バルーン徴候

- 膝蓋跳動（多量の滲出液をみるため）：膝蓋骨を大腿骨に強く押しつけ，液体が膝蓋上囊に戻るかどうかを確認する。

診察の技術	所見

足首と足

足首と足の診察の重要項目

- 足首と足を視診する
- 足関節，アキレス腱，踵骨，足底筋膜，足首の内側と外側の靱帯，内果・外果，中足趾節関節（MTP 関節），中足骨，腓腹筋，ヒラメ筋を触診する
- 屈曲（底屈），伸展（背屈），内反，外反の可動域を評価する
- 必要に応じて特殊な技術を行う。**関節の完全性のテスト**：脛距関節，距骨下関節（距踵関節），距腿関節，横足根関節，および中足趾節関節。アキレス腱の完全性のテスト

足首と足を視診する。	外反母趾，うおのめ，胼胝（たこ）
以下を触診する。	
● 足関節	関節炎での関節痛
● 足首の靱帯：内側の三角靱帯。外側の前距腓靱帯，後距腓靱帯，踵腓靱帯。	捻挫時の圧痛：外側の靱帯が弱く，内反による損傷（足首が外側に曲がり，踵が内側に曲がる）が多い。
● アキレス腱	リウマチ結節，腱炎による圧痛
● 中足趾節関節を圧迫し，母指と示指で各関節を触診する（図 23-31，23-32）。	関節炎，Morton（モートン）神経腫における第 3, 4 MTP 関節，痛風における第 1 MTP 関節の炎症などによる圧痛

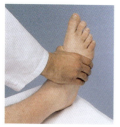

図 23-31　中足趾節関節の触診

図 23-32　中足骨頭と溝の触診

診察の技術 / **所見**

可動域を評価する(Box 23-16)。

Box 23-16 足関節の可動域

足首と足の動き	動作に関連する主筋肉	検査時の患者への指示
足首の屈曲(底屈)	腓腹筋,ヒラメ筋,足底筋,後脛骨筋	「足先を床に向けてください」
足首の伸展(背屈)	前脛骨筋,長趾伸筋,長母趾伸筋	「足先を天井に向けてください」
内反	後脛骨筋および前脛骨筋	「踵を内側に向けてください」
外反	長腓骨筋および短腓骨筋	「踵を外側に向けてください」

関節炎では,どの方向に動かしても痛みを感じることが多く,一方,捻挫では損傷した靱帯が引きのばされたときに最も痛みを感じる。

足首の捻挫

外傷・関節炎

特殊な技術

下肢長の測定

患者の下肢は左右対称になるようにする。巻き尺で上前腸骨棘から内果までの距離を測定する。巻き尺は膝の内側を通るようにする(図 23-33)。

左右の脚長差は**側弯症 scoliosis**の原因となることがある。

診察の技術	所見
	 図 23-33　上前腸骨棘から内果までの脚の長さを測定する

可動域の測定

可動域を正確に測定するためには，簡易携帯用角度計が必要である。目視で推定することもできる。右図(図 23-34)は，赤い線で示した範囲に肘の可動域が限定されている例である。

45 度に屈曲変形しており，さらにそこから 90 度までしか屈曲できない(45 度→ 90 度)。

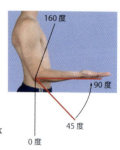

図 23-34　肘関節屈曲の正常な可動域(黒)と患者の可動域(赤)

所見の記録

筋骨格系の診察の記録

全関節の可動域は正常。腫脹や変形は認めず

または

すべての関節の可動域は正常。手指に，遠位指節間関節の Heberden 結節，近位指節間関節の Bouchard 結節変形あり。両股関節の屈曲，伸展，回旋で軽度の疼痛あり。膝関節の可動域は正常であり，中程度の捻髪音を伴う。滲出液はないが，両側の大腿脛骨関節線に沿って腫れぼったい滑膜と骨棘あり。両足の第 1 中足趾節関節に外反母趾あり
これらの所見は，変形性関節症(OA)を示唆している

健康増進とカウンセリング：エビデンスと推奨

健康増進とカウンセリングの重要事項

- 腰痛
- 骨粗鬆症：危険因子，スクリーニング，骨折のリスク評価
- 骨粗鬆症の治療と転倒予防

腰痛

米国では，腰痛の生涯有病率は80％以上と推定されている。急性腰痛患者のほとんどは，6週間以内に快方に向かう。非特異的な症状をもつ患者に対して，臨床ガイドラインでは，安心感を与えること，活動的に過ごすこと，鎮痛薬，筋弛緩薬，脊椎マニピュレーションなどが強調されている。これらの患者のうち約10～15％は慢性症状を呈し，しばしば長期的な身体障害を伴う。予後不良に関連する要因としては，腰痛を重篤な臨床症状であるとする不適切な考え，不適切な疼痛への対処(腰痛を引き起こすことを恐れて仕事や運動などを避ける)，複数の非器質的な身体所見，精神疾患，全身状態不良，もともとの身体機能の低さ，仕事への満足度の低さなどがあげられる(Box 23-5「腰痛の警告徴候」参照)。

骨粗鬆症：危険因子，スクリーニング，骨折のリスク評価

骨粗鬆症は，公衆衛生上の大きな脅威であり，米国では一般的な健康問題である。50歳以上の成人の10％(女性は16％，男性は4％)が大腿骨頸部または腰椎に骨粗鬆症を患っている。閉経後女性の半数は生涯に一度は骨粗鬆症に関連した骨折を起こす。25％は椎骨の変形，15％は股関節骨折を起こし，これらは慢性疼痛，身体障害，自立性の喪失，死亡率の増加といったリスクを高める(Box 23-17)。

米国予防医療専門委員会(USPSTF)は，65歳以上の女性に加えて，若年でも10年間の骨折リスクが65歳の白人女性と同等かそれ以上の女性に対して，骨粗鬆症スクリーニングを支持するグレードBの勧告を出している。

Box 23-17　骨粗鬆症の危険因子

- 女性の場合は閉経後であること
- 年齢 50 歳以上
- 脆弱骨折の既往
- BMI 低値
- 食事のカルシウム摂取不足
- ビタミン D 欠乏症
- 喫煙や過度の飲酒
- 不動化(寝たきりや施設入所)
- 不十分な身体活動
- 第 1 度近親者の骨粗鬆症,特に脆弱性骨折の既往
- 甲状腺中毒症,セリアック病,IBD,肝硬変,慢性腎臓病,臓器移植,糖尿病,HIV,性腺機能低下症,多発性骨髄腫,神経性食思不振症,リウマチ性疾患や自己免疫性疾患
- 経口および高用量の吸入ステロイド,抗凝固薬(長期使用),乳癌に対するアロマターゼ阻害薬,メトトレキサート,一部の抗てんかん薬,免疫抑制薬,プロトンポンプ阻害薬(長期使用),前立腺癌に対するアンドロゲン除去療法

- 骨折リスクの評価には,国別 FRAX® 計算機を用いる。https://frax.shef.ac.uk/FRAX/
- 骨密度の測定には,世界保健機関の基準を使用する(Box 23-18)。

Box 23-18　世界保健機関(WHO)の骨密度基準

- **骨粗鬆症**:T スコア<−2.5(若年成人の平均値を 2.5 SD 以上下回るもの)
- **骨減少症**:T スコアが−1.0〜−2.5(若年成人の平均値を 1.0〜2.5 SD 下回るもの)

骨粗鬆症の治療と転倒予防

65 歳以上の成人の 3 人に 1 人以上が毎年転倒している。転倒の危険因子として,高齢,歩行やバランスの障害,姿勢の悪化,筋力の低下,薬の使用,併存する疾患,うつ病,認知障害,視覚障害などがあげられる。

カルシウムとビタミン D(Box 23-19),ビスホスホネートや選択的エストロゲン受容体調節薬 selective estrogen-receptor modulator(SERM),閉経後のエストロゲン製剤などの骨吸収抑制薬,PTH 製剤などの蛋白同化作用薬,RANKL 阻害薬であるデノスマブの使い方を学ぶ。

Box 23-19 成人のカルシウムとビタミン D の推奨経口摂取量（米国医学研究所，2010 年）

年齢	カルシウム(元素)mg/日	ビタミンD IU/日
19～50 歳	1,000	600
51～70 歳		
女性	1,200	600
男性	1,000	600
71 歳超	1,200	800

USPSTF は，リスクのある 65 歳以上の地域住民に対し，転倒予防のための運動や理学療法，ビタミン D 補給を推奨している（グレード B）。また，65 歳以上のリスクのある地域住民の**転倒予防のための多因子介入**に関して，個別的な意思決定を推奨している（グレード C）。暗い照明，暗くて急な階段，不安定な高さの椅子，滑りやすい床やデコボコな床，合わない靴を直すように患者に促す。また平衡感覚に影響を与える薬物，特にベンゾジアゼピン系薬，血管拡張薬，利尿薬などの服用の有無を調べる。

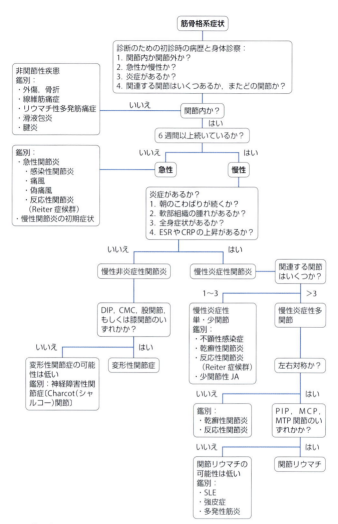

アルゴリズム 23-1　筋骨格系症状のある患者へのアプローチ(注：このアルゴリズムは包括的とはいえないが，病歴と診察から得られた情報を統合するための出発点としては有用である)　CMC：手根中手関節，CRP：C反応性蛋白，DIP：遠位指節間関節，ESR：赤血球沈降速度，JA：若年性関節炎，MCP：中手指節関節，MTP：中足趾節関節，PIP：近位指節間関節，SLE：全身性エリテマトーデス(Cooper G, Herrera J. *Manual of Musculoskeletal Medicine*. Wolters Kluwer; 2015 より)

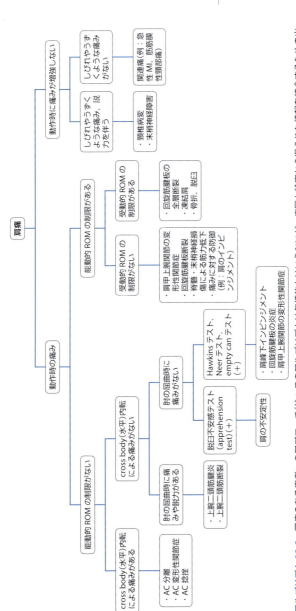

アルゴリズム 23-2 肩痛のある患者へのアプローチ（注：このアルゴリズムは包括的とはいえないが，病歴と診察から得られた情報を統合するための出発点としては有用である）　AC：肩鎖関節，MI：心筋梗塞，ROM：関節可動域（Cush JJ, Lipsky PE. Chapter 331, Approach to articular and musculoskeletal disorders. In: Longo DL, et al., eds. *Harrison's Principles of Internal Medicine*. 18th ed. McGraw-Hill; 2012 より）

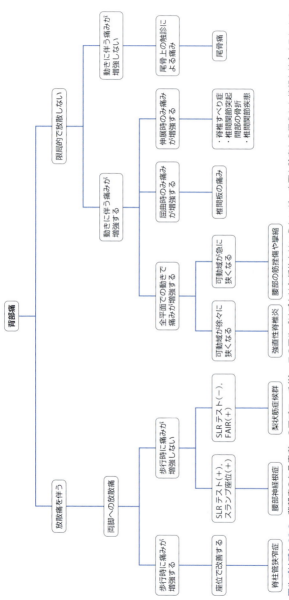

アルゴリズム 23-3 背部痛のある患者へのアプローチ(注:このアルゴリズムは包括的とはいえないが,病歴と診察から得られた情報を統合するための出発点としては有用である) FAIR:屈曲・内転・内旋,SLR:下肢伸展挙上(Cooper G, Herrera J. Manual of Musculoskeletal Medicine. Wolters Kluwer, 2015 より)

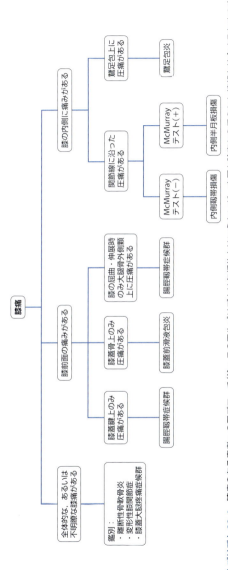

アルゴリズム 23-4 膝痛のある患者へのアプローチ（注：このアルゴリズムは包括的とはいえないが、病歴と診察から得られた情報を統合するための出発点としては有用である）（Cooper G, Herrera J. *Manual of Musculoskeletal Medicine*. Wolters Kluwer; 2015 より）

表 23-1　関節とその周辺の痛みのパターン

	関節リウマチ	変形性関節症（退行性関節症）
プロセス	滑膜の慢性炎症，それに伴う隣接する軟骨や骨のびらん，靱帯や腱の損傷	関節内の軟骨の変性と摩耗の進行，その下にある骨の損傷，軟骨の縁の骨形成
一般的な部位	手（近位指節間関節，中手指節間関節），足（中足趾節関節），手首，膝，肘，足首	膝，股関節，手（遠位指節間関節，ときに近位指節間関節），頸椎，腰椎，手首（第 1 手根中手関節），また過去に傷病のあった関節
広がりのパターン	左右対称性に他の関節に広がり，最初の関節にも持続する	他の関節に広がるが，1 つの関節にとどまることもある
発症様式	ふつうは緩徐発症	ふつうは緩徐発症
進行と期間	しばしば慢性化し，寛解と増悪を繰り返す	緩やかに進行し，使いすぎると増悪する
随伴症状	腱鞘または関節の滑膜組織がよく腫脹する。皮下結節もある 圧痛，しばしば熱感，まれに発赤がある 顕著なこわばりがあり，しばしば朝に 1 時間以上続く	特に膝に少量の滲出液がみられることがある。また，骨肥大がみられる 圧痛はあるが，熱感や発赤はない 頻繁に，しかし短時間の朝のこわばりがある

表 23-2　頸部痛

パターン	身体所見
機械的な頸部痛 頸部の傍脊柱筋や靱帯の痛み，それに伴う上背部と肩の筋痙攣，こわばり，つっぱり感が6週間ほど続く。放散痛，知覚異常，脱力感は伴わない。頭痛を伴うこともある	局所的な筋の圧痛，動作時の痛み。神経学的な異常所見はない。線維筋痛症におけるトリガーポイントの可能性がある。首の異常な姿勢や筋痙攣が長く続くと，斜頸になる
機械的な頸部痛—むち打ち 機械的な頸部痛に傍頸部の痛みやこわばりを伴い，受傷の翌日から症状がはじまることが多い。後頭部頭痛，めまい，倦怠感，疲労感を伴うこともある。症状が6カ月以上続くと慢性むち打ち症候群となり，受傷者の20〜40%に認められる	傍頸椎の局所的な圧痛，頸部可動域の減少，上肢の知覚異常がある。骨折，ヘルニア，頭部外傷などの頸髄圧迫の要因や意識障害は除外する
頸椎症性神経根症—神経根の圧迫によるもの 頸部および片側の腕に灼熱感やうずくような鋭い痛みがあり，それに伴う知覚異常や脱力がある。感覚症状は，皮膚パターンというより筋の深部にある筋層パターンが多い	C7神経根の傷害が最も多く（45〜60%），上腕三頭筋，指の屈曲・伸展筋の脱力を伴う。C6神経根の関与も多く，上腕二頭筋，腕橈骨筋，手首伸筋の脱力を伴う
頸椎症性脊髄症—頸髄圧迫によるもの 頸部痛に両側性の上下肢の脱力・知覚異常を伴い，しばしば頻尿もみられる。手指の不器用さ，手掌知覚障害，歩行の変化などがかすかに現れることがある。頸部の屈曲はしばしば症状を増悪させる	反射亢進，手首・膝・足首のクローヌス，足底伸筋反射〔Babinski(バビンスキー)徴候陽性〕，歩行障害がみられる。頸部の屈曲により，背骨が感電したような感覚を伴う **Lhermitte(レルミット)徴候**がみられることがある。頸椎症性脊髄症が確認された場合，頸部固定と脳神経外科的評価が必要である

表 23-3　腰痛

パターン	身体所見
機械的な腰痛 腰仙部に疼痛を生じ，皮膚分節（L5 または S1）に沿って下腿に放散することがある。通常，30〜50 歳代の基礎疾患がない人に，動作に関連して急に発症する	傍脊柱筋や椎間関節の圧痛，背中を動かしたときの筋痙攣や痛みがあり，正常な腰椎の前弯が損なわれるが，運動や知覚の低下，反射異常はない。骨粗鬆症では，胸椎後弯，棘突起上の叩打痛，胸椎や腰の骨折の有無を確認する
坐骨神経痛（腰部の神経根性疼痛） 通常は椎間板ヘルニア，まれに神経根の圧迫，原発性または転移性腫瘍による	腓腹筋の萎縮，足首背屈の筋力低下，アキレス腱反射の消失，**交叉性下肢伸展挙上 crossed straight-leg raise テスト**が陽性（健足で検査すると患足に痛みがある）の場合，椎間板ヘルニアの可能性が高い。下肢伸展挙上テストが陰性なら診断が違う可能性が高い
腰部脊柱管狭窄症 腰部または下肢の偽跛行痛があり，安静や腰椎の前屈で改善する。痛みは漠然としているが，通常は両側性で，片側または両側の下肢に知覚異常を伴う。通常は脊柱管の関節狭小化による	下肢の脱力と反射低下により，姿勢が前屈みになることがある。下肢伸展挙上テストは通常陰性である
慢性的な腰部の凝り 強直性脊椎炎は 40 歳未満の男性に多くみられ，炎症性多関節炎で鑑別にあがる。びまん性特発性骨増殖症（DISH）は，女性より男性に多く，通常 50 歳以上の高齢者に発症する	正常な腰椎前弯の消失，筋痙攣，前屈・側屈の制限があり，運動により改善する。脊椎，特に胸椎の側方不動がある
安静で緩和しない夜間の腰痛 前立腺癌，乳癌，肺癌，甲状腺癌，腎癌，多発性骨髄腫などからの脊椎への転移を考える	所見は原因によって異なる。椎骨の局所的な圧痛を認めることがある
腹部や骨盤に由来する痛み 通常，深部の痛みで，その程度は原因によって異なる（腰痛の約 2％）	脊椎運動は痛みを伴わず，可動域に影響を与えない。消化性潰瘍，膵炎，解離性大動脈瘤などの疾患の徴候がないか調べる

表 23-4　肩痛

肩鎖関節炎

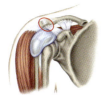

肩鎖関節上に圧痛があり，特に胸を横切るように腕を内転させたときに痛む．肩をすくめると肩甲骨の動きにより痛みが増すことが多い

肩峰下・三角筋下滑液包炎

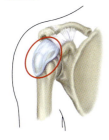

肩の前上方面に痛みがあり，特に腕を頭上にあげると痛む．肩峰の前外側，肩峰上腕溝によって形成されたくぼみによく圧痛がみられる．オーバーユース症候群でしばしばみられる

回旋筋腱板の炎症

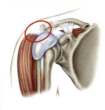

肘を受動的に後方に持ち上げたとき，またはそのような手技をしたときに回旋筋腱板上に圧痛がある（p.411〜413）

上腕二頭筋腱炎

上腕二頭筋溝で腕を回転させたたとき，または屈曲した腕を抵抗に抗って回外させたときに生じる上腕二頭筋長頭の圧痛は，上腕二頭筋腱炎を示唆している

表 23-5　膝痛

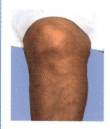

関節炎
通常，50歳以降に発症する退行性関節炎で，肥満と関連する。多くの場合，内側関節線の圧痛，触知可能な骨棘，O脚の出現，膝蓋上嚢および滑液貯留を伴う。関節リウマチでは全身病変，腫脹，皮下結節を認める

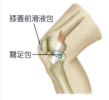

膝蓋前滑液包
鵞足包

腸脛靱帯

滑液包炎
反復運動やオーバーユース症候群で滑液包の炎症と肥厚がみられる。特にランナーでは，膝蓋前滑液包（メイド膝 house-maid's knee），内側に鵞足包（ランナー膝，変形性膝関節症），外側に腸脛靱帯（大腿骨外側顆上）が関与することがある

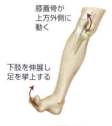

膝蓋骨が上方外側に動く

下肢を伸展し足を挙上する

膝蓋大腿の不安定性
膝の屈曲・伸展時に，亜脱臼やアライメント不良により，膝蓋骨が大腿骨顆の滑車溝の中心ではなく，外側に移動する。下肢を伸展した状態で外側への動きを視診・触診する。膝蓋軟骨軟化症や変形性膝関節症がわかる可能性がある

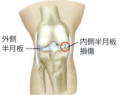

外側半月板　内側半月板損傷

半月板断裂
膝を捻った際に生じることが多い。高齢者では，クリック音や断裂音（ポンという音），ロッキングを伴うことが多く，退行性の場合もある。内側または外側半月板上の関節線に沿った圧痛と滲出液の有無を確認する。前十字靱帯や内側側副靱帯の断裂が関連することがある

| 表 23-5 | 膝痛(続き) |

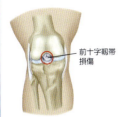

前十字靱帯損傷

前十字靱帯の断裂または捻挫
膝の捻挫では,しばしば断裂感,即時の腫脹,屈曲・伸展時の疼痛,歩行困難,膝くずれの感覚を伴う。前方引き出しテスト,関節血症の腫脹,内側半月板や内側側副靱帯の損傷を確認する。整形外科医による評価を検討する

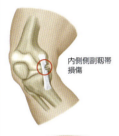

内側側副靱帯損傷

内側/外側側副靱帯の捻挫または断裂
膝の内側または外側面に力が加わり(外反または内反ストレス),局所的な腫脹,疼痛,こわばりを生じる。歩行は可能であるが,滲出液が出ることがある。外反または内反ストレス時の靱帯の圧痛や弛緩を確認する

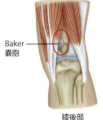

Baker嚢胞

膝後部

Baker嚢胞
膝窩の内側に嚢胞性の腫脹を触知し,膝裏の痛みまたは膨満感がある。内側ハムストリング腱に隣接した腫脹を視診,触診する。腫脹がある場合は,内側半月板後角の病変を示唆する。関節リウマチでは,嚢胞が腓腹部または足首に拡大することがある

第24章 神経系

神経系を評価するための基本的な事項

神経疾患が疑われるときは,以下の2つの問いを常に意識する。これらは互いに関連しており,患者を問診し,診察して神経所見としてまとめる経験を積みながら,答えを見いだしていくものである。

- 責任病巣は神経系のどこに局在するのか?
- 患者の病状や神経疾患の原因となる病態生理は何か?

神経系は,中枢神経系 central nervous system(CNS)と末梢神経系 peripheral nervous system(PNS)に二分することができる(図24-1)。

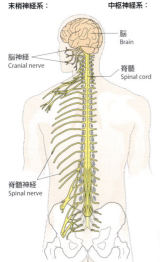

図24-1 中枢神経系(CNS)と末梢神経系(PNS),背面図(Cohen BJ, Hull KL. *Memmler's The Human Body in Health and Disease*. 14th ed. Jones & Bartlett Learning; 2019, Fig. 9-1. より改変)

中枢神経系

中枢神経系は,脳と脊髄からなる。

脳

脳は,**大脳**,**間脳**,**脳幹**,**小脳**の4つの部位からなる。さらに左右の大脳半球は,**前頭葉**,**後頭葉**,**側頭葉**,**頭頂葉**に分けられる(図24-2)。脳は,灰白質と,白質と呼ばれる,ミエリンで包まれた軸索の集まりで構成される。脳のおもな構造体としては,**大脳基底核**,**視床**,**視床下部**,**脳幹(中脳,橋,延髄)**があり,これらは大脳皮質と脊髄,意識を司る**網様体賦活系**,さらに**小脳**を結びつけている。

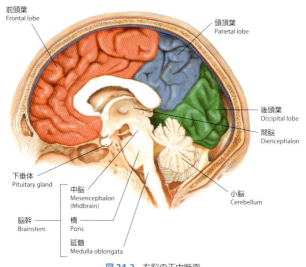

図 24-2 右脳の正中断面

脊髄

脊髄は延髄から伸び,第1ないし第2腰椎の高さに達する。

脊髄は,以下のように区分される。

- 頸髄(C1〜C8)，胸髄(T1〜T12)，腰髄(L1〜L5)，仙髄(S1〜S5)，尾髄に区分され，第1ないしは第2腰椎の高さで終端をなした後は馬の尻尾のようになり，**馬尾**と呼ばれる。
- 重要な運動路と感覚路を含み，運動路は前根から脊髄を離れ，感覚路は後根から脊髄に入る。
- 単シナプス反射である筋伸張反射に介在する。

末梢神経系

末梢神経系は，12対の脳神経と，脊髄神経(もしくは末梢神経)からなる。大部分の末梢神経は，運動線維と感覚線維の両方をあわせもつ。

脳神経

12対の脳神経は，頭蓋骨の特定の孔または管腔構造を介して脳を離れ，頭頸部に分布する(Box 24-1)。

Box 24-1　脳神経

番号	神経	機能
I	嗅神経	嗅覚
II	視神経	視覚
III	動眼神経	瞳孔の収縮，開眼(上眼瞼の挙上)，大部分の外眼運動
IV	滑車神経	下方視，眼球の内転
V	三叉神経	運動：側頭筋，咬筋(歯の食いしばり)，顎の側方への動き 感覚：顔面に分布し，(1)眼神経，(2)上顎神経，(3)下顎神経の3つに分かれる
VI	外転神経	外方への眼球運動
VII	顔面神経	運動：表情，閉眼，閉口などの顔面の動き 感覚：舌の前2/3の味覚(塩味，甘味，酸味，苦味)，耳からの感覚
VIII	聴神経	聴覚(蝸牛部分)，平衡(前庭部分)
IX	舌咽神経	運動：咽頭 感覚：鼓膜の後部，外耳道，咽頭，舌の後1/3の味覚(塩味，甘味，酸味，苦味)
X	迷走神経	運動：口蓋，咽頭，喉頭 感覚：咽頭，喉頭

(続く)↗

| Ⅺ | 副神経 | 運動：胸鎖乳突筋，僧帽筋 |
| Ⅻ | 舌下神経 | 運動：舌 |

末梢神経系

脊髄に出入りする31対の神経は，8対の頸神経，12対の胸神経，5対の腰神経，5対の仙骨神経，1対の尾骨神経からなる。それぞれ運動線維を含む前根と感覚線維を含む後根をもつ。5mmに満たない短い脊髄神経を形成する。脊髄神経は近いもの同士が脊髄外で混ざり合って，末梢神経を形成する。大部分の末梢神経は，感覚（**求心性**）線維 sensory (**afferent**) fiber と運動（**遠心性**）線維 motor (**efferent**) fiber の両方をあわせもつ。

病歴

よくみられる，または注意すべき症状

- 頭痛
- めまい感，ふらつき
- しびれ感，感覚異常，感覚低下
- 筋力低下（全般，近位，遠位）
- 失神，眼前暗黒失神（前失神）
- てんかん発作
- 振戦，その他の不随意運動

頭痛

部位，強さ，持続時間の他，複視，視覚の異常，感覚低下などの随伴症状の有無にも注意する。「雷鳴のような」頭痛，50歳以上で発症した頭痛，発熱や項部硬直を伴う頭痛などは，危険な頭痛である可能性があり，眼底の乳頭浮腫や神経局在所見がないか，確認しなければならない。

新規の頭痛については，表24-1「一次性頭痛」，表24-2「二次性頭痛」，アルゴリズム24-1「頭痛のある患者へのアプローチ」を参照

くも膜下出血は，「人生で一番ひどい頭痛」と表現される。頭部の同じ部位に自覚され，特に目が覚めたときや神経学的診察手技を施された際に強く感じられる頭部鈍痛は，脳腫瘍や脳膿瘍

などの占拠性病変が原因となっている可能性がある。

めまい感, ふらつき

めまい感とふらつきには多くの意味がある。頭部ふらつき感があるか、または**失神**しそうか？姿勢が不安定となったり（平衡異常）、運動失調をきたしていないか？ 自分自身や周囲が回転しているように感じる真性の**めまい**ではないか？

徴候と発症経過については、Box 13-1「末梢性めまいと中枢性めまい」(p.217)を参照

動悸時の頭部ふらつき感、血管迷走神経刺激による失神しそうな状態、低血圧、熱性疾患など。良性頭位性めまい、Ménière（メニエール）病、脳幹腫瘍

めまい感の原因となるような薬剤の服用はないか？

複視や**構音障害**, **運動失調**による歩行や平衡の障害はないか？筋力低下はないか？

複視や構音障害, 運動失調は、椎骨脳底動脈系の、一過性脳虚血発作または脳卒中の可能性がある。

表 24-3「脳卒中の分類」, 表 24-4「言語障害」を参照

一過性脳虚血発作または脳卒中による筋力低下、麻痺

しびれ感, 感覚異常, 感覚低下

感覚低下や、異常な感覚、実際には刺激されていないのに、ヒリヒリとした、あるいはピンや針で刺されるような感覚（**錯感覚 paresthesia**）はないか？ 刺激に対する反応としての**異常感覚 dysesthesia** は、実際の刺激よりも長い時間、感じられることがある。

過換気症候群で生じる、両手と口周囲のしびれ感。正中神経, 尺骨神経, 橈骨神経の限局性の神経圧迫（絞扼 entrapment）による手のしびれ感。椎骨の変形や椎間板ヘルニアによる、皮膚分節に従った感覚低下。脳卒中や多発性硬化症など中枢病変によるもの。アルゴリズム 24-2「しびれ感のある患者へのアプローチ」を参照

筋力低下

筋力低下が近位なのか遠位なのかを調べる。**近位**の筋力低下では，髪をとかす動作や棚の高い所にあるものをとる動作，椅子からの立ち上がりが困難となっていないかを確認する。

感覚は正常で左右対称に生じる四肢近位筋の筋力低下は，筋原性疾患でみられる。アルコール，グルココルチコイドなどの薬物や，多発性筋炎，皮膚筋炎などの炎症性筋疾患など。アルゴリズム 24-3「筋力低下のある患者へのアプローチ」を参照

重症筋無力症では，筋力低下は左右非対称であり，労作で増悪する（易疲労）。また，複視や眼瞼下垂，構音障害，嚥下障害といった球症状を伴うことが多い。

遠位の筋力低下では，容器や缶の蓋を開けること，はさみやねじ回しを使うことが難しくないか，歩行時に足が思わぬ方向へ行ってしまわないか，などを確認する。

糖尿病などに起因する多発神経炎では，両側性で遠位優位の筋力低下を呈し，感覚低下を伴うことが多い。

失神，眼前暗黒失神

「気を失ったことがありますか？」と意識消失(失神)についてたずねる。

脳灌流の低下による完全な一過性の意識消失を**失神**という。

発症や誘因，前兆の有無，姿勢（立位，座位，臥位），持続時間を含む詳細な状況を確認する。何が誘因となったのか？　まわりの声は聞こえていたのか？　回復は急速だったか？　症状のはじまりと回復は急速だったのか，ゆるやかだったのか？

情動的ストレスや潮紅，ほてり，悪心などの前兆が若年者でみられる場合，血管収縮反射(血管迷走神経性失神)の可能性があり，症状の発現と回復がゆるやかである。

血管迷走神経性失神，体位性頻脈症候群，頸動脈洞性失神，起立性低血圧，不整脈，特に心室頻拍や徐脈性不整脈

など,「神経心原性」ともいうべき発作は,ときに突然発症の失神をきたし,速やかに回復する。

目撃者がいなかったかどうかについてもたずねる。患者が発作の間や前後にどのような様子であったか？ 痙攣発作と思われるような四肢の動きはなかったか？ 尿失禁や便失禁がなかったか？	強直間代性発作,尿・便失禁,**全般発作でみられる発作後の混乱**。失神と異なり,咬舌や四肢の擦過傷がみられることがある。
	痙攣発作のタイプに応じて,意識消失,異常な感情および思考過程や嗅覚の感覚,異常な動きなどがある。

てんかん発作

てんかん発作は,大脳皮質神経の過剰な電気活動によって生じ,原因が特定できる症候性てんかん,特発性てんかんがある。詳細な病歴聴取が求められる。

急性の症候性てんかんの主原因には,頭部外傷,アルコール・コカインなどの薬物,アルコールやベンゾジアゼピン,バルビツレートからの離脱,低血糖または高血糖,低カルシウム,低ナトリウムなど代謝性のもの,脳卒中,髄膜炎,脳炎がある。

振戦,その他の不随意運動

振戦,身ぶるい,患者自身が制御できないような不随意運動についてたずねる。振戦は安静時に生じるか？ 随意運動の企図や,同じ姿勢を保とうとすることで増強するか？

ゆっくりとした片側性の安静時振戦,筋強剛,動作緩慢は,Parkinson(パーキンソン)病に特徴的である。

より動きの速い,両側性で上肢優位の振戦は本態性振戦でみられ,動作や姿勢保持で誘発され,リラックスすると静まる。

診察の技術

神経系の診察の重要項目

- 精神状態の評価
- 脳神経の評価
  - 嗅覚の評価（Ⅰ）
  - 各眼の視力の評価（Ⅱ）
  - 眼底鏡による眼底の評価（Ⅱ）
  - 対座法による視野の評価（Ⅱ）
  - 瞳孔径と形（Ⅱ，Ⅲ）
  - 対光反射（Ⅱ，Ⅲ）
  - 瞳孔の収縮，輻輳，調節の観察（Ⅱ，Ⅲ）
  - 外眼筋機能の評価（Ⅲ，Ⅳ，Ⅵ）
  - 側頭筋，咬筋の触診（Ⅴ）
  - 顔面感覚の評価（Ⅴ）
  - 顔面の観察（Ⅶ）
  - 顔面表情の評価（Ⅶ）
  - 大まかな聴力の評価（Ⅷ）
  - 嚥下と口蓋，口蓋垂の動きの評価（Ⅸ，Ⅹ）
  - 発声の評価（Ⅴ，Ⅶ，Ⅸ，Ⅹ，Ⅻ）
  - 僧帽筋，胸鎖乳突筋の筋力評価（Ⅺ）
  - 舌の動きの観察，評価（Ⅻ）
- 運動系の評価
  - 筋力の検査
    - 肩の外転（C5，C6）
    - 肘の屈曲（C5，C6）/伸展（C6，C7，C8）
    - 手首の屈曲/伸展（C6，C7，C8，橈骨神経）
    - 手指の伸展（C7，C8，橈骨神経）/外転（C8，T1，尺骨神経）
    - 母指の外転（C8，T1，正中神経）
    - 股関節の屈曲（L2，L3，L4）/伸展（S1）/内転（L2，L3，L4）/外転（L4，L5，S1）
    - 膝の屈曲（L5，S1，S2）/伸展（L2，L3，L4）
    - 足関節の背屈（L4，L5）/底屈（S1）
  - 協調運動の評価
  - 位置覚の評価（Romberg試験）
- 感覚系の評価
- 筋伸張反射
  - 上腕二頭筋反射（C5，C6）
  - 上腕三頭筋反射（C6，C7）
  - 腕橈骨筋反射（C5，C6）
  - 大腿四頭筋反射（膝蓋腱反射）（L2，L3，L4）
  - アキレス腱反射（踵反射）（おもにS1）
- 皮膚反射，もしくは表在反射

診察の技術	所見

精神状態

意識レベル,言語機能(流暢さ,理解力,復唱,物品呼称),記憶(短期記憶,長期記憶),計算力,視空間構成力,要約力などを確認する。	Box 24-4「意識レベルの評価法」,第9章「認知,行動,精神状態」(p.150～154)を参照

脳神経

第Ⅰ脳神経(嗅神経)

左右の鼻で,嗅覚を検査する。	嗅覚の障害は,副鼻腔疾患,頭部外傷,喫煙,加齢,コカイン使用,Parkinson病などで生じる。

第Ⅱ脳神経(視神経)

視力を評価する。	失明
視野を評価する。	半盲
視神経乳頭を評価する。	乳頭浮腫,視神経萎縮,緑内障

第Ⅱ,Ⅲ脳神経(視神経,動眼神経)

瞳孔の大きさ,形状を観察する。	
瞳孔の対光反射。異常であれば,より近づけて施行する。	失明,動眼神経麻痺,緊張性瞳孔。Horner(ホルネル)症候群でみられる対光反射の変化

第Ⅲ,Ⅳ,Ⅵ脳神経(動眼神経,滑車神経,外転神経)

外眼筋運動(眼球運動)を評価する。	第Ⅲ,Ⅳ,Ⅵ脳神経麻痺による斜視・両眼複視。重症筋無力症・外傷・甲状腺眼症・核間眼筋麻痺に起因する眼筋障害による複視,または眼振

診察の技術	所見

第Ⅴ脳神経(三叉神経)

側頭筋，咬筋の触診(**運動成分**の評価)。顔面での痛覚，触覚のテスト(**感覚成分**の評価)。(1)眼神経，(2)上顎神経，(3)下顎神経について行う(図24-3)。

第Ⅴ脳神経または上位経路の障害による，運動または感覚の低下

図 24-3　第Ⅴ脳神経の感覚テストにおける3領域

第Ⅶ脳神経(顔面神経)

患者に，両方の眉毛をつり上げ，顔をしかめ，両目をかたく閉じ，口を開け，微笑み，両頬をふくらませてもらう。

Bell(ベル)麻痺などの末梢神経障害や，脳卒中など中枢神経障害による顔面麻痺。表24-5「顔面麻痺の種類」を参照

第Ⅷ脳神経(聴神経)

囁く程度の声で，聴覚を評価する。聴覚低下がある場合には，以下を調べる。

● 左右差〔Weber(ウェーバー)試験〕。

片側性の感音性難聴では健側で強く聞こえ，伝音性難聴では患側で強く聞こえる。第13章「耳と鼻」のBox 13-3「難聴のパターン」(p.220)を参照

診察の技術	所見
●気導・骨導〔Rinne（リンネ）試験〕。	感音性難聴では，音叉の音は，患側で気導が骨導より長く聞こえ（AC>BC），伝音性難聴では骨導が気導より長く聞こえる（BC=AC または BC>AC）。第13章「耳と鼻」の Box 13-3「難聴のパターン」（p.220）を参照

第 IX，X 脳神経（舌咽神経，迷走神経）

飲み込みづらさ（嚥下障害）がないか観察する。	軟口蓋，咽頭の障害は嚥下障害をきたす。
患者の声を聴取する。	声帯麻痺による嗄声，軟口蓋麻痺による鼻声
患者に「あー」と発声してもらい，軟口蓋を観察する。	片側の麻痺は，口蓋垂の健側への偏位を伴う，一側の軟口蓋挙上障害をきたす。脳血管障害でみられる，口蓋垂の偏位，軟口蓋の麻痺
一側ずつ咽頭反射を行う。	咽頭反射は，正常でもしばしば欠如する。

第 XI 脳神経（副神経）

僧帽筋。筋肉の量，不随意運動，肩をすくめたときの筋力を評価する（図 24-4）。	筋萎縮，線維束性収縮，筋力低下

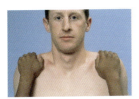

図 24-4　僧帽筋の筋力検査

診察の技術	所見
胸鎖乳突筋。診察者の力に抵抗して首を横向きに回転してもらい、筋力を評価する。	診察者の力に抵抗して首を横向きに回転してもらった際の、首の向きと**対側**の胸鎖乳突筋の筋力低下

第XII脳神経(舌下神経)

診察の技術	所見
患者が言葉を発するのを聴取する。	第Xまたは第XII脳神経の損傷による構音障害
安静時の舌を観察する。	筋萎縮性側索硬化症(ALS)やポリオでみられる舌萎縮や線維束性収縮
舌を前方に突き出してもらい観察する。	片側性の中枢病変では、突き出した舌が病巣と反対側に偏位する。第XII脳神経障害では、舌は障害側に偏位する。

運動系

姿勢

診察の技術	所見
運動時と安静時における患者の姿勢を観察する。	表24-6「運動障害」を参照 脳卒中でみられる片麻痺

不随意運動

診察の技術	所見
不随意運動がみられる場合、その部位、性状、速度、リズム、振幅、状況について観察する。	振戦、線維束性収縮、チック、舞踏運動、アテトーシス、口顔面ジスキネジア。表24-7「不随意運動」を参照

筋量、筋緊張

診察の技術	所見
筋の大きさと輪郭をみる。	筋の萎縮。表24-8「筋緊張の異常」を参照

診察の技術

筋緊張は，受動運動により四肢に感じられる抵抗力によって評価する。

所見

顕著な脱力は，筋緊張の低下，弛緩が示唆される。**痙縮 spasticity** は，動作速度が速いほど顕著になる筋緊張の亢進であり，可動域制限をきたす。**筋強剛 rigidity** は，動作のはじまりから終わりまで変化しない筋緊張の亢進であり，動作速度に依存しない。

筋力

主要な筋についてテストを行い，筋力を評価する（Box 24-2）。筋力は，診察者が加える力に対する**抵抗**の程度で評価する。

限局的な筋力低下は，支配神経や神経根に起因する，下位運動ニューロン障害を考える。片麻痺は，大脳皮質，皮質下病変による上位運動ニューロン障害を考える。左右対称で遠位優位の筋力低下では多発神経炎を，近位優位の場合は筋疾患を考える。

Box 24-2　筋力の評価スケール

段階	内容
0	筋の収縮が認められない
1	筋の収縮は認められるが，関節運動には至らない
2	重力の影響を排除すれば，関節可動域いっぱいに動作ができる
3	重力に抗して，関節可動域いっぱいに動作ができる
4	重力の他，一定の抵抗に逆らって動作ができる
5	十分な抵抗に逆らって，特別な疲労なく動作ができる（＝正常筋力）

診察の技術	所見

- 肘関節の**屈曲**(C5, C6：上腕二頭筋, 腕橈骨筋)と肘関節の**伸展**(C6, C7, C8：上腕三頭筋)

末梢神経障害としては橈骨神経の損傷で生じ，中枢性の障害としては脳卒中や多発性硬化症による片麻痺で生じる。

- 手関節の**伸展**(C6, C7, C8, 橈骨神経：長橈側手根伸筋, 短橈側手根伸筋, 尺側手根伸筋)(図 24-5)

図 24-5　手関節の伸展(橈骨神経)の検査

- 手指の**伸展**(C7, C8, 橈骨神経：指伸筋)(図 24-6)

頸部神経根障害，de Quervain(ド・ケルヴァン)病，手根管症候群による筋力低下

図 24-6　手指の伸展(橈骨神経)の検査

- 手指の**外転**(C8, T1, 尺骨神経：第1背側骨間筋, 小指外転筋)(図 24-7)

尺骨神経障害による筋力低下

図 24-7　手指の外転(尺骨神経)の検査

診察の技術	所見
	手根管症候群による筋力低下

- 母指の**外転**(C8, T1, 正中神経：短母指外転筋)(図 24-8)

図 24-8　母指の外転(正中神経)の検査 (MediClip image copyright ©2003 Lippincott Williams & Wilkins. All rights reserved)

- 股関節の屈曲(L2, L3, L4：腸腰筋)(図 24-9)

- 股関節の伸展(S1：大殿筋)

- 股関節の内転(L2, L3, L4：内転筋群)

図 24-9　股関節の屈曲(腸腰筋)の検査

- 股関節の外転(L4, L5, S1：中殿筋, 小殿筋)

- 膝関節の屈曲〔L5, S1, S2：ハムストリング(膝屈曲筋)〕

- 膝関節の伸展(L2, L3, L4：大腿四頭筋)

- 足関節の背屈(L4, L5：前脛骨筋)

- 足関節の底屈(S1：腓腹筋, ヒラメ筋)

診察の技術	所見

協調運動

両側上下肢における**急速変換運動**を調べる。上肢の場合は手掌で大腿部を叩き，つぎに手背で大腿部を叩く（図24-10）。

小脳疾患では，ぎこちなく緩慢な動き

図 24-10 上肢の急速変換運動による，協調運動のテスト

上肢（指鼻試験），下肢（膝踵試験）における**2点間の運動**。

小脳疾患では，動作がぎこちなく，不安定

歩行。患者に以下を伝える。

- 歩いて，方向を転換して戻ってきてもらう。

脳血管障害，小脳性運動失調，Parkinson症候群，位置覚の低下が歩行に影響を与える。

診察の技術	所見
● 踵-つま先歩行（継ぎ足歩行）（図 24-11）	運動失調

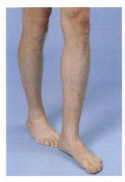

図 24-11　踵-つま先歩行（継ぎ足歩行）の検査

診察の技術	所見
● つま先立ち歩き，踵歩きをしてもらう。	皮質脊髄路の障害
● その場で片足ずつジャンプしてもらう。膝を曲げる。無理な場合は，しゃがんだ姿勢から立ち上がったり，肘かけのない椅子から立ち上がってもらう。	骨盤帯と下肢を含む近位筋の筋力低下で転倒リスクが高まる。

位置覚

診察の技術	所見
● Romberg（ロンベルグ）試験（位置覚をみるための検査）を行う。開眼した状態で両脚をそろえて立ち，つぎに両眼を閉じて20～30秒間立っていてもらう。正常でもわずかな動揺がみられることがある。転倒しないよう，患者の近くに立つようにする。	閉眼するとバランスが崩れるのをRomberg徴候陽性といい，位置覚の障害を示唆する。

診察の技術	所見

- **回内筋の動揺**について調べる。両上肢を前方にのばし、閉眼した状態で20〜30秒保つ（図24-12）。

対側の皮質脊髄路の障害により、肘関節が屈曲したり回内したり、前腕が下がったりする（**図24-13**）。

図24-12　回内試験

図24-13　左側が回内試験陽性

- 患者に両腕を挙上してもらい、患者の腕を下方にゆらす圧力を与える。正常では速やかにもとの位置に戻る。

筋力低下、協調運動障害、位置覚の低下

感覚系

綿棒を折ってできる、軸の尖った部分などを用いて、触覚のテストをする。一度使用したものは、他の患者に使用しない。**比較のため、身体の左右対称の部位を刺激する**。刺激に対する**患者の反応が単調にならないよう、刺激する速度に変化をつける**。

片側性の感覚低下は、対側の大脳半球に病巣があることを示唆する。

痛覚、温度覚、触覚は、四肢の遠位と近位の比較を行う。さらに皮膚分節やおもな末梢神経領域に従って診察の範囲を展開していく（図24-14, 24-15）。

アルコール依存や糖尿病でしばしばみられる、手袋靴下型の末梢神経障害による感覚低下

診察の技術 | 所見

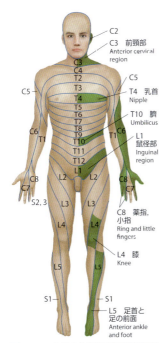
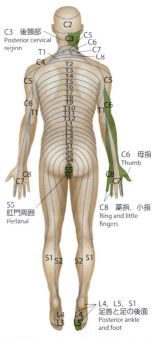

図 24-14 後根の分節状神経支配（前面）　図 24-15 後根の分節状神経支配（後面）

皮膚分節などで，感覚障害の境界を絞りこんでいく。

帯状疱疹，神経根の圧迫における皮膚分節性の感覚低下

診察中は目を閉じてもらい，つぎのように刺激に対する反応を評価する。

- **痛覚**：ピンなどの尖ったものを用いる。先が尖っていないものを用いることもある。

痛覚消失 analgesia，痛覚鈍麻 hypalgesia，痛覚過敏 hyperalgesia

- **温度覚**（必要がある場合）：温水と冷水を入れた試験管か，

温度覚と痛覚は通常，相互に関連している。

診察の技術	所見

適温の音叉などを用いる。

- **触覚**：綿の切れ端を用いる。

感覚消失 anesthesia，感覚過敏 hyperesthesia

- **振動覚**と**固有感覚（関節位置覚）**を調べる。正常に反応しない場合，さらに近位で調べる。振動覚と固有感覚は，ともに後索に組み入れられ，しばしば相関している。

糖尿病やアルコール依存による末梢神経障害や，梅毒やビタミン B_{12} 欠乏などによる脊髄後索障害でみられる振動覚や位置覚の低下

- **振動覚**：128 Hz の音叉を，足や手首の**骨性隆起**にあてる（図 24-16）。

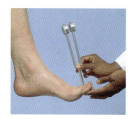

図 24-16　振動覚の検査

- **固有感覚（関節位置覚）**：患者の手指や母趾の側面を診察者の母指と示指でつまみ，それを上下に動かす（図 24-17）。

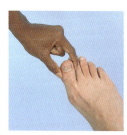

図 24-17　固有感覚（関節位置覚）の検査

識別覚を評価する。

- **立体認知**：患者の手に日常よく使うものを置き，それが何であるかを答えてもらう。

脊髄後索障害，感覚皮質の障害では皮膚書字覚，数字の識別覚，2 点識別覚が侵される。

診察の技術

- **数字の識別覚（皮膚書字覚）（図24-18）**：ペンや鉛筆の後ろで患者の手掌に大きく数字を描いて，その数字を答えてもらう。

- **2点識別覚**：開いたクリップの両端などで，手指の腹の異なる2点を同時に刺激し，患者が2点であると識別できる最小の距離を調べる（手指では5 mm以内が正常である）。

- **局所感覚**：患者に目を閉じてもらい，診察者が患者の皮膚に瞬間的に触れ，どこを触ったかを患者自身に部位を指さしてもらう。

- **感覚消去**：身体における左右対称の2点を同時に刺激して，今どこに触れたかをたずねる。

所見

図24-18 数字による識別覚（皮膚書字覚）の検査

感覚皮質の障害では，病変と反対側に与えた刺激に対する局所感覚が侵され，反対側の感覚消去が生じる。

筋伸張反射

ハンマーを母指と示指でゆるく持ち，手掌と他の3本の指に囲まれた可動範囲で，弧を描くように自由に振る。反射は通常，0〜4の5段階で示される（Box 24-3）。

筋伸張反射の亢進，腹壁反射の消失，Babinski（バビンスキー）徴候陽性は，**上位**運動ニューロン障害を示唆する。

診察の技術	所見

Box 24-3　反射の評価スケール

- 4　顕著な亢進で，クローヌス（規則正しい，屈曲・伸展の繰り返し運動）を伴う
- 3　正常に比べてやや亢進。病的とはいえない程度
- 2　平均。正常
- 1　やや減弱。増強法が必要
- 0　反射の消失

上腕二頭筋反射（C5, C6）（図24-19）

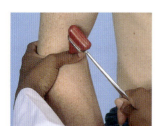

図 24-19　上腕二頭筋反射

上腕三頭筋反射（C6, C7）（図24-20）

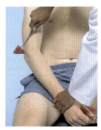

図 24-20　上腕三頭筋反射

腕橈骨筋反射（C5, C6）（図24-21）

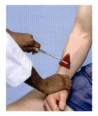

図 24-21　腕橈骨筋反射

大腿四頭筋（膝蓋腱反射）（L2, L3, L4）（図24-22）

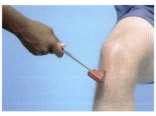

図 24-22　大腿四頭筋（膝蓋腱反射）

診察の技術

アキレス腱（足関節）反射（S1）
（図 24-23）

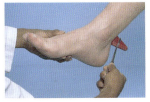

図 24-23　アキレス腱（足関節）反射

所見

反射が亢進していれば足クローヌスの検査（図 24-24）

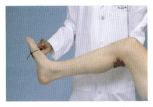

図 24-24　足クローヌスの検査

アキレス腱反射の両側性の低下・欠如は末梢の多発神経炎が，反射の遅延は甲状腺機能低下症が示唆される。

皮膚反射，表在反射

腹壁反射（上部：T8, T9, T10, 下部：T10, T11, T12）（図 24-25）

中枢神経，末梢神経いずれの障害によっても消失する。

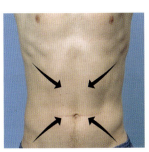

図 24-25　腹壁反射の診察で与える刺激の方向

足底反射（L5, S1）：正常では足趾は屈曲する（図 24-26）。

Babinski 反射は，皮質脊髄路の障害で認められる（図 24-27）。

診察の技術	所見
 図24-26 足底反射の検査	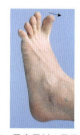 図24-27 足底反射の異常（Babinski反射）。第1足趾の背屈に注目

肛門反射：先が尖っていないもので肛門の周囲を上下左右の4方向から擦り，肛門括約筋の収縮を観察する。

肛門反射の欠如は S2〜S4 反射弓の病変が示唆され，馬尾神経障害を伴う。

特殊な技術

髄膜徴候

頸椎，頸髄に外傷，骨折がないことを確認する。放射線診断が必要な場合がある。

Brudzinsk（ブルジンスキー）徴候：患者に仰臥位になってもらい，顎が胸につくくらいまで頸部を前方に屈曲させる。抵抗や痛みに注意し，股関節，膝関節が屈曲しているかみる。

くも膜下腔に炎症があると，脊髄神経を伸展しようとする動き（頸部屈曲など）に対する抵抗が生じる。Brudzinski 徴候は大腿神経に対する刺激，Kernig 徴候は坐骨神経に対する刺激で生じる。

Kernig（ケルニッヒ）徴候：股関節と膝関節を屈曲させた状態から膝を伸展する（図24-28）。抵抗や痛みがないか注意する。

腰仙部の神経根が圧迫されている場合も，挙上した下肢の膝関節をのばす際に痛みが生じる。

診察の技術

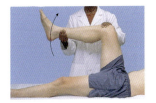

図 24-28　Kernig 徴候の検査

髄膜炎患者で Brudzinski 徴候, Kernig 徴候がみられる頻度は, 5〜60%である。

ジョルトサイン〔jolt accentuation of headache(JAH), head jolt sign〕：患者の頭を1秒に2〜3回の速さで左右に(「いやいや」をするように)振らせ, 頭痛が増悪するかをみる。

所見

JAH が陽性であれば髄膜炎の可能性は高まるが, 陰性の場合でも髄膜炎を除外することはできない。

腰仙部の神経根障害：下肢伸展挙上テスト

患者を仰臥位とし, 下肢をリラックスさせて真っすぐ伸ばしたまま挙上し, 股関節で大腿を屈曲させ, ついで足関節を背屈させる(図 24-29)。

図 24-29　下肢伸展挙上テストによる, 腰仙部の神経根障害の診察

同側の下肢に放散する疼痛が認められるとき, 下肢伸展挙上テスト陽性となり, 腰仙部の神経根障害の診断を支持する。足関節の背屈を行うと, 腰仙部神経根障害や坐骨神経障害ではさらに疼痛が増強することがある。反対側すなわち健側で疼痛が増強するものは, **交叉性の下肢伸展挙上テスト**陽性である。

診察の技術	所見

羽ばたき振戦

「止まれ」のポーズ,つまり両上肢を前方にまっすぐのばして手首を反らし,手指を開いた状態で静止してもらい,1〜2分間観察する。

肝疾患や尿毒症,高炭酸ガス血症における急速で短い屈曲

肩甲骨の突出（翼状肩甲骨）

両腕を前方にのばして,診察者の手を壁のように押してもらう（図 24-30）。肩甲骨を観察する。正常では,肩甲骨は前方に引っ込んでいるようにみえる。

肩甲骨の内側縁が後方に浮き上がってくる場合,前鋸筋の筋力低下が示唆され,筋ジストロフィーや長胸神経の損傷で認められる（図 24-31）。

図 24-30　翼状肩甲骨の検査

図 24-31　肩甲骨の突出

昏睡患者の診察

ABC の評価

気道 **A**irway,呼吸 **B**reathing,循環 **C**irculation を確認する。

表 24-9「代謝性昏睡と器質性昏睡」,表 24-10「Glasgow Coma Scale (GCS)」,表 24-11「昏睡患者の瞳孔」を参照

- 脈拍,血圧,直腸温を測る。

診察の技術	所見

意識レベル(覚醒レベル)

どの程度の強さの刺激に反応するかを評価する(Box 24-4)。ただし,脊髄損傷が疑われる場合は,患者の瞳孔を開いたり,頸部を屈曲してはならない。

嗜眠,昏蒙,昏迷,昏睡

Box 24-4　意識レベルの評価法

清明　患者は覚醒し,自分や環境に対して関心がある。ふつうの声のトーンで患者に話しかけると,患者は目を開いて診察者をみて,問いかけに対して正確に反応する

嗜眠　大きな声で患者に問いかけると,うとうとした状態で,目を開いて診察者をみて,質問に答え,その後すぐに眠ってしまう

昏蒙　患者を静かに揺さぶり穏やかな刺激を与えると,目を開いて診察者をみるが,反応は鈍く,混乱している。周囲に対する関心が低下している

昏迷　痛み刺激を加えると覚醒する。言葉による返答はできないか,できてもゆっくりである。刺激を止めると反応しなくなる。自分や環境に対する関心もほとんどない

昏睡　痛み刺激を繰り返し加えても,目を開かない。自発的な反応も,外的刺激に対する反応もみられない

神経学的診察

神経学的診察を行い,左右差のある所見について確認する。

以下を観察する。

● 呼吸様式　　　　　　　　　　Cheyne-Stokes(チェーン・ストークス)呼吸,失調性呼吸

● 瞳孔　　　　　　　　　　　　脳卒中,膿瘍,腫瘍などによる器質性病変は,瞳孔径の左右差や対光反射の欠如を引き起こす。

診察の技術	所見
●眼球運動	片側性の脳卒中の場合の患側への偏位
頭位変換眼球反射（人形の目現象）を調べる。両側の上眼瞼を挙上し，頭部をすばやく一方へ，そして反対側へと回転させる。図24-32のように，頭位を右に変換させたとき，眼球が左を向いており（人形の目現象），脳幹機能が保たれていることが示唆される。	昏睡患者で脳幹が正常に保たれている場合は，写真のように，頭部を右に回転させると眼球は反対側の左に動く。 深昏睡または中脳あるいは橋の病変ではこの反射が消失し，眼球は動かない（図24-33）。

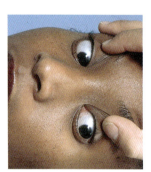

図24-32　頭位変換眼球反射の正常例。頭位を右に変換させたとき，眼球は左を向く（人形の目現象）

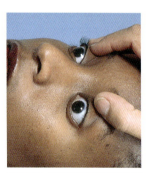

図24-33　頭位変換眼球反射の欠如例。頭位を右に変換させても，眼球が左を向かない

患者の姿勢を観察する。	除皮質硬直，除脳硬直，弛緩性麻痺（片麻痺）
●弛緩性麻痺の有無を確認する。	
●前腕をつかみ，垂直位まで挙上させて手首の向きを観察する。	弛緩性麻痺では，手はだらりと垂れ下がる。
●診察台から左右の上肢を約30～40 cmの高さに上げて，落下させる。	弛緩性麻痺では上肢はより速く落下する。

診察の技術	所見
● 両下肢の膝関節を屈曲した状態で支え，一側ずつ膝を伸展し，つぎにこれを離して，落下させる。	弛緩性麻痺では下肢はより速く落下する。
● 上記と同じ姿勢から，両下肢を離す。	弛緩性麻痺では下肢は急速に伸展し，外側に倒れる。
● 神経学的診察と一般的な診察を最後まで行う。	

所見の記録

神経系の診察の記録

精神状態：覚醒，リラックスし，協力的。思考力は安定。人，場所，時間についての見当識は正常。言語は流暢，従命可能。認識についての詳細な検査は後日に延期。**脳神経**：第Ⅰは検査せず。第Ⅱ～Ⅻは正常。**運動系**：筋量，筋緊張は正常。筋力はすべて5/5。**小脳**：急速変換運動，指鼻試験，踵膝試験ともに正常。歩行は足と足の横幅，歩幅とも正常。Romberg試験は閉眼にて平衡良好，回内筋の動きなし。**感覚系**：痛覚，触覚，位置覚，振動覚ともに正常。**反射**：すべて2+で左右対称。足底反射は底屈

または

精神状態：覚醒，質問に返答しようとするが発語困難。**脳神経**：第Ⅰは検査せず。第Ⅱ─視力，視野ともに正常。第Ⅲ，Ⅳ，Ⅵ─外眼筋運動正常。第Ⅴ─**運動**：側頭筋，咬筋ともに正常，**感覚**：角膜反射あり。第Ⅶ─**運動**：右側で顕著に障害，右鼻唇溝が浅薄化。左側は正常。**感覚**：味覚─検査せず。第Ⅷ─聴覚は両側とも囁語を正常に聴取。第Ⅸ，Ⅹ─咽頭反射正常。第Ⅺ─僧帽筋と胸鎖乳突筋の筋力は5/5。第Ⅻ─舌は正中位。**運動系**：右側の筋力は，上腕二頭筋，上腕三頭筋，腸腰筋，殿筋，大腿四頭筋，膝屈曲筋，足関節の屈曲・伸展ともに3/5。筋量正常，筋緊張は亢進し，痙性あり。左側の筋力はいずれも5/5。歩行─検査不可。小脳─右側は筋力低下のため検査不可，左側は急速変換運動，指鼻試験，踵膝試験ともに正常。Romberg試験─右下肢筋力低下のため検査不可。右側は，回内筋の動きあり。**感覚系**：右側では顔面，上肢，下肢ともに痛覚，触覚の低下あり，左側は正常。立体認知と2点識別覚は検査せず。**反射**（つぎの2つの方法で記載できる）

(続く)

↘(続き)

	二頭筋	三頭筋	腕橈骨筋	膝	アキレス腱	足底
右側	4+	4+	4+	4+	4+	↑
左側	2+	2+	2+	2+	1+	↓

または

この所見からは，左中大脳動脈領域の脳梗塞による右片麻痺が示唆される

健康増進とカウンセリング：エビデンスと推奨

健康増進とカウンセリングの重要事項

- 脳血管障害の予防
- 無症候性頸動脈狭窄のスクリーニング
- 糖尿病性末梢神経障害のスクリーニング

脳血管障害の予防

脳血管障害は，米国の死因の第4位である。**脳卒中 stroke** は，脳血管の虚血(87%)または出血(13%)によって突然発症する神経系の障害である。出血性脳卒中には，**脳内出血**(脳卒中全体の10%)と**くも膜下出血**(同3%)がある。血管灌流の低下は，一過性の脳局所機能障害を突然生じる**一過性脳虚血発作 transient ischemic attack(TIA)**，あるいは不可逆的な脳梗塞をきたし，後者は神経画像診断で病巣が描出される。TIAは24時間以内に神経機能が回復するが，TIAと診断することは重要である。TIAの場合，その後3カ月の間に約15%の患者で脳卒中の再発がみられるからである(Box 24-5)。

Box 24-5　米国心臓協会/米国脳卒中学会による脳卒中発症の徴候

F－Face Drooping(顔面筋の下垂)：顔面の片側が垂れたり，しびれたりしていないか？　患者に笑顔をつくってもらう。笑顔が非対称，不釣り合いになっていないか？

A－Arm Weakness(上肢の脱力)：一側の上肢が脱力，あるいはしびれ感を伴っていないか？　患者に両方の上肢を挙上してもらう。どちらかの上肢が下垂するように動揺していないか？

S－Speech Difficulty(言語の障害)：呂律は回っているか？　話すことや，言葉の理解が困難になっていないか？　簡単な文(例えば「空が青い」)を反復させる。患者が話す文に乱れはないか？

(続く)↗

(続き)

> **T−Time（時間）**：これらの徴候が認められたならば，症状が一過性で回復した場合も含め，救急車を呼んで直ちに病院へ搬送する。症状が出現した時刻，あるいは症状が覚知された時刻を確認して覚えておく。
>
> **上記 FAST に加えて**：他の重要な徴候
> - 突然生じた，上下肢，顔面の筋力低下やしびれ感，特に身体の左右どちらか一側の場合
> - 突然生じた，発語の異常や，言語理解の低下
> - 突然生じた，片眼または両眼の視覚障害
> - 突然生じた，歩行障害，めまい感，平衡感覚や協調運動の障害
> - 突然生じた，特に誘因のない激しい頭痛

出典：https://www.heart.org/en/about-stroke/stroke-symptoms

脳卒中予防の基本は，危険因子の積極的な管理と，患者教育である。

- 改善可能な危険因子：高血圧，喫煙，脂質異常症，肥満，糖尿病，低栄養，運動不足，飲酒
- 疾患特異的な危険因子：心房細動，頸動脈疾患，鎌状赤血球症，睡眠時無呼吸

無症候性頸動脈狭窄のスクリーニング

米国予防医療専門委員会は，無症候性頸動脈狭窄のスクリーニングを一般人口に対して行うことは推奨していない（グレードD）。また，超音波検査によるスクリーニングが脳卒中発症リスクを低下させるというエビデンスはないとしている。

糖尿病性末梢神経障害のスクリーニング

糖尿病患者では，適切な血糖管理を行うことが，運動感覚性多発神経炎，自律神経障害，多発性単神経炎，糖尿病性神経障害などの発症リスクを低減させる。糖尿病患者の診察では常に末梢神経障害の有無に注意し，痛覚，アキレス腱反射，振動覚（128 Hz の音叉を使用），足底知覚（10 g の**モノフィラメント**を使用）の検査を，皮膚の損傷，末梢循環の低下，筋骨格系の異常のチェックとあわせて，行うべきである。

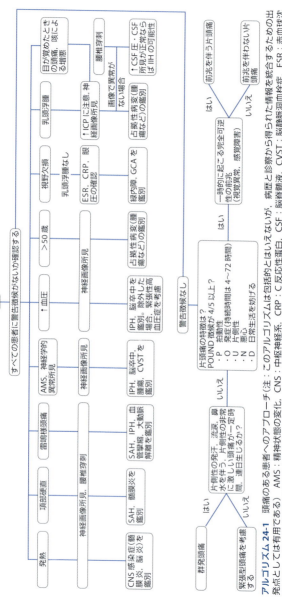

アルゴリズム 24-1 頭痛のある患者へのアプローチ（注：このアルゴリズムは包括的とはいえないが、病歴と診察から得られた情報を統合するための出発点としては有用である）．AMS：精神状態の変化，CNS：中枢神経系，CRP：C反応性蛋白，CSF：脳脊髄液，CSVT：脳静脈洞血栓症，ESR：赤血球沈降速度，GCA：巨細胞性動脈炎（側頭動脈炎ともいう），ICP：頭蓋内圧，IIH：特発性頭蓋内圧亢進，IPH：脳（実質）内出血，SAH：くも膜下出血．[Detsky ME et al. *JAMA*. 2006;296(10):1274-1283; Michel P et al. *Cephalalgia*. 1993;13:(suppl 12):54-59 より]

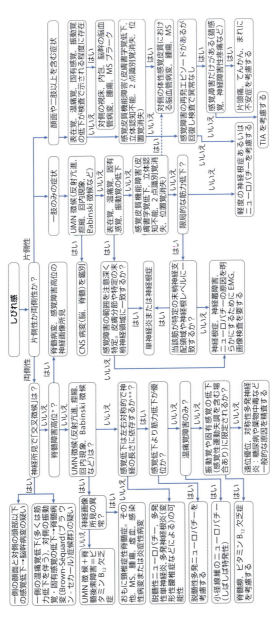

アルゴリズム 24-2 しびれ感のある患者へのアプローチ（注：このアルゴリズムは包括的とはいえないが、病歴と診察から得られた情報を統合するためこの出発点としては有用である） CNS：中枢神経系、EMG：筋電図検査、MS：多発性硬化症、TIA：一過性脳虚血発作、UMN：上位運動ニューロン。
* 脊髄性感覚レベルー片側または両側性の特定のレベル以下の身体の皮膚分節が感覚消失に関与し、体幹でもっともよく検出される。**長さに依存するとは、最も長い神経が最も影響を受けやすく、障害が手袋靴下型に分布すること。

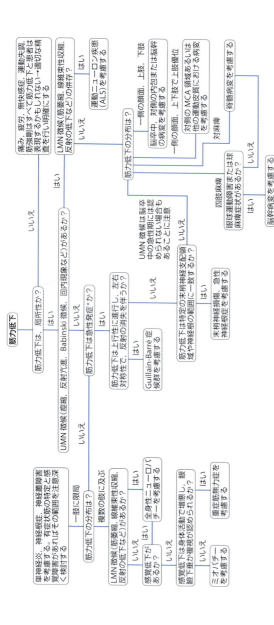

アルゴリズム 24-3 筋力低下のある患者へのアプローチ(注：このアルゴリズムは包括的とはいえないが、病歴と診察から得られた情報を統合するための出発点としては有用である)。ALS：筋萎縮性側索硬化症、LMN：下位運動ニューロン、MCA：中大脳動脈、UMN：上位運動ニューロン。*脳卒中は医学的緊急事態である。急性の局所筋力低下が生じた患者は、発症から24時間以内であれば血栓溶解療法や血管内治療の適応となるので、脳卒中の可能性を早急に評価する。

表 24-1	一次性頭痛	
疾患	一般的な特徴	増悪・誘発因子と寛解因子を伴う関連症状
緊張型頭痛	**部位**：さまざま **程度**：圧迫されるような，または締めつけられるような痛み。軽度から中等度 **発症**：段階的 **期間**：数分から数日	光過敏や音過敏がみられることがある。悪心はない ↑運転やパソコン作業時の，持続性の筋緊張 ↓マッサージ，休養で改善することがある
片頭痛 ● 前兆あり ● 前兆なし ● 異型あり	**部位**：片側性（約70％），両側性または全体（約30％） **程度**：拍動性，またはうずく痛み。痛みの程度はさまざま **発症**：かなり急速で，1～2時間でピークに達する **期間**：4～72時間	悪心・嘔吐，光過敏，音過敏，視覚前兆（閃輝暗点），手や腕の運動前兆，感覚前兆（しびれ感やチクチク感が頭痛に先行する） ↑アルコール，特定の食品，緊張，騒音，明るい照明。月経前に起こることも多い ↓静かな暗い部屋での安静，睡眠
群発頭痛	**部位**：片側性，通常，眼の後方または周囲 **程度**：持続的で，差しこむようなひどい痛み **発症**：突然発症し，数分でピークに達する **期間**：最高3時間	流涙，鼻汁，縮瞳，眼瞼下垂，眼瞼浮腫，結膜感染症 ↑発作の間のアルコールに対する感受性

出典：Headache Classification Committee of the International Headache Society (IHS). The International Classification of Headache Disorders, 3rd edition (beta version). *Cephalalgia*. 2013; 33: 629. Lipton RB, Bigal ME, Steiner TJ, et al. Classification of primary headaches. *Neurology*. 2004; 63: 427; Sun-Edelstein C, Bigal ME, Rappoport AM. Chronic migraine and medication overuse headache: clarifying the current International Headache Society classification criteria. *Cephalalgia*. 2009; 29: 445. Lipton RB, Stewart WF, Seymour D, et al. Prevalence and burden of migraine in the United States: data from the American Migraine Study II. *Headache*. 2001; 41: 646; Fumal A, Schoenen J. Tension-type headache: current research and clinical management. *Lancet Neurol*. 2008; 7: 70; Nesbitt AD, Goadsby PJ. Cluster headache. *BMJ*. 2012; 344: e2407.

表 24-2	二次性頭痛		
疾患	一般的な特徴		増悪・誘発因子と寛解因子を伴う関連症状
鎮痛薬乱用頭痛	**部位**：過去の頭痛パターンによる **程度**：さまざま **発症**：さまざま **期間**：過去の頭痛パターンによる		過去の頭痛パターンによる ↑発熱，一酸化炭素，低酸素，カフェインの離脱症状，他の頭痛の誘引となるもの ↓原因による
眼の障害による頭痛			
●屈折異常（遠視と乱視。近視ではみられない）	**部位**：眼の周囲または上方。後頭領域に放散することもある **程度**：一定していて，うずく，鈍い痛み **発症**：段階的 **期間**：さまざま		眼精疲労，眼に砂が入ったような感じ，結膜の充血 ↑特に近くをみる作業で，長時間にわたる眼の使用 ↓眼の安静
●急性緑内障	**部位**：片眼の周りや内側 **程度**：一定していて，うずく，しばしばひどい痛み **発症**：しばしば急速 **期間**：さまざま，治療による		視力低下，ときに悪心・嘔吐 ↑ときに，瞳孔を散大する刺激によって誘発される
副鼻腔炎からの頭痛	**部位**：通常は眼より上（前頭洞），または上顎洞の上 **程度**：うずく，またはズキズキする。痛みの程度はさまざま。片頭痛の可能性を考える **発症**：さまざま **期間**：しばしば1回に数時間，数日にわたり繰り返す。長期間続くこともある		局所の圧痛，鼻閉，鼻汁，熱 ↑咳，くしゃみ，また頭部を振ると悪化する ↓鼻うっ血除去薬，抗菌薬
髄膜炎	**部位**：全体に広がる **程度**：一定していて，うずく，しばしばひどい痛み **発症**：かなり急速，通常24時間未満 **期間**：さまざま，通常は数日		発熱，頸部硬直 羞明，精神状態の変化 ↓細菌性かウイルス性かの診断確定を待たず，迅速に抗菌薬投与
くも膜下出血―「雷鳴様頭痛」	**部位**：全体に広がる **程度**：非常にひどい，"人生最悪の痛み" **発症**：通常，突然発症する。前駆症状を伴う **期間**：さまざま，通常は数日		悪心，嘔吐。意識消失もありうる。頸部痛 ↑咳，くしゃみ，頭蓋内圧亢進，脳浮腫 ↓専門医による治療

表 24-2　二次性頭痛（続き）

疾患	一般的な特徴	増悪・誘発因子と寛解因子を伴う関連症状
脳腫瘍	**部位**：腫瘍の位置によって変化 **程度**：うずく，一定した痛み，強度はさまざま **発症**：さまざま **期間**：しばしば短い	↑咳，くしゃみ，頭蓋内圧亢進，脳浮腫 ↓専門医による治療
巨細胞性（側頭）動脈炎	**部位**：病変動脈付近に限局，最も多くは側頭領域で，後頭領域にも起こる．加齢に関連がある **程度**：拍動性，全体に広がり，持続する．しばしば重症 **発症**：段階的または急速 **期間**：さまざま	隣接する頭皮圧痛．発熱（約50％），疲労，体重減少．新規の頭痛（約60％），顎跛行（約50％），視覚の低下または失明（約15〜20％），リウマチ性多発筋痛症（約50％） ↑頸部と肩部の動き ↓しばしばステロイド投与
脳震盪後の頭痛	**部位**：外傷のある領域に限局することが多いが，必ずしもそうとは限らない **程度**：全体に広がり，鈍い，一定した痛み **発症**：受傷後，数時間から数日 **期間**：数週，数カ月または数年	集中力の低下，記憶に対する問題，回転性めまい，過敏性，落ち着きがない，疲労 ↑精神的・身体的疲労，緊張，前屈姿勢，興奮，アルコール ↓安静
三叉神経痛（第Ⅴ脳神経）	**部位**：頬部，下顎，口唇，歯肉．三叉神経分枝で2枝と3枝＞1枝 **程度**：衝撃を受けたような，つき刺すような，焼けるような，ひどい痛み **発症**：突然で，発作性 **期間**：小発作は数秒間だが，秒または分の間隔で繰り返す	再発する痛みによる消耗 ↑顔下方または口の領域を触る．咀嚼する，話す，歯を磨く ↓薬物治療，神経血管減圧術

出典：Headache Classification Committee of the International Headache Society (IHS). The International Classification of Headache Disorders, 3rd edition (beta version). *Cephalalgia.* 2013; 33: 629. Schwedt TJ, Matharu MS, Dodick DW. Thunderclap headache. *Lancet Neurol.* 2006; 5: 621; Van de Beek D, de Gans J, Spanjaard L, et al. Clinical features and prognostic factors in adults with bacterial meningitis. *N Engl J Med.* 2004; 351: 1849; Salvarini C, Cantini F, Hunder GG. Polymyalgia rheumatica and giant cell arteritis. *Lancet.* 2008; 372: 234; Smetana GW, Shmerling RH. Does this patient have temporal arteritis? *JAMA.* 2002; 287: 92; Ropper AH, Gorson KC. Clinical practice. Concussion. *N Engl J Med.* 2007; 356: 166. American College of Physicians. *Neurology — MKSAP 16.* Philadelphia.

表 24-3　脳卒中の分類

脳卒中の臨床像と血管領域

脳卒中の診断には，注意深い病歴聴取と詳細な身体診察が求められ，診断の要点はつぎの3つに集約されよう。**患者の身体所見から考えられる病変部位とその血管領域はどこか？　虚血性脳卒中か出血性脳卒中か？　虚血性の場合，機序は血栓性か塞栓性か？**　上記要点を参考にして，さらなる学習と実践を進めることが期待される

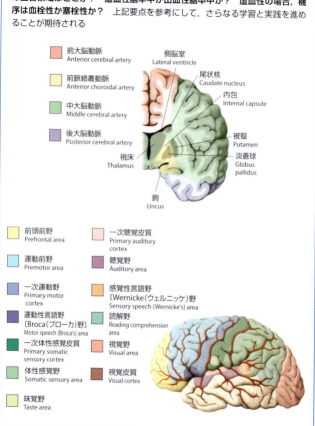

- 前大脳動脈 Anterior cerebral artery
- 前脈絡叢動脈 Anterior choroidal artery
- 中大脳動脈 Middle cerebral artery
- 後大脳動脈 Posterior cerebral artery

側脳室 Lateral ventricle
尾状核 Caudate nucleus
内包 Internal capsule
被殻 Putamen
淡蒼球 Globus pallidus
視床 Thalamus
鉤 Uncus

- 前頭前野 Prefrontal area
- 運動前野 Premotor area
- 一次運動野 Primary motor cortex
- 運動性言語野〔Broca（ブローカ）野〕 Motor speech (Broca's) area
- 一次体性感覚皮質 Primary somatic sensory cortex
- 体性感覚野 Somatic sensory area
- 味覚野 Taste area
- 一次聴覚皮質 Primary auditory cortex
- 聴覚野 Auditory area
- 感覚性言語野〔Wernicke（ウェルニッケ）野〕 Sensory speech (Wernicke's) area
- 読解野 Reading comprehension area
- 視覚野 Visual area
- 視覚皮質 Visual cortex

表 24-3　脳卒中の分類（続き）

臨床所見	血管領域
対側の下肢脱力	**前方循環**─前大脳動脈（ACA） 内頸動脈とACAを介在するWillis（ウィリス）動脈輪，前脈絡叢動脈を含む
対側の顔面，上肢の脱力＞下肢の脱力，感覚障害，視野欠損，失語症〔左中大脳動脈（左MCA）〕，空間無視，失行（右MCA）	**前方循環**─中大脳動脈（MCA） 最大の血管領域をもつ
皮質症状を伴わない，対側の運動・感覚障害	**皮質下の循環**─MCAの深部枝であるレンズ核線条体動脈 内包，視床，脳幹の細動脈に生じる**ラクナ梗塞**。4つの代表的な症候群がある─純粋運動性片麻痺（pure motor hemiparesis），純粋半側性感覚障害（pure sensory hemianesthesia），運動失調不全片麻痺（ataxic hemiparesis），構音障害・手不器用症候群（dysarthria-clumsy hand syndrome）
対側の視野欠損	**後方循環**─後大脳動脈（PCA） 左右の椎骨・脳底動脈と左右のPCAが後方循環をなす。両側PCAの梗塞では皮質盲をきたすが，瞳孔反射は保たれる
嚥下障害，構音障害，舌・口蓋の偏位，運動失調，これらと対側の感覚・運動障害（病側の顔面と対側の四肢・体幹）	**後方循環**─脳幹，椎骨・脳底動脈の分枝
眼球運動障害，運動失調，対側の感覚・運動障害	**後方循環**─脳底動脈 脳底動脈の完全閉塞─閉じ込め症候群（意識清明ながら発語困難と四肢麻痺をきたす）

出典：American College of Physicians. *Neurology: Medical Knowledge Self-Assessment Program, 14th edition (MKSAP 14)*. 2006: 52-68. Copyright 2006, American College of Physicians より許可を得て掲載

表 24-4　言語障害

言語障害は 3 つに分けられる。(1)発声の障害，(2)単語の構音障害，(3)言語の表出と理解の障害である。

- **失声 aphonia** は，喉頭やその支配神経に影響を与える疾患に伴う声の消失である。発声障害は，声量，声質，声の高さの比較的軽い障害をいう。例えば，嗄声，あるいは囁くようにのみ会話ができる場合である。原因として，喉頭炎，喉頭腫瘍，片側性声帯麻痺(第X脳神経)などがある。
- **構音障害 dysarthria** は，言語器官(唇，舌，口蓋，咽頭)の筋力制御の障害である。単語は，鼻音で，ろれつが回らず，不明瞭となる。しかし，言語の象徴的側面は障害されない。原因には中枢神経系または末梢神経系の運動障害，Parkinson 症候群，小脳疾患などがある。
- **失語症 aphasia** は，言語の表出と理解の障害である。それは，大脳優位半球(通常は左脳)での障害がしばしば原因となる。失語症のおもな 2 つの型である，(1)**Wernicke 失語症**：流暢性(受容性)失語症と，(2)**Broca(ブローカ)失語症**：非流暢性(表出性)失語症を以下で比較した。他に，あまり一般的ではない失語症がある。それらは，特定の検査に対する反応によって区別され，通常は神経学的コンサルテーションが必要となる。

	Wernicke 失語症	Broca 失語症
自発言語の質	流暢性：しばしば早口で，多弁で，難なく話す。抑揚や構音はよいが，文章には意味がなく，単語が変形し(錯語)，または，造語される(言語新作)。話す言葉の意味は全体的に理解不能なことがある	非流暢性：緩徐で，抜け落ちがあり，単語の数が乏しく，努力性である。抑揚や構音は障害されるが，名詞，他動詞，重要な形容詞など意味のある単語を用いる。単語はしばしば脱落する
単語の理解力	障害されている	並から良好
復唱	障害されている	障害されている
呼称	障害されている	障害されているが，患者は物体を認識している
読解力	障害されている	並から良好
書字	障害されている	障害されている
病変局在	側頭葉の後上部	前頭葉の後下部

診察の早い段階で，患者が失語症であると認識することが重要であるが，どの型の失語症であるか，神経系の診察において，上記の項目をよく理解して診断すべきである

表 24-5　顔面麻痺の種類

第Ⅶ脳神経の末梢性障害と中枢性障害を区別するには，顔面上部の動きを注意深く観察することである．両側性に中枢からの支配を受けているため，中枢性障害では顔面上部の動きは保たれる．

第Ⅶ脳神経の末梢性障害　　　第Ⅶ脳神経の中枢性障害

第Ⅶ脳神経の末梢性障害では，前額部を含む顔面の右半分全体に麻痺が生じる

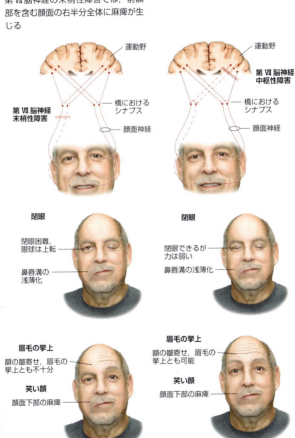

運動野
第Ⅶ脳神経中枢性障害
橋におけるシナプス
顔面神経

第Ⅶ脳神経末梢性障害

閉眼
閉眼困難，眼球は上転
鼻唇溝の浅薄化

閉眼
閉眼できるが力は弱い
鼻唇溝の浅薄化

眉毛の挙上
額の皺寄せ，眉毛の挙上とも不十分

笑い顔
顔面下部の麻痺

眉毛の挙上
額の皺寄せ，眉毛の挙上とも可能

笑い顔
顔面下部の麻痺

表 24-6　運動障害

	末梢神経系障害	中枢神経系障害[a]	Parkinson症候群(基底核障害)	小脳疾患
不随意運動	しばしば線維束性収縮	線維束性収縮なし	安静時振戦	企図時振戦
筋肉量	萎縮	正常または軽い萎縮(廃用性萎縮)	正常	正常
筋緊張	低下またはなし	亢進，痙性	亢進，固縮	低下
筋力	低下または消失	低下または消失	正常またはやや低下	正常またはやや低下
協調運動	障害されないが，筋力低下による制限あり	筋力低下により緩慢になり制限される	良好だが遅くなり，しばしば振戦あり	障害される，失調性
反射				
深部腱反射	低下または消失	亢進	正常または低下	正常または低下
足底反射	屈曲または消失	進展	屈曲	屈曲
腹壁反射	消失	消失	正常	正常

[a] 上位運動ニューロン障害。

表 24-7　不随意運動

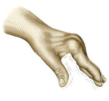

静止時振戦
細かい，丸薬まるめ様（pill-rolling）振戦が安静時にみられ，随意運動時には減少する。Parkinson症候群のような基底核障害でみられる

姿勢時振戦
不安時や甲状腺機能亢進症で姿勢を維持するときに現れる振戦。家族性のこともある。基底核障害により生じる

企図時振戦
安静時には生じず，動作によって明らかになる。多発性硬化症など小脳疾患でみられる

線維束性収縮
下位運動ニューロン障害において，細かい，筋線維の小さな集まりが，細かくゆらゆら波立つように不規則に収縮する

舞踏運動
持続時間の短い，急速で跳ねるような，不規則な不随意運動。顔面，頭部，前腕，手に生じる〔Huntington（ハンチントン）病など〕

アテトーシス（アテトーゼ）
舞踏運動よりもゆっくりとした，ねじれるような不随意運動。顔面や四肢の遠位部に出現し，痙性を伴うことも多い（脳性麻痺など）

表 24-8　筋緊張の異常

痙縮

病変局在：上位運動ニューロンまたは皮質脊髄路系

特徴：筋緊張は増加する(**筋緊張亢進**)。亢進の程度は受動運動が速いほど強く，遅いほど弱い。緊張は運動のピーク時にも増強する。また，速い受動運動を行った場合，その最初は特に緊張が強いが，途中で急に弱くなる。この痙性の変化(引っかかりと緩み)は，折りたたみナイフ様痙縮として知られている

よくみられる原因：脳卒中，特に後期または慢性期

固縮

病変局在：錐体外路系(大脳基底核系)

特徴：筋の抵抗は亢進しているが，受動運動の速さに関係なく一定であり，**鉛管様筋固縮**と呼ばれる。手首や前腕での屈曲・伸展の受動運動では，がくがくと引っかかるような感触となり，**歯車様固縮**と呼ばれる

よくみられる原因：Parkinson 症候群

弛緩

病変局在：前角細胞から末梢神経における下位運動ニューロンのあらゆる部位

特徴：筋緊張は喪失する(**筋緊張低下**)。四肢はだらりとした状態になる。ときに過伸展となったり，振り回すような動き(**分回し運動**)が起こることもある。弛緩した筋は通常，脱力をきたしている

よくみられる原因：Guillain-Barré 症候群。脊髄損傷の初期(脊髄ショック)，脳卒中の初期

パラトニー

病変局在：両側大脳半球，通常は前頭葉

特徴：受動運動の途中で急に筋緊張が変化する。急に筋緊張が緩んで動かしやすくなるものを mitgehen(**同調している**)，逆に，急に筋緊張が亢進して動かしにくくなるものを gegen-halten(**抵抗している**)と呼ぶ

よくみられる原因：認知症

表 24-9　代謝性昏睡と器質性昏睡

中毒・代謝性	器質性

病態生理

覚醒中枢に対する毒性，細胞レベルでの障害

脳幹網様体の破壊，あるいは周囲病変からの直接・間接の圧迫

臨床像

- **呼吸**。正常か，規則性の過換気。呼吸が不規則な場合，通常はCheyne-Stokes（チェーン・ストークス）呼吸
- **瞳孔**。左右同大で，対光反射あり。麻薬，コリン薬によって**縮瞳**しているときは，拡大鏡で観察が必要なことがある
  抗コリン薬投与，低体温では**散大固定**となる場合がある
- **意識レベル**。瞳孔の変化の後に障害される

呼吸。不規則で，Cheyne-Stokes呼吸や失調性呼吸を呈する。持続性吸息や中枢性過呼吸といった定型的なものも含まれる

瞳孔。左右不同，または障害側の対光反射消失
　中間位固定―中脳圧迫を示唆する
　散大固定―脳ヘルニアなどによる第Ⅲ脳神経の**圧迫**を示唆する

意識レベル。瞳孔の変化の前に障害される

原因

尿毒症，高血糖
アルコール，薬物，肝不全
甲状腺機能低下，低血糖
低酸素，虚血
髄膜炎，脳炎
高体温，低体温

硬膜外・硬膜下・脳内出血
脳梗塞，脳塞栓
腫瘍，膿瘍
脳幹の梗塞，腫瘍，出血
小脳の梗塞，出血，腫瘍，膿瘍

表 24-10　Glasgow Coma Scale(GCS)[訳注]

活動性		スコア
開眼の状態		
なし	1＝眼窩上刺激を加えても開眼しない	
痛み刺激により	2＝胸骨，四肢，眼窩上刺激にて	
呼びかけにより	3＝応答の有無は問わない	
自発的	4＝周囲への関心などは問わない	
運動による反応		
なし	1＝痛み刺激を加えても，弛緩したまま	
伸展する	2＝肩の内転，肩・前腕の内旋	
異常な屈曲反応	3＝逃避する動きや，片麻痺姿勢	
痛み刺激からの逃避反応	4＝痛みから逃避する場合の腕の動き，肩の外転	
痛み刺激を払いのける	5＝眼窩上または胸部圧迫による刺激を払いのける動き	
命令に従う	6＝簡単な命令に従う	
言語による反応		
なし	1＝いかなる言語性反応もなし	
理解できない声	2＝発語ではなく，うなり声やうめき声	
不適当な言葉	3＝意味はあるが，持続しない発語	
錯乱状態	4＝見当識を伴わない，混乱した会話	
見当識あり	5＝見当識を伴った会話	
	合計点(3〜15)[a]	

[a] 通常は 3〜8 点を昏睡と判定する。

出典：Copyright© 1974 Elsevier の許可を得て Teasdale G, Jennett B. Assessment of coma and impaired consciousness. A practical scale. *Lancet*. 1974; 304(7872): 81-84. より掲載

訳注：意識障害を観察するツールとして他に Japan Coma Scale(JCS, 3-3-9 度方式)がある。

表 24-11　昏睡患者の瞳孔

縮瞳，針先瞳孔

両側性の縮瞳(1〜2.5 mm)は，(1)視床下部からの交感神経経路の障害，(2)代謝性脳障害(薬物中毒などさまざまな原因による大脳のびまん性障害)を示唆する。対光反射は通常は正常である
針先瞳孔(<1 mm)は，(1)橋出血，(2)モルヒネ，ヘロイン，その他の麻薬中毒を示唆する。対光反射は拡大鏡で観察可能である

中間位固定

中間位か，わずかに**散瞳**して(4〜6 mm)，**対光反射のない瞳孔**は，中脳の器質性障害を示唆する

両側性の散瞳

両側性に散大して対光反射のない瞳孔は，心停止後のような重度の低酸素状態，それによる交感神経様作用の可能性を示唆する。または，アトロピン系薬物，フェノチアジン系薬物，三環系抗うつ薬の服用でも生じることがある

片側性の散瞳

対光反射のない片側性の瞳孔散大は，脳ヘルニアによって，動眼神経と中脳が側頭葉の圧迫を受けていることを示す重大な徴候である。片側性の散瞳がよくみられる例は，糖尿病患者で第Ⅲ脳神経を含む梗塞をきたしている場合である

第25章 小児：新生児から青年期まで

小児発達における一般原則

小児の身体的，知的，社会的な発達の仕方は，成人と比べきわめて多様である。

小児発達の基本原則

- 小児には予想される発達段階の指標がある
- 正常発達にはかなりの幅（個人差）がある
- 小児の発育および発達には，疾病だけでなく，身体の状況，児の置かれた社会的状況，生まれ育った環境などが密接に関連する
- 小児の発達段階に応じて病歴聴取や身体所見のとり方を考えていく必要がある

発達評価

小児における正常の身体的，知的，社会的発達を理解することは，効果的な病歴や身体所見を得るうえで助けとなり，正常と異常とを判別する基礎となる。

- **身体的発達 physical development** には，**粗大運動 gross motor** および**微細運動 fine motor** の能力が含まれる。
- **認知(知的)発達 cognitive development** は子どもが直感，知覚，言語および非言語的推論を通して問題を解決する能力の指標となる。
- **言語発達 language development** とは，言葉を明瞭に発音し，聞き取り，表現するという能力で構成される。非言語コミュニケーションである，手を振る，首をかしげる，なども含まれる。
- **社会情緒的発達 social and emotional development** には，人との関係を構築し維持する能力が含まれる。

米国小児科学会 American Academy of Pediatrics (AAP) は，これらの発達項目の評価について，標準化されたスクリーニング法を用いることを推奨している。

小児科診療

一般的なアプローチ

成人診療と同様に，医療者，子ども，両親の関係は連携したまとまりとして捉える。その目的は，子どもの養育における家族の力の重要性を認識することである。小児診療は，成人診療と同じ要領で行われるが，以下のような**特有の項目**がある(Box 25-1)。

Box 25-1　Bright Futures Health Supervision Visit（定期健診）の概要

内容
健康診断
健診外来の優先事項
- 病歴
  - 全般的な質問
  - 既往歴
  - 家族歴
  - 社会歴
- 発達評価
- システムレビュー
- 親子のかかわり方の観察
- 身体診察
  - 成長の評価
    - 2歳未満：体重，身長，頭囲，身長体重比
    - 2歳以上：体重，身長，BMI
  - 月齢・年齢における，特に重要な診察項目
- スクリーニング検査
  - 一般的なスクリーニング検査
  - 選択的なスクリーニング検査
    - リスク評価
- 予防接種

健康教育
- 医療者のための情報
- 外来で優先すべき事項についての健康増進のための質問
- 親子のための健康教育

出典：Copyright Clearance Center, Inc. を通して Bright Futures: *Guidelines for Health Supervision of Infants, Children, and Adolescents.* 4th ed. Elk Grove Village: Bright Futures/American Academy of Pediatrics, 2017:266 より American Academy of Pediatrics の許可を得て引用

小児の病歴

内容

同年代の他の子どもたちと比べて,その子ども特有の情報を集めることを目的としている。生年月日,出身地,ニックネーム,両親の姓名を含める。親子のかかわり方の観察を含め,子どもの育児環境を評価する。

主訴や懸念事項

最初に優先すべきことは,子どもと親の懸念事項への対応である。子ども,親,教員,その他の人のうち,誰が抱える懸念事項なのかを判断する。

病歴(初回,再診)

子どもの年齢に関連した具体的な情報を含める。家族が子どもの症状に対しどう対応するか,なぜ心配なのか,子どもにどう影響するのか,などを明らかにする。既往歴,関連する家族歴,場合によっては関連する社会歴に関する情報を集める。月齢年齢によっては,以下の内容が含まれる。

出生前の病歴,陣痛や分娩
- 出生前:母体の健康状態,内服薬,タバコ・薬物・アルコールの使用,体重増加,妊娠期間
- 出生時:陣痛と分娩の状況,出生時体重,Apgar(アプガー)スコア(p.502)
- 新生児:蘇生措置,チアノーゼ,黄疸,感染症,親子の情緒的絆

授乳歴
- 母乳栄養:哺乳回数,哺乳時間,哺乳困難,離乳の時期や方法
- 人工栄養:種類,量,頻度,嘔吐,疝痛,下痢
- ビタミン,鉄分やフッ化物の補給,離乳食の導入
- 食習慣:食事内容と量,親の対応,哺乳の問題への対応

アレルギー
湿疹,蕁麻疹,長期のアレルギー性鼻炎,気管支喘息,食物不耐性,

昆虫過敏症，反復性喘鳴の病歴に特に注意する。

発達評価

- 身体的成長：全年齢での体重と身長，出生時と2歳未満での頭囲，成長が遅い時期と速い時期，2歳以上の肥満指数（BMI）
- 発達の指標，言葉の発達，集団保育や学校での様子
- 社会的発達：日中夜間の睡眠パターン，トイレトレーニング，習慣的行動，しつけの問題，学校での行動，家族や仲間との人間関係，貧困や飢えなどの社会的リスク，逆境的小児期体験 adverse childhood experience

身体診察

小児を評価するうえで重要な項目である。また，子どもの発達に伴う身体的変化について考察する機会になりうる（p.501〜504参照）。
身体診察では，常に成長の評価も行うべきである。
- 2歳未満：体重，身長，頭囲，身長体重比
- 2歳以上：体重，身長，BMI

診察する順序は，小児の月齢年齢や児の落ち着き具合によって異なる。
- 乳幼児では，**不快感を与えない手技からはじめ，最後に不快感を伴う可能性のある手技を行う**。例えば，頭部と頸部の触診，心臓と肺の聴診は早めに行い，耳と口の検査，腹部の触診は終盤に行う。子どもがある部位に痛みを訴える場合は，その部位の診察は最後に回す。
- 年長児や青年期の小児には，最も痛む部位を最後に診察する以外は，成人と同じ順序で行う。

付添の方針については，所属機関に確認してほしい。多くの施設では，学童期や思春期の子どもの診察で（診察者の性別に関係なく），生殖器や女児の乳房を診察する際には，付添者をつけることが推奨されている。

スクリーニング検査

一部のスクリーニング検査は**一般的**なもので，それぞれの小児に適用される。その他のスクリーニング検査は，**選択性**である。スクリーニング検査は，小児の医学的，発達的，社会的な状況に応じさまざまである。新生児スクリーニング検査には，貧血，血中鉛濃度，鎌状赤

血球症，視力，聴力，発達，その他（例：結核）の評価が含まれる。

予防接種

予防接種を受けた日付と有害な反応があった場合は，その内容を記載する。保護者の不安や予防接種に関する誤解について話し合うことも必要である。

健康教育

主要な領域は，臨床から発達，社会，心の健康に至るまで幅広く取り扱う。

新生児と乳児病歴：一般的なアプローチ

新生児健診は一般的に出生後12～24時間に行われる。この健診は，医療者が家族とかかわり，家族の状況や背景を把握し，妊娠を取り巻く重要な状況を理解し，家族との絆を深め，新生児に対する家族のかかわり方を観察できる貴重な機会となる。経験のある医療者であれば，問診と健康教育を組み合わせて行う術を得ており，育児初心者である両親とも自然に会話をするかのように行えるだろう。

診察の技術

出生時の評価

乳児期の身体の成長は，他のどの時期よりも早い。

聴診器で前胸部を聴診し，腹部を触診し，頭部，顔面，口腔，四肢，外性器，会陰部を視診する。

診察の技術	所見
Apgar スコア 新生児を，出生後1分と5分の時点で，以下の表に従い，各	5分間で8点以上の場合，より詳細な診察へ進む。

診察の技術	所見

構成要素を3点スケール(0, 1, 2)で採点する(Box 25-2)。

Box 25-2　Apgar スコア

臨床徴候	点数		
	0	1	2
心拍数	なし	<100 回	>100 回
努力呼吸	なし	緩慢で不規則	有効で強い
筋緊張	弛緩	四肢のある程度の屈曲	活発に動く
刺激への反応[a]	反応なし	顔をしかめる	大きな声で泣く, くしゃみや咳をする
皮膚の色	チアノーゼ, 蒼白	体幹はピンク, 四肢末梢のチアノーゼ	体全体がピンク色

Apgar スコア 1 分値		Apgar スコア 5 分値	
8〜10	正常	8〜10	正常
5〜7	神経系機能のある程度の低下	0〜7	中枢神経系あるいは他の臓器障害がやがて起こる高リスクの状態
0〜4	すぐ蘇生が必要な高度の神経機能低下		

[a] 鼻腔をバルブシリンジで吸引したときの反応。

在胎週数と出生時体重

在胎週数による成熟度と出生体重により, 新生児を分類評価する(Box 25-3, 25-4)。

出生から数時間後の評価

新生児の包括的な評価は, p.501 の乳児の項で述べた手技に従って, 生後 24 時間以内に行う。哺乳後 1〜2 時間で児が最も落ち着いているタイミングをみはからい, 親を新生児室に伴って診察する。

診察の技術	所見

Box 25-3　在胎週数と出生時体重による分類

在胎週数による分類	在胎週数
早産児	<37週
後期早産児	34〜36週
正期産児	37〜41週
過期産児	>42週
出生時体重による分類	**体重**
超低出生体重児	<1,000 g
極低出生体重児	<1,500 g
低出生体重児	<2,500 g
正常出生体重児	≧2,500 g

Box 25-4　新生児の分類

分類	略語	パーセンタイル
在胎週数に比して小さい	SGA	<10
在胎週数相当	AGA	10〜90
在胎週数に比して大きい	LGA	>90

児の全身の色，体の大きさ，均整（四肢の長さや頭の大きさと体幹とのバランスがとれているか），栄養状態，肢位，呼吸の仕方，頭部・四肢の動かし方について観察する。	多くの新生児が内反膝 bowleg であり，胎内で丸くなっていたことを反映している。
臍帯 umbilical cord の異常はないかどうかを視診する。正常では，臍帯の断端に，2本の壁の厚い臍動脈と，それより大きいが壁の薄い臍静脈を認める。臍静脈は時計の12時の位置に存在する。	単一臍動脈は先天異常と関連している可能性がある。新生児の臍ヘルニアは腹壁欠損によって生じる。

診察の技術

神経学的なスクリーニング検査では、精神発達レベル、粗大・微細運動機能、筋緊張、啼泣、深部腱反射、原始反射などを調べる。

所見

乳児の重篤な神経疾患の徴候として、非常な易刺激性、遷延性の肢位の非対称や四肢の伸展、頭部をずっと体の一側に向けている、四肢だけでなく頭頸部まで後ろに過伸展して反る〔弓なり反張（**オピストトーヌス opisthotonus**）〕、高度の弛緩（**筋緊張低下児 floppy infant**）、痛み刺激への反応性減弱があげられる。

Box 25-5 には、乳児を診察する際に役立つコツを記載している。

Box 25-5　乳児診察のコツ

- 乳児はいきなり診察せず、まずおもちゃや診察者の持ち物で気をそらせる
- 乳児を親の膝にのせたまま、なるべく多くの診察を行う
- 乳児にやさしく語りかけたり、乳児の発する音をまねて乳児の気をそらせる
- 乳児が不機嫌なときは、空腹でないかどうか確認する
- その児の発達や子育ての状況を把握するために、乳児にできること（発達段階の指標）を親にたずねる
- 頭の先から足の先まで順序よく系統立てて診察しようとしてはいけない。乳児のしぐさから得られる所見を見逃さないようにし、口腔や耳の診察は最後に行うようにする

精神的・身体的状態

両親が我が子について話す様子や、子の抱き方、動かし方、服の着せ方を観察する。母乳または人工栄養による授乳方法を観察する。標準化された発達スクリーニング検査を用いて、指標に沿って発達しているかどうかを判断する。

発達遅滞の一般的な原因としては、胎生期の発達異常、遺伝性疾患、生育環境・社会的な問題、その他の妊娠・周産期の問題、感染症（髄膜炎など）の小児疾患、外傷、重度の慢性疾患があげられる。

診察の技術	所見

全身の観察

身長と体重が予想される範囲内で増加することは,乳幼児期の健康状態の優れた指標となる。成長曲線から大幅に逸脱している場合,何らかの疾病の早期症状を示している可能性がある。成長を評価するために,測定値を以下の項目と比較する。

体重増加不良 failure to thrive とは,在胎週数を修正した年齢と性別に対して,体重増加が著しく低い(例:2パーセンタイル以下)ことを反映した状態。原因は,環境的,心理社会的,またはさまざまな消化器,神経,心臓,内分泌,腎臓,その他の疾患である可能性がある。

- 年齢と性別による正常値

97パーセンタイル以上または3パーセンタイル以下,あるいは以前の水準から最近上昇または下降した場合は,精査が必要である。

- 成長傾向を評価するための過去の測定値

身長と体重

身長と体重を成長曲線に記録し,発達の程度を判定する。

身長の伸びが悪い場合は,内分泌疾患や他の低身長の原因が示唆され,あるいは体重も少ない場合は,他の慢性疾患が示唆される。

頭囲

生後2年間は,身体診察のたびに頭囲を測定する(図25-1)。

頭蓋縫合部早期閉鎖または小頭症では,頭囲が小さくなることがある。水頭症,硬膜下血腫,まれに脳腫瘍や遺伝性症候群により,頭囲が異常に大きくなることがある。

診察の技術	所見

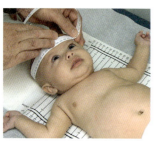

図 25-1 乳幼児期において頭囲は非常に重要な指標である

バイタルサイン

血圧

乳児期には少なくとも1回は血圧を測定する。図 25-2 に示したのは手動式であるが，乳幼児期の収縮期血圧の測定は **Doppler(ドプラ)法**で行うのが最も簡便な方法である。	表 25-1「小児の持続性高血圧の原因」を参照  **図 25-2** 乳幼児の正確な血圧測定には練習を要する

脈拍

心拍数はかなり幅があり(BOX 25-6)，興奮，啼泣，不安などで著しく増加する。したがって，乳幼児が静かにしているときに脈拍を測定する。	頻脈(180〜200 回/分以上)は，通常，発作性上室性頻拍[訳注]を示唆する。徐脈は，重篤な基礎疾患に起因する可能性がある。

訳注:「心肺蘇生国際ガイドライン 2020」では，「1 歳未満の新生児・乳児で＞220，1 歳を超えると＞180 で上室性頻拍を疑う」とある。

| 診察の技術 | 所見 |

Box 25-6　生後から1歳までの健康な小児の心拍数

年齢	平均心拍数 (回/分)	正常範囲 1～99パーセンタイル (回/分)
生後1カ月以内	140	90～165
1～6カ月	130	80～175
6～12カ月	115	90～170

呼吸数

呼吸数は非常に範囲が広く，成人よりも病気や運動，情動に影響を受けやすい。

細気管支炎や肺炎などの呼吸器疾患では，呼吸が速くなり(80～90回/分まで)，努力呼吸を呈することがある。穏やかな頻呼吸(努力呼吸を伴わない)は，心不全の徴候である。

体温

乳幼児の体温は，成人に比べて不安定である。**乳幼児の場合，直腸温が最も正確である。**直腸温の平均値は乳児期と幼児期早期に高く，3歳を超えるまでは通常37.2℃以上である。

皮膚

以下を評価する。

- 質感と外観　　　　　　　　　　大理石様皮膚

- 血管運動性の変化　　　　　　　先端チアノーゼ，チアノーゼ性先天性心疾患

- 色素沈着　　　　　　　　　　　カフェオレ色素斑

診察の技術	所見
● 毛髪（うぶ毛など）	後部正中線上の髪の毛の房
● 一般的な皮膚症状（例：稗粒腫，中毒性紅斑）	単純ヘルペス
● 色	溶血性疾患による黄疸
● ツルゴール	脱水

頭部

縫合と泉門を注意深く観察する。出生時の大泉門は直径 4〜6cm で，生後 18〜22 カ月までに閉鎖する。出生時の小泉門は 1〜2cm で，通常 2 カ月までに閉鎖する（図 25-3）。

小頭症では頭部が小さく，水頭症では大きくなる。髄膜炎では泉門が膨隆して張り，小頭症では閉じ，頭蓋内圧上昇では閉鎖が遅延する（水頭症，硬膜下血腫，脳腫瘍）。

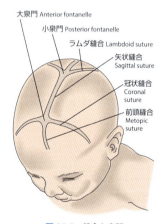

図 25-3 縫合と泉門

乳児の頭蓋骨を注意深く触診する。頭蓋骨は一般に「軟らかい」もしくは「しなやか」であり，通

骨膜下出血（頭血腫）による膨隆は縫合線を越えないが，骨折に伴う出血による膨隆は縫合線を越える。

診察の技術	所見

常，在胎週数の増加に伴い硬くなる。

顔の対称性を確認する。顔貌について，全体的な印象を評価する(Box 25-7)。両親の顔貌と比較することは，有効である。

顔貌異常は，顔貌の構成や形態に異常があることをいう。さまざまな症候群が顔貌異常の原因となる(Box 25-7)。Down(ダウン)症候群や胎児性アルコール症候群が例としてあげられる。

Box 25-7　顔貌異常の可能性を評価するためのヒント

- 注意深く病歴聴取する。特に家族歴，妊娠歴，分娩・周産期歴
- 成長・発育の異常や体格の異常に注意する
- 頭囲，身長，体重を測定し，成長曲線をつける
- 以下3つの顔面形態形成の異常の機序を考察する
  - 胎内環境異常による変形
  - 羊膜帯や胎児自身による損傷
  - 顔面・頭蓋・脳などの発生異常による先天奇形
- 親と兄弟姉妹の診察〔親と似ている場合は安心させることができる(巨頭など)が，家族性の疾患を示唆する可能性もある〕
- すでにわかっている症候群かどうか確認する。参考文献，写真，表，データベースによる徴候の組み合わせを確認する

眼

新生児や乳児は，覚醒していると，その人の顔をみたり，明るい光を目で追ったりする(Box 25-8)。

眼振，斜位

新生児が覚醒して開眼している状況で，検眼鏡を0ジオプトリーにセットして約25cmの距離から瞳孔を調べる手法で**赤色網膜反射**を観察する。

白内障は，白色網膜反射を示す(通常の赤色網膜反射ではない)。網膜芽細胞腫というまれな腫瘍の徴候である可能性がある。

乳頭浮腫は乳児にはまれであり，これは泉門と頭蓋骨縫合部が頭蓋内圧亢進に対応し，視神経乳頭を保護するためである。

診察の技術	所見

Box 25-8　乳児の視力に関する指標

出生時	瞬きをする，人の顔を注視する
1 カ月	ものをみる
1.5〜2 カ月	眼球協調運動
3 カ月	中心固視，みえるものに手をのばす
12 カ月	視力は約 20/60(0.3)〜20/80(0.2)

耳

位置，形状，特徴を確認する。	小さかったり，奇形であったり，または耳介低位である場合は，関連する先天性欠損，特に腎臓疾患を示唆する可能性がある。

聴力を評価する(Box 25-9)。

Box 25-9　乳児の聴覚徴候

月齢	徴候
0〜2 カ月	突然の音に驚き，瞬く 柔和な声と音で静まる
2〜3 カ月	音に反応して身体を動かす 聴き慣れた音に表情を変える 音のする方向に目を向けたり振り向いたりする
3〜4 カ月	声や会話を聴こうと振り向く
6〜7 カ月	言葉を適切に理解する

鼻

乳児の口を閉じたまま，外鼻孔を交互に塞いで，鼻腔の開存性を確認する。	後鼻孔閉鎖では，片方の外鼻孔が塞がれると呼吸ができないことがある。

診察の技術	所見

口腔と咽頭

視診(舌圧子とライトを使用),触診を行う。

過剰歯,Epstein(エプスタイン)真珠

舌の上に白っぽい被膜がみえることがある。この被膜がミルクや母乳によるものであれば,こすったり拭き取ったりすることで容易に取り除くことができる。

口腔カンジダ症(鵞口瘡)

口腔内の小水疱は,エンテロウイルス感染症や単純ヘルペスウイルス感染症によって生じることがある。

歯を評価する。**出生歯**とは,出生時にすでに生えている歯牙のことである。

頸部

図 25-4 に示すように,**リンパ節**を触診し,さらに腫瘤(先天性嚢胞など)がないかを確認する。

リンパ節腫脹は,通常ウイルスまたは細菌感染によるものである。

その他の頸部腫瘤には,悪性腫瘍,鰓溝性嚢胞または甲状舌管嚢胞,耳介前嚢胞,耳瘻孔がある。

胸郭と肺

呼吸数と呼吸様式を注意深く観察する(Box 25-10)。

無呼吸

すぐに聴診器を使用せず,まず患者を注意深く観察する。

上気道感染症が原因で,鼻翼呼吸を呈することがある。

胸部を聴診し,上気道と下気道の音を区別できるようにする(Box 25-11)。

胸郭と腹部の動きが逆となる呼吸である奇異呼吸 paradoxical breathing,つまり吸気時に胸郭が内側へ,腹部が外側へ動く呼吸(腹式呼吸)が起こる。新生児では正常の所見である(ただし乳児期後期になると正常ではない)。

診察の技術	所見

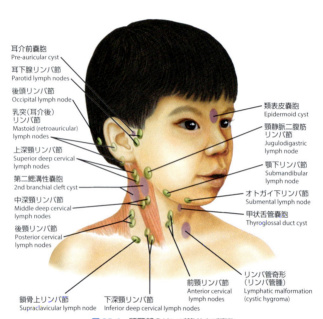

図 25-4 頭頸部のリンパ節および囊胞

診察の技術　　　　　　　　　　　　　　　　　所見

Box 25-10　呼吸の観察

評価	所見	説明
全身の観察	● 食事ができない，笑顔がない ● 落ち着きがない	● 下気道感染症（細気管支炎，肺炎など）は，乳児によくみられる
呼吸数	● 頻呼吸	● 心疾患，呼吸器疾患（肺炎など）
皮膚色	● 蒼白またはチアノーゼ	● 心疾患，呼吸器疾患
鼻呼吸	● 鼻翼呼吸（吸気時に両鼻孔が拡大すること）	● 上気道または下気道感染症
聴取可能な呼吸音	● 呻吟（呼気時に短く，繰り返しうなる） ● wheezes（高調性連続性副雑音） ● ストライダー（高調性吸気性喘鳴） ● 閉塞（呼吸音なし）	● 下気道疾患 　● 喘息や細気管支炎 　● クループ，喉頭蓋炎，細菌性気管炎 　● 異物
努力呼吸	● 鼻翼呼吸 ● 呻吟 ● 陥没呼吸（胸壁の引き込み） 　● 鎖骨上（鎖骨上の軟部組織の動き） 　● 肋間（肋骨間の皮膚の引き込み） 　● 胸骨下（剣状突起部） 　● 肋骨弓下（肋骨下縁）	● 乳幼児では，努力呼吸と聴診での異常所見を合わせて肺炎の可能性を考えることが最も重要である

Box 25-11　呼吸雑音が上気道性か下気道性かの鑑別

方法	上気道	下気道
鼻の音と聴診器での音を比較	同じ音	しばしば異なる音
粗い音を聴取	粗く大きい	さまざま
対称性（左右差）に注意	対称性	しばしば非対称性，左右差あり
胸部の上方，下方など場所を変えて比較	胸部上方で大きい	しばしば胸部下方で大きい
吸気性か呼気性か	たいてい吸気性	しばしば呼気性
乳児の口元に聴診器をあてて聴取	吸気音が大きい	しばしば胸部の聴診音よりも小さい

診察の技術	所見

心臓と末梢血管系

視診

チアノーゼがないかどうかを注意深く観察する。チアノーゼを評価するのに最適な部位は，舌または口腔である。	出生時：大血管転位症，肺動脈弁閉鎖症，肺動脈弁狭窄症 生後数日以内：上記の3つに加えて，総肺静脈還流異常症，左心低形成症候群

触診

乳幼児では最強拍動点（PMI）はいつでも触れるわけではない。末梢の脈拍を触診する。心臓や大血管内に生じた血流の乱流が多い場合は，振戦（スリル）として触知される。	大腿動脈の拍動の消失や減弱を認める場合は，大動脈縮窄症が疑われる。脈が弱く，かすかで，触れにくい場合は，心筋機能障害や心不全のことがある。

聴診

乳児の心拍のリズムは，末梢の脈拍を触知するよりも，心音を聴診することで容易に評価できる。	乳幼児では洞性不整脈は正常でもみられる。心拍数は吸気時に増加し，呼気時に減少するが，この所見はときに急激に生じることがある。 小児で最も多い不整脈は発作性上室性頻拍である。
第1心音（S_1），第2心音（S_2）を慎重に評価する。S_1とS_2が断続的に分裂している（呼気では融合している）ため，通常は明瞭に聴取される。	通常より大きな肺動脈成分は，肺高血圧を示唆する。S_2の固定性分裂は心房中隔欠損症を示唆しうる。

診察の技術	所見

心雑音を聴取する。一般的な良性の収縮期雑音として，閉鎖中の動脈管音と末梢性肺動脈駆出音の2つがある。

心疾患をもつ乳幼児の多くは，哺乳不良，体重増加不良，易刺激性，外観不良(見ための悪さ)，衰弱，頻呼吸，ばち状指，肝腫大，疲労感など，心雑音以外の徴候を示すことがある。

乳房

母体のエストロゲンの影響から，男児・女児ともに生後数カ月は乳房が膨らんでいることがある。

腹部

乳児は腹部を触れられるのを好むため，腹部を触診するのは比較的簡単である。肝臓と脾臓を触診し，肝脾腫を評価する(Box 25-12)。

腹部の異常腫瘤は，腎臓，膀胱，腸管の腫瘍との関連が考えられる。幽門狭窄症では，右上腹部または上腹部中央を深く触診すると，オリーブ様または2 cm大の固い幽門部腫瘤を認めることがある。

Box 25-12　正期産新生児の肝臓の大きさ

触診と打診による診察	平均 5.9±0.7 cm
右肋骨下縁からの突出	平均 2.5±1.0 cm

男児生殖器

乳児を仰臥位で視診する。新生児の包皮は，出生時には反転することができず，できたとしても尿道口がやっとみえる程度である。

一般的な陰嚢の腫瘤は，陰嚢水腫と鼠径ヘルニアである。

乳児の3%では，片方または両方の精巣が陰嚢または鼠径管に

この手技を行っても，精巣が触知できない場合は，停留精巣を示唆する。

診察の技術	所見

触知できないことがある。精巣を陰嚢の中に押し込むような手技を試みる。

女児生殖器

女児の場合，生後数カ月は母体のエストロゲンの影響から生殖器が突出していることがある。これは1年以内におさまる（図25-5右）。

判別不明な生殖器は，女児外性器が男性化したものである。

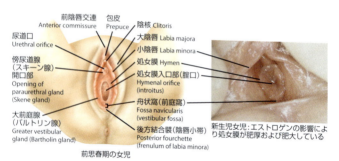

図 25-5　女児の外性器

直腸および肛門

直腸診は，乳幼児では，肛門の穴が開いているかどうかを確認したいとき，また腹部に腫瘤がある場合でなければ，一般的には行われない。

筋骨格系

四肢の視診と触診により，特に手，脊椎，股関節，脚，足などに先天異常がないかを確認する。

糸状線維腫，指の痕跡，**多指(趾)症**〔過剰な指(趾)〕，**合指症**（みずかき指）は先天奇形である。鎖骨骨折は難産による。

診察の技術	所見

股関節は,脱臼の徴候がないか,来院ごとに注意深く診察する。2つの主要な診察法がある。1つは図25-6に示す股関節が後方に脱臼しているかどうかを調べるもの〔**Ortolani(オルトラーニ)テスト**〕で,もう1つは図25-7に示す**Barlow(バーロー)テスト**であり,実際に脱臼はしていないものの不安定な股関節が,亜脱臼または脱臼するかどうかを調べるものである。

先天性股関節形成不全では,特に生後3カ月で,OrtolaniテストやBarlowテストで陽性となりうる。股関節形成不全では,「コツン」とした感触がある。

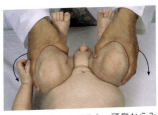

図 25-6 Ortolani テスト,頭側からみたところ

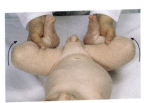

図 25-7 Barlow テスト,頭側からみたところ

正常児でも,脛骨の長軸方向に対して外側または内側へねじれる,**脛骨捻転**を呈することがある。

病的な脛骨捻転は,足あるいは股関節の変形と関連している場合にのみ生じる。

神経系

原始反射と呼ばれる**乳児期自動運動**を評価することで,発達中の中枢神経系を評価する。

表25-2「原始反射」を参照

原始反射が適切な月齢で認められない,正常より長期間認める,非対称である,特定の体位やびくつきを伴う場合は,神経学的異常または発達異常を疑う。

診察の技術	所見
乳幼児の神経学的異常は，年齢相応の動作ができないなど，発達異常として現れることが多い。	筋緊張低下は，さまざまな神経学的異常の徴候である。

就学前および学童期の子どもの病歴：一般的なアプローチ

- **ラポールの確立**。子どもを名前で呼び，子どもの目線になって接する。子どもの目線に合わせてアイコンタクトをとる（例：必要であれば床に座る）。遊びに参加し，子どもの興味があるものについて話す。
- **家族とのやりとり**。「どこか具合が悪いの？ 話してくれないかな」などと簡単で自由回答方式の質問をし，その後，より具体的な質問に移行する。親が話しはじめてしまっても，質問は子どもに直接返すようにする。また，親がどのように子どもに接しているかを観察する。
- **さまざまな課題を明らかにする**。やるべきことは，できるだけ多くの視点からみて課題を発見することである。
- **家族の協力を得る**。親を育児の専門家と見立てて，医療者はその相談役として振る舞う。
- **隠された真の意図に注目する**。成人患者においても同様であるが，主訴が，必ずしも親が子どもを受診させる本当の理由ではないことがある。

診察の技術

ここでは，総合的な身体診察のうち，乳児や成人とは異なる点に着目して解説する。思春期の子どもに対する診察手技については，後述する。

精神的・身体的状態

● 1〜5歳の子どもに対しては，疾患や健康状態の程度，機嫌，栄養状態，言語能力，啼泣，	この総合的な診察により，慢性疾患，発達遅滞，社会的または環境的障害，家族の問題などを発見することができる。

診察の技術	所見

表情，発達段階を観察する。親子のかかわり方（親から離れていられるか，愛情，しつけに対する反応など）を観察する。

- 6〜10歳の子どもに対しては，時間と場所への認識，一般的知識，言語と数に対する能力を評価する。書く，ひもを結ぶ，ボタンをかける，切る，絵を描くなどの運動能力を観察する。

子どもの作業を観察していると，不注意や衝動性の徴候を認めることがあり，これは注意欠如・多動性障害（ADHD）である可能性を示唆する。

年齢別の肥満指数（BMI）

小児のBMIを評価するための年齢別・性別の曲線が利用できる。

低体重は5パーセンタイル未満，**肥満傾向**は85パーセンタイル以上，**肥満**は95パーセンタイル以上である。

血圧

小児期の高血圧は，従来考えられていたよりも一般的である。高血圧を認識し，診断し，適切に管理することは重要である。血圧測定は，2歳以上のすべての小児の身体診察に取り入れるべきである。**血圧の正確な測定には，適切な幅のカフを用いることが重要である。**

小児で正しく血圧測定されない理由の多くは，適切でないカフサイズを使用したことによる。

小児の持続性高血圧の原因には，腎疾患，大動脈縮窄症，一次性高血圧などがある。高血圧は，しばしば小児肥満と関連する。

眼

両眼の視力を測定し（Box 25-13），視線が共同しているか，また左右対称であるかを確認する。

両眼の視力差は異常といえる。

学童期の子どもには，近視や遠視がよく認められる。

診察の技術	所見

Box 25-13　視力

年(月)齢	視力
3カ月	輻輳および追視
12カ月	約 20/200(0.1)
4歳未満	20/40(0.5)
4歳以上	20/30(0.6)

特殊な技術

角膜表面での対光反射による検査(図25-8),遮蔽-非遮蔽試験(図25-9)は,幼児では特に有効である。

斜視は弱視の原因になる

図25-8　角膜光反射検査

図25-9　遮蔽-非遮蔽試験

耳

外耳道と鼓膜を診察する。図25-10と図25-11に示すように,2つの姿勢(臥位か座位)があり,また耳鏡の持ち方も2通りある。

外耳炎では,鼓膜を動かすと痛みを伴う。

診察の技術	所見

図 25-10　耳鏡診察時には児の腕をやさしく押さえるようにすると児の動きが少なくなる

図 25-11　多くの小児では耳介を優しく引き上げると耳道がよくみえる

耳鏡のチップを挿入し，チップが外耳道をふさいで密閉していることを確認する。

急性中耳炎では，鼓膜の発赤と膨隆を認める。

気密耳鏡検査

気密耳鏡（図 25-12）を用いることで，小児の中耳炎をさらに正確に診断できる（Box 25-14）。正常な外耳道に圧をかけて空気を入れると，鼓膜と光錐が内側へ動く。空気が抜けて圧が下がると，鼓膜は外側へ動いてもとに戻る。

急性中耳炎では鼓膜の動きが弱く，滲出性中耳炎では鼓膜は動きがない。

図 25-12　気密耳鏡

診察の技術	所見

> **Box 25-14　耳鏡による診察を上手に行うコツ**
>
> - 耳鏡を最もよい角度で耳孔に入れる
> - 耳孔に合う一番大きな耳鏡チップを用いる
>   - 大きなチップを用いるほど鼓膜はよくみえるものの，小さなチップほどは奥まで入らないため痛みは少ない
>   - 気密耳鏡検査において，小さいチップは耳孔を密閉できない可能性がある
> - 圧力をかけすぎると，子どもが泣いてしまい，気密耳鏡検査で偽陽性になりうる
> - 耳鏡チップを外耳道の 1/4〜1/2 の深さまで挿入する
> - まず耳道表面と鼓膜を区別する
>   - 外耳道が鼓膜と似ていて区別がつきにくいことがあるため，注意する
> - 鼓膜が異常かどうか注意する
> - 耳垢で奥がみえないときは，以下を用いて除去する
>   - 特製プラスチック耳かき
>   - 湿らせて，先細りさせた綿棒
>   - 耳を洗う
>   - その他の購入可能な特製器具

口腔と咽頭

不安を感じている乳児または幼児には，この診察は最後に行う。舌圧子の使用方法は，子どもが「あー」と言う間に，押し下げながら手前に少し引くのがよい。咽頭反射を避けるため，舌圧子を奥に入れすぎないようにする。	イチゴ舌，赤色の口蓋垂，咽頭滲出液の原因としてよく知られているのが，レンサ球菌性咽頭炎である。

扁桃

扁桃の大きさ，位置，徴候，外観を観察する。扁桃の大きさは子どもによってかなり違いがあり，中咽頭後壁の幅に対する割合で分類されることが多い（例：25％未満の開通，50％の開通）。	レンサ球菌性咽頭炎では，通常，扁桃や咽頭後部に白色または黄色の滲出液が生じる。牛肉のような赤みを帯びた口蓋垂，口蓋の点状出血を認める。

診察の技術	所見
歯の萌出時期や順序，数，特徴，状態，位置などを観察する。歯の萌出には予測可能なパターンがある。一般的には，生後6～26カ月で1カ月ごとに1本ずつ，最大で20本の乳歯が生え揃う。	エナメル質の異常は，局所あるいは全身の疾患を反映する。
口を開けて上顎の歯を注意深く観察する（図25-13）。	齲歯（哺乳瓶齲歯），歯の着色（内因性または外因性がある）
	齲歯は子どもの健康問題のなかで最も多く，特に貧困層に多い。

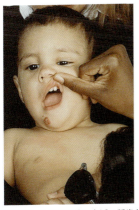

図 25-13 上口唇を持ち上げて齲歯を確認する

歯の位置の異常を観察する。	不正咬合
扁桃の大きさ，位置，対称性，外観に注意する。	扁桃周囲膿瘍

心臓

小児の心血管系の診察で難しいのは，**心雑音の評価**であり，特に一般的な良性心雑音と異常な	表25-3「病的心雑音の特徴」を参照

診察の技術	所見
病的心雑音を区別することである。ほとんどの小児は、ある時点で複数の機能性、あるいは良性の心雑音を認める(図25-14)。	

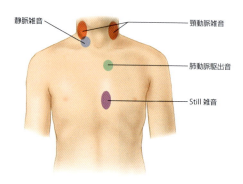

図25-14 小児の良性心雑音の部位

腹部

たいていの子どもは、触診のはじめに腹部に手をあてると、くすぐったがるものである。子の注意をそらすと、この反応は起こらなくなる傾向がある。	小児における病的な肝腫大は、通常、肋骨縁から2 cm以上下に触知でき、円形で縁は硬く、しばしば圧痛がある。
	小児期によくみられる症状で、ときに腹部膨隆の原因となるのは便秘である。
付添の方針については、本章500ページ参照。	

| 診察の技術 | 所見 |

男児生殖器

多くの男児は，挙睾筋反射が活発で，精巣が鼠径管内に上方に収納され，停留しているようにみえる。診察台の上に軽く脚を組んで座らせるのが有効な方法である。

思春期早発症では，陰茎と精巣が思春期特有の変化とともに肥大する。

睾丸の痛みは迅速な治療を要し，精巣捻転の可能性がある。

鼠径ヘルニアは，成人男性と同様に年長男児にもみられる。

女児生殖器

発達段階に応じた説明など，穏やかで配慮のある方法で診察する。

効率的かつ体系的に生殖器を診察する。正常な処女膜でも形態はさまざまである（図25-15）。

幼児期の腟分泌物は，会陰部の刺激（泡風呂，石鹸など），異物，腟炎，性的虐待による性感染症が原因となる。腟出血，外性器の擦過傷や外傷では，性的虐待が考えられる（表25-4「性的虐待の身体的徴候」参照）。

図25-15　性器を診察するために大陰唇を左右に開く

診察の技術	所見

直腸と肛門

直腸診は毎回の診察で実施する必要はないが，腹腔内，骨盤内，直腸周囲に疾患が疑われる場合には必ず実施すべきである。

小児の直腸診で圧痛を認めた場合は，通常，膿瘍や虫垂炎など，感染症または炎症性疾患を示唆する。

筋骨格系

上肢の異常は，負傷していない限りはまれである。下肢を評価する場合は，裸足で立ったり歩いたりする様子を観察し，つま先に触れる，座った状態から立ち上がる，短い距離を走る，物を拾うなどの動作をさせる。注意深く観察することで，ほとんどの異常をみつけることができる。

スポーツ活動参加にあたっての筋骨格系の診察は，運動中に問題となる負傷や異常を検出できる。

重度あるいは片側性の内反膝は，くる病や Blount(ブラウント)病のことがある。

外反膝傾向は一般的で，通常3歳で一番強くなり，7歳までには自然に矯正される。

神経系

乳幼児期を過ぎると，神経学的診察は，成人で評価する項目を含むようになる。ここでも神経学的評価と発達評価を組み合わせて実施する。診察に遊びを取り入れることで，適切な発達と神経学的機能を評価できる(Box 25-15)。

言語能力や知的能力の遅れは，発達の問題だけでなく，神経疾患による場合がある。

神経学的微細徴候は，軽度の発達異常を示唆することがある。

Box 25-15　幼児における脳神経の評価法

脳神経		方法
Ⅰ	嗅覚	年長児では検査可能
Ⅱ	視覚	3歳以降はSnellen(スネレン)視力表を用いる 成人と同じように視野検査を行う。親に子どもの頭を押さえてもらう必要がある
Ⅲ, Ⅳ, Ⅵ	外眼筋運動	光やもの(おもちゃがよい)を追視させる。親に子どもの頭を押さえてもらう必要がある
Ⅴ	咬筋運動	柔らかい綿球で一緒に遊び，感覚を検査する 歯を食いしばらせたり，食べ物などを噛んだり飲み込ませたりする
Ⅶ	顔面筋力	いろいろな表情をさせたり，診察者の表情をまねさせたりして(眉を動かすなど)，対称性や顔の動きを観察する
Ⅷ	聴覚	4歳以降は聴力検査を行う 子どもの背後から小さな声で言葉をかけ，反復させる
Ⅸ, Ⅹ	嚥下	舌を思いきり全部出させるか，「あー」と発声させる 口蓋垂の動きを観察する
	嘔吐	咽頭反射を調べる
Ⅺ	頸筋運動	診察者が手で子どもの頭を押さえ，子どもにその手を払いのけさせる。「君がどんなに強いかみせてくれないかな」といいながら，診察者が両手で肩を下方に押しながら子どもに肩をすくめさせる
Ⅻ	舌筋運動	舌を思いきり外に突き出してもらう

青年期の病歴：一般的なアプローチ

診察をうまく行う鍵は，快適かつ秘密が守られる環境であり，このような環境づくりに留意することで，患者を和ませ，情報を多く得ることが可能となる。思春期・青年期では，病気そのものより，むしろ人間としての彼ら彼女らそのものに焦点を合わせた面接を行うことで心を開いてくれる可能性が高くなる。

思春期・青年期における知的・社会的発達の段階を意識しながら，プライバシー，親とのかかわり，守秘義務などをどう扱うか決定する。**守秘義務の目的は，最良の健康管理をすることであって，ただ秘密を守るということではないことを，彼ら彼女らと親の両方に説**

明するべきである。目標は，自分の心配事や疑問を親に打ち明けられるように助けることである。しかし，守秘は際限なく保証すべきものではない。患者の安全が心配されるときには，医療者は知り得た情報をもとに，患者の安全を守るために行動しなくてはならないこともあると，常に毅然とした態度で説明すべきである。

HEEADSSS アセスメント

思春期・青年期の若者から十分な心理社会的既往についてたずねることで，彼ら彼女らの人生の文脈(背景)を解釈することができる。HEEADSSS アセスメントは有用な指針である(Box 25-16)。この指標は「システムレビュー review of systems」に類似しており，身体の健康，感情および社会的な幸福度の評価に役立つ。

Box 25-16　HEEADSSS アセスメント

分類	質問内容の例
家庭環境	誰と一緒に住んでいるか？　どのくらい長く住んでいるか？　自分の部屋はあるか？　家族との関係はどのような感じか？　最近の引っ越しや家出したことは？
教育と雇用	最近学校の成績・評価に変化は？　停学，解雇，退学は？　好きな授業・嫌いな授業は？　学校は安全か？
食事	自分の体で好きなところと嫌いなところはあるか？　最近体重や食欲に変化はあるか？　体重について心配事はあるか？　食べ物が手に入るかどうか心配しているか？
行動	友人や家族との行動は？　教会，クラブ活動，スポーツは？　テレビゲームはするか？　逮捕歴，アクティングアウト[訳注]，犯罪歴は？
薬物とアルコール	友人・10代の知人・家族によるタバコ，電子タバコ，薬物，アルコールの使用は？
性の問題	性的指向は？　誰かとデートをしたか？　誰かとキスをしたか？　性的経験や性行為の程度や種類は？　パートナーの数は？　性感染症，避妊，妊娠・中絶については？

(続く)↗

訳注：自覚していない衝動・欲求・感情・葛藤が，言葉としてではなく行動として表れること。通常自殺や反社会的行動として現れる。

↘(続き)

自殺，うつ，自傷行為	これまでに自分や他の人を傷つけようと考えたことはあるか？ それまでとても楽しかったことに興味が持てなくなったことはあるか？
怪我や暴力からの安全	事故，身体的または性的虐待，いじめにあったことは？ SNS上の活動に不安はあるか？ 自宅，学校，近隣での暴力は？ 銃は所持しているか？ シートベルトの使用は？ 酔ったりハイになった人と車に乗ったことは？ 学校で暴力はあるか？ 住んでいる場所は？ いじめにあったことは？ 身を守る必要性を感じたことはあるか？

出典：American Academy of Pediatrics. *Bright Futures tool and resource kit*. Author; 2010; Smith GL, McGuinness TM. Adolescent Psychosocial Assessment: The HEEADSSS. *J Psychosoc Nurs Ment Health Serv*. 2017;55(5):24-27.

発達評価：11〜20歳

青年期は，早期，中期，後期の3期に分けられる（Box 25-17）。

Box 25-17　青年期における発達項目

発達項目	特徴	健康管理
青年期早期（10〜14歳）		
身体的発達	思春期発来（女子：10〜14歳，男子：11〜16歳）	守秘，プライバシーを守る
精神発達	具体的操作期	目の前の課題に取り組ませる（推論はできない）
社会的アイデンティティ	自分は正常か？ 友達との関係がますます重要となる	自信をもたせ，肯定的な態度で接する
独立性	両価性（家族，自分，友達）の発達	自主性の芽生えを支援する
青年期中期（15〜16歳）		
身体的発達	女子は落ち着き，男子はしばしば扱いにくくなる	正常発達から逸脱すれば支援する
精神発達	移行期：多くの考えをもち，しばしばとても「感情的な思想家」になりうる	問題解決と決断を促す，責任を増やす
社会的アイデンティティ	自分は誰？ 内省が多くなる。広い視野で物事を捉える，性の問題	決めつけずに受容する

(続く)↗

↘（続き）

発達項目	特徴	健康管理
独立性	一線を越えたがる。実験的行動。異性とつき合う	物事への調和のとれた対処を促す。越えてはいけない一線を設定する
青年期後期（17〜20歳）		
身体的発達	大人の体格・容姿	慢性疾患がなければ特別なアプローチはいらない
精神発達	形式的操作期（すべてに対してではない）	大人として扱う
社会的アイデンティティ	他人に対する役割の認識，性の違いを認識，将来のことを考える	自主性と存在価値を認めて勇気づけ，育てるようにする。安全かつ健康的な意思決定を促す
独立性	家族と別れて生活をはじめる。本当の意味での独立に向けて一歩踏み出す	支援する。健康教育を行う

思春期・青年期におけるジェンダー・アイデンティティ（性自認）とセクシャル・アイデンティティ（性的指向）の形成

2017年，CDC（米国疾病管理予防センター）が行った青少年危険行動調査によると，高校生11万8,803人の内，2.4%が自分はゲイ・レズビアン，8%がバイセクシャル（両性愛者），4.2%は性的嗜好がはっきりしない（わからない）と認識しているという結果であった。また1.8%がトランスジェンダーと認識していることもわかった。レズビアン，ゲイ，バイセクシャル，トランスジェンダー，クィア（LGBTQ）であることは異常なことではなく，危険行動や健康への悪影響を及ぼす本質的リスクではないことを理解することは重要である。

思春期や青年期の若者にとって，性の問題やジェンダーについて話し合うのは難しいかもしれない。若者の多くは自分自身の性的魅力や性的指向を形成するまでの課程で思い悩んでいる。調査結果によると，LGBTQの若者は，自分のジェンダーや性的指向について医療者と話し合う機会は大切であると考えているものの，自分の性的指向についての開示は，医療者が自分との信頼関係を築くまでしばしば先延ばしにされることが多い。

性に関する話をするときには,守秘義務を強調し実践することが重要で,それによりオープンな話し合いができるようになる。**親や保護者に若者の性的指向やジェンダーについて知らせることは医療者の役割ではなく,もしそのようなことをすれば若者を傷つけてしまうかもしれない。**追放(仲間はずれ),いじめ,親からの拒絶などは依然として多く,身体的・精神的虐待またはホームレスにつながる可能性もある。

診察の技術

身体診察の順序や内容は成人の場合と似ている。ただし,この時期の患者に特有の問題(思春期の発来,急激な成長や発達,家族友人との関係,性に関すること,健全な意思決定の困難,高リスクを伴う行動など)が背景にあることを常に気に留めておく。具体的な診察方法の詳細については,関心のある領域の診察に対応する章を参照してほしい。以下は,青年期を診察する際に注目すべき特別な領域である。

繰り返しとなるが,付添の方針については,所属機関に確認してほしい。多くの施設では,学童期や思春期の子どもの診察で(検査者の性別に関係なく),生殖器や女児の乳房を診察する際には,付添者をつけることが推奨されている。

診察の技術	所見

乳房

正常な成熟発育を評価する。	表 25-5「女児・女子における性成熟段階:乳房」を参照

男児生殖器と女児生殖器

青年期にある男女を診察する際の重要な目標は,年齢を問わず,性的成熟度を評価することである。	表 25-6「男児・男子における性成熟段階」,表 25-7「女児・女子における性成熟段階:陰毛」を参照

筋骨格系

脊柱側弯症の評価

立位をとれる小児では脊柱側弯症の有無を観察する。膝を伸ばした状態で前屈していることを確認する〔**Adams(アダムス)前屈検査**〕。姿勢や歩行の非対称性を評価する。脊柱側弯症を認めた場合は，**脊柱側弯計**で側弯の程度を調べる(図25-16)。

図 25-16 脊柱側弯計により側弯の計測と記録を行う

スポーツ参加前の身体検査

何百万人もの年長児や思春期・青年期の子どもが，クラブ活動など組織だったスポーツを行っており，医学的にみてそのスポーツを行ってもよいかどうかの決定をしばしば要求される。心血管系の危険因子，手術の既往，外傷の既往，その他の医学的な問題，家族歴に焦点をあてた病歴聴取からはじめるとよい。表25-8に示しているが，2分で行う「スポーツ活動参加にあたっての筋骨格系の診察」は，一部の専門家により推奨されている。

所見の記録

診療記録の記載については小児も成人も同様である。診察の順序が前後することがあっても，所見の記載順は慣習的な文面の形式に合わせて記載してかまわない。

小児診察の記録

> 2020/04/19
> エリは元気な，2歳2カ月の男児で，父親のマシュー・ノーランがこの子の発達と行動を心配してつれてきた

(続く)

↘(続き)

情報源と信頼性：父親，信頼性あり

主訴：発達の遅れと手に負えない行動

現病歴：父親によると，エリは姉に比べて発達が遅いようである。彼はいくつかの単語と語句しかいえず，単語を組み合わせた文をいえないし，そのことで意思が通じずいら立ちを覚えているようである。周囲は彼の話していることの4分の1も理解できないでいる。母親からみて身体的発達は正常である。ボールを投げたり，蹴ったりできるし，殴り書きもでき，自分で服を着ることもできる。頭部外傷，慢性疾患，痙攣の既往はなく，発達段階の指標に照らしても，退行はみられない

さらにエリの父親は息子の行動についても心配している。エリは極端に頑固で，しばしばかんしゃくを起こし，怒りっぽく（特に彼の姉に対して），自分の思いどおりにならないとものを投げたり，噛んだり，体あたりなどもする。その行動は父親が近くにいる場合に余計にひどくなるようにみえるが，保育園では問題ないという。彼はじっと座って本を読んだり，みんなとお遊戯するといった1つの行動を持続することができず，すぐに別のことをはじめる。注目すべきことにときに愛情にあふれた愛らしい振る舞いもする。視線を合わせることもできるし，ふつうにおもちゃで遊ぶ。異常な動作もない

食事の好き嫌いが激しく，ジャンクフードを多く食べ，その他はほとんど口にしない。果物や野菜は食べず，ジュースや炭酸飲料を非常に多く摂取する。父親は彼に健康によい食事を与えようとあらゆる努力をしたが，無駄であった

家族はエリの父親が失業して以来1年，相当なストレス下にある。エリはメディケイド（医療扶助）の保険に加入しているが，両親は保険なし

エリは夜を通してよく眠る

服薬歴：総合ビタミン剤を毎日1錠服用

既往歴
妊娠期間：特に問題なし。妊娠中，父親はタバコを1日半箱に減らしていた。ときおり飲酒していた。彼は薬物の使用および感染症の可能性を否定
新生児期：40週で経腟分娩にて出生。2日で退院。出生時体重は2.5 kgであった。父親はどうしてエリが小さく生まれたのか理解していない
既往疾患：軽いもののみ。入院なし
事故：昨年，道で転倒して顔面に裂傷をつくり，縫合処置を必要とした。意識障害は伴わず後遺症もなし
予防的措置：エリは定期的な疾病予防の健診を受けてきた。6カ月前の前回健診時，かかりつけ医は，エリは発達が少し遅れ気味なので，彼が読んだり，話したり，遊んだりする様子に親がいっそう注意し，親がより刺激を与えるように話し，またその医師が評判がいいと聞いている保育園へ入れることをすすめた。予防接種は受けるべきものはすべて受けている。鉛の血中濃度が昨年は軽度上昇していた。父親は「この子は血が薄い」と表現した。かかりつけ医から鉄剤の服用と鉄分を多く含む食事をすすめられたが，エリは摂取しようとしなかった

(続く)↗

↘(続き)

家族歴
糖尿病(祖父母に2人,小児糖尿病はなし)と高血圧の家族歴は濃厚である。小児期の発達上の問題,精神医学的問題,慢性疾患の家族歴はなし
発達歴:6カ月でお座り,9カ月で這い這い,13カ月で歩き,最初に喃語(「ママ」や「カー」)がでたのがおよそ1歳であった
個人歴および社会歴:両親は結婚していて2人の子どもと一緒に賃貸アパートに暮らしている。父親はここ1年間失業しているが,ときどきトレーニングジムで働いてきた。母親のウェスリー・ノーランはエリを保育園に預けて,パートでウェイトレスをしている

　母親はエリが生まれて最初の1年間,うつ状態となり,何度かカウンセリングを受けたが,その料金と内服薬の代金を払うことができないために医療機関の受診をやめてしまった。彼女は,車で30分のところに住む自分の母親,多くの友達,また何人かの子守りをしてくれる人たちの援助を受けている

　この家族にはいろいろな問題があるにもかかわらず,父親は自分の家族を愛情あふれる正常な家族だといっている。毎日家族そろって夕飯を食べ,テレビをみる時間を制限し,2人の子どもに(エリはじっとしていないが)本を読み聞かせ,定期的に近くの公園で遊ばせるよう心がけているという
生活環境:通常,家の外ではあるが,両親ともに喫煙する
安全環境:父親はつぎのことが大きな心配の種だといっている。エリから目を離せずにいることである。目を離した隙に車の下に走ってもぐりこんでしまうかもしれないと恐れている。家の小さな庭を塀で囲もうかとも考えている。エリは車の中では備えつけのチャイルドシートに座っていることが多い。家の中では煙探知機が作動する。父親の拳銃には安全装置がついている。薬物などは両親の寝室の戸棚にしまってある

システムレビュー
全般:特に問題なし
皮膚:乾燥し,瘙痒感あり。昨年ヒドロコルチゾンを処方された
頭部・眼・耳・鼻・咽喉(HEENT)。**頭部**:外傷なし。**眼**:視力正常。**耳**:ここ1年で数多くの感染症あり。親のいうことを無視することが多い。彼がわざとそうしているのか,聞こえ方に問題があるのかはわからないという。**鼻**:いつも鼻水を垂らしている。父親はアレルギーではないかと心配している。**咽喉(口腔)**:歯科受診はまだ。歯磨きはときどきする(するしないで,しばしば子どもとけんかになるという)
頸部:腫瘤を触れず,頸部リンパ節は若干大きい
呼吸器:咳嗽と笛音を胸部に聴取。何がきっかけでそうなるのか父親はわからないが,自然によくなる傾向がある。1日中疲れ知らずで走りまわっている(運動で呼吸困難が増すことはない)
心血管系:既往なし。小さいときに心雑音を指摘されたが,自然に消失した
消化器系:食欲や食習慣については上述した通り。毎日規則的に排便がある。排尿に関しておむつをとる練習をしていて,夜間寝るときだけおむつをつけている。保育園ではおむつはしていない
尿路系:尿線は正常。尿路感染症の既往なし

(続く)↗

↘(続き)

生殖器：正常
筋骨格系：いわゆる典型的な男の子で疲れ知らず。軽いたんこぶ，打ち身のあざがあることもある
神経系：歩き方，走り方ともに正常で，年齢相応に協調性あり。四肢の痙性麻痺様の動きなし，痙攣なし，失神なし。父親によると彼の記憶力は優れているが，注意力は持続しないとのこと
精神疾患：基本的に機嫌がよく元気であるが，すぐ泣く。前後にのたうちまわって束縛から逃れようとし，しっかり抱きしめたり，なだめすかしたりする必要がある

身体診察

全身状態：エリは元気で活発な幼児である。彼は深部腱反射をみるハンマーをトラックに見立てて遊んでいる。父親ととても緊密な絆が形成されており，ときおり母親をみては安心している様子である。父親はエリが何か診察室にあるものを壊さないか，心配しているようである。彼の衣服は清潔である
バイタルサイン：身長 90 cm（90 パーセンタイル）。体重 16 kg（>95 パーセンタイル）。BMI 19.8（>95 パーセンタイル）。頭囲 50 cm（75 パーセンタイル）。血圧 108/58 mmHg。心拍数 90 回/分で整。呼吸数 30 回/分で活動度により変化する。体温 37.5℃。明らかな痛みはなし
皮膚：両下肢の脛骨前面に打ち身の青あざ，両肘関節の伸側に斑状の乾燥部分あり
HEENT：**頭部**：頭蓋は正常大。**眼**：じっとしていないので診察困難。左右対称で眼球運動正常。瞳孔は 4～5 mm 径で対光反射あり。検眼鏡にて乳頭部を視診することは困難。眼底出血なし。**耳**：耳介は正常で外表奇形なし。外耳道と鼓膜は正常。**鼻**：外鼻孔正常。鼻中隔は正中。**咽喉**：上顎切歯の内側表面が褐色に変色。上顎右切歯の1つに明らかな齲歯あり。舌は正常。後咽頭に敷石状変化あり，滲出液なし。口蓋扁桃は大きいが双方の間は十分空いている（1.5 cm）。アレルギーによる眼周囲のくまはない
頸部：軟らかく，気管は正中に位置し，甲状腺は触れない
リンパ節：両側に可動性のある前頸部リンパ節を複数よく触れる（1.5～2 cm）。両側の鼠径管に小さいリンパ節（0.5 cm 大）を複数触れる。触れるリンパ節はすべてよく動き，圧痛はなし
肺：吸気でよくふくらむ。頻呼吸なし，呼吸困難なし。呼吸雑音を聴取するが，上気道由来と思われる（口の近くの前胸部での音が大きく，対称性である）。rhonchi なし，crackles なし，wheezes なし。聴診上は病的呼吸音なく清明
心血管系：PMI は第 4～5 肋間で胸骨中線上。S_1 と S_2 は正常。心雑音なし，異常心音なし。左右大腿動脈を正常に触知，足背動脈は両側ともよく触れる。毛細血管再充満は迅速
乳房：正常で両側の乳房直下に脂肪あり
腹部：前方へ突出するが軟らかく，腫瘤なし，圧痛なし。肝臓は右肋骨下縁 2 cm に触知，圧痛なし。脾臓，腎臓ともに辺縁を触知しない。腸蠕動音が聴取される
生殖器：Tanner 分類第 1 段階であり，割礼済み。陰毛なし，病変なし，分泌物

(続く)↗

↘(続き)

なし。精巣は腹腔外に下降しているが，精巣挙筋反射のため触知は困難である。陰嚢は両側とも正常
筋骨格系：両上下肢とその関節はともに運動域は正常。脊柱はまっすぐである。歩行正常
神経系：**精神状態**：元気で活発で聞き分けがよい。**発達**：粗大運動―跳んだり，ものを投げたりできる。微細運動―垂直方向の線をまねてかける。言語―単語を組み合わせることはできず，単語のみを発語，診察中に3つ4つはいえる。個人・社会―顔を洗うことができる，歯を磨ける，シャツを着ることができる。全体として―言語発達の遅れがみられることを除いては正常。**脳神経**：確認しにくいものもあるが，多くは正常。**小脳**：よいバランスで正常に歩行。**深部腱反射**：膝蓋腱，アキレス腱ともに正常で対称性。**感覚系**：確認せず，次回受診時に診察予定

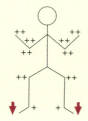

健康増進とカウンセリング：エビデンスと推奨

健康増進の重要項目

現代の健康増進の概念は，単に疾病の早期発見，または予防にとどまらず，子どもとその家族にとって，身体的かつ知的な健康，感情面での健康，そして社会的な健康まで視野に入れた，よりよい環境を積極的に誘導することへと拡大されている（Box 25-18）。
- 子どもとその家族に接するときが健康増進の機会となる。
- 子どもの健康増進にとって最も大きな役割を果たすのは親であり，医療者のアドバイスはその親を通して子に伝えられるのである。
- 健診では，児の身体所見をうまくまとめて説明する。
- 小児期の予防接種は健康増進の要であり，世界中の公衆衛生における最も重要な臨床の到達目標であると各方面で叫ばれている。
- スクリーニング検査は年齢ごとに行われる。
- 健康教育は小児科健診における主要項目といえる。

Box 25-18　小児における健康増進の重要項目

1. 月齢・年齢に応じた小児発達における到達度評価
   - 身体的発達(成熟,成長,思春期)
   - 運動機能の発達(粗大運動と微細運動の技能)
   - 知的発達(発達の指標,言語,学業成績)
   - 情緒的健康(自制,気分,自己効力感,自尊心,自立)
   - 社会的発達(社会的能力,自己責任,家族や地域社会との調和,仲間との交流)
2. 健診外来にて
   - 身体,発達,社会情緒,口腔衛生の定期的な評価
   - 特殊な医療的ケアを必要とする場合は,さらに受診回数を増やして対応する
3. 身体所見と健康増進の統合
4. 予防接種
5. スクリーニング検査(代謝異常,視覚・聴覚など)
6. 口腔衛生
7. 健康教育
   - 健康的な習慣
   - 栄養と健康的な食習慣
   - 安全教育と事故予防
   - 身体活動
   - 性成熟と性的関心
   - 自己責任,自己効力感,健全な自立心
   - 家族関係(かかわり合い,絆の強さ,支え合い)
   - 積極的な子育ての進め方
   - 絵本の読み聞かせ
   - 情緒面・精神面での健康
   - 口腔衛生
   - 疾病の早期発見
   - 睡眠
   - スクリーンタイム
   - 危険行動の予防
   - 学業と仕事
   - 友人関係
   - 地域との関係
8. 医療従事者と小児・若者・その家族の協力体制

予防医療に関する最新のBright Futuresの推奨事項については,https://downloads.aap.org/AAP/PDF/periodicity_schedule.pdf を参照。子どもと家族にはそれぞれ特徴がある。この推奨は,適切な育児環境にあり,重要な健康問題は認められず,満足のいく形で成長・発達する標準的な子どものケアのために作成されたものであることに留意する。

表 25-1　小児の持続性高血圧の原因

新生児	乳児期および幼児期早期
腎動脈疾患(狭窄，血栓症) 先天性腎奇形 大動脈縮窄症	腎実質または腎動脈疾患 大動脈縮窄症

幼児後期から学童期	思春期・青年期
一次性高血圧 腎実質または腎動脈疾患 大動脈縮窄症	一次性高血圧 腎実質性疾患 薬物誘発性

表 25-2　原始反射

原始反射		手技	月齢
手掌把握反射		診察者の指を児の手掌にあてて軽く押す 児がすべての指を屈曲して診察者の指を握る	生直後から3〜4カ月
足底把握反射		足底の趾の根元あたりを触れる 趾が巻くように屈曲する	生直後から6〜8カ月
哺乳反射		口周囲の皮膚をつつく 口を開けて刺激された方向を向き，吸いつく	生直後から3〜4カ月
Moro（モロー）反射（驚愕反射）		児を仰臥位にして頭部，背部，下肢を支える。身体全体を約30cmほど急に下げる 上肢を外転し伸展させ，下肢は屈曲する。啼泣を伴うこともある	生直後から4カ月
非対称性緊張性頸反射		児を仰臥位とし，頭部を一方に回転させて，下顎をその側の肩の上の位置にもってきてそのまま保つ 頭部を回転させた側の上肢も下肢もともに伸展し，対側は逆に屈曲する。逆の方向でも同じであることを確かめる	生直後から2〜3カ月
背反射〔Galant（ガラン）反射〕		児を腹臥位にして一方の手で支え，背部の一側を正中から1cmのところで肩から殿部までゆっくり擦る 刺激された側に脊柱が弯曲する	生直後から3〜4カ月

表 25-2　原始反射（続き）

原始反射		手技	月齢
Landau（ランドウ）反射		一方の手で児を腹臥位にして水平に保つ 頭部が持ち上がり，脊柱がまっすぐになる	生直後から6カ月
パラシュート反射		腹臥位にして児を水平に保ち，台の面に対して頭部をゆっくり近づけるように傾ける 上下肢ともに伸展し，手足を台にのばして防御しようとする	8カ月で出現し消失しない
陽性支持反射		児を体幹部で保持し，足趾が診察台などの平面につくまで位置を下げる 股関節，膝関節，足関節を伸展させ，立って，体重を支えて，歩くようなしぐさを20〜30秒する	生直後から2〜6カ月
自動歩行反射		陽性支持反射のように児を縦に支える。一方の足底を台につける 足底を台につけたほうの膝が屈曲し，他方の足が前に出る 交互に下肢を曲げのばしする（実際の歩行とは異なる）	生後（生後4日目以降が最適）からみられ，消失する時期に個人差あり

| 表 25-3 | 病的心雑音の特徴 |

先天異常	心雑音の特徴
肺動脈弁狭窄症 軽度 高度	位置：胸骨左縁上部 放散：心雑音は肺動脈の走行に沿って肺野で聴取される（背部などに放散） 強さ：狭窄の程度が強くなるほど，雑音の強度・持続時間とも増える 性状：駆出性。狭窄が強くなるにつれて，収縮期の比較的後半に最強点が移動する
大動脈弁狭窄症	位置：胸骨体部，胸骨右縁上部 放散：両頸動脈と頸切痕へ放散する。振戦を触れることもある 強さ：さまざま。高度の狭窄になるほど，雑音は大きくなる 性状：駆出性で，しばしば粗い，収縮期の雑音である
Fallot 四徴症 肺動脈狭窄を伴う場合 肺動脈閉鎖を伴う場合	一般的事項：さまざまな程度のチアノーゼがあり，運動で増強する 位置：胸骨左縁の中央から上部。肺動脈閉鎖の場合は，胸骨左縁上部から背部の領域で，動脈管開存症での連続性雑音が聴取される 放散：ほとんどない。胸骨左縁上部，ときに肺野へ放散することもある 強さ：通常，III〜IV/VI度 性状：収縮期駆出性雑音

表 25-3　病的心雑音の特徴（続き）

先天異常	心雑音の特徴
大血管転位症	一般的事項：強い全身チアノーゼが認められる 位置：本疾患に特徴的な心雑音はない。あるとすれば，合併する心室中隔欠損を反映してのものである 放散と性状：合併奇形による
心室中隔欠損症 軽〜中等度の欠損 	位置：胸骨左縁下方 放散：ほとんどない 強さ：さまざま。シャント量が一部強度に関係しているが，絶対的に比例しているわけではない。欠損孔が小さく圧較差が大きい場合，心雑音が非常に大きいことがある。欠損孔が大きく肺血管抵抗が増大している場合，逆に心雑音は聴取されない。通常Ⅱ〜Ⅳ/Ⅵ度の雑音であるが，Ⅳ/Ⅵ度かそれ以上のこともあり，その場合は振戦が触知される 性状：全収縮期雑音で，通常粗く，雑音が大きいとS_1とS_2がはっきりしなくなることがある

表 25-4　性的虐待の身体的徴候[a]

示唆する所見
- 便秘がなく，腟前庭に便がなく[訳注]，二分脊椎のような膀胱直腸障害などの神経学的異常がないにもかかわらず，膝胸位で肛門がすぐに弛緩して開く
- 処女膜の下方（背側）の部分の半分以上の処女膜孔辺縁に断裂や切れ目がみられる（膝胸位で確証を得ること）
- 3歳以上の子どもで尖圭コンジローマに罹患している
- 陰唇，処女膜周辺で組織に皮下出血，擦過傷，裂傷，歯型がみられる
- 新生児以降で肛門から性器にかけてヘルペス感染症がみられる
- 幼児の膿性で悪臭を放つ腟分泌物。白帯下はすべて培養が必要であり，性感染症（STI）の証拠をつかむために顕微鏡下の検査を行うこと

確定的な所見
- 処女膜や陰唇小帯の裂傷，出血斑，できたばかりの瘢痕巣がみられる
- 処女膜の3時から9時にかけた部位が消失している（さまざまな体位で確証を得ること）
- 処女膜の3時から9時での完全な横断裂で，治癒している
- 肛門周辺の裂傷で，外肛門括約筋までのびている

性的虐待を示唆する所見がみられる子どもについては，すべて専門家によって完璧な病歴取取と身体診察が行われ，評価されなければならない

[a] どのような身体徴候の場合でも，十分な病歴聴取，性器以外の部位の身体診察，さらに検査所見に照らして評価すべきである。

訳注：直腸腟瘻などの泌尿生殖洞奇形がないという意味。

表 25-5　女児・女子における性成熟段階：乳房

第 1 段階

前思春期：乳頭部のふくらみのみ

第 2 段階

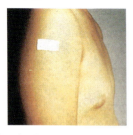

発育開始期：乳房組織と乳首の両方が隆起し，小さな山をつくる。乳輪の径が増大する

第 3 段階

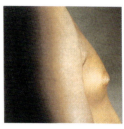

乳房と乳輪がさらに増大するが，まだ両者の境界が鮮明には分離されない

第 4 段階

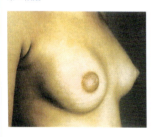

乳輪と乳首が前方に突出し，乳房組織の上に第 2 の山をつくる

第 5 段階

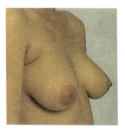

成熟期：乳首のみ突出。乳輪の突出は乳房組織全体の輪郭の面にまで後退する（しかし，正常でもこの段階で乳輪が第 2 の山を形成している場合もある）

写真出典：Copyright Clearance Center, Inc. を通して Herman-Giddens ME, Bourdony CJ. *Assessment of Sexual Maturity Stages in Girls*. Elk Grove Village: American Academy of Pediatrics, 1995 より American Academy of Pediatrics の許可を得て掲載

表25-6　男児・男子における性成熟段階

男児における性成熟段階を評価する場合，それぞれ別々の速度で発達するので，以下にあげた3つの特徴について観察する。陰毛と陰部は分けて記録する。陰茎と精巣の成熟段階が異なる場合，両方の平均値を出して陰部として記録する。写真は割礼していない男児における思春期変化を示す。

第1段階
陰毛：前思春期：細かい体毛（うぶ毛）以外に陰毛はなく，腹部と同様である
生殖器：
- **陰茎**：前思春期：幼児期，学童早期と同じ大きさ，同じ形
- **精巣と陰嚢**：前思春期：幼児期，学童早期と同じ大きさ，同じ形

第2段階
陰毛：おもに陰茎の基部に，まっすぐ，または少し縮れて長い，薄く色のついた柔らかい毛がまばらに増生
生殖器：
- **陰茎**：少し，またはほとんど増大のない状態
- **精巣と陰嚢**：精巣，陰嚢ともに増大し，赤みを帯び，肌質が変化してくる

第3段階
陰毛：まばらではあるが，やや褐色で，粗く縮れた毛が恥骨結合のあたりまでのびてくる
生殖器：
- **陰茎**：増大してくる。特に長さが増す
- **精巣と陰嚢**：精巣，陰嚢ともにさらに増大する

第4段階
陰毛：成人と同様に粗く縮れた毛となる。第3段階よりも発毛域は拡大するが，成人よりは狭く，大腿部には至らない
生殖器：
- **陰茎**：長さ，太さともに増大し，亀頭部の発達もみられる
- **精巣と陰嚢**：さらに増大し，陰嚢の皮膚は褐色となる

第5段階
陰毛：毛の量と質ともに成人の状態に達し，発毛が大腿部にまで及ぶが，腹部にまでは達していない
生殖器：
- **陰茎**：大きさ，形とも成人の状態に達する
- **精巣と陰嚢**：大きさ，形とも成人の状態に達する

写真出典：Wales JKH, et al. *Pediatric Endocrinology and Growth*. 2nd ed. W.B. Saunders; 2003. Copyright © 2003 Elsevier より許可を得て掲載

表 25-7	女児・女子における性成熟段階：陰毛
第 1 段階	前思春期：細かい体毛（うぶ毛）以外に陰毛はみられない。うぶ毛の様子は腹部と同様
第 2 段階	おもに陰唇に沿って，まっすぐ，あるいは少し縮れて長い，薄く色のついた柔らかい毛がまばらに増生
第 3 段階	まばらではあるが，やや褐色で，粗く，縮れた毛が恥骨結合のあたりまでのびてくる
第 4 段階	成人と同様に粗く縮れた毛となる。第3段階よりも発毛域は拡大するが，成人よりは狭く，大腿部には至らない
第 5 段階	毛の量と質ともに成人の状態に達し，発毛が大腿部にまで及ぶが，腹部にまでは達していない

写真出典：Copyright Clearance Center, Inc. を通して，Herma-Giddens ME, Bourdony CJ. *Assessment of Sexual Maturity Stages in Girls*. Elk Grove Village: American Academy of Pediatrics, 1995 より American Academy of Pediatrics の許可を得て掲載

表 25-8　スポーツ活動参加にあたっての筋骨格系の診察

体位と患者への指示

ステップ 1
まっすぐ，診察者の正面に立ってもらう。左右非対称や関節の腫脹に注意する

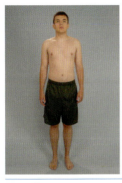

ステップ 2
頸部を前後左右に動かしてもらう。可動域制限がないかどうかに注意する

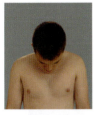
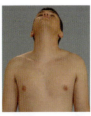
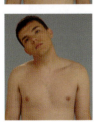
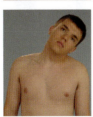

表 25-8　スポーツ活動参加にあたっての筋骨格系の診察（続き）

体位と患者への指示

ステップ 3
診察者が肩を上から押さえるのに抵抗して肩をすくめてもらう。肩や頚，僧帽筋の筋力低下に注意する

ステップ 4
両腕を外側へ広げ，診察者が腕を上から押さえるのに抵抗して腕の位置を保持してもらう。三角筋の筋力低下に注意する

ステップ 5
腕を広げ，肘を90度曲げて前腕を上げ下げしてもらう。外旋制限や肩甲上腕関節の損傷に注意する

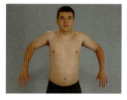

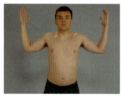

ステップ 6
腕を外側へ広げ，肘関節を完全に屈曲したりのばしたりしてもらう。肘関節の可動域制限に注意する

表 25-8　スポーツ活動参加にあたっての筋骨格系の診察(続き)

体位と患者への指示

ステップ7
腕を垂らして，肘を90度前方へ屈曲し，前腕を回内・回外してもらう。前腕，肘，手首の過去の損傷による可動域制限に注意する

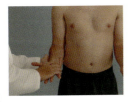

ステップ8
拳をつくって握りしめ，それから手をぱっと開いてもらう。指関節の隆起や，過去の捻挫や骨折による指の可動域制限に注意する

ステップ9
しゃがみ，アヒル歩行で4歩前に進んでもらう。過去の膝関節・足関節損傷の影響で膝関節を完全に曲げられなかったり，立ち上がるのが難しくないかどうかに注意する

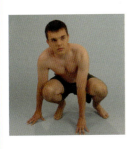

ステップ10
後ろを向き，両腕を体のわきにつけてまっすぐ立ってもらう。肩，肩甲骨，骨盤が左右均等かどうかを確認する。側弯症による左右非対称や，下肢脚長差，または過去の損傷による筋力低下に注意する

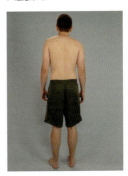

表 25-8　スポーツ活動参加にあたっての筋骨格系の診察（続き）

体位と患者への指示

ステップ11
膝をまっすぐのばした状態で，上体を前に倒してつま先に触れてもらう。側弯症による左右非対称，腰痛による背部のねじれに注意する

ステップ12
つま先を上げて踵で立ったり，踵を上げてつま先立ちをしてもらう。過去の足関節やアキレス腱損傷による腓腹筋の萎縮に注意する

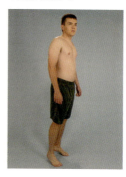

第26章 妊娠女性

妊娠中の変化

正常妊娠ではさまざまな生理的変化が起こり，その多くは内分泌学的変化によってもたらされる（図26-1〜26-3）。これらの複雑なホルモン変化は，正常ではあるものの解剖学的な変化をもたらす。

表26-1「正常な妊娠における解剖学的および生理学的変化」を参照

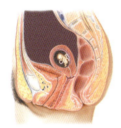

図26-1 第1三半期（1〜12週）における妊娠中の腹部の矢状断面

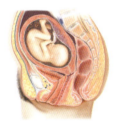

図26-2 第2三半期（13〜26週）における妊娠中の腹部の矢状断面

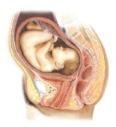

図26-3 第3三半期（27〜40週）における妊娠中の腹部の矢状断面

病歴

初回の妊婦健診時の確認内容

- 妊娠の確認
- 妊娠週数(妊娠齢)と分娩予定日の決定
- 妊娠中の症状
- 妊娠に対する不安や心構え
- 現在の健康状態と既往歴
- 産科既往歴
- 母体と胎児の健康に関する危険因子
- 患者および新生児の父親の家族歴
- 遺伝子検査と染色体異数性検査の計画
- 母乳育児の計画
- 産後の避妊計画

妊娠女性における初診では,母親と胎児の健康状態に焦点をあてる。妊娠を確認し,妊娠週数を推定し,継続的なケアの計画をたて,母親の希望と不安についてカウンセリングを行う。健診の最後に,母体と胎児の健康状態の変化を評価し,妊娠に関連する特定の身体所見について検討し,カウンセリングと適時のスクリーニングを行う必要がある。

妊娠の確認

患者はすでに尿による妊娠反応検査を受けているか? それはいつか? 最終月経 last menstrual period(LMP)はいつであったか? 分娩予定日を確定するために超音波検査を受けたか? 妊娠を確定するために血清による妊娠反応検査が必要となるのはまれであることを説明する。

妊娠週数(妊娠齢)と分娩予定日の決定

正確な分娩予定日を早期に確定できれば,妊娠における適切な管理が可能となる(Box 26-1)。分娩予定日の決定により,正常の発育を患者に示し,また,父親の確定,スクリーニング検査時期の決定,胎児発育の追跡,早産または過期産であることを効果的に判定できる。

Box 26-1　妊娠週数(妊娠齢)と分娩予定日の決定

- **妊娠週数(妊娠齢)**。妊娠齢を確定するためには,最終月経(LMP)の初日を0とし週数と日数を計算する。実際の受胎日がわかっている場合(体外受精の場合など)は,LMPからの週数よりも2週間少ない胎週を計算に用いて(すなわち,補正または調整されたLMPの日付),妊娠週数を確定することができる。**受胎日は生物学上異なるが,LMPから妊娠齢を算出するのは標準的な方法であり,平均妊娠期間は40週である**
- **分娩予定日 expected date of delivery(EDD)**。LMPの初日から数えて40週目をEDDとする。Nägele(ネーゲレ)の法則を用いると,LMPの第1日目に7日を加え,3カ月を減じて,1年を加えるとEDDが予測できる
  例:
  - LMP=2020年11月26日
  - +7日=2020年12月2日
  - −3カ月=2020年9月2日
  - +1年=2021年9月2日=EDD
- **計算ツール**。分娩予定日計算環 pregnancy wheel およびオンライン計算機はEDDを計算するために一般的に用いられているが,正確性については確認を要する
- **妊娠齢決定の限界**。患者のLMPに関する記憶はかなりばらつきがある。この日付が正確であっても,LMPは,ホルモン避妊薬,月経不順,または周期にばらつきのある排卵日の変動により影響を受けうる。LMPから計算した日付を,身体診察によって測定した子宮底の高さに照らし,超音波検査により明らかにすべきである

妊娠中の症状

患者は,無月経,乳房の膨隆や圧迫感,悪心・嘔吐,疲労感,頻尿などの症状があるか? Box 26-2 を参照。

Box 26-2　妊娠中によくみられる症状

一般的事項	妊娠時期	説明	
腹痛(下腹部)	第2三半期	第2三半期における子宮の急速な発育は,子宮円靱帯の緊張や伸長をもたらし,体動または体位の変化による鋭い痙攣性の痛みを引き起こす	アルゴリズム 26-1「腹痛のある妊娠患者へのアプローチ」参照

(続く)

↘(続き)

一般的事項	妊娠時期	説明
腹部の線条	第2三半期または第3三半期	皮膚の伸展と真皮のコラーゲン線維の断裂により，通常ピンク色をした細い線条である，**妊娠線**を生じる。これらは出産後も持続するか，次第に薄れる
無月経（月経停止）	全期間	エストロゲン，プロゲステロン，hCG（ヒト絨毛性ゴナドトロピン）の増加は子宮内膜を強化し，月経がなくなり，しばしば妊娠の最初で顕著な徴候である月経停止を引き起こす
背部痛	全期間	ホルモンの作用によって生じた骨盤靱帯の弛緩は筋骨格系における疼痛の原因となる。妊娠子宮のバランスをとるために脊柱が前弯し，背部痛を引き起こす。乳房の肥大により上背部痛が生じることがある
乳房の圧痛・刺痛	第1三半期	妊娠中のホルモンは乳腺組織の発育を刺激する。腫れ，痛み，圧迫感，うずきなどの症状を引き起こす。血流が増加すると，皮膚の下にある繊細な静脈がみえやすくなる
便秘	全期間	便秘は消化管の蠕動が低下することで生じ，その原因はホルモンの変化，悪心・嘔吐による脱水，妊娠用ビタミン剤からの鉄分補給によるものである
子宮収縮	第3三半期	不規則で予測できない子宮収縮〔Braxton Hicks（ブラッキストン・ヒックス）収縮〕が分娩に付随することはめったにない。分娩の開始については，収縮が規則的で痛みを伴うものかどうかを評価する
浮腫	第3三半期	静脈還流の低下，リンパ管の閉塞，血漿膠質浸透圧の低下は，一般に下肢における浮腫を引き起こす。しかし，急激な浮腫や高血圧は，妊娠高血圧腎症の前兆である可能性がある
疲労感	第1三半期・第3三半期	疲労感はエネルギーを必要とする急激な変化，プロゲステロンの鎮静効果，妊娠子宮による身体力学的変化，睡眠障害が原因となる。多くの女性が，第2三半期になるとエネルギーや健康度が増すと述べる
胸やけ	全期間	プロゲステロンは下部食道括約筋を弛緩し，胃内容物を食道に逆流させる。また，妊娠時の子宮は，妊娠期間が長期化するにつれ胃に対して物理的な圧力をかけ，逆流症状の原因となる
痔核	全期間	便秘，骨盤内圧の増加による静脈還流の低下，胎児による圧迫，妊娠中の活動レベルの変化は痔核を引き起こす

（続く）↗

↘(続き)

粘液栓の喪失	第3三半期	粘液栓の通過は陣痛中によくみられるが、陣痛開始前に起こることもある。定期的な収縮、出血、羊水の減少がない限り、粘液栓の通過が陣痛開始のきっかけになることはない
悪心・嘔吐	第1三半期	機序不明な点が多いが、ホルモンの変化、胃腸の蠕動運動の低下、嗅覚や味覚の変化、社会文化的な要因によると考えられる。妊娠女性の最大75%が悪心を経験する。**妊娠悪阻**では、嘔吐により妊娠前体重の5%を超える体重減少が生じる
頻尿	全期間	血液容量と腎臓を通過する濾過量の増加により、尿の産生も増加する。一方、妊娠子宮からの圧迫は、膀胱の潜在的スペースを減少させる
腟分泌物	全期間	血管充血とホルモン変化による腟上皮および子宮頸部上皮からの分泌物の増加は、無症候性で乳白色の分泌物である**白色帯下 leukorrhea** を生じる

妊娠に対する不安や心構え

患者が妊娠について感じていることや、妊娠を継続するかどうかについて確認する。不安や子どもの父親からのサポートについても確認する。大家族でサポートが期待できるのか、シングルマザーか、パートナーの有無(性別にかかわらず)、精子提供による妊娠なのかなど、家族のあり方の多様性を尊重する。

現在の健康状態と既往歴

過去または現在において、急性または慢性の医学的な問題を抱えているか。腹部手術、高血圧、糖尿病、先天性心疾患の小児手術を含む心疾患、喘息、自己免疫疾患、凝固性亢進状態(ループス抗凝固因子や抗カルジオリピン抗体による)、産後うつ病などの精神疾患、ヒト免疫不全ウイルス(HIV)、性感染症(STI)、子宮頸部細胞診の異常など、妊娠に影響を与えうる疾患には特に注意を要する。

産科既往歴

過去の妊娠歴を確認する(Box 26-3)。過去の妊娠時に合併症はあったか？ 陣痛時や分娩時に、大きな児(**巨大児**)、胎児ジストレス(胎児機能不全)、緊急的介入などはあったか？ 以前の分娩は経

腟分娩か，介助による分娩(吸引分娩または鉗子分娩)か，または帝王切開か？

> **Box 26-3　妊娠アウトカムに関する用語**
>
> 以下の用語は，妊娠歴に関する口頭または書面でのコミュニケーションの一部となる
> - Gravidity(経妊数)とは女性が妊娠した回数のことである
> - Parity(経産数)とは，生児出産か死産かにかかわらず，胎児が生存可能な年齢(妊娠週数 24 週以上)で分娩した回数のことである 訳注)
> - 例：
>   - 「2 妊 2 産」(G2P2)と表記されている女性は，2 回の妊娠と 24 週以降の分娩を経験している
>   - 「2 妊 0 産」(G2P0)と表記されている女性は，2 回の妊娠を経験しているが，妊娠 24 週までに至っていない
> - さらに経産歴は，正期産 term delivery，早産 preterm delivery，流産 abortion(自然流産と妊娠中絶)，生存児 living child に分けられ，頭文字をこの順番で並べ「TPAL」で記載する
>   - 妊娠 20 週以前に 2 回の自然流産があり，3 人の生存している子どもが正期産で，現在妊娠している女性は，「G6P3023」となる
> - 実際には，各妊娠は，胎児の数にかかわらず，それぞれのカテゴリーで 1 回としてカウントされるが，「生存児」はすべてカウントされる
> - よくある間違いは，双子などの多胎妊娠を，経産または妊娠のいずれかで 2 回カウントとして割りあててしまうこと。正期産の双子の初回妊娠の場合，正しい記載は「G1P1002」となる

母体と胎児の健康に関する危険因子

喫煙，アルコール摂取，違法薬物の使用はあるか？　処方薬，市販薬，漢方薬の使用は？　職場や家庭，その他の環境で有害物質に曝されることはあるか？　栄養摂取は適切か，肥満から生じるリスクはあるか？　社会支援のネットワークや収入は十分か？　家庭や職場で極度のストレスはないか？　今までに肉体的虐待や親密なパートナーからの暴力(IPV)はなかったか？

訳注：日本産科婦人科学会の「妊娠・分娩回数のかぞえかた」(2018)では，妊娠週数満 22 週以降で分娩した回数。

家族歴

慢性疾患や遺伝性疾患についてたずねる。鎌状赤血球貧血や囊胞性線維症，筋ジストロフィーなどの遺伝性疾患の家族歴はあるか？

遺伝子検査と染色体異数性検査の計画

21，18，13番染色体異常などの一般的な染色体異数性を除外するために，すべての妊婦に染色体異数性検査と診断的遺伝子検査の両方を提供すべきである[訳注]。さらに，Tay-Sachs病や，脊髄性筋萎縮症，囊胞性線維症，脆弱X症候群などの特定の常染色体劣性遺伝のキャリアスクリーニングは，ヘモグロビン電気泳動法による異常ヘモグロビン症の検査とともに，スクリーニングの対象として推奨される。

母乳育児の計画

妊娠中からの指導と支援により，その後の母親の母乳育児の割合と期間が増加する。

産後の避妊計画

産後の避妊計画を早めに検討する。好ましくない妊娠経過をもたらす意図しない妊娠や，短期間での妊娠のリスク軽減につながるからである。

定期的な妊婦健診

定期的に妊婦健診を行うことで，母体と胎児の健康状態の途中経過を評価し，妊娠に関連した特定の身体所見を評価し，適切なタイミングでのカウンセリングと予防的スクリーニングを行う。健診は決まったスケジュールで行う。
- 妊娠28週までは月に1回
- 妊娠36週までは隔週ごと
- 分娩までは毎週

訳注：わが国ではすべての妊婦には検査を推奨していない。

受診ごとに，病歴を更新して記録する。特に，妊婦による胎動の知覚，子宮の収縮，羊水の漏出，腟からの出血について記録する。身体所見には，バイタルサイン（特に血圧と体重），子宮底の高さ，胎児心音 fetal heart rate（FHR），胎位や胎動が含まれる。診察ごとに，尿の感染，尿蛋白を検査する。

アルゴリズム 26-2「性器出血のある妊娠患者へのアプローチ」参照

診察の技術

妊婦健診の重要項目

- 全身の健康状態，精神状態，栄養状態，神経筋の協調を評価する
- 身長・体重を測定する。BMI を計算する
- 受診では，毎回血圧を測定する
- 頭頸部を観察する
- 胸郭や肺の視診，打診，聴診を行う
- 心尖部の位置を触知する
- 心音を聴取する
- 腹部を視診する
- 腹部（腫瘤，胎動，子宮収縮，子宮底の高さ）を触診する
- 胎児の心音を聴診する
- 外性器を視診する
- 腟鏡や双手診で内性器を診察する
  - 腟鏡による診察：子宮頸部および腟壁を検査する。必要に応じてパップスメアを行う
  - 双手診：子宮頸部，子宮，付属器，骨盤底筋群を触診する
- 肛門を診察する
- 四肢と反射を診察する
- （適応があれば）Leopold 触診法を行う

Box 26-4 では，妊婦の診察準備についてまとめる。

Box 26-4 診察準備

患者の快適さやプライバシー,個人的・文化的な側面から配慮する。初診時には,患者が服を着た状態で病歴を聴取する。両方の乳房と妊娠中の腹部を検査しやすいように,前開きのガウンを着用するように依頼する

体位
- 膝を曲げた半座位(図 26-4)が最も快適で,腹部臓器や血管にかかる妊娠子宮の重さを軽減できる
- 妊婦には,長時間の仰臥位を避ける。腹部診察は効率的かつ正確に行う必要がある
- 内診も含めなるべく短時間で行う

図 26-4　妊婦診察時の半座位

診察器具
- **婦人科用腟鏡と潤滑剤**:妊娠中は腟壁が弛緩するため,妊婦では通常よりも大きな腟鏡が必要になることがある
- **検体採取**:腟と子宮頸部の組織の血管分布が増加するため,妊娠中の Papanicolaou(パパニコロー)塗抹標本採取には子宮頸部ブラシでは出血しやすく,ほうき(刷毛)状の「ブルーム・ブラシ」などの検体採取器具がよく用いられる。必要に応じて追加のスワブを使用し,STI,B 群レンサ球菌,また直接塗抹法(生理食塩水で封入したスライドグラス標本)での腟分泌物のスクリーニングを行う
- **巻尺**:妊娠 20 週以降における子宮の大きさの評価には,プラスチック製または紙製の巻尺を用いる
- **Doppler(ドプラ)式胎児モニターとジェル**:Doppler 式胎児モニターは,妊娠 10 週以降の胎児心音を評価するために,腹部に外部から装着する携帯型機器である

診察の技術	所見

全身の診察

妊婦が診察室に入り診察台に移動する際に,一般的な健康状態や精神状態,栄養状態,神経筋の協調性を評価する。

身長,体重,バイタルサイン

身長・体重を測定する。初診時に,BMI 19〜25 を正常値とする標準的な表を用いて BMI を算出する。

悪心や嘔吐による体重減少が妊娠前体重の 5%を超えると,**妊娠悪阻 hyperemesis gravidarum** となる。

診察の技術	所見

受診では,毎回血圧を測定する。第2三半期では,血圧は妊娠していないときよりも低いのが一般的である(Box 26-5)。

Box 26-5 妊娠中の高血圧

- 妊娠高血圧(GH):収縮期血圧(SBP)140 mmHg 以上または拡張期血圧(DBP) 90 mmHg 以上が,妊娠 20 週以降にはじめて出現し,蛋白尿や妊娠高血圧腎症を示唆する所見がなく,産後 12 週までに軽快するもの
- 高血圧合併妊娠(CH):SBP 140 mmHg 以上または DBP 90 mmHg 以上で,妊娠以前に発症したもの,または妊娠 20 週までに診断されたもの
- 妊娠高血圧腎症
  - 正常血圧の女性では,妊娠 20 週以降に 4 時間以上の間隔をおいて 2 回,SBP140 mmHg 以上または DBP 90 mmHg 以上,または数分以内に血圧 160/110 mmHg 以上が確認され,かつ,尿蛋白 300 mg/日以上,蛋白/クレアチニン比 0.3 以上,または尿試験紙法で 1+であること

または

- 蛋白尿を伴わない高血圧が新たに出現し,以下のいずれかを満たす場合:血小板減少症(血小板数が 10 万/μL 未満),肝機能障害(肝トランスアミナーゼ値が正常値の 2 倍以上),新たな腎不全(腎疾患がない場合は,クレアチニン値>1.1 mg/dL または 2 倍以上),肺水腫,新たに出現した脳障害・視野障害

頭部と頸部

● **顔**。前額部,頬部,鼻梁,顎にみられる不規則な褐色の斑点は**肝斑 chloasma** または**黒皮症 melasma** であり,妊娠顔貌を確認する。	妊娠 20 週以降の顔面浮腫は,妊娠高血圧腎症を示唆する。
● **毛髪**。乾燥して,脂によりべたつき,細くなる。	脱毛は妊娠に起因しない。
● **眼**。貧血と黄疸の徴候がないか,結膜の色を視診する。	貧血では眼瞼結膜が蒼白になる。

診察の技術	所見
●**鼻**。粘膜と中隔を視診する。	妊娠中は鼻出血がよくある。鼻中隔のびらんや穿孔は，コカインの鼻腔内吸引による可能性がある。
●**口腔**。歯と歯肉を診察する。	歯肉増殖がみられる。
●**甲状腺**。視診と触診を行う。左右対称に軽度肥大するのが一般的	甲状腺腫大，甲状腺腫，結節は異常であり，精査を要する。

胸郭と肺

胸郭を視診して，外観と呼吸のパターンを観察する。肺を聴診する。	妊娠後期には呼吸性アルカローシスが生じる。呼吸数増加，咳嗽，副雑音 rales を伴う，呼吸困難は，感染症，喘息，肺塞栓，周産期心筋症などの可能性がある。

心臓

心尖拍動を触診する。	心尖拍動は妊娠子宮の拡大により第4肋間に向かって上方および左方に位置しうる。
心音を聴診する。静脈雑音または連続性の乳房雑音 (puff of air) は妊娠中によく聴取される。	心雑音は貧血徴候となりうる。新たな拡張期心雑音は精査を要する。心不全の徴候があれば，周産期心筋症を示唆する。

乳房

乳房と乳頭の対称性と色を視診する。顕著な静脈パターン，黒ずんだ乳首と乳輪，めだつモンゴメリー腺などは正常所見である。	出産時に陥凹乳頭があれば，母乳育児に支障をきたすことがある。
腫瘤を触診する。結節性乳房の圧痛は正常である。	乳腺炎では限局した圧痛がある。新たな限局性の腫瘤があれば精査を要する。

診察の技術	所見
左右の乳首を示指と母指ではさんで圧迫する。	乳頭から初乳が出ることがある。血性または膿性の異常な分泌物があれば精査する。

腹部

患者は膝を曲げ半座位の姿勢になり診察を行う。

- 瘢痕，線条，腹部の大きさ，形状，子宮底の高さを視診する。
- 腹部の形状や輪郭から妊娠週数を推定する。

腹部の紫色を帯びた線条と黒線は，妊娠中においては正常である。

妊娠子宮の成長パターン，妊娠週数と子宮底の高さの関係を示す（図 26-5）。

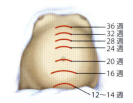

図 26-5 妊娠週数と子宮底の高さ

- 以下を触診する。
  - 臓器や腫瘤
  - 胎動。通常 24 週以降になると胎動を触知できる。母親は通常 18〜24 週までに感じることが多い。母親の胎動への知覚は伝統的に**胎動初感 quickening** として知られる。
  - 子宮収縮
  - 妊娠 12 週以降で不規則な子宮収縮が生じ，第 3 三半期には外部からの触診に反応して生じることがある。
- 妊娠 20 週以降であれば，**子宮底の高さ**を計測する。巻尺を用いて，恥骨結合から子宮底の最上部まで何 cm である

胎児の健康状態や動きを超音波検査で確認する。

妊娠 37 週以前では，規則的な子宮収縮や性器出血は異常であり，**早産**を疑う。

子宮底の高さが予想よりも 4 cm 以上高い場合は，多胎妊娠，巨大児，羊水過多，子宮平滑筋腫を示唆する。4 cm 以上低い場合は，羊水過少，稽留

診察の技術	所見
かを計測。20週以降では，子宮底長(cm)は妊娠週数にほぼ等しくなる。	流産，胎児横位，胎児発育遅延，胎児奇形を示唆する。
● 胎児の心音を聴診し，胎児心音(FHR)，位置，リズムを記録する。Doppler式胎児モニターは，妊娠10週以降でFHRを検出し，18週以降では産科聴診器でも聴取可能である。	FHRが聴取できない場合，予測よりも少ない妊娠週数，胎児死亡，偽妊娠を示唆する。FHRを確認できない場合，超音波検査で精査する。
● **位置**。妊娠10〜18週では，FHRは下腹部の正中線に沿った位置で聴取される。それ以降は，胎児の体位により変化する。どこを聴取するのかを特定するため，胎児の背部と頭部を触診する。Leopold(レオポルド)触診法が有用である。	
● **心拍数**。胎児心拍数は120〜160回/分である。32〜34週以降では，FHRは胎動により増加する。	胎児心拍の低下が持続するとき，または胎児心拍が**減速する**ときは，少なくとも胎児心拍を**モニターして**精査する必要がある。
● **リズム**。第3三半期になると，毎分10〜15回の心拍変化を認め，それが1〜2分間続く。	妊娠後期に心拍数の変動がみられない場合は，FHRモニターを用いた精査を要する。

性器，肛門，直腸

外性器を視診する。	会陰の弛緩，陰唇静脈瘤，大陰唇および陰核の肥大，会陰切開の瘢痕または会陰裂傷
Bartholin(バルトリン)腺とSkene(スキーン)腺を触診する。膀胱瘤や直腸瘤を確認する。	Bartholin 囊胞

診察の技術	所見

内性器を診察する。

腟鏡による検査

- 子宮頸部の色,形状,裂傷による瘢痕を確認する。
- 必要に応じて,Papanicolaou塗抹検査を行う。
- 腟壁の視診

妊娠中は紫色を帯びる。以前の分娩による裂傷,頸部びらん,紅斑,分泌物,子宮頸管炎やSTIによる炎症
腟または子宮頸部の感染症の診断には,検体が必要な場合がある。
正常妊娠では,青色または紫色を帯び,深い皺,白色帯下がみられる。またカンジダ症や細菌性腟炎での腟分泌物(妊娠経過に影響を及ぼす可能性あり)。アルゴリズム26-3「腟分泌物のある妊娠患者へのアプローチ」を参照

双合診

潤滑剤を塗った2本の指を腟口より挿入。手掌を下に向けて,わずかな圧で下方の会陰部に向けて押し下げる。押し下げたまま,ゆっくりと指を回転させ手掌を上に向ける。

- 子宮口の位置,子宮頸管の短縮(展退)を評価する。外子宮口にやさしく指先を置いて,子宮頸部の表面をなぞる。
- 子宮頸部の長さを推定する。子宮頸部先端の外側表面から腟円蓋側面まで触診する。
- 子宮を触診して大きさ,形状,硬さ,位置を調べる。

- 子宮の大きさを推定する。内

外子宮口は未産婦では閉じ,経産婦では指先が入るくらいに開いている。

34~36週以前では,子宮頸部は3cm以上。37週以前の頸管開大は早産を示唆する。
Hegar(ヘガール)徴候,子宮頸部の軟化。子宮は妊娠8週までは洋梨を逆さにしたような形をしており,以降は球形になる。
子宮の形が不整であるならば,子宮筋

診察の技術	所見
診の指を子宮頸部の両側に置き，もう一方の外側の手を患者の腹側に置いて，内診の指で子宮を腹側上方に持ち上げる。両手の間に子宮底を捉え，子宮の大きさを推定する。	腫，双角子宮（隔壁で分けられた2つの異なる子宮内腔をもつ）を示唆する。
● 左右の付属器を触診する。	妊娠初期では，異所性妊娠（卵管妊娠）を除外する必要がある。
● 診察している指を引き抜きながら骨盤底の強さを評価する。	
● 肛門を視診する。直腸診および直腸腟診は一般的に必要ではない。	妊娠後期では，うっ血した痔核がみられる。

四肢

● 静脈瘤がないか下肢を視診する。	静脈瘤は妊娠中に悪化することがある。
● 浮腫がないか手や脚を触診する。	妊娠高血圧腎症による腫脹や，深部静脈血栓症を評価する。
● 膝蓋腱反射とアキレス腱反射を調べる。	反射亢進は，妊娠高血圧腎症の徴候である。

特殊な技術

Leopold 触診法

以下を同定する。

● 胎児の上極と下極，すなわち胎児の近位部と遠位部 ● 胎児の背部がある母体腹部の側面 ● 胎児先進部の母体骨盤入口への下降 ● 胎児の頭部が屈曲する範囲	**骨盤位**（胎児の殿部が母体の骨盤出口に存在）や分娩予定日になっても母体骨盤部へ胎児部分が十分に進入していないのは，一般的な変異である。

診察の技術	所見

- 胎児の推定サイズおよび推定体重

第1段(上極)

診察者は妊婦の頭側に向かって立つ。診察する両手の指をそろえて，指先でやさしく，妊娠子宮の最上部を触診し，子宮底の上極に胎児のどの部分があるかを判断する（図26-6）。

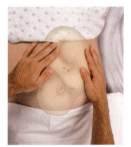

図26-6　Leopold触診法第1段(子宮底部の決定)

第2段(母体の腹部側面)

両手の間に胎児の身体を捉えるつもりで，母体の腹部の両側に手を置く（図26-7）。子宮を固定するために一方の手を，胎児の触診のためにもう一方の手を用いて，胎児の背部および四肢を探る。

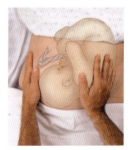

図26-7　Leopold触診法第2段(胎児背側と体幹の評価)

| 診察の技術 | 所見 |

第3段(胎児の下極と骨盤への下降)

診察者は妊婦の足方へ向く。恥骨結合の直上あたりを触診する(図26-8)。頭部と殿部の区別,また胎児の身体が骨盤入口へ下降しているか(骨盤内進入度)は,下に押した手の力が逃げていくかそうでないかで判断できる。

図26-8 Leopold触診法第3段(恥骨結合上方の触診)

第4段(胎児頭部の屈曲)

この手技は,胎児頭部の屈曲または伸展を評価し,骨盤に位置するのが胎児の頭部であるかどうかを推定する。第3段同様に妊婦の足方に向き,両手を妊娠子宮の両側に置いて胎児の腹側と背側を確認する(図26-9)。その際,片手を用いて,頭蓋突起に達するまで,胎児の両側に指をずらしていく。どこに胎児の前額部または後頭部が突き出ているかをみる。

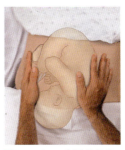

図26-9 Leopold触診法第4段(児頭の向きと屈曲の程度の評価)

所見の記録

一般的に，妊娠中の患者の情報は，年齢，妊娠分娩歴(p.556)，妊娠週数，妊娠週数の決定方法(最終月経または超音波)，主訴，合併症，既往歴，検査所見の順で記載する。

妊婦健診の記録

32歳，G3P1102，LMPにより妊娠18週(LMPを用いて決定)の女性が妊婦健診のために受診。患者は胎動を認め，子宮収縮，腟出血，羊水漏хもなし。診察にて，下腹部に横切開による帝王切開の手術痕あり。臍部直下に子宮底部を触知。内診では，外子宮口が開いていることを指先で確認でき，内子宮口は閉じている。子宮頸管は3 cm。子宮は妊娠18週様の膨隆を示す。腟鏡診では，Chadwick(チャドウィック)徴候陽性を伴う白帯下あり。Doppler聴診器による胎児心拍数は140～145回/分である
妊娠18週の健康な妊娠女性についての記録

健康増進とカウンセリング：エビデンスと推奨

健康増進とカウンセリングの重要事項

- 栄養と体重増加
- 運動と身体活動
- タバコ，アルコール，違法薬物などの使用
- 親密なパートナーからの暴力(IPV)のスクリーニング
- 周産期うつ病のスクリーニング
- 予防接種
- 出生前のスクリーニング検査
- 出生前のサプリメント(薬物など)
- 意図しない妊娠

栄養と体重増加

栄養状態を評価。特に不十分な栄養状態と肥満の有無を評価する。

- 食事歴。身長・体重・BMIの測定，ヘマトクリットの測定を行う。必要なビタミンやミネラルのサプリメントを処方する。
- リステリア感染症を予防するために，低温殺菌牛乳および低温殺菌牛乳を使用した食品，生または加熱不十分な魚介類，卵，肉類，

冷蔵のパテ,ミートスプレッド,スモークサーモン,ホットドッグ,ランチョンミート,コールドカット(熱々の状態で提供される場合を除く)を避けるようにすすめる。
- 水銀を含まない魚や貝類を週に2回摂取することを推奨する。
- 患者のBMIに合わせた栄養計画をたてる。米国農務省のウェブサイト"Pregnancy Weight Gain Calculator"で,推奨される体重増加目標を容易に計算できる(https://www.myplate.gov/node/5390)。この計算機は,身長,妊娠前の体重,出産予定日,週1回の運動レベルにもとづいた,各三半期における5つの食品群のそれぞれの1日推奨摂取量を示す。

診察ごとに体重増加をモニターし,その結果をグラフ化する(Box 26-6)。

Box 26-6　妊娠前のBMIにもとづく妊娠中の体重増加の総量と増加率についての勧告

妊娠前のBMI[a]	体重増加(kg)	第2・第3三半期における体重増加率[b] (kg/週)	平均範囲
低体重(BMI<18.5)	12.5〜18	0.45	0.45〜0.6
適正体重(BMI 18.5〜24.9)	11.5〜16	0.45	0.36〜0.45
過重体重(BMI 25.0〜29.9)	7.0〜11.5	0.27	0.23〜0.32
肥満(BMI>30.0)	5〜9	0.23	0.18〜0.27

[a] BMIの計算には,米国国立心臓・肺・血液研究所 National Heart, Lung, and Blood Institute の Calculate Your Body Mass Index を使用する(http://www.nhlbi.nih.gov/health/educational/lose_wt/BMI/bmicalc.htm)。
[b] 第1三半期での体重増加は,0.5〜2 kgであると推測できる(Siega-Riz et al., 1994; Abrams et al., 1995; Carmichael et al., 1997)。
出典:Rasmussen KM, Yaktine AL, eds; Institute of Medicine and National Research Council Committee to Re-examine IOM Pregnancy Weight Guidelines. *Weight Gain During Pregnancy: Re-examining the Guidelines.* National Academies Press; 2009. http://www.ncbi.nlm.nih.gov/books/NBK32799/ table/summary.t1/?report=objectonly(Accessed. 2019/12/29)より入手可能

運動と身体活動

米国産科婦人科学会(ACOG)は，妊娠女性に，禁忌事項がない限り，週のほぼ毎日に 30 分程度の適度な運動をすることを推奨している。妊娠中に運動をはじめるときは，妊婦向けに特別に開発されたプログラムを慎重に考慮。水中での運動は一時的に筋骨格系の痛みを軽減できるが，熱いお湯に浸かることは避ける。

妊娠初期以降は，下大静脈を圧迫し，めまいや胎盤の血流低下を引き起こす可能性のある仰臥位での運動は避ける。妊娠後期になると重心が変化するため，バランスを崩すような運動は避ける。妊娠中は，接触型のスポーツや腹部を傷つける恐れのある活動は禁忌である。また，熱中症や脱水症状に注意し，過度の疲労や苦痛を引き起こす運動は避けるべきである。

タバコ，アルコール，違法薬物を含む薬物使用

妊娠中の当面の目標として，やめることを推進する。中立的な立場でのスクリーニングとして以下を推奨する。

- タバコ。喫煙は，全低出生体重児の 20％に関与する。前置胎盤，胎盤剥離，早産のリスクを 2 倍にし，自然流産，胎児死亡，胎児の先天性指異常のリスクを高める。使用中止が目標ではあるが，まず使用を減量させることが望ましい。
- アルコール。胎児性アルコール症候群は，米国における予防可能な知的障害の主要原因である。ACOG では，妊娠中の女性の禁酒を強く推奨している。
- 麻薬を含む違法薬物。依存症の女性は，すぐに治療を紹介し，C 型肝炎や HIV のカウンセリングやスクリーニングを受ける必要がある。
- 処方薬の乱用。麻薬，覚醒剤，ベンゾジアゼピンなど，乱用されることが多い処方薬についてたずねる。
- ハーブや未規制のサプリメント。妊娠中のハーブ系サプリメントは，発達中の胎児に害を与える可能性がある。

親密なパートナーからの暴力のスクリーニング

妊娠中は，言葉の暴力から身体的暴力または軽度から重度の身体的暴力にいたるまで，親密なパートナーからの暴力(IPV)のリスクが

高まる。5人に1人の女性が妊娠中に何らかの虐待を受け,出産前ケアの遅延や低出生体重児,さらには母体や胎児の死亡と関連する。**ACOG は,すべての女性を対象に,最初の出生前訪問時と少なくとも各三半期に1回,家庭内暴力のスクリーニングを行うことを推奨している。** 公平な直接的アプローチとして,ACOG は最初の発言と簡潔な質問を推奨している(Box 26-7)。

Box 26-7　親密なパートナーからの暴力のスクリーニング(ACOG)

最初の発言
- 「暴力は多くの女性の生活において非常に一般的なものであり,虐待を受けている女性のための援助があるため,今ではすべての患者にドメスティック・バイオレンス(DV)についてたずねるようにしています」

簡潔な質問
- 「過去1年以内,または妊娠してから,誰かに殴られたり,叩かれたり,蹴られたり,その他身体的に傷つけられたことがありますか?」
- 「あなたを脅したり,身体的に傷つけたりする人が周りにいますか?」
- 「誰かに無理やり性行為をされて,不快な思いをしたことはありますか?」

出典:Intimate partner violence. Committee Opinion No. 518. American College of Obstetricians and Gynecologists. *Obstet Gynecol*. 2012; 119: 412-417.

直前になって頻繁に予約を変更する,面会中にいつもと違う行動をとる,面会中に患者を一人にしないパートナーがいる,あざやその他の傷があるなど,非言語的な虐待の手掛かりに注目する。患者が虐待を認めたら,あなたが彼女を支援するための最善の方法をたずねる。子どもがかかわっている場合は,有害な行動を当局に報告する必要があることを考慮し,患者が情報共有に制限を設けることを尊重する。次回予約の間隔を短くする。患者が許す限り徹底的に身体診察を行い,すべてのあざや傷を身体図に記録する。

シェルター,カウンセリングセンター,ホットラインの電話番号やその他の信頼できる地域関連機関のリストを更新しておく(Box 26-8)。

> **Box 26-8　米国の家庭内暴力ホットライン**
>
> - ウェブサイト[訳注1]：www.thehotline.org
> - 1-800-799-SAFE(7233)
> - 聴覚障害者のためのTTY(Teletype)：1-800-787-3224

周産期うつ病のスクリーニング

2018年の研究では，うつ病の既往歴のない健康な母体において，産後うつ病の発生率が12%，うつ病の有病率が17%であることが報告された。ACOGは，医療者が周産期に少なくとも1回，標準化された有効なツールを用いて女性のうつ病や不安症状をスクリーニングすることを推奨している。さらにUSPSTFは，周産期うつ病のリスクが高まっている妊娠中および産後の女性に対して，医療者がカウンセリングによる介入を提供または紹介することを推奨している(グレードB)。妊娠中または周産期の成人女性を対象とした一般的なうつ病スクリーニングツールには，Edinburgh Postnatal Depression Scale(EPDS)またはPatient Health Questionnaire-9(PHQ-9)がある。EPDSは，10項目の自己申告で構成されており，5分以内で記入でき，50カ国語に翻訳されており，必要な読解レベルも低く，採点も容易である。PHQ-9は，『DSM-IV』のうつ病の診断基準に焦点をあてた9項目からなる簡潔な質問票である。メンタルヘルス分野で最も有効なツールの1つであり，うつ病の診断や治療効果のモニタリングを行う際の強力なツールといえる。

予防接種

Tdap(破傷風・ジフテリア・百日咳三種混合ワクチン)[訳注2]は，妊娠中，理想的には妊娠27～36週目に，過去の予防接種歴にかかわらず，妊婦，乳児と直接接触する養育者にも接種する。不活化インフルエンザワクチンは，インフルエンザシーズン中のどの妊娠期にも接種が必要である(Box 26-9)。

訳注1：わが国では，男女共同参画局のホームページの「配偶者からの暴力被害者支援情報」(https://www.gender.go.jp/policy/no_violence/e-vaw/index.html)から各種相談窓口を調べることができる。

訳注2：わが国ではTdapではなくDPT-IPV(破傷風・ジフテリア・百日咳・ポリオ四種混合ワクチン)が導入されている。DPT-IPVは小児を対象としており，成人では副反応が出やすいとされる。

Box 26-9　妊娠中の安全なワクチンと安全でないワクチン

安全	安全ではない
●肺炎球菌多糖体ワクチン ●髄膜炎菌多糖体・結合型ワクチン ●A 型肝炎ワクチン ●B 型肝炎ワクチン	●麻疹・流行性耳下腺炎(ムンプス)・風疹ワクチン ●ポリオワクチン ●水痘ワクチン

すべての女性は，妊娠中に風疹の力価を測定し，非免疫性であることが判明した場合には，出産後に予防接種を受けるべきである。Rh(D)と不規則抗体は，妊婦健診初回，28 週目，出産時に確認する。Rh 陰性の女性には，妊娠 28 週目に抗 D 免疫グロブリンを投与し，児が Rh 陽性の場合は感作を防ぐために出産後 3 日以内に再投与する。

出生前のスクリーニング検査

血液型と Rh，抗体検査，全血球計算(特にヘマトクリット値と血小板数)，風疹抗体価，梅毒検査，B 型肝炎表面(HBs)抗原，HIV，STI 検査(淋病とクラミジア感染)，尿検査(培養も)などを行う。予定されている検査としては，妊娠糖尿病のための経口ブドウ糖負荷試験を 24 週前後に，B 群レンサ球菌のための腟粘液検査を妊娠 35〜37 週に，そして肥満の妊娠患者のための経口ブドウ糖負荷試験を妊娠第 1 三半期に行う。染色体異常，Tay-Sachs(テイ・サックス)病などの遺伝性疾患のスクリーニングや羊水穿刺など，母親が有する危険因子に関連した追加検査を行う。

ACOG では，全妊婦に妊娠中の貧血のスクリーニングを行うことを推奨しているが，USPSTF では，鉄欠乏性貧血の症状がない妊婦にスクリーニングを行うにはエビデンスが不十分であるとしている(グレード I)。

出生前のサプリメント

マルチビタミンとミネラル

出生前のビタミンとミネラルのサプリメントには，600 IU のビタミン D と少なくとも 1,000 mg のカルシウムを含むべきである。ビタミン A，D，E，K などの脂溶性ビタミンは，過剰に摂取する

と中毒症状を起こす可能性があるので注意を要する。

葉酸

妊娠中の葉酸欠乏は，二分脊椎などの神経管閉鎖障害との関連性が十分に証明されている。**ACOG では，妊娠を考えているすべての女性に，葉酸を多く含む食事に加えて，400 μg の葉酸サプリメントを摂取することを推奨しており，これは USPSTF も支持している**(グレード A)。葉酸の摂取は，妊娠の 3 カ月前から開始し，妊娠第 1 三半期まで継続する。

鉄分

妊娠期間が進むにつれて母体の赤血球量，胎児の赤血球産生，胎児と胎盤の成長を助けるために増加する鉄の必要量に合わせて，妊娠期間中の鉄分の需要が劇的に増加する。**CDC では，鉄分を含む妊婦用ビタミン剤から摂取できる量である 30 mg/日の鉄分を，最初の妊婦健診時から経口摂取するよう推奨している**。さらに，鉄分を多く含む食品の摂取を推奨している。

意図しない妊娠

米国における妊娠のほぼ半分は意図しないものである(610 万件の妊娠のうち 280 万件)。
- 将来的には妊娠を望んでいたとしても妊娠した時点では妊娠を望んでいなかった場合，その妊娠は**意図しない妊娠**とみなされる(妊娠の 27％)。
- 妊娠時も将来においても妊娠を望まなかった場合は，**望まない妊娠**とみなされる(妊娠の 18％)。

15〜19 歳の思春期と，15 歳未満の妊娠では，意図しない妊娠の割合がそれぞれ 80％，98％以上になる。

少女や女性に対して，月経周期における排卵のタイミングや，妊娠を計画・予防する方法についてカウンセリングを行うことが重要である。避妊のための数多くの選択肢とその有効性について熟知しておく(Box 26-10)。

Box 26-10　避妊方法と種類

方法	避妊の種類
自然法	周期に合わせた禁欲, 腟外射精, 授乳
バリア法	男性用コンドーム, 女性用コンドーム, ペッサリー, 子宮頸管キャップ, 避妊用スポンジ
埋め込み型	子宮内避妊具(IUD), レボノルゲストレルの皮下埋込み
薬理学的・内分泌学的	殺精子剤, 経口避妊薬(エストロゲンとプロゲステロン, プロゲスチンのみ), エストロゲンとプロゲステロンの注射薬およびパッチ, ホルモン性腟避妊リング, 緊急避妊薬
手術(永久的)	卵管結紮術, 経頸管的不妊手術, 精管切除術

- 失敗率は, 皮下埋め込み型避妊薬[訳注], IUD, 女性の避妊手術, 精管切除術が年間 0.8% 未満 (妊娠 1 回未満/100 人/年) と最も低く, 男性用・女性用コンドーム, 腟外射精, 避妊用スポンジ, 周期的な禁欲方法, 殺精子剤が年間 18% 以上 (妊娠 18 回/100 人/年) と最も高い。
- 失敗率は, 注射薬, 経口避妊薬, パッチ, ペッサリー, 子宮頸管キャップで年間 6〜12% (妊娠 6〜12 回/100 人/年) である。

患者やパートナーの関心や意向を理解するために時間を十分とり, 可能な限り尊重する。**希望する方法を継続して使用することは, より効果的な方法を中断してしまうことよりも優れている。**青年期の若者にとって, 秘密を守れる場所だと, 聞き出しにくい話題についても話しやすくなるものである。

訳注:わが国では使用されていない。

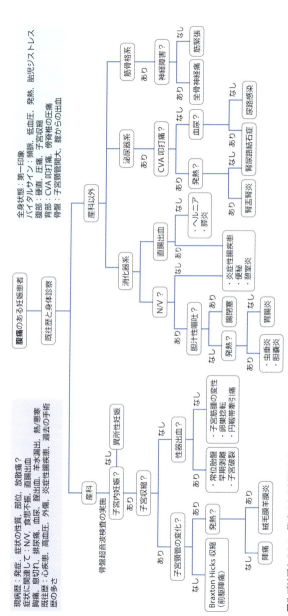

アルゴリズム 26-1 腹痛のある妊娠患者へのアプローチ（注：このアルゴリズムは包括的とはいえないが、病歴と診察から得られた情報を統合するための出発点としては有用である）　CVA：肋骨脊柱角、N/V：悪心・嘔吐

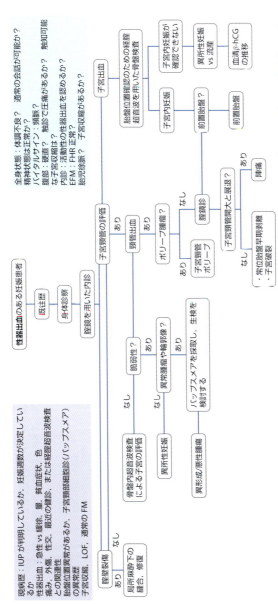

アルゴリズム 26-2 性器出血のある妊娠患者へのアプローチ（注：このアルゴリズムは包括的とはいえないが，病歴と診察から得られた情報を統合するための出発点としては有用である）EFM：胎児心拍モニタリング，FHR：胎児心拍数，FM：胎動，β-hCG：ヒト絨毛性ゴナドトロピンβサブユニット，IUP：子宮内妊娠，LOF：羊水漏出

578

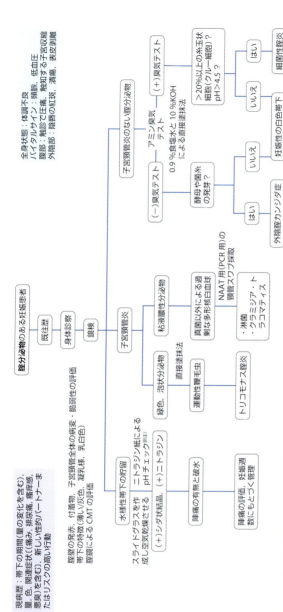

アルゴリズム 26-3 腟分泌物のある妊娠患者へのアプローチ（注：このアルゴリズムは包括的ではないが、病歴と診察から得られた情報を統合するための出発点としては有用である）CMT：子宮頸部移動痛、KOH：水酸化カリウム、NAAT：核酸増幅テスト

訳注：アルカリ性で青色。わが国ではリトマス紙が多く使用される。

| 表 26-1 | 正常な妊娠における解剖学的および生理学的変化 |||

臓器系	各臓器	正常妊娠時の変化	臨床的な影響
バイタルサイン	心拍数	↑（妊娠期間を通して増加）	
	血圧	↓（第2三半期に最低値）	
	呼吸数	←→	
	酸素飽和度	←→	
皮膚	皮膚	皮膚の血流増加	代謝亢進に伴う余剰な熱の放散
		色素沈着	
		くも状血管腫および手掌紅斑	臨床的意義は不明だが高エストロゲン血症との関連が示唆される
	毛髪	頭髪が濃くなる	
		多毛症	臨床的意義は不明。男性化徴候を伴う重度の多毛症は精査を要する
呼吸器系	肺	↑酸素消費量 20%	胎児から母体循環への CO_2 の移行
		↓動脈血中 pCO₂	動脈血液ガスは**呼吸性アルカローシス**を示す
		↑換気量	CO_2 排出を助ける
		↓ TLC，RV，FRC	
		↑ TV，分時換気量	
		↓肺血管抵抗	
		←→肺コンプライアンス	
	横隔膜	横隔膜は4 cm上昇	横隔膜の上昇と分時換気量の増加が妊娠中の呼吸困難感の原因となる
心血管系	心臓	↑心拍出量が 50%	脈拍と1回心拍出量増加の両方に関連する **多胎妊娠**ではさらに約 20%増加する
		心臓が左上に変位	画像上での心肥大の出現
		S_1 分裂の亢進	**収縮期雑音**は一般的で，妊婦の最大 90%にみられる

表 26-1		正常な妊娠における解剖学的および生理学的変化(続き)	
臓器系	各臓器	正常妊娠時の変化	臨床的な影響
	末梢血管系	左室機能の亢進	
		↓全身の血管抵抗	↑静脈血のうっ滞と姿勢性低血圧(仰臥位低血圧)
		↓血圧(拡張期>収縮期)	
		↓妊娠子宮の圧迫に伴う下肢静脈血流量	↑従属性浮腫と静脈瘤 血栓症が生じやすくなる
消化器系	胃	↓胃内容排泄機能	悪心,胃酸逆流の原因となる
		↓食道括約筋の緊張	
	腸管,大腸と小腸	上方・側方への変位	虫垂炎は非典型的症状を呈しうる
		↓運動機能	痔核,便秘の原因となる
	肝・胆道系	←→肝臓の大きさ	
		↑肝血流量	
		↓血清アルブミン濃度	
		↓胆嚢の運動性	↑胆汁うっ滞とコレステロール胆石,胆嚢炎の発生率 ↑胆汁うっ滞のリスク
血液系	血漿	↑循環血液量 40〜50%	胎児・胎盤への栄養供給,静脈還流量減少からの保護
	血液	↑赤血球産生と量	分娩時の出血からの保護
		↑網状赤血球数	臨床的意義は不明。血液希釈と消費の増大に関連する
		↑鉄代謝量	鉄欠乏性貧血,異食症の原因となる
		↓ヘモグロビン,ヘマトクリット	
		↑白血球数	
		↓血小板数	鼻出血,鼻閉のリスクの上昇
		↑炎症マーカー(CRP,ESR)	炎症のマーカーとしての信頼性が低い
	凝固系	↑凝固因子(XI,XIII因子を除く)	

表 26-1　正常な妊娠における解剖学的および生理学的変化(続き)

臓器系	各臓器	正常妊娠時の変化	臨床的な影響
		↑フィブリノゲン	凝固と線溶のバランスを保つ。全体としては凝固性亢進状態になる
		↓プロテインC，総プロテインS	
		↑線溶およびDダイマー	Dダイマーは血栓症リスクのマーカーとしては信頼性が低い
尿路系	膀胱	膀胱の筋肉および結合組織の過形成	↑頻尿および失禁
		膀胱三角部の挙上	
		↑膀胱内圧	
	尿管	側方変位および圧迫	水腎症の原因となる。特に右側が多い
		↑膨張と弛緩	
	腎臓	↑レニン-アンジオテンシン-アルドステロン系	第1三半期の血圧を維持する。妊娠が進むにつれてアンジオテンシンIIが不応になるため，正常な妊娠では高血圧にならない頻尿の原因となる
		↑腎臓の大きさ	
		↑GFRと腎血漿流量	
		↓血清クレアチニン	クレアチニン>0.9 mg/dLは精査が必要
		↑クレアチニンクリアランス 30%	
筋骨格系	脊柱	腰椎の前弯	妊娠中の子宮にあわせて重心が移動する。腰痛の原因となる
		骨盤関節の弛緩(恥骨結合，仙腸関節，仙尾骨結合の弛緩)	恥骨結合が1 cm以上離れていると，重大な痛みや歩行障害を引き起こす可能性あり

CRP：c-reactive protein(c反応性蛋白)，ESR：erythrocyte sedimentation rate(赤血球沈降速度)，FRC：functional residual capacity(機能的残気量)，GFR：glomerular filtration rate(糸球体濾過量)，RV：residual volume(残気量)，TLC：total lung capacity(全肺気量)，TV：tidal volume(1回換気量)

第27章 老年

人口統計学的な課題

60歳以上の人口は2050年までに全世界で20億人を超えることが予想されている。現在米国の高齢者は4,600万人を超え,2060年までに全人口の約24%に相当する9,800万人に達する見通しである。米国で最も急速に増加している年齢層は最高齢層(>85歳)であり,2060年に2,000万人に達することが予想されている。

そのため,世界中のどの社会にも共通する人口統計学的な緊急課題は,高齢者が全機能を維持し,家と地域において豊かで活動的な生活をできるだけ長期間楽しめるよう,寿命だけではなく「健康寿命」を極限までのばすことである。健康的な高齢化を促すことは臨床における目標を相互に作用させることにもなる。すなわち,さまざまな情報を得た能動的な患者が,先を見越した対応ができる医療チームと協力し合うことで,質の高い十分な治療と良好な転帰が実現されるのである。そのためには,これまでとは異なる考え方と技術が必要となる(Box 27-1)。

一次的な老化は経時的な生理的貯蔵の変化を反映し,疾病による変化と独立して生じる。一方,これらの変化は複数の障害の発症,全身機能の低下,死亡,疾病につながりうる。このような大きな生理的変化は体温の急激な変動,脱水,場合によってはショックを含むストレス下において最も重大な影響を及ぼす傾向にある。

表27-1「加齢に伴う正常な解剖学的・生理学的変化と関連する疾患の転帰」を参照

Box 27-1　プライマリケアにおける高齢者診療の重要ポイント

- プライマリケアにおいて老年症候群や主に老年に生じる多元的な病態を認識することが重要
- プライマリケアにおける最も重要な老年症候群は転倒, 尿失禁, フレイル, 認知機能障害
- 理想的な老年プライマリケアの要素の例：機能低下の評価, 頻回の内服薬評価・見直し, 新規検査・治療の利益と負担の慎重な検討, 頻回の治療目標や予後の評価
- 革新的な医療提供体制：総合的ケア, コンサルティング評価, 急性疾患に対する病棟と同等レベルの在宅ケアはいずれも老年プライマリケアを改善させる。老年診療制度における高付加価値要素の例として, 24時間体制の医療アクセスの担保, 服薬照合に対するチーム医療, 総合的な老年評価, 治療計画での緩和ケア要素の統合があげられる

本章では65歳以上の人を表す用語として,「シニア世代」「年寄り」などではなく, おもに「**高齢者**」を用い, 適宜「**老年**」を併用する。あなたがみる高齢患者がどのような用語を好むか, 直接たずねる機会を設けることが望ましい。

高齢者との効果的なコミュニケーション

尊敬の念をもち, 忍耐強く, 文化的要素も加味しながら接するべきである(Box 27-2)。○○さん, と苗字で呼ぶ。

Box 27-2　効果的に高齢者と情報交換するための工夫

- 周りの雑音を最小限にした, 適切な照明の, 暖かい環境で, 肘掛けつきの椅子と手すりつきの診察台を用意する
- 患者と向き合い, 低音で話す。必要に応じて患者が, 眼鏡, 補聴器, 義歯を使用していることを確認する
- 面接を行う際の頻度と内容を患者の気力や体力に合わせる。最初の評価を2回の診察に分けて行うことも検討する
- 自由回答方式の質問を行い, 患者が思い出す時間を十分にとる。特に患者が認知障害を呈する場合, 必要ならば家族と介護人を交える
- スクリーニングツール, 診療記録およびその他医療者からの報告を利用する
- 指示を文書で渡し, 大きな文字で読みやすく書くなど配慮する
- 薬品名, 用法用量, 処方理由を含む最新の服薬リストを必ず手渡す

診察環境の調整

室内が寒くも暑くもない適温であることを確認する。同じ目線になるように座り、直接患者と向き合うようにする。明るい照明は、あなたの表情やしぐさをより明瞭にする効果がある。

高齢者の半数以上は特に高音域の聴力障害(老人性難聴)を有するため、騒音などのない静かな部屋を選択する。

必要に応じて、マイクとイヤホンからなる聴力増幅器も検討する。大腿四頭筋に脱力がみられる患者では、台座の高い椅子、診察台にのぼる手すりつきの幅の広い踏み台が必要である。

診察の内容と受診頻度を決める

高齢者は過去の出来事を回想することが多い。このような振り返りを傾聴することは、高齢者がつらい気持ちを乗り越えたり、過去の喜びや達成感を思い返したりする過程を支援するのに必要となる洞察へとつながる。

複雑な問題を評価する必要性と、患者の持久力や疲労を天秤にかけて検討することが重要である。最初の評価は2回の診察に分けて行うことを検討する。

高齢者から症状を聞き出す

過少報告

高齢者は若年者と比べ、疾病や障害の影響がある場合でも、全体の健康状態についてより高く自己評価する傾向がある。診断や治療の遅延リスクを最小限に抑えるためには直接的な質問を心がけ、**健康スクリーニングツール**を活用し、家族や介護人とも相談する。

非典型的な症状

高齢者の急性疾患は、若年者と異なる様式で発症することが多い。心筋梗塞や甲状腺疾患の非典型的な徴候に注意すべきである。高齢者の感染症では、発熱の頻度が若年者より低い。

老年症候群

密接な関連のある複数の病態を同時に管理するには、高齢者特有の症候群のそれぞれをある症状の一群として捉える必要があり、機能障害、フレイル、せん妄、うつ、認知機能低下、転倒、尿失禁などは機能低下と密に関連する。すべての症状を単一の疾患で説明できるのは、高齢者の半数にも満たない。

認知機能障害

認知機能障害が病歴聴取に影響することもあるが、原疾患の特定につながる十分な問診は軽度認知機能障害を有する高齢者の大半に対して可能である。必要情報を聴取するためにわかりやすい、短い文章を用いる。より重度な認知機能障害を有する場合、症状を家族や介護人と確認する。

加齢の文化的側面に配慮する

文化的な属性は、疾患とメンタルヘルスの疫学、文化的適応、老化に対する考え方、誤診の可能性、健康に関する転帰の格差などに影響を与える(Box 27-3)。精神的なアドバイザー、伝統的な心霊治療家や慣習についてもたずねる。文化的な価値観は、特に人生の終わりに関する決定に影響してくる。高齢者やその家族、さらに地域集団といった多くの人々が、高齢者とともに、または、彼らの代理で意思決定することがある。移住や文化変容に関するストレスを聴取し、医療通訳を効果的に活用し、家族や地域から**患者ナビゲーター**としての協力を求め、文化面から検証されている評価ツールを活用することは高齢者に対する共感的なケアの一助となる。

Box 27-3　高齢者の多様性:2060年予想

- 2014年において、非ヒスパニック系単一人種白人、黒人、アジア人はそれぞれ米国高齢者人口の78%、9%、4%を占めていた。ヒスパニック系(人種を問わず)は高齢者の8%を占めていた
- 2060年には高齢者人口の55%が非ヒスパニック系白人、12%が非ヒスパニック系黒人、9%が非ヒスパニック系アジア人となり、ヒスパニック系が高齢者人口の22%を占める見通しである
- 高齢者は全人種・民族で増加するが、高齢ヒスパニック系人口が2014年の

(続く)

↘(続き)

> 360万人から2060年の2,150万人まで,最も急速に増大する見通しである。2060年には高齢ヒスパニック系人口は,高齢非ヒスパニック系黒人人口を上回る見通しである
> ● 高齢非ヒスパニック系アジア人人口も急速に増大する見通しである。2014年の米国における高齢単一人種非ヒスパニック系アジア人は約200万人であったが,2060年には約850万人に増大する見通しである

出典:Older Americans 2016: Key Indicators of Well-Being. https://agingstats.gov/docs/LatestReport/Older-Americans-2016-Key-Indicators-of-WellBeing.pdf (Accessed December 29, 2019)より入手可能

病歴

一般的な心配事

> ● 日常生活動作や手段的日常生活動作の機能障害
> ● 薬物管理
> ● 喫煙
> ● 飲酒
> ● 栄養
>
> 高齢者について注意すべきその他の領域の詳細については以下の章を参照
> ● 急性疼痛および持続痛(第8章「全身の観察,バイタルサイン,疼痛」,p.123)
> ● 認知障害(第9章「認知,行動,精神状態」,p.141)
> ● 尿失禁(第19章「腹部」,p.331)
> ● 転倒(第23章「筋骨格系」,p.436)

全体的な**機能評価**の視点から症状をみて,高齢者が最適な機能と健康を維持できるよう支援することに常に焦点をあてる。

日常生活動作

日常活動は将来の評価において重要な基準となる(Box 27-4)。面接では「普段の生活について話してください」「昨日1日のことを話してください」など,自由回答方式の質問ではじめる。その後「午前8時に起きたのですか?」「起床したときの気分はどうでしたか?」など,より詳細にたずねる。

Box 27-4　日常生活動作（ADL）と手段的日常生活動作（IADL）

ADL
- 歩行
- 食事
- 更衣
- 排泄
- 入浴
- 移動

IADL
- 電話の使用
- 買い物
- 食事の準備
- 家事
- 洗濯
- 交通機関による移動
- 服薬
- 資産管理

薬物管理

65歳以上の高齢者に対する薬物処方が，全処方の約30%を占めている。高齢者の40%弱が毎日5種類以上の常用薬を内服している。**薬物有害事象として報告されている患者の半数以上は高齢者である。**薬品名，用法用量，処方理由を含む網羅的な薬歴聴取を行う（Box 27-5）。多剤投与（ポリファーマシー）のすべての要因を検討する（薬の種類の多さ，用量不足，不適切使用，アドヒアランス不良など）。市販薬，ビタミンやサプリメント，精神安定剤などについて具体的に聴取する。薬物は転倒のリスクのうち重大かつ修正しうる要因である処方薬の数を最小限に抑え，投薬に関しては「はじめは低用量で，ゆっくり増やす」こと。薬物相互作用について学習し，高齢者に対する不適切使用に関しては医療者・教育者・政策立案者に広く使われている *2019 American Geriatrics Society (AGS) Updated Beers Criteria® for Potentially Inappropriate Medication Use in Older Adults* を確認する。

Box 27-5　高齢者における薬物安全性を高める

- 薬品名，用法用量，**患者が考える**処方理由を含む網羅的な**薬歴聴取**を行う。すべての薬物容器や市販薬を持参してもらい，正確な薬物リストを作成する
- 来院の都度，特に治療内容が変わった際には**処方確認**を行う
- 高頻度で合併症の原因となる**多剤投与**のすべての要因を検討する（最適ではない処方内容，複数薬の併用，用量不足，不適切使用，アドヒアランス不良など）
- 市販薬，ビタミンやサプリメント，オピオイド・ベンゾジアゼピン系薬・快楽のための麻薬を含む精神安定剤については具体的に聴取する
- 薬物の相互作用について評価する

喫煙と飲酒

喫煙は，あらゆる年齢において有害である。診察のたびに高齢喫煙者に禁煙するよう助言する。プライマリケアにおける高齢者の10〜15%は飲酒関連の問題を抱えているが，診断や治療に至る割合は低い。

薬物相互作用や併存症の増悪につながる**高齢者の有害飲酒のスクリーニングを行う**。Alcohol Use Disorders Identification Test-Consumption（AUDIT-C）を用いて高齢者の不健康な飲酒を評価する。飲酒頻度，通常の飲酒量，大量飲酒の頻度に関する3つの質問が含まれており，約1〜2分で行うことが可能である。減量（Cut down），避難（Annoyed），罪悪感（Guilty），迎え酒（Eye-opener）を組み合わせたCAGE質問法は依存症スクリーニングツールとして有名であるが，アルコール依存の検出に特化しており不健康な飲酒の評価には適さない。

喫煙や飲酒習慣に関する情報収集のアプローチについては，第3章「病歴」（p.43〜44）を参照

栄養

食事摂取歴を聴取し，栄養スクリーニングツールを活用することは，特に高齢者において重要である。

高齢者ケア特有の要素

フレイル（虚弱）

フレイルとは，特定可能な疾患なくして生じる年齢関連の生理的適応力の欠如が関与する多因子的な老年症候群を指す。有病率は4〜59％と報告されている。3つの重要要素（3年間で5％超の体重減少，椅子から起立する動作を5回行えない，疲労感の自己申告）についてスクリーニングを行い，それぞれに関連する介入を実行する。

事前指示書と緩和ケア

高齢者の多くは終末期の意思決定について相談したいと希望しており，医療提供者から重病になる前に声をかけてほしいと思っている。**アドバンス・ケア・プランニング**には，患者に情報を提供し，希望を明確にし，代理となる意思決定者を特定し，共感や支援を伝えるといった作業を含む。単純明快な言葉を用いる。価値観に関する概論から，**蘇生しないこと** Do Not Resuscitate（DNR），**挿管しないこと** Do Not Intubate（DNI），入院させないこと，人工的な補液や栄養投与を行わないこと，抗菌薬を投与しないことなどの具体的な指示まで，希望を幅広くかつ明確に聴取する。また，「あなたが決断できない場合，または緊急時に，自分の希望を反映した決断を下すことができる人」として代理意思決定者を選定し，**医療に関する永続的委任状**を書くよう患者にすすめる。このような対話は救急外来や集中治療室などの強いストレスがかかる環境ではなく，外来診療で行われるのが望ましい。

必要に応じて，「進行した疾病を有する患者およびその家族の疼痛や苦痛の軽減と最適な生活の質の促進を図るために，患者とその家族との対話，疼痛その他症状の管理，心理社会的・精神的・死別サポート，各種臨床または社会的サービス間の連携を含む具体的な知識や技術を通じて」**緩和ケア**を提供する（図27-1）。

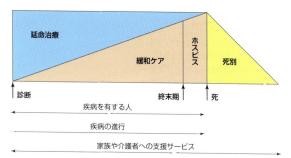

図 27-1　病気の経過における緩和ケアの位置付け(Burggraf V et al. *Healthy Aging: Principles und Clinical Practice for Clinicians*. Wolters Kluwer; 2015, Fig. 29-1 より)

診察の技術

高齢者評価において通常の病歴聴取と身体診察とは異なる点がある。高度な面接技能、日常機能や高齢者特有な要素に重点を置くこと、そして機能評価が特に重要である。

機能評価

機能 functional status とは、日常生活全体にかかわる広範囲で複雑な作業を遂行し、社会的役割をなしとげる能力をいう。

10分間老年病スクリーニング(Box 27-6)は簡潔で、評価者間の一致率が高く、外来スタッフが簡単に使用することができる。この評価には3つの重要な領域が含まれている。すなわち、身体的機能、認知機能、社会心理的機能である。表面化しにくい社会的孤立や苦痛の源となる、視力・聴力・尿失禁に関する質問も含まれている。

Box 27-6　10分間老年病スクリーニング

問題とスクリーニング方法	スクリーニング陽性
視力：2段階 質問：「視覚障害によって、運転したり、テレビをみたり、文字を読んだりす	質問に対し「はい」と答え、Snellen(スネレン)視力表で 20/40(0.5)以上を読むことができない

(続く)

↘(続き)

問題とスクリーニング方法	スクリーニング陽性
ることや，その他の日常活動を行ううえで困難と感じることはありますか？」「はい」ならば：必要なら，患者が矯正レンズ(眼鏡など)を着用しているときに，各眼を Snellen 視力表で調べる	
聴力：聴力検査計を 40 dB に設定する。1,000 および 2,000 Hz における聴力を測定する	両耳あるいはどちらか一方の耳で 1,000 あるいは 2,000 Hz の音を聴取できない
下肢の可動性：つぎの依頼をし，その時間を計る：「椅子から立ち上がって，すばやく 3 m 歩いて，向きを変え，椅子まで戻り，座ってください」	15 秒以内で作業を完了することができない
尿失禁：2 段階 質問：「昨年，失禁し，下着を濡らしたことがありますか？」 「はい」ならば：「少なくとも 6 回別々の日に起こりましたか？」	両方の質問に対し「はい」 一過性の失禁の原因特定において，DIAPPERS の語呂が有用である。 ●Delirium：せん妄 ●Infection：感染(尿路感染症など) ●Atrophic urethritis or vaginitis：萎縮性尿道炎・腟炎 ●Pharmaceuticals：薬物(利尿薬，抗コリン薬，カルシウム拮抗薬，オピオイド，鎮静薬，アルコールなど) ●Psychological disorders：精神疾患(うつ病など) ●Excessive urine output：多尿(心不全，コントロール不良な糖尿病など) ●Restricted mobility：移動制限(股関節骨折，環境における障害物，拘束など) ●Stool impaction：宿便
栄養/体重減少：2 段階 質問：「意図していないのに，過去 6 カ月に体重が 4.5 kg 以上減りましたか？」 体重を測定する	質問に対し「はい」または体重が 45 kg 未満
記憶：3 つの項目を覚えさせる	1 分後には 3 つの項目をすべて覚えていない

(続く)↗

↘(続き)

うつ病： 質問：「しばしば悲しいとか憂うつであると感じますか?」	質問に対し「はい」
身体障害：6 つの質問 「早歩きやサイクリングのような激しい運動ができますか?」 「窓，壁，床を拭くといった重労働の家事ができますか?」 「食料雑貨や衣類を買いに行けますか?」 「歩いて遠くに行けますか?」 「入浴したり，スポンジで体を洗ったり，シャワーを浴びたりできますか?」 「服を着ることができますか(シャツを着る，ボタンをとめる，ジッパーを閉める，靴を履くなど)?」	いずれかの質問に対し「いいえ」

出典：Moore AA, et al. Screening for common problems in ambulatory elderly: clinical confirmation of a screening instrument. *Am J Med*. 1996; 100(4): 438-443. Copyright © 1996 Elsevier より許可を得て掲載

診察の技術　　**所見**

全身の観察

患者がどのように入室するかを観察する。患者の身だしなみや服装にも注目する。患者の見た目上の健康状態，活力，気分や感情を評価する。

バイタルサイン

血圧を測定する。収縮期血圧の上昇がないかを確認し，脈圧（収縮期血圧から拡張期血圧を引いたものと定義される）の増大を調べる。

50 歳以上の**孤立性の収縮期血圧上昇**（140 mmHg 以上）と脈圧 60 mmHg 以上はいずれも脳卒中，腎障害，心疾患のリスクを増加させる。

高血圧の予防・発見・診断および治療に関する第 8 回米国合同委員会(JNC 8)は 60 歳以上

診察の技術	所見
の成人の血圧目標として150/90 mmHg以下を推奨しているが，収縮期血圧 140 mmHg未満が達成されていて，「健康や生活の質に影響がなく耐容性が良好である場合，治療の調整は必要ない」としている。	
起立性低血圧を評価する。起立性低血圧は，3分以内の立位による 20 mmHg 以上の収縮期血圧の低下または 10 mmHg以上の拡張期血圧の低下と定義される。最大で 10 分間の仰臥位安静後と，立位後 3 分以内の 2 つの体位で測定する。	起立性低血圧は，高齢者の 10〜20%，フレイル状態にある介護施設入所者の最高 30%でみられ，特に起床時に起こる。めまい感，脱力，不安定感，視覚障害を伴い，20〜30%の患者に失神がみられる。
	原因として，薬物，自律神経疾患，糖尿病，長期臥床，体液量減少，アミロイドーシス，食後，心血管系疾患があげられる。
心拍数，呼吸数，体温を測定する。高齢者においては，不整脈検出の助けとして心尖部拍動を確認する。低体温の計測には体温計を正確に用いる。	呼吸数 25 回/分以上の場合は下気道感染症や，心不全または慢性閉塞性肺疾患(COPD)の可能性を考慮する。
	低体温は，高齢者ではより高頻度に認められる。
体重と身長は，特に高齢者にとっては重要で，BMI 算出のために必要とされる。受診のたびに測定すべきである。パルスオキシメータを用いて酸素飽和度を調べる。	低体重は栄養不良の重要指標である。
	栄養不良はうつ病，アルコール依存，認知機能障害，悪性腫瘍，慢性臓器不全(心臓・腎臓・肺)，薬物使用，歯の状態不良，社会的孤立，貧困により生じうる。

診察の技術	所見

皮膚

診察の技術	所見
加齢による生理的変化(例:非薄化,弾性組織の減少とツルゴールの低下,皺)に注意する。	乾燥し,パサパサで,ザラザラして,瘙痒感を伴うことが多い。
	頬や目の周りの面皰または黒にきび,チェリー血管腫(老人性血管腫)(p.183),脂漏性角化症(p.182)
手背と前腕伸側面を観察する。	白い脱色斑(**仮性瘢痕 pseudoscar**),境界明瞭な紫色で数週間で消退する斑(日光紫斑)
日光曝露による変化を探す:**日光黒子**または肝斑,そして日光角化症(乾燥した鱗屑によって覆われる表面の平坦な丘疹)の可能性もある(p.178)。	このような病変を,基底細胞癌 basal cell carcinoma や有棘細胞癌 squamous cell carcinoma から鑑別する(p.179)。不整な辺縁を有し黒ずんで隆起した左右非対称性の病変は,メラノーマ(黒色腫)melanoma の可能性がある。
分布が皮膚分節と一致する有痛性囊胞性病変の有無も確認する。	後根神経節に潜伏する帯状疱疹ウイルスの再活性化による帯状疱疹
寝たきり高齢者,特にるいそう(やせ)や神経学的障害を有する場合は,皮膚障害や褥瘡・潰瘍の評価を行う。	褥瘡は,皮膚への細動脈および毛細血管の血流閉塞,動作時のシーツとのこすれ,または体位変換によるずり応力によって生じる。

頭部

診察の技術	所見
眼瞼,眼窩骨部,眼を診察する。	眼瞼挙筋の弱まり,皮膚の弛緩,上眼瞼の重量増加から生じる老人性眼瞼下垂
	下眼瞼の外反または内反(p.211)

診察の技術	所見
	強膜の黄色変化と**老人環** arcus senilis（角膜輪部の周辺における灰白色輪）
小型の Snellen 視力表または壁かけ視力検査表を用いて視力を調べる。	4 千万人以上の米国人が**老視** presbyopia（屈折障害）を有する。
水晶体と眼底を診察する。	白内障，緑内障，黄斑変性はいずれも加齢とともに有病率が上がる。
各水晶体の不透明性を評価する。	世界で全盲の最も多い原因は白内障である。
陥凹/乳頭径比を評価する。通常≦1：2。	陥凹/乳頭径比の増加は，原発開放隅角緑内障（不可逆性視神経症に起因して，末梢および中心視力の低下と失明に至る）を示唆する。
ドルーゼンと呼ばれる色素沈着し，変性しているコロイド小体がないか，眼底を詳しく診察する。ドルーゼンは，硬性で境界明瞭であることや，変性した色素沈着を伴って軟性で融合していることがある。	黄斑変性によって，中心視力の低下と失明が起こる。黄斑変性の型には，乾燥（萎縮）型（頻度は高いが重症ではない），および浸潤（滲出）型または新生血管型がある。
囁語検査（p.219 参照）または聴力検査計を用いて，聴力を調べる。耳垢はないか耳道を調べる。	耳垢を除去するだけで聴力は即座に改善することが多い。
口腔内を診察し，口臭，歯肉粘膜の外観，齲歯，歯の動揺，唾液量について調べる。	口臭は口腔衛生不良，歯周病，齲歯を示唆する。
	歯肉炎は歯周病の原因となる。

診察の技術	所見
粘膜表面の病変を診察する。診察の際，義歯をはずしてもらうよう指示し，義歯によってできた歯茎の傷がないか調べる。	歯垢と空洞形成は齲歯を示唆する。歯の動揺は歯の誤嚥のリスクとなる。 唾液の減少は，薬物の影響，放射線照射，Sjögren(シェーグレン)症候群，脱水から生じる。 口腔内腫瘍は舌の外側や口腔底に生じることが多い。

胸郭と肺

診察の技術	所見
肺の打診と聴診を行い，肺機能変化のわずかな徴候に注意する。	胸郭前後径の増加，口すぼめ呼吸，そして会話や最小限の労作による呼吸困難は，慢性閉塞性肺疾患を示唆する。

心血管系

診察の技術	所見
血圧と心拍数を測定する。	孤立性の収縮期高血圧と脈圧の増大は，心疾患の危険因子である。左室肥大を検索する。
頸静脈圧を測定する。頸動脈の触診を行い，頸動脈雑音を聴取する。	アテローム性動脈硬化症の蛇行した大動脈は，右房への流入障害を招き，左頸静脈圧が上昇する。 頸動脈狭窄症で頸動脈雑音が生じることがある。
最強拍動点 point of maximal impulse (PMI) を触診し，その後，心音を聴診する。	左室肥大，高血圧，大動脈弁狭窄では持続する PMI が，心不全ではびまん性の PMI が認められる。 高齢者では，S_3 が聴取されたら心不全や心筋症による左室拡張を，S_4 が聴取されたら高血圧を考える。

診察の技術	所見
全6領域で慎重に心雑音を聴取する(p.270参照)。心雑音のタイミング,形状,最も大きく聴取される位置,放散,強度,高音か低音か,質といった特徴を記録する。	右第2肋間の収縮期漸増-漸減型雑音は,大動脈弁硬化症または大動脈弁狭窄症を示唆する。いずれも心血管系疾患と死亡のリスク上昇と関連する。 心尖部の強い汎収縮期雑音は,僧帽弁閉鎖不全症を示唆し,高齢者でよく認められる心雑音である。

末梢血管系

上腕・橈骨・大腿・膝窩・足背動脈を注意深く触診する。	血管雑音はアテローム硬化性疾患を疑う。
脈を触診する。	拍動低下・消失を認めた場合は動脈閉塞を示唆する。**足関節上腕血圧比 ankle-brachial index(ABI)で確認する**(p.298〜299参照)。

乳房と腋窩

しこりや腫瘤がないか注意深く乳房を触診する。	乳癌の可能性

腹部

大動脈,腎動脈,大腿動脈を聴診し,血管雑音の有無を評価する。	血管雑音はアテローム硬化性疾患を疑う。
上腹部の視診を行う。大動脈拍動の確認のために中心線の左側を触診する。	大動脈の拡張(≧3 cm)と拍動性腫瘤は腹部大動脈瘤を疑う。

女性生殖器と内診

診察の計画について入念に説明

診察の技術	所見
し,注意深く患者の姿勢を調整する。股関節や膝を曲げることができない関節炎の女性や脊椎の変形した女性では,助手が患者の脚をやさしく上げて支えるか,患者が左側臥位になるのを手助けする。	
閉経に関連した変化をみるために外陰部を視診する。陰唇腫瘤についても確認する。青みがかった腫脹は静脈瘤の可能性がある。	良性の腫瘤には,コンジローマ,線維腫,平滑筋腫,皮脂嚢胞が含まれる。尿道より下の腟前壁の膨隆は尿道脱を示唆する。
	衛星病変を伴う紅斑はカンジダ感染症から生じ,潰瘍や中心壊死を伴う紅斑は外陰癌を疑う。
尿道小丘または尿道口の肉質の紅斑性粘膜組織の脱出を視診する。	陰核の腫脹は,アンドロゲン産生腫瘍や,アンドロゲンクリームの使用に伴い起こる可能性がある。

腟鏡検査

診察の技術	所見
腟壁(萎縮している可能性がある)と子宮頸管を視診する。	シダ状結晶形成を伴うエストロゲン刺激性子宮頸管粘液は,ホルモン補充療法,子宮内膜増殖症,エストロゲン産生腫瘍,硬化性苔癬にみられる。
適応があれば,Papanicolaou(パパニコロー)塗抹検査に必要な子宮頸管細胞を採取する。腟萎縮が進んでいる場合は,**ブラインドで綿棒を用いる検査**を検討する。	Box 27-10「高齢者に対するスクリーニングの推奨:USPSTF」を参照
腟鏡をとりはずした後に,息むよう指示する。	子宮脱,膀胱瘤,尿道脱,直腸脱がないか調べる。

診察の技術	所見
双手診を行う。	子宮後傾，後屈，逸脱，筋腫がないか調べる。
	子宮頸部の可動性は，炎症，悪性腫瘍，手術による癒着によって制限される。
	卵巣癌で卵巣が腫大し触れることがある。
適応があれば，直腸腟診を行う。	腫大し，固定された，または不整な子宮は，癒着か悪性腫瘍がある可能性あり。直腸腫瘤は大腸癌でみられる。

男性生殖器と前立腺

診察の技術	所見
陰茎を（包皮に覆われている場合は露出させて）調べる。陰嚢，精巣，精巣上体を調べる。	恥垢，陰茎癌，陰嚢水腫（陰嚢水瘤）
直腸診を行う。	直腸腫瘤は大腸癌でみられる。前立腺が腫大している場合は**前立腺肥大症**を，結節や腫瘍を認める場合は前立腺癌を考える。

筋骨格系

診察の技術	所見
関節可動域と歩き方を評価する。Timed Get Up and Go Test を行う。	表 27-2「Timed Get Up and Go Test」を参照
関節の変形，可動性の障害，運動時の疼痛を認めた場合，より網羅的な診察を行う。	変形性関節症における変形性の関節変化，関節リウマチや痛風性関節炎による関節の炎症を探す。

診察の技術	所見

神経系

10分間老年病スクリーニング（p.591〜593）を評価し，異常があれば追加の精査を行う。特に記憶や感情を評価する。	せん妄とうつ病や認知症との鑑別を行う。「神経認知障害：せん妄と認知症」（p.158），「うつ病スクリーニング：PHQ-9」（p.150），「認知症スクリーニング：Mini-Cog」（p.151），「認知症スクリーニング：Montreal Cognitive Assessment（MoCA）」（p.153）を参照
歩行とバランス（特に立位時のバランス），約2.5 mの歩行に要する時間，歩隔・歩調・歩幅など歩行の特徴，そして，方向転換時の慎重さなどを評価する。	歩行とバランスの異常（特に歩隔の広がり，歩調の緩徐化と延長，方向転換の困難）は，転倒のリスクと相関する。
高齢者の神経学的異常は頻繁にみられ，特定可能な疾患なくして生じることも年齢とともに増加し，高齢者の30〜50％にみられる。	高齢化に伴う生理的変化：瞳孔不同，腕の振りや自発的な動きの減少，下肢の拘縮と歩行異常，口とがらせ反射や把握反射の出現，足指の振動覚低下
振戦，固縮，運動緩慢，小字症，小刻み歩行，寝返りのしにくさ，びんのふたのあけにくさ，椅子からの立ち上がりにくさを評価する。	Parkinson（パーキンソン）病の振戦は振動数が少なく，安静時に起こり，丸薬まるめ様（pill-rolling）運動がみられる。Parkinson病の振戦はストレスによって悪化し，睡眠中や活動時には症状は起こらない。 本態性振戦は両側性であることが多く，左右対称で，家族歴があり，アルコール摂取により減少する。

所見の記録

下記の身体診察の記録を通読していくと、いくつかの非典型的な所見に気づくであろう。高齢者の診察に関してすべてを学んだ後で、これらの所見を解釈できるかどうか確かめてみるとよい。

高齢者の身体診察の記録

J氏は、筋肉の量も緊張度も良好で、健康そうにみえるが、やせた高齢者である。自分の生活歴に関して優れた記憶力をもち、意識清明で意思疎通が可能である。診察には息子が付き添っている

バイタルサイン
身長(靴を脱いで)160 cm、体重(洋服込み)65 kg、BMI 25。血圧 145/88 mmHg(右腕、仰臥位)、154/94 mmHg(左腕、仰臥位)、心拍数 98 回/分で整、呼吸数 18 回/分、体温(口腔温)37℃

10分間老年病スクリーニング(p.591〜593 参照)
視力:読むことが難しいと訴える。視力は Snellen 視力表で両目とも 20/60 (0.3)
聴力:両耳ともに囁語が聞こえない。両耳とも聴力検査計で 1,000 または 2,000 Hz の音が聴取できない
下肢の可動性:14 秒以内に、すばやく 6 m 歩き、向きを変え、戻ってきて、椅子に座ることができる
尿失禁:昨年(それぞれ別々の日に)20 回、尿失禁により下着を濡らしたことがある
栄養:過去 6 カ月で約 7 kg の意図しない体重減少
記憶:1 分後に 3 つの項目を記憶している
うつ病:頻繁に悲しかったり、憂うつなわけではない
身体障害:早歩きはできるが、サイクリングはできない。中等度の家事はできるが、重労働の作業はできない。食料雑貨や衣類を買いに行ける。歩いて遠くに行ける。難なく毎日入浴できる。ボタンをとめ、ジッパーを閉め、服を着ることができ、靴を履ける
身体診察の項では、これまでの章の「所見の記録」で記載される用語を用いて各領域の所見を注意深く記録する

眼鏡と補聴器の必要性に関して、さらなる評価を要する。"DIAPPERS"の評価(p.592 参照)、前立腺の診察、**残尿測定**(ブラッダースキャン(超音波検査))を要し、正常範囲は≦50 mL)を含めた尿失禁のさらなる評価を要する。栄養の評価を必要とする(p.95〜97 参照)。筋力トレーニングを含む運動療法を考慮する

健康増進とカウンセリング：エビデンスと推奨

健康増進とカウンセリングの重要事項

- いつスクリーニング検査を行うか
- 視覚・聴覚障害のスクリーニング
- 運動と身体活動
- 家庭内での安全と転倒予防
- 予防接種
- 癌スクリーニング
- 「3つのD」の発見（せん妄 Delirium，認知症 Dementia，うつ病 Depression）
- 高齢者虐待

いつスクリーニング検査を行うか

80歳以上まで生きる人が増えるにつれて，各高齢者にどのスクリーニングを実施するかの判断は，年齢だけでなく，併存疾患の有無を含む健康や機能状態にもとづくべきである。

米国老年医学会はスクリーニングに関する判断において5段階のアプローチを推奨している。

1. 患者の希望を評価
2. 既存のエビデンスを解釈
3. 予後予測
4. 治療の実現可能性を検討
5. 治療法やケア計画を最適化

患者の余命が短い場合は，残された時間で効果がみられる治療を優先する。複数の臨床問題，短い余命または認知症を有する高齢者の負担を過度に増やすようなスクリーニングは回避することを検討する。患者が治療を希望しない場合でも，予後予測や計画を支援する検査は正当と考えられる場合もある。

視覚・聴覚障害のスクリーニング

65～69歳の高齢者のうち1％が視覚障害を有し，80歳以上では17％に上昇する。65歳以上の高齢者の約1/3が難聴を有し，80歳

以上では80%に上昇する。米国予防医療専門委員会（USPSTF）は高齢者の難聴または視力低下のスクリーニングに関するエビデンスが不十分（グレードI）と発表している一方，**視力**や**聴力**が日常生活に不可欠であることから，これらのスクリーニングを推奨する老年病専門医もいる。これらは10分間老年病スクリーニングの重要な要素である。

運動と身体活動

運動は健康的な老化を促進する最も効果的な方法の1つである。推奨では有酸素運動と主要筋群の強化に向けた段階的抵抗運動トレーニングの重要性が強調されている（Box 27-7）。

Box 27-7　高齢者の運動に関する米国疾病管理センター（CDC）の推奨

高齢者は最低でも以下の運動を要する
- 毎週2時間半（150分）以上の中等度負荷の有酸素運動（例：早歩き），かつ
- 週2日以上の，すべての主要筋肉群（下肢，殿部，背部，腹部，胸部，肩，上肢）を用いる筋力増強活動

または

- 毎週1時間15分（75分）以上の高負荷の有酸素運動（例：ジョギング），かつ
- 週2日以上の，すべての主要筋肉群（下肢，殿部，背部，腹部，胸部，肩，上肢）を用いる筋力増強活動

または

- 同等の中等度負荷と高負荷有酸素運動の組み合わせ，かつ
- 週2日以上の，すべての主要筋肉群（下肢，殿部，背部，腹部，胸部，肩，上肢）を用いる筋力増強活動

家庭内の安全と転倒予防

毎年，65歳以上の高齢者の約30%が転倒しており，その臨床にかかる費用は500億ドルにのぼる。その多くは日常生活や自立性に影響を及ぼす股関節骨折や外傷性脳損傷を経験する（Box 27-8）。

Box 27-8　高齢者が家庭内で安全に過ごすためのヒント

- 明るい照明を設置し，カーテンやシェードは軽くする
- すべての階段に手すりと照明を設置する。通路の照明は明るくする
- 階段や通路に紙，本，服，靴などつまずく原因となるものを置かない
- 敷物や絨毯はとり除くか，両面テープで固定する
- 室内外を問わず靴を履く。裸足やスリッパは避ける
- 薬剤は安全に保管する
- 頻繁に使う物は踏み台を使わずに容易にとり出せる引き出しなどに収納する
- 浴槽とシャワー室には手すりや滑らないマット，安全器具をとり付ける
- 損傷した電気プラグやコードを修理する
- 発煙時の警報器具をとり付け，火災時の避難計画を立てる
- すべての銃器の安全を確保する
- 119番など一般的な緊急時の電話番号または緊急連絡先に連絡するための**アラート機器・システム**を設置する

予防接種

米国では高齢者に対していくつかのワクチンがルーチンで推奨されている（Box 27-9）。

Box 27-9　高齢者に対する予防接種（2018年）

- **インフルエンザワクチン**：年1回の高用量ワクチン
- **破傷風・ジフテリア・無細胞性百日咳（Tdap）ワクチン**：成人期または小児期に破傷風トキソイド，減量ジフテリアトキソイド・無細胞性百日咳（Tdap）ワクチンの接種歴のない高齢者に単回投与
- **破傷風・ジフテリアトキソイド（Td）**：10年ごとにTd追加接種
- **水痘ワクチン**：水痘に対する免疫が証明されない高齢者に対して4～8週あけて2回投与
- **帯状疱疹ワクチン**：50歳以上の成人に，過去の帯状疱疹歴や帯状疱疹生ワクチン（ZVL）の接種歴を問わず，組換え帯状疱疹ワクチン（RZV）を2～6カ月あけて2回投与
- **肺炎球菌ワクチン**：免疫が保たれている高齢者に13価肺炎球菌結合型ワクチン（PCV13）を65歳以上で単回投与し，その1年以上後に23価肺炎球菌莢膜ポリサッカライドワクチン（PPSV23）を単回投与。65歳以上でPPSV23が投与された後，PPSV23の追加投与は行うべきではない

■ 癌スクリーニング

70〜80歳以上の高齢者における癌スクリーニングに関するエビデンスが限られているため，推奨に関する議論に決着はついていない。USPSTFの推奨の概要についてはBox 27-10を参照。

Box 27-10　高齢者に対するスクリーニングの推奨：USPSTF

- **乳癌(2016年)**：50〜74歳の女性に2年ごとのマンモグラフィを推奨(グレードB)。75歳以上に関してはエビデンスが不十分(グレードⅠ)
- **子宮頸癌(2018年)**：通常のPapanicolaou塗抹検査で適切なスクリーニングを最近受け，正当なエビデンスにもとづく子宮頸癌のリスクが高くない場合，65歳以上の女性ではスクリーニングは推奨されない(グレードD)
- **大腸癌(2016年)**：50〜75歳の成人に対するスクリーニングを推奨(グレードA)。既存のスクリーニング戦略とその頻度として，10年ごとの大腸内視鏡検査，5年ごとのCTコロノグラフィ，1年ごとの免疫学的便潜血検査，1年ごとの高感度便潜血検査(FOBT)，1〜3年ごとの便DNA検査，5年ごとのS状結腸内視鏡検査があげられる。76〜85歳に対するルーチンのスクリーニングは，**純利益**が限定的である可能性が中等度であることから，全身状態や過去のスクリーニング歴を考慮して個別に判断することを推奨(グレードC)
- **前立腺癌(2018年)**：55〜69歳の男性に対する前立腺特異抗原(PSA)検査に関する判断は，**純利益**が限定的という中等度の可能性にもとづき，患者の価値観や希望を考慮して個別に行うことを推奨(グレードC)。患者と医療者はスクリーニング検査の施行判断の前に，その**有益性**や害性について相談すべきである。70歳以上の男性においては予想される有害性が予想される**有益性**を上回るため，PSAによる検査は推奨されない
- **肺癌(2014年)**：1日1箱を30年間(30 pack-years)以上の喫煙歴を有する55〜80歳，および現喫煙者または過去15年以内に禁煙した患者に対しては，年1回の低用量CTスクリーニングを推奨する(グレードB)。禁煙期間が15年を超えた場合，余命を著しく制限する健康問題が生じた場合，または侵襲的な診断処置や根治的手術を受ける能力または意思が失われた場合にはスクリーニングを中止すべきである
- **皮膚癌(2016年)**：医療者による全身皮膚診察に関して，**有益性**と有害性のバランスを評価するためのエビデンスは不十分である(グレードⅠ)

米国内科学会は健康上の**有益性**，スクリーニング頻度，有害性や費用を考慮する高価値・低価値スクリーニング戦略を作成した(Box 27-11)。